Lisa Knight

BestSellers Planeta

BEN HUR

Lewis WALLACE

Planeta

Dirección del Proyecto: R.B.A. Proyectos Editoriales, S. A.

Título original: Ben-Hur
Traducción cedida por: Editorial Bruguera, S. A.

Depósito Legal: M. 24.005-1984
I.S.B.N.: 84-320-8212-0
I.S.B.N.:84-320-8214-7 (colección completa)
Printed in Spain - Impreso en España
Distribución: R.B.A. Promotora de Ediciones S. A.
Diagonal, 435. Barcelona-36. Teléfono (93) 201 00 55
Imprime: Gráficas FUTURA, Sdad. Coop. Ltda.
Villafranca del Bierzo, 21-23, FUENLABRADA (Madrid)

LIBRO I

Aprende de los filósofos a buscar siempre causas naturales en los acontecimientos extraordinarios, y cuando estas causas naturales falten, recurre a Dios.

CONDE DE GABALIS

CAPÍTULO PRIMERO

HACIA EL DESIERTO

El Jebel es Zubleh, es una montaña de más de cincuenta millas de longitud y tan estrecha que su dibujo en el mapa se parece a una oruga reptando de sur a norte. De pie sobre sus peñascos pintados de rojo y blanco, uno no ve sino el Desierto de Arabia, que los vientos del Este, tan odiados por los cultivadores de vides, se han reservado como terreno de juego desde el principio de los tiempos. El pie de dichos montes está bien cubierto de arenas arrastradas por el Éufrates y depositadas allí, porque la montaña constituye un muro protector de los campos de Boab y de Ammon, al oeste, que de otro modo habrían formado parte del desierto.

El árabe ha dejado el sello de su lengua sobre todo lo que se encuentra al sur y al este de Judea; de modo que, en su idioma, el viejo Jebel es el padre de innumerables barrancos que, cortando la vía romana —vaga sombra de lo que fue en otro tiempo, polvoriento sendero recorrido actualmente por los peregrinos que van y vienen de La Meca—, marcan sus surcos, profundizando a medida que avanzan, para llevar las avenidas de la estación lluviosa al Jordán, o a su último receptáculo, el mar Muerto. De uno de aquellos barrancos —o, más concretamente, del que corre por el extremo del Jebel y, extendiéndose del este hacia el norte, acaba por constituir el lecho del río Jabbok— salía un viajero que se dirigía hacia las altiplanicies del desierto.

Para este personaje reclamamos en primer lugar la atención del lector.

A juzgar por su aspecto, tenía los cuarenta y cinco años bien cumplidos. Su barba, en otro tiempo del negro más intenso, descendiendo en ancho raudal sobre el pecho, estaba surcada por hebras blancas. Su cara era negra como un grano de café tostado, y tan escondida por un rojo *kufiyeh* (como llaman hoy en día los hijos del desierto al pañuelo que les protege la cabeza) que no era visible sino en parte. De vez en cuando levantaba los ojos, unos ojos grandes y negros. Vestía las holgadas prendas que imperan en el Este; si bien no es posible describir más particularmente el estilo de las mismas, porque el viajero iba sentado debajo de una minúscula tienda, cabalgando un gran dromedario blanco.

Es dudoso que los hombres de Occidente logren sobreponerse alguna vez a la impresión que produce en ellos la aparición de un camello cargado y equipado para la travesía del desierto. El hábito, tan fatal para otras novedades, no influye sino muy levemente en ese sentimiento. Al final de largos viajes con las caravanas, después de años de vivir con los beduinos, el hijo del Oeste, esté donde esté, se parará y contemplará el paso del majestuoso bruto. Su encanto no está en la figura, que ni el amor puede embellecer; ni en el movimiento, o en el silencioso caminar, o en la ancha carnadura. Como el afecto del mar para un barco, así es el del desierto para su criatura, a la que viste con todos sus misterios, de tal modo que mientras miramos aquélla, pensamos en éstos: y en eso reside la maravilla.

El animal que salía ahora del vado tenía méritos sobrados para exigir el homenaje acostumbrado. Su color y su altura; la anchura de su pie; el volumen de su cuerpo, no cargado de grasa sino de músculos; su cuello largo y esbelto, curvado como el de un cisne; su cabeza, ancha al nivel de los ojos y adelgazándose luego hasta un hocico que casi habría aprisionado el brazalete de una dama; su andadura, el paso largo y elástico, el caminar seguro y silencioso, todo rectificaba su sangre siria, antigua como los tiempos de Ciro, y de un valor inapreciable. Lo adornaba la brida habitual, cubriéndole la frente con una orla escarlata y adornando su cuello con pendientes, cadenitas de bronce en la punta de cada una de las cuales colgaba una campanilla de plata; pero aquella brida no tenía riendas ni jinete ni ronzal para un conductor. El aparejo colocado sobre el lomo del animal era un artefacto que en cualquier otro pueblo distinto del oriental habría hecho famoso a su inventor. Consistía en dos cajas de madera de apenas cuatro pies de longitud, equilibradas de tal modo que colgaban una a cada lado, y el interior de las mismas, forrado y alfombrado muellemente, estaba arreglado de forma que el dueño pudiera sentarse o descansar tendido. Y todo ello quedaba cubierto por un toldillo verde. Anchas correas y cinchas en el lomo y el pecho, sujetas y aseguradas mediante innumerables nudos y ataduras, mantenían el ingenio en su sitio. Aquello era lo que habían discurrido los ingeniosos hijos de Cush para hacer más cómodos los agostados caminos del desierto, por los cuales les empujaba el deber tan a menudo como la diversión.

Cuando el dromedario remontaba la última cuchillada del barranco, el viajero había cruzado el límite de El Belka, la antigua Ammon. Era de mañana. Ante sí tenía el sol, medio cubierto por un velo de lanosa neblina; ante sí también se extendía el desierto, no el reino de las movedizas arenas, que estaba más allá, sino la región en la que las hierbas empiezan a menguar, y cuya superficie aparece salpicada de rocas graníticas y de piedras grises y pardas entremezcladas con raquíticas acacias y trechos de hierba de camello. El roble, las zarzas y el madroño quedaban atrás; como si hubieran llegado a una frontera, miraban hacia las inmensidades desprovistas de manantiales, y se acurrucaban de miedo.

Ahora terminaban todos los caminos y senderos. Más que nunca parecía arrastrado el camello de una manera insensible; alargaba y apresuraba el paso, su cabeza se levantaba derechamente hacia el horizonte y por las anchas narices engullía el aire a grandes sorbos. La litera se mecía, caía y se levantaba como un bote entre las olas. Las hojas secas, formando montones aquí de allá, crujían bajo las pisadas. A ratos un perfume como de ajenjo endulzaba toda la atmósfera. Alondras, mirlos y golondrinas de las rocas echaban a volar, y las perdices blancas se apartaban corriendo entre silbidos y cloqueos. Mas de tarde en tarde una zorra o una hiena apresuraba el trote para estudiar a los intrusos desde una distancia prudencial. Lejos, hacia la derecha, se levantaban los montes del Jebel, y el velo color gris perla que descansaba sobre ellos pasaba en un momento a tomar un color púrpura al cual daría el sol, unos instantes después, un matiz sin par. Sobre los más altos picos navegaba un buitre con sus anchas alas, describiendo círculos que se iban ensanchando. Pero de todas esas cosas el ocupante de la verde tienda nada veía o, por lo menos, no manifestaba que se hubiese fijado en ellas. Tenía los ojos fijos, soñando. El comportamiento del hombre, lo mismo que el del animal, era el de ser guiado por otro.

Dos horas siguió avanzando el dromedario, siempre con el mismo trote sostenido y enfilando en dirección Este. En todo ese tiempo el viajero no cambió de posición, ni miró a la derecha ni a la izquierda. En el desierto la distancia no se mide por millas o leguas, sino por el *saat*, u hora, y el *manzil*, o parada; tres leguas y media forman el primero, quince o veinticinco forman la segunda, y son la media normal del camello común. Un animal de pura estirpe siria puede hacer tres leguas fácilmente. A toda velocidad alcanza a los vientos ordinarios...

Como resultado del rápido avance, el aspecto del panorama sufrió un cambio. El Jebel se extendía por el horizonte occidental como una cinta azul pálido. Aquí de allá se levantaba un *tell*, o montículo de arcilla y arena cementada. De trecho en trecho las peñas basálticas erguían sus redondas coronas, vigías de la montaña contra las fuerzas de la llanura; pero todo lo demás era arena, a veces llana como la playa barrida, luego plegada en continuadas serranías, aquí formando olas cortadas, allá largas ondulaciones. Del mismo modo cambió también la condición de la atmósfera. El sol, muy alto en el horizonte, habíase saciado de rocío y niebla, y caldeba la brisa que besaba al peregrino debajo el toldo; tanto en la lejanía como ahí cerca, iba tiñendo la tierra de una blancura lechosa, y encendía el cielo.

Dos horas más continuó avanzando la bestia, sin descansar ni desviarse de su ruta. La vegetación cesó por entero. La arena, formando en la superficie una costra tan consistente que se rompía a cada paso en crujientes fragmentos, gozaba de un imperio que nadie le disputaba. El Jebel había desaparecido de la vista; ningún accidente del terreno llamaba la atención de la mirada.

La sombra, que hasta entonces había caído hacia atrás, ahora se inclinaba hacia el norte y sostenía una nivelada carrera con los objetos que la proyectaban. Y no dando señal alguna de querer detenerse, la conducta del viajero devino por momentos más y más extraña.

Nadie, recuérdese bien, busca el desierto como campo de placeres. La vida y la necesidad lo atraviesan por senderos a lo largo de los cuales, como otros tantos trofeos, se hallan dispersos los huesos de seres que murieron. Tales son los caminos que van de un pozo a otro, de unos pastos a otros. El corazón del jeque más avezado acelera sus latidos cuando se encuentra solo por aquellas extensiones sin camino. Así, pues, el hombre de quien nos ocupamos no podía ir a la busca de placeres; tampoco se comportaba como un fugitivo; ni una sola vez miró atrás. En tal situación el miedo y la curiosidad son las sensaciones más comunes; sobre él no tenían ningún imperio. Cuando los hombres se sienten rodeados por la soledad, acogen gustosos cualquier compañía; el perro se convierte en una camarada, el caballo en un amigo, y no es una vergüenza dedicarles un diluvio de caricias y de palabras de afecto. El camello no recibió un regalo tal; ni una palmada, ni una palabra.

A las doce exactamente, y por propia iniciativa, el dromedario se detuvo y profirió ese grito o lamento, singularmente lastimero, con el cual protestan siempre los animales de su especie contra una carga exagerada, o reclaman a veces cuidados y descanso.

Con ello el dueño se movió, despertando como si hubiera estado dormido. Levantó las cortinas del castillo, e inspeccionó larga y detenidamente la región hacia todas las direcciones como si quisiera identificar el lugar de una cita. Satisfecho de la inspección, respiró profundamente y movió la cabeza en sentido afirmativo, como queriendo decir: «¡Por fin, por fin!».

Un momento después cruzó las manos sobre el pecho, inclinó la cabeza y oró en silencio. Cumplido el piadoso deber, preparóse para desmontar. De su garganta salía el sonido que oyeron, sin duda, los camellos favoritos de Job —*¡Ikh! ¡ikh!*—, la señal para arrodillarse. El animal obedeció pausadamente, gruñendo todo el rato. Entonces el jinete apoyó el pie sobre el esbelto cuello y saltó a la arena.

CAPÍTULO II

LA REUNIÓN DE LOS SABIOS

Tal como se ofrecía ahora a la vista, aquel hombre estaba admirablemente proporcionado, no siendo tan alto como vigoroso. Aflojando la cuerda de seda que le sujetaba el *kufiyeh* a la cabeza, empujó los arrugados pliegues hacia atrás, hasta dejar al descubierto su cara; una faz enérgica, de color casi negro, pero en la que la frente, ancha y baja, la nariz aquilina, los ángulos externos de los ojos ligeramente inclinados hacia arriba , el cabello abundante, áspero y estirado, de reflejos metálicos y cayendo sobre los hombros en varias trenzas, eran signos de un origen que no cabía disimular. El mismo aspecto tenían los faraones y los últimos Ptolomeos; el mismo tenía Hizraim, el padre de la raza egipcia.

Vestía *kamis,* blanca camisa de algodón, de mangas ceñidas, abierta por delante, descendiendo hasta los tobillos y bordada en el cuello y el pecho, sobre la cual tenía echada una capa de lana parda, llamada ahora —igual como la llamarían entonces, según todas las probabilidades— el *aba,* prenda exterior con falda larga y mangas cortas, forrada interiormente de una tela de algodón y seda y ribeteada en todo su contorno por una franja amarillo oscuro. Protegíanle los pies unas sandalias sujetas con unas correas de cuero suave. Un cíngulo le recogía el *kamis* a la cintura.

Considerando que iba solo y que rondaban el desierto leones y leopardos, además de hombres tan salvajes como estas fieras, lo que resultaba más notable era que no llevaba armas, ni siquiera el palo curvo utilizado para guiar camellos; de donde podemos inferir, cuando menos, que le traía un negocio pacífico y que era un hombre singularmente audaz o colocado bajo una protección extraordinaria.

El viajero tenía los miembros entumecidos, pues la travesía

había sido larga y pesada; de ahí que se frotase las manos y golpease el suelo con los pies, y luego diese vueltas alrededor del fiel sirviente cuyos brillantes ojos se cerraban de tranquilo contento con la rumía iniciada ya.

Mientras iba describiendo círculos, deteníase con frecuencia y, protegiéndose los ojos con las manos, examinaba el desierto hasta el límite alcanzado por la vista; aunque siempre, al terminar la inspección, nublaba su cara un desencanto leve, pero bastante para indicar a un observador perspicaz que el viajero esperaba compañía, si es que no estaba allí obedeciendo a una cita. Y al mismo tiempo el observador quizá habría notado en sí mismo un aguijonazo de curiosidad por saber qué clase de negocio podía ser aquel que había de solventar en un lugar tan distante del mundo civilizado.

Por más que manifestara desencanto, no cabía dudar de la confianza del viajero en la llegada de la compañía esperada. En prenda de ello, fue hasta la parihuela y de la camilla o caja opuesta a la que él había ocupado al venir sacó una esponja y una pequeña alcarraza de agua con las cuales lavó los ojos, cara y narices del camello; hecho lo cual sacó del mismo recipiente un palo recio. Después de algunas manipulaciones, este último resultó un ingenioso artificio formado de piezas menores, una dentro de la otra, las cuales, una vez convenientemente dispuestas, formaban un poste central más alto que su cabeza. Plantado el poste, y colocadas las estacas a su alrededor, el viajero extendió sobre ellos la tela, y se encontró literalmente en casa, en una casa mucho menor que las habitaciones de un emir o un jeque, pero que en todos los otros aspectos podía compararse a ellas. De las parihuelas trajo todavía una alfombra o estera cuadrada, con la cual cubrió el suelo de la tienda de la parte en la que daba el sol. Hecho esto, salió fuera y, una vez más, con gran cuidado y mayor anhelo, sus ojos recorrieron todo el círculo del horizonte. Excepto por un chacal distante, galopando a través de la llanura, y un águila volando hacia la parte del golfo de Akaba, ni la inmensidad de abajo, ni tampoco el azul que la cubría, ofrecían signo alguno de vida.

El viajero se volvió hacia el camello, diciendo en voz baja, y en una lengua extraña al desierto:

—Estamos lejos de casa, oh, corcel que desafías a los vientos más rápidos; estamos lejos de casa, pero Dios está con nosotros. Tengamos paciencia.

Luego sacó unas cuantas habas de un saquito de la silla y las puso en un morral dispuesto de modo que colgara debajo del hocico del dromedario, y cuando hubo visto el deleite con que su fiel servidor devoraba el alimento, volvióse y escudriñó de nuevo el mundo de arena, borroso a causa del fulgor del sol, que descendía verticalmente.

—Llegarán —dijo con calma—. El que me ha guiado a mí les guía a ellos. Cuidaré de los preparativos.

De las bolsas que tapizaban el interior de la litera y de un cesto de mimbre que formaba parte del mobiliario de la misma sacó elementos para un ágape: fuentes hechas de un apretado tejido de fibra de palma; vino en pequeñas alcarrazas de piel; carnero seco y ahumado; *shami*, es decir, granadas sirias, sin hueso; dátiles de El Shelebi, de maravilloso sabor y criados en el *nakhil* o vergeles de palmeras; un queso similar a las «rebanadas de leche de David», y pan de levadura de la panadería de la ciudad; todo lo cual transportó y distribuyó sobre la estera colocada en el interior de la tienda. Como preparativo final puso junto a las provisiones tres trozos de tela de seda, utilizadas en Oriente por las personas refinadas para cubrir las rodillas de los huéspedes mientras estaban a la mesa: circunstancia que nos indica el número de personas que participarían del refrigerio, el número de personas que esperaba.

Ahora todo estaba preparado. El viajero salió al exterior. ¡Mira, allá al este veíase en la superficie del desierto una manchita negra! Quedóse como si sus pies hubiesen echado raíces en el suelo; sus ojos se dilataron; por su epidermis corría un escalofrío, como si sintiera un contacto sobrenatural. La manchita crecía; al final tomó unas proporciones bien definidas. Un poco después apareció perfectamente a la vista una copia de su propio dromedario, un animal alto y blanco, que transportaba una *howdah*, la litera de viaje del Indostán. El egipcio cruzó las manos sobre el pecho y levantó los ojos al cielo.

—¡Sólo Dios es grande! —exclamó con los ojos llenos de lágrimas y el alma henchida de santo temor.

El extranjero se acercaba; por fin se detuvo. Y también, a su vez, pareció que despertaba de un sueño. Contempló el camello arrodillado, la tienda y al hombre que estaba de pie en la puerta de la misma, haciendo oración. Entonces cruzó las manos, inclinó la cabeza y rezó calladamente; después de lo cual, transcurrido un corto rato, saltó del cuello de su montura a la arena y se acercó al egipcio, al mismo tiempo que éste avanzaba hacia él. Un momento estuvieron mirándose el uno al otro. Luego se abrazaron; es decir, cada uno puso el brazo derecho sobre el hombro del otro mientras el izquierdo le rodeaba parcialmente el talle, apoyando un instante la barbilla primero sobre el lado izquierdo y luego sobre el derecho del pecho.

—¡La paz sea contigo, oh, sirviente del verdadero Dios! —saludóle el extranjero.

—¡Y contigo, oh hermano de la verdadera fe! Paz y bendiciones para ti —replicó el egipcio con fervor.

El recién llegado era un hombre alto y flaco, con la cara delgada, los ojos hundidos, el cabello y la barba blancos y un cutis de un color intermedio entre el matiz del cinamomo y el del bronce. También iba sin armas. Vestía a la manera del Indostán, sobre un birrete llevaba un chal atado en grandes pliegues, formando turbante; las ropas que le cubrían eran del mismo estilo que las del egipcio, excepto por el *aba*, que era más corta, dejando al descubierto unos calzones anchos y caídos atados a los tobillos. En lugar de sandalias calzaban sus pies unas medias zapatillas de cuero rojo y afilada punta. Excepto las zapatillas, todo su atuendo, de pies a cabeza, era de una tela blanca. Tenía un aire altivo, majestuoso, severo. Visvamitra, el mayor de los ascéticos héroes de la Ilíada del Este, tenía en él un representante perfecto. Podrían haberle definido diciendo que era una Vida empapada del saber de Brahama; Devoción Encarnada. Sólo en sus ojos había una prueba de humanidad; cuando levantó la cara, apartándola del pecho del egipcio, brillaban en ellos las lágrimas.

—¡Sólo Dios es grande! —exclamó, concluido el abrazo.

—¡Y benditos son los que le sirven! —respondió el egipcio, meditando la paráfrasis que había empleado Él mismo como exclamación—. Pero esperemos —añadió—, esperemos; porque, mira, ¡el otro viene allá!

Ambos dirigieron la mirada hacia el norte, donde, ya bien visible, un tercer camello, de la misma blancura que los anteriores, venía, inclinándose de costado como un barco. Y aguardaron hasta que llegó el tercero, desmontó y avanzó hacia ellos.

—¡Paz a ti, oh hermano mío! —dijo, abrazando al hindú.

Y el hindú respondió:

—¡Hágase la voluntad de Dios!

El último llegado se diferenciaba completamente de sus compañeros; era de constitución más delicada; tenía la piel blanca; una mata de cabello rubio formaba una corona perfecta para su cabeza, pequeña pero hermosa; el fuego de sus ojos azul oscuro certificaba una mente delicada y un temperamento valeroso y afectivo. Llevaba la cabeza descubierta e iba desarmado. Bajo los pliegues de una manta tiria que llevaba con gracia inconsciente aparecía una túnica de mangas cortas y cuello bajo, recogida a la cintura por una faja y llegándole casi hasta las rodillas, dejando desnudos el cuello, los brazos y las piernas. Unas sandalias protegían sus pies. Cincuenta años, y probablemente más, habían pasado sobre él, sin ningún otro efecto, en apariencia, que impregnar su comportamiento de gravedad y atemperar sus palabras con la reflexión. El vigor del cuerpo y la brillantez del alma continuaban intactos. No era preciso decir a un estudioso de qué estirpe había salido; si no procedía él mismo de los bosquecillos de Atenas, sus antecesores sí que venían de allí.

Cuando sus brazos se apartaron del egipcio, éste dijo con voz trémula:

—El Espíritu me trajo a mí primero; por donde veo que me ha elegido para que sirva a mis hermanos. La tienda está preparada, y el pan sólo espera que lo partan. Dejad que cumpla mi oficio.

Y tomando a cada uno por la mano les guió al interior de la tienda, les quitó las sandalias, les lavó los pies, derramó agua sobre sus manos y se las secó con unas servilletas.

Luego de haberse lavado las suyas propias, dijo:

—Cuidémonos, hermanos, para que podamos llevar a cabo nuestra misión, y comamos a fin de tener fuerzas para los deberes que nos quedan por cumplir durante el día. Mientras comamos, cada uno se enterará de quiénes son los otros, de dónde vienen y de cómo han sido llamados.

Y les hizo acercar a la estera del banquete, haciéndoles sentar de tal modo que estuvieran cara a cara. Las cabezas de los tres se inclinaron a un tiempo, sus manos se cruzaron sobre los respectivos pechos, y hablando al unísono recitaron en voz alta esta sencilla acción de gracias:

—Padre de todo, ¡Dios!, lo que aquí tenemos de Ti viene; acepta nuestro agradecimiento y bendícenos, para que podamos continuar cumpliendo tu voluntad.

Pronunciada la última palabra, los tres levantaron los ojos, y se miraron el uno al otro maravillados. Cada uno había hablado en una lengua jamás oída por sus compañeros; y, sin embargo, cada uno había entendido perfectamente lo que habían dicho los otros. Una divina emoción estremecía sus almas, porque en aquel milagro veían la intervención de la Presencia Divina.

CAPÍTULO III

HABLA EL ATENIENSE: FE

Para hablar al estilo de la época, la reunión recién descrita tuvo lugar el año 747 de la fundación de Roma. Era el mes de diciembre; reinaba el invierno en toda la región del este del Mediterráneo. Los que cabalgaban por el desierto en dicha estación no recorren mucho terreno sin sentirse atormentados por un vivo apetito. Los reunidos bajo la tienda no eran una excepción a la regla. Estaban hambrientos y comían con excelente disposición. Después del vino empezaron a hablar.

—Para el caminante que va por tierras extrañas, nada más dulce que oír su nombre en labios de un amigo —dijo el egipcio, que ocupaba la presidencia—. Nos esperan muchos días de camaradería. Es hora de que nos conozcamos. Por tanto, si es de vuestro agrado, el que ha llegado el último que hable el primero.

Entonces, muy despacio al principio, como uno que se reprime a sí mismo, el griego empezó:

—Lo que tengo que decir, hermanos, es tan extraño que apenas sé por dónde principiar ni de qué puedo hablar con toda propiedad. Ni yo mismo lo entiendo todavía. De lo que estoy más seguro es de que acato la voluntad de un Amo, sirviendo al cual se vive en un éxtasis constante. Cuando pienso en el objetivo que me han enviado a cumplir, siento en mí un gozo tan inexpresable que conozco, que aquella voluntad es la voluntad de Dios.

El santo varón hizo una pausa, incapaz de proseguir, mientras los otros, por simpatía a sus sentimientos, bajaban la vista.

—Muy al oeste de aquí —empezó de nuevo— hay un país que jamás será olvidado; aunque no fuese sino por la gran deuda que el mundo tiene con él, y porque esta deuda nace de cosas que procuran al hombre sus placeres más puros. No diré nada de las artes, nada de la filosofía, ni de la elocuencia, ni de la poesía, ni de la guerra. ¡Oh, hermanos míos, al pueblo que digo le corresponde la gloria de brillar perdurablemente en letras perfectas, por las cuales Aquel al cual vamos a buscar y anunciar será conocido en toda la Tierra. El país de que hablo es Grecia. Yo soy Gaspar, el hijo de Cleantes, el ateniense.

»Mis antepasados —prosiguió— se entregaban por entero al estudio, y de ellos he heredado yo la misma pasión. Se da el caso de que dos de nuestros filósofos, los más excelsos entre una pléyade de ellos, enseñan, el uno la doctrina de un Alma en cada hombre, y de que tal Alma es inmortal; el otro la doctrina de un Dios único, infinitamente justo. De la multitud de temas sobre los cuales disputaban las escuelas, separé estos dos, como únicos dignos del trabajo de buscarles una solución; porque pensé que existía una relación, todavía desconocida, entre Dios y el alma. Sobre este tema la mente puede razonar hasta un punto, hasta un muro macizo, infranqueable; llegando allí, todo lo que puede hacerse ya es pararse y llamar a voz en grito pidiendo ayuda. Esto hice yo; pero ninguna voz vino del otro lado del muro. Desesperado, me aparté de las ciudades y de las escuelas.

A estas palabras, una grave sonrisa de aprobación iluminó el flaco rostro del hindú.

—En la parte septentrional de mi país, en la Tesalia —siguió diciendo el griego—, hay una montaña conocida como la morada de los dioses, donde Zeus, al cual mis paisanos tienen por el mayor de todos, tiene su vivienda; Olimpo es su nombre. Allá me trasladé. Hallé una cueva en una altura donde la montaña, que viene del oeste, toma la dirección sureste, y allí viví entregado a la meditación... No; me dediqué a espear aquello que solicitaba con una plegaria en cada aliento; a esperar la revelación. Creyendo en Dios, invisible aunque supremo, creía también posible suplicarle que se apiadase de mí y me enviara una respuesta.

—¡Ah, y la envió! ¡La envió! —exclamó el hindú, levantando la mano, que tenía sobre la tela de seda, en su regazo.

—Escuchadme, hermanos —dijo el griego, calmándose con esfuerzo—. La puerta de mi ermita da sobre un brazo del mar, sobre el golfo de Thermas. Un día vi a un hombre arrojado por encima de la borda de un barco que pasaba. Aquel hombre nadó hacia la playa. Yo lo recibí y lo cuidé. Era un judío muy versado en la historia y las leyes de su país, y por él vine a saber que el Dios de mis oraciones existía ciertamente y había sido en el curso de las edades su legislador, su gobernante, su rey. ¿Qué era aquello sino una revelación?, me decía yo. Mi fe no había sido estéril. ¡Dios me contestaba!

—Como responde a todos los que le imploran con una fe semejante —dijo el hindú.

—Pero ¡ay! —añadió el egipcio—, ¡cuán pocos son los que poseen la sabiduría suficiente para saber cuándo les responde!

—No fue esto todo —continuó el griego—. El hombre que me habían enviado de aquella manera me dijo más. Me habló de los profetas que, en las edades que siguieron a la primera revelación, caminaron y conversaron con Dios, y declaraban que vendría otra vez. Me dio sus nombres, y citaba sus mismas palabras, sacadas de los libros sagrados. Todavía me dijo más; me dijo que la segunda llegada era inminente, que en Jerusalén la consideraban como un hecho que había de producirse de un momento a otro.

El griego hizo una pausa, y la luminosidad de su cara se desvaneció.

—Es cierto —dijo después de unos instantes—, es cierto que aquel hombre me dijo que Dios y la revelación de que me hablaba habían sido únicamente para los judíos y que otra vez volvería a ocurrir así. El que había de venir sería el Rey de los judíos. «¿No traerá nada para el resto del mundo?», pregunté. «No —fue la orgullosa respuesta—. No, nosotros somos el pueblo elegido.» Esta contestación no destruyó mi confianza. ¿Cómo había de limitar un Dios tal su amor y sus generosidades a un país y, como sucedía en este caso, a una sola familia? Y empeñé mi corazón en saberlo. Al final penetré a través del orgullo de aquel hombre, descubriendo que sus antepasados habían sido unos meros servidores elegidos para mantener viva la Verdad, a fin de que el mundo acabara por conocerla y así se salvase. Cuando el judío se fue y me quedé solo otra vez, sosegué mi alma con una nueva oración: la de que se me permitiese ver y adorar al Rey, cuando viniese. Una noche estaba sentado en la puerta de mi cueva, tratando de penetrar en los misterios de mi existencia, sabiendo cuán grande es el de conocer a Dios, y he aquí que, de pronto, allá abajo en el mar, o, mejor aún, en la oscuridad que cubría su superficie, vi que empezaba a inflamarse una estrella. Levantóse lentamente, se acercó y se puso encima de la altura y sobre mi puerta, de modo que su luz caía de lleno sobre mí. Yo me vine al suelo, y en sueños oí una voz que decía:

—¡Oh, Gaspar! ¡Tu fe ha triunfado! ¡Bendito eres! Con otros dos, venidos de las partes más distantes de la tierra, tú verás al Prometido y serás testigo de su presencia y servirás de ocasión para dar testimonio de Él. Por la mañana levántate y ve a reunirte con ellos. Ten confianza en el Espíritu que te guiará.

»Y por la mañana me desperté con el Espíritu, como una luz interior que aventajaba a la del sol. Arrojé el atuendo de ermitaño y me vestí como antiguamente. Cogí de un escondite el tesoro que me había traído de la ciudad. Pasó un barco de vela. Lo llamé, me admitieron a bordo y desembarqué en Antioquía. Allí compré el camello y sus arreos. Por los jardines y vergeles que esmaltan las márgenes del Orontes viajé hasta Emesa, Damasco, Bostra y Filadelfia, y de allí he venido aquí. Ya habéis oído mi historia. Permitid que ahora escuche yo la vuestra.

CAPÍTULO IV

DISCURSO DEL HINDÚ: AMOR

El egipcio y el hindú se miraron; el primero hizo un ademán; el segundo se inclinó, y comenzó:

—Nuestro hermano ha hablado bien. Ojalá mis palabras sean tan sabias.

Interrumpióse, reflexionó un momento, y luego reanudó:

—Podéis conocerme, hermanos, por el nombre de Melchor. Os hablo en un idioma que, si no es el más antiguo del mundo, fue al menos el primero reducido a letras. Me refiero al sánscrito de la India. Por mi nacimiento, soy hindú. Mis antepasados fueron los primeros en caminar por los campos de los conocimientos, los primeros en clasificarlos, los primros en embellecerlos. Suceda lo que suceda de ahora en adelante, los cuatro Vedas vivirán, porque ellos son las fuentes primeras de la religión y de la inteligencia provechosa. De ellos se derivaron los Upa-Vedas, entregados por Brahama, los cuales tratan de Medicina, ballestería, arquitectura, música y las sesenta y cuatro artes mecánicas; los Ved-Angas, revelados por santos inspirados y dedicados a la astronomía, la gramática, la prosodia, la pronunciación, los embrujos y sortilegios, ritos religiosos y ceremonias; los Up-Angas, escritos por el sabio Vyasa, dedicados a la cosmogonía, cronología y geografía; de ellos forman parte también el Ramayana y el Mahabharata, destinados a la perpetuación de nuestros dioses y semidioses. Tales, oh, hermanos, como los Grandes Shastras, o libros de las ordenanzas sagradas.

»Para mí son ahora cosa muerta; sin embargo, a través de las edades servirán para dar testimonio del genio en ciernes de mi raza. Eran promesas de un rápido perfeccionamiento. ¿Preguntáis por qué las promesas fallaron? ¡Ay!, esos mismos libros cerraron todas las puertas del progreso. Bajo el pretexto de cuidar de la criatura, sus autores impusieron el principio de que un hombre no debe dedicarse a los descubrimientos ni a la invención, pues el Cielo ha procurado ya todo lo necesario. Cuando este mandato se convirtió en una ley sagrada, la lámpara del genio hindú se hundió a lo más profundo de un pozo, donde, desde entonces, ha iluminado muros estrechos y aguas amargas.

»Estas alusiones, hermanos, no nacen del orgullo, como comprenderéis cuando os diga que los Shastras hablan de un Dios supremo llamando Brahm, y, además, que los Puranas, o poemas sagrados de los Up-Angas, nos hablan de la Virtud de las Buenas Obras y del Alma. De modo que, si mi hermano me permite la frase —el hindú se inclinó con deferencia hacia el griego—, siglos antes de que su pueblo fuese conocido, las dos grandes ideas, Dios y el Alma, habían absorbido ya todas las energías de la mente hindú. Ampliando mi explicación, permitid que os diga que los libros citados presentan a Brahm como una Tríada: Brahma, Visnú y Shiva. De entre los tres se dice que Brahma ha sido el autor de nuestra raza, la cual, en el curso de la creación, dividió en cuatro castas. Primero pobló los mundos, abajo, y los cielos, arriba; después hizo la tierra para los espíritus terrenos; luego sacó de su boca la casta de los brahmanes, la más próxima a él en semejanza, la más alta y más noble, los únicos que enseñan los Vedas, los cuales fluyeron en sus labios completos, perfectos, conteniendo todos loc conocimientos útiles. Luego hizo brotar de sus brazos los Kshatriya, o guerreros; de su pecho, asiento de la vida, surgieron los Visya, o productores (pastores, labriegos, mercaderes); de sus pies, en señal de degradación, saltaron los Sudras, o siervos, condenados a realizar trabajos corporales para las otras clases (criados, domésticos, peones, artesanos). Tomad nota, además de que la ley, nacida junto con estas castas, prohibía que el perteneciente a una casta pasase a formar parte de otra; el brahman no podría entrar en un rango inferior; si violaba las leyes de su propia esfera se convertía en un proscrito, repudiado por todos, menos por los proscritos como él.

En este punto la imaginación del griego, percibiendo en un instante todas las consecuencias de tal degradación, se sobrepuso a la profunda atención que presta, y le hizo exclamar:

—¡Oh, hermanos, en semejante estado, qué tremenda necesidad de un Dios amoroso!

—Sí —corroboró el egipcio—, de un Dios amoroso como el nuestro.

Las cejas del hindú se juntaron con pesar; una vez consumida aquella emoción, prosiguió con dulcificado acento:

—Yo nací brahmán. En consecuencia, mi vida estaba ordenada hasta el menor de mis actos, hasta la última de mis horas. El primer trago de alimento, el acto de darme mi primer nombre, el de sacarme por vez primera a ver el sol, el de investirme con la triple hebra por la cual me convertía en uno de los nacidos dos veces, mi consagración a la primera orden, todo se celebró según unos textos sagrados y unas ceremonias meticulosas. Yo no podía andar, comer, beber o dormir sin correr el peligro de violar una regla. Y el castigo, oh, hermanos, ¡el castigo lo recibiría mi alma! Según el grado de las omisiones, mi alma iría a uno de los diversos cielos, de los cuales el de Indra es el más bajo, y el de Brahama es el más alto; o sería degradada convirtiéndose en la vida de un gusano, un insecto, un pez o un bruto. La recompensa por observar perfectamente todas las normas sería la Beatitud, o absorción en el ser de Brahm, que más que una verdadera existencia es un reposo absoluto.

El hindú se concedió un momento para pensar. Luego, siguió diciendo:

—La parte de la vida de un brahmán, llamada Orden Primera, es la dedicada al estudio. Cuando estuve preparado para entrar en la Segunda Orden, es decir, cuando estuve en disposición de casarme y tener un hogar, lo puse todo en tela de juicio, incluso a Brahm; me volví hereje. Desde las profundidades del pozo había descubierto, arriba, una luz y anhelaba subir para ver sobre qué derramaba su claridad. Al fin (¡después de unos cuantos años de tarea, ay de mí!), llegué al día perfecto y contemplé el principio de la vida, el elemento fundamental de la religión, el eslabón entre el alma y Dios; ¡el Amor!

La arrugada faz del santo varón enternecióse visiblemente, sus manos se estrecharon una a la otra con fuerza. Produjose un silencio, durante el cual los otros le estuvieron mirando; el griego, a través de las lágrimas.

Al final, prosiguió:

—El amor halla su felicidad en la acción; la prueba del amor la da lo que uno esté dispuesto a hacer por otros. Brahm había llenado el mundo con demasiadas miserias. Los sudras me daban lástima. También me la daban los innumerables devotos y víctimas. La isla de Ganga Lagor se halla allí donde las aguas del Ganges desaparecen en el océano Pacífico. Allá me trasladé. A la sombra del templo erigido al sabio Kapila, uniendo mis rezos a los de los discípulos que la memoria santa de aquel hombre sagrado mantiene reunidos alrededor de su casa, pensé hallar reposo. Sólo dos veces al año van allá peregrinaciones de hindúes buscando la purificación del agua. Su miseria enardecía mi amor. Pero tenía que cerrar la boca con fuerza, resistiendo el impulso de este amor por manifestarse, porque una sencilla palabra contra Brahm o la Tríada o los Shastras, habría significado mi condenación. Un gesto de afecto para los brahmanes proscritos que de vez en cuando se arrastraban para ir a morir sobre la ardiente arena (una bendición recitada, el acto de darles un vaso de agua) me habrían convertido en uno de ellos, arrebatándome mi familia, mi país, mis privilegios, mi casta.

»¡Pero el amor venció! Hablé a los discípulos en el templo y me expulsaron. Hablé a los peregrinos, y desde la isla me apedrearon. Por las carreteras intenté predicar, los oyentes huyeron de mí, o atentaron contra mi vida. Al final, en toda la India no había lugar en donde pudiese encontrar paz ni seguridad, ni aun entre los proscritos, porque, caídos incluso, seguían creyendo en Brahm. En tan extrema situación, busqué una soledad en la que esconderme de todos, menos de Dios. Recorrí el Ganges hasta sus fuentes, arriba, en las entrañas del Himalaya. Cuando entré por el paso de Hurdwar, donde el río, de inmaculada pureza, salta hacia el curso que le espera por las tierras bajas y fangosas, rogué por mi raza y me consideré separado de ella para siempre. Por cañadas y peñas, cruzando glaciares, trepando hasta la cima de picos que parecían tan altos como las estrellas, seguí mi camino hasta el Lang Tso, un lago de maravillosa belleza, dormido a los pies del Tise Gangri, el Gurla y el Kailas Parbot, gigantes que ostentan sus coronas de nieves perpetuas a las miradas del sol. Allí, en el centro de la Tierra, donde el Indo, el Ganges y el Brahmaputra surgen para precipitarse hacia sus diferentes cursos, donde la Humanidad tuvo su primera morada y de donde se dispersó para llenar el mundo, dejando a Balk, la madre de las ciudades, como testigo de gran acontecimiento, donde la Naturaleza, retornada a su condición primaveral y segura en sus inmensidades, invita al sabio y al exilado prometiéndole a éste seguridad y soledad al primero, allí fui a morar a solas con Dios, rezando, ayunando y esperando la muerte.

Una vez más se apagó su voz, y las descarnadas manos se unieron en una ferviente plegaria.

—Una noche caminaba por las orillas del lago, hablando al silencio, que me escuchaba: «¿Cuándo vendrá Dios a reclamar lo que le pertenece? ¿Acaso no habrá redención?» De súbito, empezó a formarse una luz trémula en el agua, pronto se levantó una estrella, vino hacia mí y se quedó arriba, sobre mi cabeza. Su esplendor me dejó atónito. Y mientras estaba tendido sobre el suelo, oí una voz de infinita dulzura, diciendo: «Tu amor ha vencido. Bendito eres tú, ¡oh, hijo de la India! La redención está al alcance de la mano. Con otros dos, venidos de rincones distantes de la Tierra, tú verás al Redentor, y serás testigo de su llegada. Levántate por la mañana, ve al encuentro de tus compañeros, y pon toda tu confianza en el Espíritu que te guiará.» Y desde aquel momento la luz ha continuado conmigo, de forma que yo conocía que era la presencia visible del Espíritu. Por la mañana emprendí el regreso hacia el mundo por el mismo camino seguido al venir. En una quiebra del monte encontré una piedra de gran valor, que vendí en Hurdwar. Por Lahore, Kabnul y Yezd fui a Ispahan. Allí compré el camello, y de allí fui guiado hasta Bagdad, sin esperar las caravanas. Viajaba solo, sin miedo, porque el Espíritu estaba conmigo, y está todavía. ¡Qué gloria la nuestra, oh, hermanos! ¡Nosotros hemos de ver al Redentor, le hablaremos, le adoraremos! He terminado.

CAPÍTULO V

EL RELATO DEL EGIPCIO: BUENAS OBRAS

El animado griego estalló en un torrente de expresiones de gozo y de felicitaciones, después de lo cual el egipcio dijo, con característica gravedad:

—Yo te saludo, hermano mío. Has sufrido mucho, y yo gozo con tu triunfo. Si los dos me habéis de escuchar con gusto, voy a deciros quién soy y cómo fue que me llamasen. Esperadme un momento.

El egipcio salió, atendió los camellos, volvió a entrar y ocupó nuevamente su asiento.

—Vuestras palabras, hermanos, venían del Espíritu —dijo como comienzo—, y el Espíritu me ha dado el don de entenderlas. Cada uno de vosotros ha hablado particularmente de su país, en lo cual se encerraba un gran designio, que yo explicaré. Pero para que la interpretación resulte completa, permitid que hable primero de mí mismo y de mi pueblo. Yo soy Baltasar, el egipcio.

Las últimas palabras fueron pronunciadas en tono sosegado, pero con tanta dignidad, que los dos oyentes se inclinaron reverentemente ante el que hablaba.

—Muchas distinciones puedo reclamar para mi raza —prosiguió éste—, pero me contentaré con una. Nosotros fuimos los primeros en perpetuar los hechos dejando noticias de ellos. De ahí que no tengamos tradiciones, y en lugar de poesía os ofrezcamos certidumbre. En las fachadas de palacios y templos, en los obeliscos, en las paredes interiores de las tumbas, escribimos los nombres de nuestros reyes y los relatos de sus hazañas. Y al delicado papiro le confiamos la sabiduría de nuestros filósofos y los secretos de nuestra religión. Todos los secretos menos uno, del cual hablaré dentro de un momento. Más antiguos que los Vedas de Para-Brahm o los Up-Angas de Vyasa, ¡oh, Melchor!, más viejos que los cantos de Homero o la metafísica de Platón, ¡oh, mi Gaspar!, anteriores a los libros sagrados y a los reyes de la China, o los de Sydarta, hijo de la hermosa Maya, anteriores al Génesis del Moisés de los hebreos, los escritos humanos más antiguos son los de Menes, nuestro primer rey —haciendo una pequeña pausa, fijó una mirada cariñosa en el griego y dijo—: En la juventud de la Hélade, ¿quiénes fueron, oh, Gaspar, los maestros de sus maestros?

El griego se inclinó con una sonrisa.

—Según aquellos escritos —continuó Baltasar—, sabemos que cuando los padres vinieron del lejano Este, de la región donde nacen los tres ríos, del centro del mundo (el viejo Irán, del cual hablabas tú, oh, Melchor) vinieron trayendo con ellos la historia del mundo antes del Diluvio, y la del Diluvio mismo, tal como la enseñaron a los arios los hijos de Noé, y enseñaban la existencia de Dios, Creador y Principio de todo, y del Alma, inmortal como Dios. Cuando hayamos terminado felizmente la misión que nos está encomendada ahora, si queréis acompañarme, os enseñaré la biblioteca sagrada de los sacerdotes egipcios; os mostraré, entre otros, el Libro de los Muertos, conteniendo el ritual que debe observar el alma después que la muerte la ha enviado de viaje para acudir a su juicio. Las ideas (Dios y Alma Inmortal) nacieron en la mente de Mizraim allá en el desierto, y por obra de Mizraim se propagaron por ambas orillas del Nilo. Entonces reinaban en toda su pureza, fáciles de comprender, como es siempre todo lo que Dios nos brinda para nuestra felicidad; parecido era también el primer culto: una canción y un rezo naturales en un alma gozosa, esperanzada y enamorada de su Creador.

Aquí el griego levantó las manos al cielo, exclamando:

—¡Oh, la luz penetra más profundamente en mi interior!

—¡Y en el mío! —dijo el hindú, con la misma devoción.

El egipcio los miró benignamente. Luego continuó diciendo:

—La Religión es, meramente, la ley que une al hombre con su Creador: en puridad no consta de otros elementos que éstos: Dios, el Alma y su Mutuo Reconocimiento, del cual, una vez puesto en práctica, nacen la Adoración, el Amor y la Recompensa. Esta ley, como todas las demás de origen divino (como, por ejemplo, la que ata la Tierra al Sol), fue impuesta en el comienzo por su Autor. Tal era, hermanos míos, la religión de la primera familia, tal era la religión de nuestro padre Mizraim, quien no pudo quedar ciego ante la fórmula de la Creación, en ninguna parte tan discernible como en la primera fe y en el culto más antiguo. La perfección es Dios; la simplicidad es perfección. La maldición de las maldiciones está en que los hombres no sepan respetar verdades como éstas.

Baltasar se detuvo, como si considerase de qué manera había de continuar:

—Muchas naciones han amado las dulces aguas del Nilo —dijo luego—: Los etíopes, los Pali-Putra, los hebreos, los asirios, los persas, los macedonios, los romanos... Y todos, excepto los hebreos, han sido dueños de ellas en uno u otro momento. Tanto ir y venir de pueblos corrompió la antigua fe mizraímica. El Valle de las Palmeras se convirtió en un Valle de los Dioses. El Ser Supremo fue dividido en ocho, cada uno de éstos personificando un principio creador de la Naturaleza, con Amon-Ra en cabeza de todos. Luego fueron inventados Isis y Osiris, y su círculo, representando el agua, el fuego, el aire y otras fuerzas. Y las multiplicaciones siguieron todavía hasta que tuvimos otro orden, sugerido por las cualidades humanas, tales como la fuerza, el conocimiento, el amor y otras parecidas.

—¡En todo lo cual se manifestaba la vieja locura! —gritó impulsivamente el griego—. Sólo las cosas que están fuera de nuestro alcance continúan tal como llegaron a nosotros.

El egipcio se inclinó y prosiguió:

—Todavía un poco más, ¡oh, hermanos míos!, un poco más, antes de llegar a mí mismo. Aquello a cuyo encuentro vamos, parecerá todavía más sagrado en comparación con lo que existe ahora y lo que ha existido en el pasado. Las historias demuestran que Mizraim encontró el Nilo en posesión de los etíopes, que se extendieron de allí por el desierto africano, un pueblo de genio fecundo y fantástico entregado por completo a adorar la Naturaleza. El poético persa ofrecía sacrificios al sol, como la imagen más completa de Ormuz, su dios. Los hijos devotos del lejano Este esculpían sus deidades en madera y en marfil, pero los etíopes, sin escritura, sin libros, sin facultades mecánicas de ninguna clase, sosegaban sus almas adorando animales, pájaros, insectos, dedicando el gato sagrado a Ra, el toro a Isis, el escarabajo a Ptah. Una larga lucha contra su ruda fe terminó adoptándola como religión del nuevo imperio. Entonces se levantaron los poderosos monumentos que llenan la orilla del río y el desierto: obeliscos, laberintos, pirámides, y la tumba del rey combinada con la del cocodrilo. ¡Hasta tal bajeza llegaron, oh, hermanos, los hijos del ario!

Aquí, por primera vez, le abandonó al egipcio su notable calma. Aunque su fisonomía continuase impasible, se le quebró la voz.

—No despreciéis demasiado a mis compatriotas —empezó de nuevo—. No todos olvidaron a Dios. Recordaréis que he dicho hace unos momentos que confiaron al papiro todos los secretos de nuestra religión, menos uno. De éste quiero hablaros ahora. Teníamos en cierto tiempo por rey a un determinado Faraón que se entregó a toda suerte de cambios e innovaciones. A fin de asentar el nuevo sistema, puso todo su empeño en desterrar el antiguo de la memoria de las gentes. Entonces los hebreos vivían entre nosotros como esclavos. Ellos seguían fieles a su Dios, y cuando la persecución se hizo intolerable, fueron libertados de una manera que nunca se olvidará. Ahora hablo según cuentan las crońicas: Moisés, que también era hebrero, fue a Palacio a pedir autorización para que los esclavos, en número de diez millones, pudieran salir del país. Hizo la petición en nombre del Señor Dios de Israel. El Faraón se negó. Oíd lo que pasó luego. Primero toda el agua, lo mismo la de los lagos y los ríos que la de los pozos y depósitos, se convirtió en sangre. Pero el monarca siguió denegando. Luego vino una plaga de ranas que cubrió todo el terreno. Y el rey continuó firme. Entonces, Moisés arrojó unas cenizas al aire, y una epidemia atacó a los egipcios. A continuación murió todo el ganado, excepto el de los hebreos. Los saltamontes devoraron todo lo verde que había en el valle. Al mediodía, la oscuridad se hizo tan total que las lámparas no querían arder. Finalmente, por la noche, todos los primogénitos de los egipcios murieron. No se libró ni el del Faraón. Entonces éste cedió. Pero en seguida que los hebreos hubieron partido, los siguió con su ejército. En el último momento se separaron las aguas del mar, a fin de que los fugitivos pudieran pasarlo a pie enjuto. Cuando los perseguidores se lanzaron dentro, tras los perseguidos, las aguas volvieron a juntarse y ahogaron jinetes, infantes, conductores de carrozas y al mismo rey. Tú hablabas de revelación, mi Gaspar...

Los azules ojos del griego centelleaban.

—Yo escuché esta historia de labios del judío —exclamó—. Tú la confirmas, ¡oh, Baltasar!

—Sí, pero por mis labios habla el Egipto, no Moisés. Yo interpreto los mármoles. Los sacerdotes de aquel tiempo escribieron a su manera lo que habían presenciado, y la revelación ha pervivido. Y ahora llego al no anotado secreto. Desde los días del desdichado Faraón, en mi país hemos tenido siempre dos religiones: una privada, otra pública. Una de muchos dioses, practicada por el pueblo. La otra, de un solo Dios, cultivada únicamente por la clase sacerdotal. ¡Alegraos conmigo, hermanos! El paso asolador de las diversas naciones, todo el gradeo realizado por los reyes, todas las invenciones de los enemigos, todos los cambios del tiempo, han sido en vano. Como una semilla debajo de las montañas esperando su hora, la Verdad gloriosa ha vivido. Y éste, ¡éste es su día!

La descarnada armazón del hindú temblaba de dicha. El griego gritó con fuerza:

—¡A mí me parece que el mismo desierto está cantando!

De una alcarraza de agua que tenía a su alcance, el egipció bebió un trago, y continuó:

—Yo nací en Alejandría, nací príncipe y sacerdote, y recibí la educación propia de los de mi clase. Pero muy pronto hizo presa en mí el descontento. Una de las creencias que imponía aquella fe era que, después de la muerte, una vez destruido el cuerpo, el alma comenzaba al momento su primera progresión, desde lo más bajo hasta llegar al hombre, última y más elevada forma de existencia. Y eso sin relación alguna con la conducta seguida durante la vida mortal. Cuando oí hablar del Reino de la Luz, de los persas, de su Paraíso, al otro lado del puente Chinevat, al cual sólo van los buenos, su recuerdo me obsesionó de tal modo que durante el día, lo mismo que durante la noche, reflexionaba sobre las dos ideas comparativas. Transmigración Eterna y Vida Eterna en el Cielo. Si de acuerdo con lo que enseñaba mi maestro, Dios era justo, ¿por qué no había distinción entre los buenos y los malos? Al final vi con toda claridad, fue para mí una certidumbre, un corolario de la ley al cual reduje la religión pura, que la muerte no era sino el punto de separación en el cual los perversos quedan abandonados o perdidos, y los fieles ascienden a una vida superior. No el nirvana de Buda, ni el descanso negativo de Brahama, oh, Melchor, no la mejor situación en el infierno, que es todo el cielo que concede la fe olímpica, oh, Gaspar, sino la vida, la vida activa, gozosa, perdurable, ¡la vida con Dios!

»Ese descubrimiento me llevó a otra indagación. ¿Por qué había que seguir conservando la Verdad como un secreto reservado para el egoísta solaz del sacerdote? La razón para callarlo había desaparecido. La filosofía nos había enseñado, por lo menos, a ser tolerantes. En Egipto teníamos a Roma en lugar de Ramsés. Un día en el Brucheium, el barrio más espléndido y populoso de Alejandría, me puse en pie y prediqué. El Este y el Oeste aportaron el auditorio. Estudiantes que iban a la biblioteca, sacerdotes del Serapeium, ociosos del Museo, patronos de las carreras, labriegos del Rhacotis, toda una multitud se detuvo para escucharme. Yo les hablé de Dios, del Alma, del Bien y del Mal, del Cielo, de la recompensa a una vida virtuosa. A ti, oh, Melchor, te apedrearon. Mis oyentes, primero se quedaron pasmados, después se rieron. Probé otra vez y me llenaron de epigramas, cubrieron a mi Dios de irrisión y oscurecieron mi cielo con sus burlas. Para no extenderme en exceso: fracasé ante aquella gente.

El hindú exhaló aquí un profundo suspiro, al mismo tiempo que decía:

—El enemigo del hombre es el hombre, hermano mío.

Baltasar se hundió en el silencio.

—Yo medité mucho con objeto de descubrir la causa de mi fracaso, y por fin lo conseguí —dijo, comenzando de nuevo—. Río arriba, a un día de camino de la ciudad, hay una población de pastores y hortelanos. Cogí un bote y me fui allá. Por la noche convoqué el pueblo, hombres y mujeres, los más pobres entre los pobres. Y prediqué ante ellos lo mismo exactamente que había predicado en el Brucheium. Ellos no se rieron. La noche siguiente hablé otra vez, y ellos me creyeron y se alborozaron, y extendieron la noticia por todas partes. En la tercera reunión se constituyó una sociedad dedicada a la plegaria. Entonces regresé a la ciudad. Bajando río abajo, a la luz de las estrellas que nunca me habían parecido tan brillantes y cercanas, saqué la siguiente lección: para empezar una reforma, no vayas allá donde están los grandes y los ricos; ve más bien en busca de aquellos cuya copa de dicha continúa vacía, busca a los pobres y a los humildes. Y entonces me tracé un plan y fijé un objetivo a mi vida. Como primer paso, dispuse de mis extensos bienes de forma que percibiera una renta segura y siempre al alcance de la mano para el alivio de los que sufriesen. Desde aquel día, ¡oh, hermanos!, viajé arriba y abajo del Nilo, predicando en las poblaciones y ante las tribus, hablando del Dios Unico, de una vida virtuosa y de la recompensa del Cielo. He hecho el bien, no he de ser yo quien diga en qué medida. Sé, asimismo, que aquella porción del mundo está madura para recibir a Quien nosotros vamos a buscar.

Un rubor sonrojó la mejilla morena del que hablaba, pero sobreponiéndose a la emoción, continuo:

—Los años vividos así, oh, hermanos míos, me atormentó continuamente un pensamiento: cuando yo hubiese desaparecido, ¿qué sería de la causa que había iniciado? ¿Terminaría conmigo? Muchas veces había soñado que la organización sería la mejor corona para mi trabajo. Para no esconderos nada, probé de montarla, pero fracasé. Hermanos, el mundo se encuentra actualmente en una situación tal que, para reinstaurar la antigua fe de Mizraim, el reformador habría de contar con algo más que la sanción humana. No le bastaría venir en nombre de Dios, debería dar pruebas que acreditasen sus palabras, debería demostrar todo lo que dijese, debería incluso dar testimonio seguro de Dios. Tan preocupada está la mente de mitos y sistemas, de tal modo lo llenan todo las falsas deidades: el aire, la tierra, el cielo, de tal modo han venido a formar parte de todo, que el retorno a la primera religión no se conseguirá sino por caminos de sangre, cruzando campos de persecución. Es decir, los que se conviertan habrán de estar dispuestos a morir antes que abjurar. Y en estos tiempos, ¿quién puede inflamar la fe de los hombres hasta este punto si no es el mismo Dios? Para redimir la raza (no digo para destruirla), para *redimir* el género humano, Dios debe manifestarse una vez más: HA DE VENIR ÉL MISMO EN PERSONA.

Una intensa emoción se apoderó de los tres.

—¿Acaso no vamos nosotros a su encuentro? —exclamó el griego.

—Vosotros comprendéis ya por qué fracasé en mi intento de formar una organización —continuó el egipcio, pasado aquel momento de arrobo—. Yo no tenía la sanción divina. El saber que mi labor podía perderse me hacía terriblemente desdichado. Yo creía en la oración, y para que mis súplicas fuesen más puras y fuertes, lo mismo que vosotros, hermanos, me salí de los caminos trillados, me fui a donde no habían estado nunca los hombres, a donde sólo estaba Dios. Más arriba de la quinta catarata, más arriba de la confluencia de los ríos en Sennar, allá en Bahr el Abiad, el corazón lejano y desconocido del África, allá me fui. Allí, por la mañana, una montaña azul como el cielo proyecta una sombra refrescante sobre el desierto occidental, y con sus cascadas de nieve fundida alimenta un ancho lago adosado a su base oriental. El lago es la madre del gran río. Durante un año o más, la montaña fue mi hogar. El fruto de la palmera alimentó mi cuerpo, la oración mi espíritu. Una noche salí al vergel que había junto a aquel pequeño mar. «El mundo está muriendo. ¿Cuándo vendrás? ¿Por qué no puedo presenciar la redención, oh, Dios?» Así rezaba yo. El cristal del agua centelleaba de estrellas. Una de ellas pareció abandonar su sitio y subir a la superficie, donde adquirió un fulgor que quemaba la vista. Luego se movió hacia mí posándose sobre mi cabeza, en apariencia al alcance de la mano. Yo me postré y escondí el rostro. Una voz no terrena me dijo: «Tus buenas obras han triunfado. ¡Bendito eres tú, oh, hijo de Mizraim! La redención llega. Con otros dos, venidos de lo más remoto del mundo, verás al Salvador y darás testimonio de Él. Por la mañana levántate y ve a reunirte con tus compañeros. Y cuando hayáis llegado los tres a la santa ciudad de Jerusalén, pregunta a la gente: '¿Dónde está Aquel que ha nacido Rey de los judíos? Porque nosotros hemos visto su estrella en el Este, y venimos enviados para adorarle. Pon toda tu confianza en el Espíritu que te guiará.'» Y la luz se convirtió en una claridad interior de la cual no era posible dudar. Ella me guio río abajo hasta Menfis, donde me preparé para internarme en el desierto. Compré mi camello y vine acá sin descansar, pasando por Suez y Kufileh, y subiendo por las tierras de Moab y Ammon. Dios está con nosotros. ¡Oh, hermanos míos!

El egipcio hizo una pausa, y con ella, obedeciendo a un impulso que no partía de ellos mismos, los tres se levantaron y se miraron recíprocamente.

—He dicho ya que en la forma particular como describíamos a nuestros respectivos pueblos y su historia se encerraba un secreto propósito —prosiguió entonces el egipcio—. Aquel en cuya busca vamos ha sido llamado «Rey de los judíos». Por este nombre nos han ordenado que preguntemos por Él. Pero ahora que nos hemos reunido y cada uno de nosotros ha escuchado el relato hecho por los otros dos, podemos saber que es el Redentor, no de los judíos solamente, sino de todas las naciones de la Tierra. El patriarca que sobrevivió al Diluvio tenía en su compañía tres hijos, y sus familias y ellos fueron los que repoblaron el mundo. En la antigua Aryana-Vaejo, la bien recordada Región de las Delicias, en el corazón de Asia, se dispersaron. India y el lejano Este recibieron a los hijos del mayor. Los descendientes del más joven y se desparramaron por Europa, entrando por el Norte. Los del mediano inundaron los desiertos que bordean el mar Rojo, pasando al África, y aunque muchos de ellos todavía viven en tiendas transportables, algunos construyeron sus moradas a lo largo del Nilo.

Movidos por simultáneo impulso, los tres juntaron sus manos.

—¿Podría encontrarse otra cosa más divinamente ordenada? —continuó Baltasar—. Cuando hayamos hallado al Señor, los hermanos y todas las generaciones que les han sucedido se arrodillarán con nosotros ante Él en homenaje. Y cuando nos separemos para seguir nuestros distintos caminos, el mundo habrá aprendido una nueva lección: que el Cielo puede ganarse, no por la espada, ni por la sabiduría humana, sino por la Fe, el Amor y las Buenas Obras.

Se produjo un silencio, roto por los suspiros y santificado por las lágrimas, pues no era posible reprimir el gozo que les llenaba. Era la alegría inenarrable de unas almas en las orillas del Río de la Vida, descansando con la presencia de los Redimidos en Dios.

Unos momentos después, sus manos se separaron, y los tres salieron de la tienda. El desierto estaba tan callado como el cielo. El sol se hundía rápidamente. Los camellos dormían.

Transcurrido un rato, fue levantada la tienda, y junto con los restos del ágape, volvió a la parihuela. Luego, los amigos montaron en los camellos y partieron en fila india, dirigidos por el egipcio. A través de la helada noche caminaban rumbo al Oeste. Los camellos avanzaban balanceándose en un trote sostenido, guardando la línea y los intervalos de separación con tanta exactitud que parecía que los dos que seguían ponían el pie en las huellas dejadas por el que iba en cabeza. Los jinetes no despegaron los labios ni una sola vez.

La luna ascendía lentamente. Las tres altas y blancas figuras, corriendo con silenciosa pisada, por entre la luz opalescente parecían espectros que huyesen de unas tinieblas aborrecibles. De súbito, ante ellos, en el aire, encendióse una ondulante llama. Mientras la miraba, aquella aparición se condensó en un rojo de cegadora claridad. Sus corazones aceleraron sus latidos, sus almas se estremecían. Los tres gritaron como una sola voz:

—¡La Estrella! ¡La Estrella! ¡Dios está con nosotros!

CAPÍTULO VI

LA PUERTA DE JAFFA

En una abertura de la muralla occidental de Jerusalén se encuentran las «hojas de roble» llamadas de Belén o Puerta de Jaffa. El terreno que se extiende ante ellas es uno de los lugares más notables de la ciudad. Mucho antes de que David codiciara a Sión, había allí una ciudadela. Cuando al final el hijo de Jessé desalojó a los jesuitas y empezó a edificar, el emplazamiento de la ciudadela pasó a ser el ángulo noroeste de la muralla nueva, defendida por una torre mucho más imponente que la anterior. El emplazamiento de la puerta, empero, no sufrió cambios probablemente por la razón de que los caminos que se juntaban y salían de ella no era posible trasladarlos a otro punto, al paso que el terreno contiguo había convertido en una conocida plaza de mercado.

En los días de Salomón el tráfico que allí había era grande, rivalizando en el mismo los mercaderes de Egipto y los ricos negociantes de Tiro y Sidón. Han pasado cerca de tres mil años, y todavía el comercio no quiere apartarse de aquel lugar. El peregrino que necesita un alfiler o una pistola, un pepino o un camello, una casa o un caballo, un préstamo o una lenteja, un dátil o un dragomán, un melón o un hombre, una tórtola o un asno, no tiene que hacer otra cosa sino solicitar el artículo en la Puerta de Jaffa. Algunas veces la escena posee una gran animación y entonces le sugiere a uno este pensamiento: «¡Qué importante lugar había de ser el viejo mercado en los días de Herodes, el Edificador!» A aquella época y al mercado aquel, debe trasladarse ahora el lector.

Siguiendo el sistema hebreo, la reunión de los tres sabios descrita en los capítulos precedentes tuvo lugar la tarde del vigésimo quinto día del tercer mes del año, es decir, el día veinticinco de diciembre. El año era el segundo de la Olimpiada ciento noventa y tres, o el setecientos cuarenta y siete de la fundación de Roma; el sesenta y siete de la vida de Herodes el Grande, y el treinta y cinco de su reinado; el cuarto antes del comienzo de la Era Cristiana. Según la costumbre judía, las horas del día empiezan con la salida del sol. De modo que es la una cuando hace una hora que está el sol encima del horizonte. Así pues, para ser exactos, el día estaba en pleno desarrollo, y muy animado. Las macizas puertas estaban abiertas desde el alba. Los negocios, siempre al ataque, se habían extendido desde la abovedada entrada hasta una estrecha callejuela y un patio que, pasando junto a los muros de la gran torre, conducían al interior de la ciudad. Como Jerusalén está en la región montañosa, el aire matinal estaba en esta ocasión no poco penetrante. Los rayos del sol, con su tibia promesa, se demoraban provocadoramente por los almenados y torreones de las grandes columnas del alrededor, de las cuales descendía el arrullo de las palomas y el revoloteo de las bandadas de aves que iban y venían.

Como para entender algunas de las páginas que seguirán será necesario haber trabado una relación, cuando menos superficial, con las personas que llenaban la Ciudad Santa, lo mismo con los forasteros que con sus vecinos, no estará de más que nos paremos en la puerta y pasemos revista a la escena. Mejor oportunidad no se nos ofrecería para echar un vistazo al populacho que un tiempo después correrá por las calles en un estado de ánimo bien distinto al que ahora le domina.

La escena nos impresiona primero por su confusión total. Confusión de acciones, sonidos, colores y objetos. Y ello especialmente en la callejuela y el patio. Allí, el suelo está enlosado con anchas losas sin modelar, de las cuales se levantan gritos, chirridos y pataleos aumentando la algarabía que ruge y retumba entre las sólidas murallas que parecen descender de lo alto. Sin embargo, mezclándonos un poco con la turba, familiarizándonos un poco con los negocios que tienen lugar allí, nos será posible proceder a un análisis.

Ahí está un asno, dormitando bajo unos cestos llenos de lentejas, habas, cebollas y pepinos recién traídos de los jardines y terrazas de Galilea. Cuando no está ocupado sirviendo a los parroquianos, el dueño pregona su mercancía con una voz que sólo los iniciados pueden comprender. Nada más simple que su atuendo: un par de sandalias y un jaique o manta sin blanquear ni teñir, cruzada sobre un hombro y sujeta a la cintura por un ceñidor.

Allí cerca, y mucho más importante y grotesco, aunque de ningún modo tan paciente como el asno, está arrodillado un camello, áspero, descarnado y gris, con grandes greñas de espeso pelo color de zorra en la garganta, cuello y cuerpo, y una carga de cajas y cestos curiosamente colocados sobre una enorme silla.

Su propietario es un egipcio, pequeño, delgado y con un cutis que les debe muchísimo al polvo de los caminos y a las arenas de los desiertos. Lleva un fez descolorido, una bata holgada, sin mangas ni cinturón y que desciende desde el cuello hasta las rodillas. Los pies los lleva descalzos. El camello, inquieto debajo de la carga, gruñe, y de vez en cuando enseña los dientes, pero el hombre pasea indiferente de acá para allá, con el ronzal en la mano y sin dejar de anunciar sus frutas frescas de los huertos del Cedrón; uvas, dátiles, higos, manzanas y granadas.

En el rincón, donde la callejuela desemboca al patio, hay unas mujeres sentadas apoyando la espalda contra las grises piedras del muro. Su vestido es el corriente entre las clases más humildes del país: una túnica de hilo tan larga como la persona que cubre, recogida sueltamente en la cintura, y un velo o toca suficientemente ancho para, después de cubrir la cabeza, envolver los hombros. Su mercancía está contenida en cierto número de jarras de arcilla, tales como las que todavía se usan en el Este para traer agua de los pozos, y en unos odres de cuero. Entre las jarras y los odres, rodando por el enlosado suelo, a menudo en peligro pero sin recibir nunca ningún daño, juegan media docena de chiquillos medio desnudos cuyos cuerpos morenos, ojos de azabache y cabello negro y espeso, atestigua la sangre de Israel. A veces las madres levantan la vista por debajo de la toca, y pregonan modestamente su mercancía en lengua vernácula: en los odres «miel de uvas», en las jarras «bebida fuerte». Sus invitaciones se pierden, por lo común, entre el rugido general, luchando con poca fortuna contra la multitud de competidores, sujetos morenos de piernas desnudas, sucias túnicas y largas barbas, que andan con unas botellas atadas a la espalda gritando: «¡Miel de vino! ¡Uvas de Engedi!» Cuando el parroquiano para a uno de ellos, la botella se desliza hacia el pecho y después de levantar el pulgar de su pico, salta a la copa que lo espera la sangre rojo oscuro de los almibarados racimos.

Poco menos vocingleros son los mercaderes de aves: tórtolas, patos y con frecuencia el canoro *bulbul*, o ruiseñor. Con mayor frecuencia todavía, palomas. Y los compradores, al recibirlos, sacados de las redes, raras veces dejan de pensar en la azarosa existencia de los aprehensores, que trepan audaces por las peñas, unas veces recorriendo su superficie valiéndose de las manos y los pies, otras balanceándose dentro de una cesta con la que descienden por la fisura de la montaña.

Mezclados con los vendedores de joyas (hombres agudos con capas escarlata y azules, cubiertos por unos enormes turbantes de prodigiosa blancura, y muy percatados del poder que se encierra en el brillo de una cinta, en el destello incisivo del oro, lo mismo en un brazalete que en un collar, o en anillos para el dedo o la nariz) y con los vendedores de utensilios para el hogar, y con mercaderes de prendas de vestir y con detallistas de ungüentos para perfumar el cuerpo, y con buhoneros de toda clase de artículos, lo mismo de fantasía que necesarios, aquí y allá, tirando de cabezadas y sogas, ora chillando, ora adulando, se afanan los vendedores de animales: asnos, caballos, terneras, ovejas, baladores cabritos y torpes camellos. Animales de toda clase, menos el cerdo, proscrito por la ley. Todos éstos están allí, no de uno en uno, tal como los hemos descrito, sino repetidos muchas veces. No en un solo lugar, sino por todas partes del mercado.

Al apartarse de esta escena en la callejuela y el patio, de esta ojeada a los vendedores y a sus artículos, el lector debe prestar atención, en primer lugar, a compradores y visitantes, en relación a los cuales los mejores estudios podrán hacerse fuera de las puertas, donde el espectáculo es tan variado como animado. Pues ciertamente debe serlo más, porque aquí se le sobreañade el efecto de las tiendas, barracas y puestos, el espacio mayor, el mayor número de gente, la más incalificable libertad y el esplendor del sol oriental.

CAPÍTULO VII

PERSONAJES TÍPICOS DE LA PUERTA DE JAFFA

Ocupemos nuestro puesto junto a la puerta, a pocos pasos del filo de las corrientes —una que entra y otra que sale—, y utilicemos, mientras estemos allí, nuestros ojos y nuestras orejas.

¡A buena hora! Ahí vienen dos hombres de una clase que merece se les preste atención.

—¡Dioses! ¡Qué frío hace! —dice uno de ellos, una figura poderosa protegida por una armadura, con un yelmo de bronce en la cabeza, un brillante pectoral en el cuerpo y faldones de malla—. ¡Qué frío hace! ¿Recuerdas, Cayo, la bóveda de Comitium allá en nuestra patria, que los flaminios dicen que es la entrada del mundo inferior? ¡Por Plutón! ¡Esta mañana lo resistiría por lo menos todo el rato necesario para volver a entrar en calor!

La persona a quien se dirigen estas palabras deja caer el capuchón de su capa militar poniendo al descubierto la cabeza y la cara, y contesta con una sonrisa irónica:

—Los yelmos de las legiones que vencieron a Marco Antonio estaban llenos de nieve de las Galias, pero tú, ¡oh, mi pobre amigo!, tú acabas de llegar de Egipto, trayendo su verano en la sangre.

Y con esta última palabra desaparecen por la entrada. Aunque no hubiesen abierto los labios, la armadura y el recio pisar les habrían anunciado como soldados romanos.

Del tropel de gente viene luego un judío, de cuerpo flaco, hombros caídos y vestido con una túnica áspera de color pardo. Sobre sus ojos y cara, y por su espalda, cuelga una mata de pelo largo, despeinado. Va solo. Los que le encuentran ríen, si no hacen algo peor. Porque es un nazarita, un miembro de una secta despreciada que rechaza los libros de Moisés, hace votos repelentes, y mientras duran tales votos no se corta el cabello.

Mientras estamos contemplando esa figura que se aleja, se produce de repente una conmoción en la turba, que se parte rápidamente corriendo hacia la derecha o la izquierda lanzando exclamaciones agudas e incisivas. Luego llega la causa del alboroto: un hombre. Por la fisonomía y el traje, un hebreo. La capa de tela blanca como la nieve, sujeta a su cabeza por unos cordones de seda amarilla, flota libremente sobre sus hombros. Lleva una túnica ricamente bordada. Una roja faja con orillos de oro de varias vueltas a su cintura. Tiene un aire tranquilo. Hasta sonríe a los que, con tan ruda precipitación, le hacen paso. ¿Un leproso? No, no es sino un samaritano. La turba que se aparta, si se le preguntasen, contestaría que es un mestizo (un asirio), el solo contacto de cuya ropa significa ya una mancha, y del cual un israelita, aun estando en la agonía, no podría aceptar la vida. En realidad, no se trata de una rencilla de sangre. Cuando David asentó su trono aquí en Monte Sión, sin nadie que le auxiliara sino Judá, las diez tribus se retiraron a Siquem, una ciudad mucho más antigua, y, por aquellas fechas, infinitamente más rica en recuerdos santos. La unión de las tribus, al final, no zanjó la disputa empezada con este motivo. Los samaritanos se mantenían fieles a su tabernáculo de Gerizim, y al paso que sostenían su superior santidad, se reían de los airados doctores de Jerusalén. El tiempo no apaciguaba el odio. Bajo Herodes todo el mundo podía convertirse a la fe, menos los samaritanos. Éstos eran los únicos privados en absoluto y para siempre de la comunión con los judíos.

Mientras el samaritano cruza el arco de la puerta, salen tres hombres tan distintos a todos los que hemos visto hasta aquí que atraen nuestras miradas, queramos o no queramos. Son de estatura singular y su musculatura formidable. Tienen los ojos azules, y su piel es tan blanca que la sangre se pinta a través de la piel como unas rayas azules. Tienen el cabello rubio y corto, y la cabeza, pequeña y redonda, descansa perfectamente sobre un cuello recio y alto como los troncos de los árboles. Túnicas de lana, abiertas en el pecho, sin mangas y muy poco ceñidas adornan sus cuerpos, dejando desnudos unos brazos y unas piernas tan desarrollados que hacen pensar, al momento, en la arena del circo. Y cuando a todo esto añadimos sus modales despreocupados, confiados, insolentes, ya nos admira que la gente les deje paso, y cuando han pasado se vuelva para mirarles de nuevo. Son gladiadores (luchadores, corredores, boxeadores, esgrimidores, gente de una profesión desconocida en Judea antes de la llegada de los romanos), sujetos a los cuales, cuando no se están entrenando, se les ve deambulando por los jardines del rey o sentados con los soldados a las puertas del palacio. O quizá sean visitantes que vienen de Cesárea, Sebaste o Jericó, en las cuales Herodes —más griego que judío y partícipe del gusto de los romanos por toda suerte de juegos y espectáculos sangrientos— ha construido vastos teatros y ahora sostiene escuelas de luchadores, traídos, según es costumbre, de las provincias galas o de las tribus esclavas del Danubio.

—¡Por Baco! —dice uno de ellos, llevándose al hombro la cerrada mano—. Sus cráneos no tienen más grosor que la cáscara de un huevo.

La mirada brutal que acompaña al gesto nos disgusta, y nos fijamos contentos en algo más agradable.

Allí enfrente hay un puesto de fruta. El propietario tiene la cabeza calva, la carga larga y una nariz como el pico de un milano. Está sentado en una esfera extendida sobre el polvo. Tiene el muro a su espalda, sobre él cuelga una menguada cortina. A su alrededor, al alcance de su mano y colocados sobre pequeños taburetes, hay unos cajones de mimbre llenos de almendras, uvas, higos y granadas. Hasta él se llega ahora un personaje al cual no podemos dejar de mirar, aunque por otra razón que la que fijó nuestros ojos sobre los gladiadores; es verdaderamente bello, es un hermoso griego. Rodeándole las sienes, sosteniendo el ondulado cabello, lleva una corona de mirto, que conserva todavía las pálidas flores y las bayas semimaduras. Su túnica, de color escarlata, es del tejido de lana más suave, debajo del cíngulo de cuero trabajado, que lleva sujeto delante por un fantástico ingenio de reluciente oro, la falda desciende hasta la rodilla en pliegues cargados de bordados del mismo metal. Un chal también de lana de color blanco y amarillo cruza por su garganta y cae, arrastrándose, por su espalda. Sus brazos y piernas, donde quedan al descubierto, son blancos como el marfil y de una finura imposible de conseguir si no es mediante un tratamiento perfecto con baños, aceite, cepillos y pinzas.

El mercader, sin moverse de su asiento, se inclina adelante y levanta las manos hasta que se encuentran delante de él, con las palmas abajo y los dedos extendidos.

—¿Qué tienes esta mañana, oh, hijo de Pafos? —pregunta el joven griego, con la vista en las cajas más que en el chipriota—. Estoy hambriento. ¿Qué tienes para desayuno?

—Frutos del Pedius, auténticos, como los que toman los cantores de Antioquía por las mañanas para restaurar el desgaste de sus voces —responde el vendedor, con un acento nasal quejumbroso.

—¡Un higo, y no de los mejores, para los cantores de Antioquía! —exclamó el griego—. Tú eres un adorador de Afrodita, lo mismo que yo, como lo prueba el mirto que llevo. Por esto te digo que sus voces tienen el frío del viento del Caspio. ¿Ves este cinto? Es un don de la poderosa Salomé...

—¡La hermana del rey! —exclamó el chipriota, con otra zalema.

—Y lo de gusto real y juicio divino. ¿Por qué no? Ella es más griega que el rey. Pero..., ¡mi desayuno! Aquí tienes el dinero: rojas monedas de cobre de Chipre. Dame uvas y...

—¿No quieres tomar también los dátiles?

—No, no soy árabe.

—¿Ni higos?

—Esto sería volverme judío. No, nada sino las uvas. Ningún agua se ha mezclado tan dulcemente como la sangre de un griego y la sangre de las uvas.

El cantor del mercado, ensuciado y bullente, con todos sus aires de cortesanos, es una visión que no se borra demasiado pronto de las mentes de los que fijan la mirada en él, aunque como si se tratara de lograr este propósito le sigue una persona excitando toda nuestra admiración. Sube por el camino muy despacio con la cara vuelta hacia el suelo, a intervalos se para, cruza las manos sobre el pecho, pone un rostro más grave y dirige los ojos hacia el cielo, como si estuviera a punto de iniciar una oración. Un personaje así no se encuentra en ninguna parte, sino en Jerusalén. En la frente, sujeta a la banda que mantiene la capa en su sitio, sobresale una filacteria de cuero de forma cuadrada. Otro cuadrado similar está atado con una correa al brazo izquierdo. Los bordes de su túnica los adorna una ancha orla, y por todos estos signos —las filacterias, las anchas orillas del vestido y la atmósfera de gran santidad que envuelve toda su persona— sabemos que es un fariseo, un miembro de una organización (en religión, una secta; en política, un partido) cuya mojigatería y cuyo poder no tardarán en acarrear grandes males al mundo.

Lo más denso de la turba de la parte de fuera de las puertas cubre la carretera que lleva a Jaffa. Desviando nuestra atención del fariseo, nos sentimos atraídos por algunos grupos que, como tema de estudio, se diferencian oportunamente de la policroma multitud. Destaca, entre ellos, un hombre de muy noble aspecto, de cutis claro y saludable, ojos negros y brillantes, barba larga y abundante, perfumada con ungüentos, y traje bien cortado, de gran precio y adecuado a la estación. Lleva un bastón de mando y suspendido del cuello, por medio de un cordón, un sello de oro. Varios criados le atienden, algunos armados con unas espadas cortas, metidas dentro de sus fajas, y cuando se dirigen a él lo hacen con la mayor deferencia.

El resto del grupo lo forman dos árabes de la más pura estirpe del desierto, hombres delgados y musculosos, intensamente bronceados, con las mejillas hundidas y unos ojos de brillo casi diabólico. Cubren su cabeza rojos feces, y sobre los *abas*, cubriendo el hombro derecho y el cuerpo de forma que quede el brazo derecho libre, llevan unos *haiks* o mantas de lana parda. Hay un animado regateo, porque los árabes han traído unos caballos y están tratando de venderlos, y empujados por su vehemencia hablan con voz aguda y chillona. El sujeto con aire cortesano deja que lleven la discusión mayormente sus criados. Alguna que otra vez contesta él con mucha dignidad. Luego, viendo al chipriota, se para y le compra unos cuantos higos. Y cuando todo el grupo ha cruzado el portal, casi pisándole los talones al fariseo, si nos acercamos al vendedor de fruta nos dirá, con una preciosa zalema, que el desconocido es judío, uno de los príncipes de la ciudad, que ha viajado mucho y ha aprendido a distinguir la diferencia que hay entre las uvas comunes de Siria y las de Chipre, que tan exquisitas maduran con los rocíos del mar.

Y así hasta las doce del día, y a veces hasta más tarde, el flujo constante de los negocios entra y sale de la Puerta de Jaffa, ofreciendo toda la variada gama de tipos humanos, incluyendo representantes de todas las tribus de Israel, todas las sectas en que se ha parcelado y alambicado la vieja fe, todas las divisiones sociales y religiosas, toda la escoria de aventureros, los cuales, como hijos de la astucia y ministros del placer, acuden en tropel a gozar de las prodigalidades de Herodes, y todos los pueblos notables conquistados en algún tiempo por los Césares y sus antecesores, en especial los que habitan en el circuito del Mediterráneo.

En otras palabras, Jerusalén, rica en historia sacra, más rica todavía en lo tocante a profecías sagradas —la Jerusalén de Salomón, en la que la plata formaba verdaderas piedras y los cedros eran como sicómoros de valle—, había pasado a ser una copia servil de Roma, un centro de prácticas impías, una base del poder pagano. Un rey judío se puso un día vestiduras sacerdotales y entró en el Santo de los Santos del primer templo a ofrecer incienso, y salió leproso. Pero en el tiempo que estamos historiando, Pompeyo entraba en el templo de Herodes y en el mismo Santo de los Santos, y volvía a salir sin daño alguno.

CAPÍTULO VIII

JOSÉ Y MARÍA VAN A BELÉN

Ahora rogamos al lector que regrese al patio descrito como formando parte del mercado de la Puerta de Jaffa. Era la hora tercia, y mucha gente se había marchado. Con todo, la aglomeración no parecía disminuir. De los recién llegados había un grupo junto a la muralla meridional, formado por un hombre, una mujer y un asno que requiere una noticia extensa.

El hombre se encontraba junto a la cabeza del animal, con el ronzal en la mano, y apoyándose en un palo elegido para cumplir la doble función de vara y de aguijada. Su traje era semejante a los de los judíos ordinarios que había a su alrededor, salvo que tenía la apariencia de nuevo. La capa que descendía de su cabeza y el camisón o túnica que cubría su persona desde el cuello hasta los pies eran probablemente prendas que solía ponerse para asistir a la sinagoga los sábados. Su fisonomía quedaba al descubierto y manifestaba unos cincuenta años de existencia, apreciación confirmada por las hebras grises que surcaban una barba que en otro caso habría sido completamente negra. El hombre miraba hacia las dos partes con la mirada mitad curiosa mitad distraída de un forastero provinciano.

El asno consumía a su sabor una brazada de hierba verde, de la que había abundantes existencias en el mercado. En su soñolienta satisfacción, el animal no se dejaba distraer por el bullicio y la algarabía que reinaba por todas partes, ni prestaba mayor atención a la mujer sentada sobre su lomo en una albarda almohadillada. Una túnica exterior de tela de lana mate cubría por completo su persona, mientras una toca blanca escondía la cabeza y el cuello. De tarde en tarde, impelida por la curiosidad de ver u oír algo que pasaba, se apartaba un poco la toca, pero tan levemente que la cara continuaba invisible.

Por fin, una persona se acercó al hombre.

—¿Eres José de Nazaret?

El que esto decía se había parado muy cerca.

—Así me llaman —respondió José, volviéndose gravemente—. ¿Y tú? ¡Ah, que la paz sea contigo, rabí Samuel, amigo mío!

—Lo mismo deseo para ti —el rabí se interrumpió, mirando a la mujer, y luego añadió—: Para ti y para tu casa y para todos los que te ayuden, sea la paz.

Con la última palabra se llevó una mano al pecho e inclinó la cabeza en dirección a la mujer, la cual había apartado esta vez la toca lo suficiente para dejar al descubierto la cara de una mujer que no hacía mucho tiempo era todavía una niña. Acto seguido, los viejos conocidos se cogieron mutuamente las manos, levantando cada uno la del otro como si fuera a llevársela a los labios, si bien en el último momento la soltaba y se besaba la suya propia, llevándose luego la palma de la misma a la frente.

—Veo tan poco polvo en tus vestidos —dijo familiarmente el rabí—, que infiero que habéis pasado la noche en esta ciudad de nuestros padres.

—No —respondió José—. Cómo sólo pudimos llegar hasta Betania antes de que cayera la noche, nos quedamos allá en el *khan*, y al despuntar el día hemos vuelto a emprender el camino.

—De modo que el viaje que tenéis que hacer es largo. No se para en Jaffa, confío.

—Sólo hasta Belén.

La faz del rabí, hasta aquel momento franca y acogedora, se inclinó con expresión siniestra. El hombre se aclaró la garganta con un carraspeo más bien con una tos.

—Sí, sí, comprendo —dijo—. Tú naciste en Belén, y allá vas ahora con tu hija a fin de que te empadronen para poder ponerte impuestos, según ha ordenado el César. Los hijos de Jacob están como estaban las tribus en Egipto, sólo que no tienen a un Moisés ni a un Josué. ¡Hasta qué punto han caído los poderosos!

José replicó sin cambiar de postura ni de cara:

—Esta mujer no es mi hija.

Pero el rabí se aferraba a su preocupación política, y continuó, sin fijarse en la explicación de su amigo:

—¿Qué hacen los zealotes en Galilea?

—Yo soy carpintero, y Nazaret es un pueblo —respondió José, prudentemente—. La calle en que tengo el taller no es un camino que lleve a ninguna ciudad. El cortar madera y el aserrar tablones no me deja tiempo para tomar parte en las discusiones de los partidos.

—Pero eres judío —replicó el rabí, con severidad—. Eres judío y descendiente de David. No es posible que te cause placer pagar ninguna tasa, excepto el siglo dado a Jehová, según antigua tradición.

José no se dejó escandalizar.

—Yo no me quejo del importe de la tasa —prosiguió su amigo—. Un denario es una bagatela. ¡Ah, no! El hecho de que la impongan es lo que me ofende. Por lo demás, ¿qué pagamos con ella sino la sumisión a la tiranía? Dime, ¿es verdad que Judas afirma ser el Mesías? Tú vives en medio de sus seguidores.

—He oído decir a éstos que es el Mesías.

En este punto, la toca se apartó y por un instante quedó al descubierto toda la cara de la mujer. Los ojos del rabí se desviaron hacia aquella dirección y tuvo tiempo de contemplar una fisonomía de singular belleza, iluminada por una expresión de vivo interés. Luego, el rubor invadió las mejillas y la frente de la joven, y el velo volvió a su sitio.

El político olvidó el tema.

—Tu hija es agraciada —dijo, bajando la voz.

—No es mi hija —repitió José. Al rabí le despertó la curiosidad. En vista de lo cual, el nazareno apresuróse a añadir—: Es hija de Joaquín y Ana, de Belén, a los cuales habrás oído mentar por lo menos, porque gozaban de gran reputación.

—Sí, les conocía —afirmó el rabí, con deferencia—. Descendían en línea directa de David. Les conocía bien.

—Pues murieron —continuó el nazareno—. Murieron en Nazaret. Joaquín no era rico. Con todo, dejó una casa y un huerto que habían de repartirse sus hijas Mariana y María. Ésta es una de las dos, pero para que pudiera heredar la parte correspondiente de la propiedad, la ley exigía que se casase con su más próximo pariente. Ahora es mi esposa.

—Y tú eras...

—Su tío.

—¡Sí, sí! Y como los dos nacisteis en Belén, los romanos te obligan a traerla aquí para que la empadronen también a ella —el rabí juntó las manos con fuerza y levantó la vista, indignado, al cielo, exclamando—: ¡El Dios de Israel vive todavía! ¡La venganza está en sus manos!

Dicho lo cual, giró sobre sus talones y partió bruscamente. Un desconocido que estaba allí cerca dijo sosegadamente:

—El rabí Samuel es un zealote. El mismo Judas no está más obcecado.

José, no deseando trabar conversación con el hombre, aparentó no haberlo oído y se atareó reuniendo en un pequeño montón la hierba que el asno había dispersado. Luego volvió a apoyarse en su bastón, y aguardó.

Una hora después, el grupo cruzaba la puerta y, doblando hacia la izquierda, cogía la ruta de Belén. La pendiente que descendía al valle de Hinnom era muy accidentada, y la adornaban de trecho en trecho unos olivos silvestres dispersos. Con el ronzal siempre en la mano, el nazareno andaba al lado de la mujer, atendiéndola con cuidado, tiernamente. A su izquierda, por la parte sur y este de Monte Sión, se levantaba la muralla de la ciudad. A su derecha, las alterosas prominencias que forman el límite occidental del valle.

Con pausada marcha, dejaron atrás el Estanque Inferior de Gihon, del cual el sol expulsaba rápidamente la sombra cada vez menor de la montaña real. Con pausada marcha siguieron adelante, paralelamente al acueducto de los Estanques de Salomón, hasta llegar cerca del emplazamiento de la casa de campo en lo que hoy se llama el Monte del Mal Consejo. Y de allí empezaron a ascender hacia la llanura de Rafaim. El sol caía deslumbrador sobre el rostro pétreo de la famosa localidad, y bajo su influencia María, la hija de Joaquín, dejó caer por completo la toca, quedando su cabeza al descubierto. José le explicó la historia de los filisteos, sorprendidos allí por David en su propio campamento. Su narración resultaba aburrida. Hablaba con la faz solemne y la voz monótona de un hombre rústico. María no le prestaba una atención continuada.

Por todas partes de la Tierra adonde vayan los hombres y por el mar adonde vayan los barcos, la cara y el tipo del judío son familiares. El prototipo físico de la raza ha sido siempre el mismo. Sin embargo, ha habido también algunas variaciones individuales. «Y ahora era sonrosado, y, además, de hermosa fisonomía, y daba gusto mirarles.» Así era el hijo de Jessé cuando lo llevaron a presencia de Samuel. Desde entonces, la descripción ha excitado la fantasía de los hombres. La licencia poética ha extendido las peculiaridades del ancestral a sus descendientes notables. De este modo, todos nuestros salomones ideales tienen el rostro hermoso, y el cabello y la barba castaños en la sombra y con un reflejo de oro a la luz del sol. Y nos han hecho creer que también eran así los rizos de Absalón, el muy amado. Y en ausencia de la historia auténtica, la tradición ha tratado no menos amorosamente a la que ahora vamos siguiendo hacia la ciudad natal del rubicundo rey.

No tenía más de quince años. Su cuerpo, su voz, su actitud eran los del período de transición de la adolescencia a la juventud. Tenía la cara perfectamente ovalada, y el cutis más pálido que rubio. Su nariz era perfecta. Sus labios, ligeramente entreabiertos, carnosos y maduros, dando a la línea de la boca calor, ternura y confianza. Sus ojos eran grandes y azules, sombreados por curvados párpados y largas pestañas, y armonizando con todo esto, una cascada de cabello de oro caía, según el estilo permitido a las novias judías, sin sujeción alguna, por su espalda y hasta la albarda en la que se sentaba. La garganta y el cuello tenían esa suavidad especial que se ve a veces y que deja al artista en la duda de si se trata de un efecto del contorno o del color. A estos encantos de su figura y de su persona se sumaban otros más indefinibles: un aire de pureza que sólo el alma puede proporcionar, y una abstracción que no se da sino en aquellos que creen en la existencia de muchas cosas que escapan a la percepción de nuestros sentidos.

Con los labios temblorosos, levantaba a menudo los ojos al cielo, que no tenía un azul más profundo que ellos; a menudo cruzaba las manos sobre el pecho, como en adoración y plegaria, y a menudo levantaba la cabeza como persona que escuchaba con anhelo, esperando una voz que ha de llamarle. De vez en cuando, sin dejar de hablar pausadamente, José se volvía para mirarla, y observando aquella expresión que embellecía la faz de la joven como con un resplandor de luz, olvidaba el tema, y con la cabeza inclinada, meditando, seguía su camino.

Asi fueron contorneando la extensa llanura, y al final llegaron a la elevación de Mar Elías, desde la cual, por encima de un valle, contemplaron Belén, la antigua, muy antigua Casa de Pan, cuya blancas murallas coronaban un montículo y brillaban encima de los vergeles difuminados y sin hojas.

Allí se pararon y descansaron, mientras José señalaba los lugares de tanto renombre. Luego descendieron al valle hacia la fuente que fue teatro de una de las maravillosas hazañas de los valerosos guerreros de David. El estrecho espacio estaba lleno de personas y animales. Un temor asaltó a José: el temor de que si la población estaba tan atestada de gente quizá no encontrase alojamiento en ninguna casa para la dulce María. Y sin demora continuó adelante a toda prisa. Dejando atrás la columna de piedra que señalaba la tumba de Raquel, subió por la cuesta cubierta de huertos, sin saludar a ninguna de las muchas personas que encontró por el camino, hasta que se detuvo delante del portal del *khan* que había entonces fuera de la puerta de la población, cerca de un cruce de caminos.

CAPÍTULO IX

LA CUEVA DE BELÉN

Para comprender bien lo que le pasó al nazareno en el *khan*, es preciso recordar al lector que las posadas orientales son distintas de las del mundo occidental. Los persas las habían llamado *khanes*, y en su forma simple consistían en unos cercados sin casa ni cobertizo, a menudo sin puerta ni entrada. Su emplazamiento había sido elegido pensando en la sombra, la defensa o el agua. Tales eran las posadas que cobijaban a Jacob cuando fue a Padan-Aram a buscar esposa. Una reproducción de aquéllas puede verse en nuestros días en los puntos de parada del desierto. Por otra parte, algunas de ellas, especialmente las que se encontraban por las rutas que unían grandes ciudades, como Jerusalén y Alejandría, eran establecimientos principescos, monumentos a la piedad de los reyes que las habían construido. Por lo común, empero, no eran más que la casa o propiedad de un jeque, en la que metía su tribu, como en un cuartel general. El alojar a los viajeros era la menos importante de sus funciones. Servían de mercados, factorías, fuertes. Eran plazas donde se reunían y vivían mercaderes y artistas tanto como sitios donde cobijarse los caminantes retrasados o extraviados. Durante todo el año tenían lugar, dentro de sus paredes, la multitud de transacciones diarias de una población.

El detalle que quizá fuera capaz de impresionar más profundamente a una mente occidental era la singular manera de regir aquellas hospederías. Allí no había dueño ni patrona, ni escribiente, ni cocinero, ni cocina tan sólo. Un dependiente en la entrada constituía la única manifestación visible de que aquello tuviera un dueño o alguien que lo rigiese. Los forasteros que llegaban permanecían allí el tiempo que quisieran sin dar cuenta a nadie. Una consecuencia de aquel sistema era que todo el que llegaba había de traerse la comida y los útiles de cocina, o comprarlos a los mercaderes que había en el *khan*. La misma norma valía en lo tocante a la cama y a los objetos suplementrios de la misma, así como el forraje para los animales. Agua, descanso y protección era todo lo que cuidaba de proporcionar el propietario, y eran gratuitos. La paz de las sinagogas se alteraba a veces por culpa de disputadores vocingleros. La de los *khanes*, nunca. Las habitaciones y todas sus pertenencias eran sagradas. Un pozo de agua potable no lo habría sido más.

El *khan* de Belén, ante el que se pararon José y su esposa, era un buen ejemplar de su clase, no siendo ni muy primitivo ni muy principesco. El edificio era puramente oriental, es decir, un bloque cuadrangular de piedra tosca, un piso alto, de tejado plano, abierto al exterior por una ventana y sin otra entrada que la principal, una puerta que era al mismo tiempo pasaje, entrada de vehículos, en la parte oriental o fachada. El camino pasaba tan arrimado a la puerta que el polvo de yeso semicubría el umbral. Una valla de piedras planas, empezando el ángulo noroeste del edificio, se extendía por espacio de varias yardas pendiente abajo hasta un punto desde el cual se dirigía hacia el oeste hasta el saliente de peña caliza, formando la parte más esencial de un *khan* que se respetase: un cercado seguro para los animales.

En una población como Belén, donde no había sino un jeque, no podía haber más de un *khan*, y aunque hubiera nacido en la localidad, como había residido tanto tiempo en otra parte, el nazareno no tenía derecho a reclamar hospitalidad a las autoridades. Además, el empadronamiento que motivaba su viaje podía requerir una estancia de semanas o de meses. Los delegados de Roma eran gente que trabajaba despacio, y no había ni que pensar en abusar, él y su esposa, de la hospitalidad de parientes o conocidos por un período de tiempo tan incierto. En consecuencia, ya antes de llegar a la espaciosa casa, mientras iban subiendo la pendiente y José cuidaba de estimular al asno en los puntos más empinados, el miedo de no encontrar alojamiento se convirtió en una penosa ansiedad, porque encontraba el camino obstruido de hombres y muchachos que, con gran ajetreo, conducían su ganado, caballos y camellos subiendo y bajando del valle, yendo algunos en busca de agua, y otros a las cuevas vecinas. Al llegar a las cercanías, no contribuyó a mitigar su alarma el descubrimiento de una multitud que cegaba la puerta del establecimiento, mientras el cercado contiguo parecía ya lleno.

—No podemos llegar a la puerta —dijo José con su parsimonioso hablar—. Parémonos aquí y veamos si conseguimos saber qué ha ocurrido.

Sin contestar, su esposa apartó la toca con gesto delicado. La expresión de fatiga que había tenido primero su cara, se trocó por una de interés. Se encontraba junto a una reunión de gentes que no podía ser para ellos sino un motivo de curiosidad, aunque fuese cosa muy corriente en los *khanes* de cualquiera de las vías frecuentadas por las grandes caravanas. Había hombres a pie corriendo de un lado para otro y hablando con voces chillonas en todos los dialectos de Siria; hombres a caballo gritando órdenes a otros o sus camellos; hombres que pugnaban inseguros con vacas reacias u ovejas asustadas; hombres que vendían pan y vino, y entre todo aquel gentío, un rebaño de muchachos que al parecer daba caza a un rebaño de perros. Todos y todo parecían en movimiento a un mismo tiempo. Muy posiblemente la hermosa espectadora estuviese demasiado cansada para sentirse atraída mucho rato por aquella escena. Al cabo de unos momentos exhaló un suspiro y se acomodó de nuevo en la albarada, y, como si buscase paz y reposo o como si esperase la llegada de alguien, volvió los ojos hacia el sur, levantándolos hacia la cima de las elevadas peñas de Monte Paraíso, que tomaban un leve tinte rojizo bajo los rayos del sol poniente.

Mientras ella se entregaba a esta contemplación, un hombre se abrio paso saliendo del tumulto, y parándose cerca del asno miró a su alrededor con aire ceñudo. El nazareno se dirigió a él.

—Siendo lo que pienso que tú eres también (un hijo de Judá), buen amigo, ¿puedo preguntarte la causa de que se haya congregado aquí esta multitud?

El desconocido se volvió airado. Pero viendo el rostro solemne de José, tan en consonancia con su voz pausada y su hablar calmoso, levantó la mano a guisa de saludo y contestó:

—¡La paz sea contigo, rabí! Soy un hijo de Judá y te contestaré. Vivo en Beth-Dagon, que, como tú sabes, está en la tierra que perteneció a la tribu de Dan.

—En el camino de Modin a Jaffa —dijo José.

—¡Ah! ¿Has estado en Beth-Dagon? —repuso el hombre, mientras su cara se dulcifica todavía más—. ¡Qué vagabundos somos la gente de Judá! Yo he vivido muchos años lejos de la sierra, del viejo Ephrat, como la llamaba nuestro padre Jacob. Y he aquí que llegó la orden de que todos los hebreos fuesen empadronados en el lugar de su nacimiento. Éste es el asunto que me ha traído aquí, rabí.

La cara de José continuó impasible como una máscara, mientras comentaba:

—Por lo mismo he venido yo, y también mi esposa.

El desconocido dirigió una mirada a María y guardó silencio. Ella tenía los ojos vueltos hacia la pelada cima del Gedor. El sol acariciaba su faz levantada hacia lo alto y llenaba las profundidades violeta de sus ojos. Y sobre sus labios entreabiertos temblaba un afán impropio de una persona mortal. Por el momento, su belleza parecía purificada de todo poso humano. Era como nos imaginamos que son los que están sentados junto a la puerta del Cielo y reciben su luz transfiguradora. El hombre de Beth-Dagon vio el original de lo que siglos después le vino como una visión del genio a Sanzio el divino, haciéndole inmortal.

—¿De qué estaba hablando? ¡Ah! Ya recuerdo. Iba a decir que cuando me enteré de la orden de venir acá me enfurecí. Luego me acordé de la vieja montaña, de la ciudad y del valle que desciende hasta las profundidades del Cedrón, de las viñas y los vergeles, de los campos de trigo, que no reposan desde los días de Boaz y de Rut, de los montes familiares (el Gedor aquí, el Gibean allí, Mar Elías más allá), que cuando yo era niño representaba para mí las murallas del mundo. Y perdone á los tiranos y vine. Vinimos yo y Raquel, mi esposa, y Deborah y Michal, nuestras dos rosas de Sarón.

El hombre se interrumpió de nuevo, mirando bruscamente a María, quien ahora le miraba a él y escuchaba. En seguida dijo:

—Rabí, ¿no le gustaría a tu esposa ir a reunirse con la mía? Puedes verla allá con los niños, debajo del inclinado olivo del recodo del camino. Te aseguro —y ahora volvía la vista hacia José, expresándose con convicción—, te aseguro que el *khan* está lleno. Es inútil preguntar en la puerta.

Las decisiones de José eran lentas como su mente. Vaciló un momento, pero luego respondió:

—Tu ofrecimiento es cariñoso. Lo mismo si hay sitio para nosotros en la casa como si no lo hay, iremos a ver a tu familia. Permite que hable yo con el portero. Regreso al instante.

Y poniendo el ronzal en la mano del desconocido, se abrió paso por entre la agitada muchedumbre.

El guardián estaba sentado en un gran tronco de cedro, delante de la puerta. A su espalda, apoyada contra la pared, tenía una jabalina. A su lado, sentado sobre el tronco, tenía un perro.

—La paz de Jehová sea contigo —dijo José, poniéndose por fin delante del portero.

—Ojalá, lo que tú das puedas volver a encontrarlo luego. Y al encontrarlo se te multiplique muchas veces para ti y para los tuyos —respondió gravemente el vigilante, aunque sin moverse.

—Soy de Belén —dijo José, del modo más intencionado—. ¿No habría sitio para...?

—No lo hay.

—Acaso hayas oído hablar de mí: José de Nazaret. Ésta es la casa de mis padres. Desciendo de la línea de David.

En estas palabras se encerraba toda la esperanza del nazareno. Si no surtían efecto, todos los demás ruegos serían inútiles, lo sería incluso el recurso de ofrecerle muchos siclos. Ser hijo de Judá era una cosa —según la opinión tribal, una gran cosa—; ser de la casa de David era otra cosa todavía. En la lengua de un hebreo no cabía alarde mayor. Mil años y más habían transcurrido desde que el pastor mozo habíase convertido en el sucesor de Saúl y había fundado una dinastía real. Guerras, calamidades, otros reyes, y los innumerables procesos niveladores del tiempo habían hecho bajar a sus descendientes, en lo que a bienes de fortuna se refiere, hasta el nivel común de los judíos. El pan que comían lo ganaban con un trabajo que ya no podía ser más humilde. Sin embargo, la historia guardaba con sagrado celo, y cuyo primero y último capítulo era la genealogía, les favorecía distinguiéndolos y elevándolos por encima de sus compatriotas. No podían llegar a ser unos desconocidos, antes al contrario, a cualquier parte que fuesen de Israel, su origen suscitaba un respeto rayano en la adoración.

Si esto sucedía en Jerusalén y en otras partes, ciertamente un descendiente de la línea sagrada tenía motivos para suponer que surtía efecto en la puerta del *khan* de Belén. Decir, como había dicho José: «Ésta es la casa de mis padres», era decir la verdad del modo más simple y literal, pues aquélla era la misma casa que regía Rut como esposa de Boaz, la misma casa en que nacieron Jessé y sus diez hijos, siendo David el más joven, la misma casa a la que fue Samuel en busca de un rey y lo encontró. La misma casa que David dio al hijo de Barzillai, el Gileadita acogedor. La misma casa en que Jeremías rescató, gracias a la oración, al resto de su raza, que huía delante de los babilonios.

La llamada no quedó sin efecto. El guardián de la puerta bajó del tronco de cedro y, apoyando la mano sobre la barba, dijo respetuosamente:

—Rabí, no puedo decirte cuándo se abrió esta puerta por primera vez dando la bienvenida al viajero, pero fue más de mil años ha, y en todo este tiempo no se tiene noticia de que jamás se negara la entrada a un hombre de bien, excepto cuando no había sitio donde dejarle reposar. Si así se ha procedido con los extraños, una justa causa ha de tener el sirviente cuando da una negativa a un descendiente de David. Por lo cual, yo te saludo de nuevo, y si no te sabe mal acompañarme, te demostraré que no hay un solo alojamiento en toda la casa. Ni en los cuartos, ni en las cuadras, ni en el patio, ni aun en el tejado. ¿Puedo preguntarte cuándo llegaste?

—Ahora mismo.

El portero sonrió.

—«El extraño que viva contigo ha de ser considerado como si hubiera nacido entre los tuyos, y tú deberás amarle como a ti mismo.» ¿No es ésta la Ley, rabí?

José se quedó callado.

—Si ésta es la ley, ¿puedo decirle a uno que llegó hace tiempo: «Sigue tu camino; hay otro aquí que ocupará tu puesto»?

Todavía José continuó en la misma actitud.

—Y si yo pronunciara estas palabras, ¿a quién le pertenecería el puesto libre? Ve el número de los que están aguardando. Algunos desde el mediodía.

—¿Quiénes son toda esa gente? —preguntó José, volviéndose hacia la multitud—. ¿Y por qué están aquí a esta hora?

—Lo que te ha traído a ti, rabí, el decreto del César —el guardián dirigió una mirada interrogativa al nazareno. Luego continuó—: Trajo a la mayoría de los que están acomodados en la casa. Además, ayer llegó la caravana que va de Damasco a Arabia y al Egipto inferior. Estos que ves aquí —hombres y camellos— forman parte de ella.

José insistió todavía:

—El patio es grande.

—Sí, pero está abarrotado de mercancías, de balas de seda, de sacos de especias y de géneros de toda clase.

Entonces, por un momento, la faz del solicitante perdió su estolidez. Los ojos, fijos, sin brillo, se inclinaron hacia el suelo. Luego dijo con cierto calor:

—Por mí no me importa, pero mi esposa está conmigo, y la noche es fría. En estas alturas es más fría que en Nazaret. Ella no puede quedarse al aire libre. ¿No hay alojamiento en la ciudad?

El guardián indicó con la mano la multitud apiñada delante de la puerta:

—Toda esta gente ha buscado por la población y aseguran que todos los alojamientos están ocupados.

José tanteó el terreno, una vez más, diciendo, como si hablara consigo mismo:

—¡Ella es tan joven! Si la hago dormir en el monte, la escarcha la matará —luego se dirigió de nuevo al guardián—: Es posible que conozcas a sus padres, Joaquín y Ana, que también fueron vecinos de Belén, y, como yo mismo, descendían de David.

—Sí, los conocí. Eran buena gente. Esto fue en mi juventud.

Esta vez los ojos del portero recorrieron el suelo meditativamente. Luego levantó la cabeza con gesto repentino.

—Si no puedo hacerte sitio, tampoco puedo hacerte marchar. Rabí, haré por ti todo lo que pueda. ¿Cuántos sois en tu grupo?

José reflexionó, y unos segundos después respondió:

—Mi esposa y un amigo de Beth-Dadon, pequeña población más allá de Jaffa, con su familia. Seis personas en total.

—Muy bien. No dormiréis en el monte. Trae a tu gente y date prisa, porque ya sabes que cuando el sol se hunde tras la montaña viene la noche rápidamente, y ahora ya está a punto de esconderse.

—Te doy todas las bendiciones del caminante sin hogar. Luego te daré las del morador.

Así diciendo, el nazareno escapó gozoso, en busca de María y el de Beth-Dagon. Al cabo de unos momentos, este último trajo a su familia, las mujeres montadas en asnos. Su esposa tenía aires de matrona. Las hijas eran retratos de lo que hubo de ser ella en la juventud. Mientras se acercaban a la puerta, el guardián vio que pertenecían a la clase más humilde.

—Esta es la mujer de que te hablé —dijo el de Nazaret—. Y éstos son nuestros amigos.

El velo de María se levantó.

—Ojos azules y cabello rubio —murmuró el empleado, no viendo sino a ella—. Así era el joven rey cuando iba a cantarle a Saúl.

Luego cogió el ronzal de manos de José, y dijo a María:

—¡Paz a ti, oh, hija de David! —y a los otros—: ¡Paz a todos vosotros! —en seguida se dirigió a José—: Rabí, sígueme.

El portero guió al grupo por un ancho corredor, desde el cual pasaron al patio del *khan*. A un extranjero, la escena le habría parecido muy curiosa. Ellos, en cambio, sólo se fijaban en las cuevas que abrían sus bocas oscuras en todas partes para comentar cuán atestadas estaban. Por un corredor reservado para el almacenamiento de mercancías, y de allí por un pasaje similar al de la entrada, salieron al cercado contiguo a la casa, dando con una confusión de camellos, caballos y asnos, trabados y dormitando en apiñados grupos. Entre ellos se veía a sus guardianes, hombres procedentes de diversas naciones, los cuales dormían también, a su vez, o vigilaban en silencio. Luego descendieron la cuesta del alborotado patio muy lentamente, porque los obtusos transportadores de las mujeres manifestaban antojos suyos particulares. Al final desembocaron en un sendero que conducía a la peña gris de piedra caliza que dominaba el *khan* por la parte del oeste.

—Vamos a la cueva —dijo José, lacónicamente.

El guía aguardó hasta que María estuvo a su lado.

—La cueva hacia la cual nos dirigimos —le dijo— hubo de ser un refugio de tu antepasado David. Desde el campo que hay más abajo y desde el pozo del valle solía conducir allí sus rebaños buscando seguridad. Luego, cuando fue rey, volvía a esta su antigua casa en busca de reposo y salud, trayendo grandes reatas de animales. Los pesebres continúan todavía lo mismo que estaban en su tiempo. Es mejor tener un lecho en el suelo sobre el que él durmió que tenerlo en el patio, o fuera, junto al camino. ¡Ah, aquí está la casa delante de la cueva!

No hay que interpretar el anterior discurso como si obedeciera al propósito de pedir excusas por el alojamiento ofrecido. No había necesidad de pedirlas. El acomodo era el mejor con que se podía contar en aquel momento. Los huéspedes eran gente sencilla, con hábitos de vida que se satisfacían fácilmente. Además, para un judío de aquella época la idea de morar en una cueva no tenía nada de particular, pues los acontecimientos cotidianos la imponían, y lo que oía los sábados en las sinagogas se lo presentaban como una cosa muy natural. ¡Cuán gran parte de la historia del pueblo judío, cuántos episodios interesantísimos de dicha historia habíanse gestado en cuevas! Más aún, las personas que entraban ahora eran judíos de Belén, para los cuales la idea era más que vulgar, pues la localidad abundaba en cuevas grandes y pequeñas, algunas de las cuales servían de viviendas desde los tiempos de Emim y Horites. Ni tampoco significaba una ofensa para ellos que la cueva a que les acompañaban hubiera sido, o fuera, un establo. Descendían de una raza de pastores, cuyos rebaños compartían con ellos lo mismo la vivienda que la trashumancia. Guardando una tradición que arranca de Abraham, la tienda del beduino alberga todavía los caballos igual que a los chiquillos. Por tanto, nuestros caminantes obedecían alegremente al guardián y miraban la estancia sin experimentar otra cosa que una curiosidad muy natural. Todo lo que se relacionase con la historia de David les interesaba mucho.

El edificio era bajo y estrecho, sobresaliendo poco de la pena con la que se confundía su parte posterior y sin una ventana en toda su extensión. En su desnuda fachada había una puerta, girando sobre unas bisagras enormes y bien recubiertas de arcilla color ocre. Mientras hacían correr el cerrojo de madera, las mujeres bajaban de las albardas, asistidas por sus respectivos maridos.

En cuanto se abrió la puerta, el guardián les gritó:

—¡Entrad!

Los huéspedes entraron y miraron a su alrededor. Veíase claramente al momento que la construcción no servía sino para encubrir la boca de una cueva o gruta natural que tendría probablemente cuarenta pies de largo por nueve o diez de alto y doce o quince de ancho. La luz que entraba por la puerta se derramaba sobre un suelo desigual, cayendo sobre pilas de grano y forraje, y cacharrería y objetos para el hogar, que ocupaban el centro de la cámara.

En los costados había pesebres lo suficiente bajos para que pudieran llegar las ovejas y construidos de piedras trabadas con cemento. No había compartimientos ni tabiques de ninguna clase. El polvo y la paja cubrían el suelo, llenaban todas las grietas y hoyos, y hacían más gruesos los hilos de las telarañas que colgaban del techo como jirones de ropa sucia. Por lo demás, aquello estaba limpio, y, en apariencia, era tan cómodo como cualquiera de los refugios abovedados del *khan* propiamente dicho. Al fin y al cabo, la cueva fue el primer modelo, lo primero que hizo pensar en una bodega.

—¡Entrad! —dijo el guía—. Estos montones del suelo son para los viajeros como vosotros. Coged de ellos todo lo que necesitéis.

Entonces dirigió la palabra a María:

—¿Podrás descansar aquí?

—Este lugar es santo —respondió ella.

—Os dejo, pues. ¡La paz sea con todos vosotros!

Cuando el portero hubo salido, todos se ocuparon de hacer habitable la cueva.

CAPÍTULO X

LA LUZ EN EL CIELO

A una determinada hora de la noche, los gritos y el bullicio de la gente en el interior y en los alrededores del *khan* cesaron. Al mismo tiempo, cada israelita, si ya no estaba en pie, levantóse, puso una cara solemne, miró hacia Jerusalén, cruzó las manos sobre el pecho y rezó. Porque era la hora nona, la hora sagrada, en la que se ofrecían sacrificios a Dios en el templo de la cima del Moria y se creía que Dios estaba presente allí para recibirlos. Cuando las manos de los devotos descendían, el alboroto empezaba de nuevo. Todo el mundo corría a devorar las cena o a prepararse el lecho. Un poco después, apagaban las luces y venía el silencio, acompañado del sueño.

A eso de la medianoche, uno de los que estaban en la azotea gritó:

—¿Qué luz es aquella que se ve en el cieló? ¡Despertad, hermanos, despertad y miradla!

La gente, medio dormida, se sentaba y miraba. Y en seguida se despertaba del todo, quedando en seguida paralizada de admiración. La agitación se transmitió abajo al patio y a las bodegas. Pronto todos los ocupantes de la casa, del patio y del cercado estuvieron al aire libre mirando al cielo.

He ahí lo que veían. Un rayo de luz que empezaba a una altura imposible de medir, más allá de las estrellas cercanas, y que caía oblicuamente hacia la tierra, y si en su vértice era un punto minúsculo, en su base tenía varios estadios de anchura. Sus costados se confundían suavemente con la oscuridad de la noche, su centro brillaba con un resplandor eléctrico rosado. El fenómeno parecía descansar en la montaña más próxima al sudeste de la población, formando como una pálida corona sobre la línea de la cima. El *kahn* quedaba inundado de luz de tal forma, que los de la azotea se veían bien los rostros, cubiertos todos, sin quedar uno, por una expresión maravillada.

Aquel rayo de luz permanecía fijo, invariable, largos minutos, con lo cual la admiración se convirtió en espanto y miedo. Los tímidos temblaban. Los más audaces hablaban en susurros.

—¿Habéis visto jamás una cosa parecida? —preguntaba uno.

—Parece estar exactamente encima de esa montaña. No sabría decir qué es, ni jamás vi otra cosa semejante —le respondieron.

—¿No podría ser que hubiera reventado y caído una estrella? —preguntó otro, trabándosele la lengua.

—Cuando cae una estrella, su luz se apaga.

—¡Ya lo tengo! —grita otro, confidencialmente—. Los pastores han visto a un león y encienden fuegos para tenerlo alejado de los rebaños.

Los que estaban cerca del que así decía, exhalaron un suspiro de satisfacción, y dijeron:

—¡Sí, esto es! Hoy los rebaños han estado paciendo por el valle que hay hacia aquella parte.

Uno de los presentes desautorizó el alivio fácil.

—¡No, no! Aunque pusieran junta y encendieran toda la leña de los valles de Judá, la llama no proyectaría una luz tan intensa y elevada.

Después se produjo el silencio de la azotea, interrumpido sólo una vez mientras duró el misterio.

—¡Hermanos! —exclamó un judío de semblante venerable—. Lo que estamos viendo es la escalera que nuestro padre Jacob vio en sueños. ¡Bendito sea el Dios de nuestros padres!

CAPÍTULO XI

HA NACIDO CRISTO

A una milla y media, o acaso dos, al sudeste de Belén hay una llanura separada de la ciudad por una estribación interpuesta de la montaña. Además de estar bien resguardada de los vientos del Norte, el valle estaba cubierto de una espesura de sicómoros, robles enanos y pinos, mientras en las cañadas y barrancos contiguos había bosquecillos de olivos y morales; todos ellos en esta estación del año de valor inestimable para alimento del ganado lanar, cabrío y vacuno que formaba los trashumantes rebaños.

En el extremo más alejado de la ciudad, junto a un saliente de peña, había un espacioso *marah,* o cobertizo para ganado lanar, de muchos siglos de antigüedad. En ocasión de algún saqueo olvidado hacía mucho tiempo, el edificio quedó sin tejado y fue casi demolido. Sin embargo, el cercado adjunto al mismo quedó intacto; y para los pastores que conducían las bestias a su cuidado por aquellos parajes el cercado tenía más importancia que la casa misma. La pared de piedra que rodeaba el recinto se levantaba a la altura de la cabeza de un hombre; aunque no la tenía bastante para garantizar que una pantera o un león, sacado del desierto por el hambre, no la pudiese saltar penetrando audazmente en el recinto. En la cara interior de la pared, y como precaución adicional contra el peligro constante, habían plantado un seto de espinos, invento tan útil que actualmente hasta a un gorrión se le hacía difícil pasar por entre las ramas que sobresalían del muro, armadas como estaban de grandes apiñamientos de espinas, duras como espigones.

El día que tuvieron lugar los acontecimientos que llenan los capítulos precedentes, cierto número de pastores, buscando pastos frescos para sus rebaños, los condujeron a aquella llanura; y desde primeras horas de la mañana, los bosquecillos vibraban de cantos, de golpes de hacha, del balido de ovejas y cabras, del tintineo de las esquilas, del mugido del vacuno y de ladridos de los perros. Cuando se hundió el sol, abrieron la marcha hacia el *marah* y al caer la noche lo tuvieron todo acomodando en sitio seguro; con lo cual encendieron un fuego cerca de la puerta, se restauraron con una humilde cena y se sentaron a descansar y conversar, dejando a uno de ellos de vigilancia.

Sin contar al que estaba de centinela, eran seis los pastores, los cuales se reunieron en grupo al cabo de un rato alrededor del fuego, unos sentados y otros tendidos boca abajo. Como habitualmente llevaban la cabeza descubierta, su cabello formaba unas greñas espesas, ásperas, quemadas por el sol; las barbas les cubrían la garganta y caían como esteras sobre el pecho; unas zamarras de pieles de cordero y de cabrito, con el vellón intacto, les cubrían desde el cuello hasta las rodillas, dejando los brazos al desnudo; anchos cinturones sujetaban las toscas prendas a sus cinturas; llevaban las sandalias de la clase más tosca; de sus hombros colgaban zurrones conteniendo provisiones y piedras seleccionadas para las hondas de que iban armados, y en el suelo cerca de cada uno de ellos había el respectivo cayado, símbolo de su profesión y arma ofensiva a un mismo tiempo.

¡Así eran los pastores de Judea! En apariencia, toscos y salvajes como los enflaquecidos perros sentados con ellos alrededor de la lumbre; pero en realidad gente sencilla, de corazón tierno; afectos debidos en parte a la vida primitiva que llevaban, pero en grado superlativo al hecho de pasarse los días cuidando seres indefensos e inspiradores de amor.

Reposaban y conversaban; hablaban de sus rebaños, tema aburrido para el mundo, pero que para ellos era todo su mundo. Si en sus narraciones se entretenían demasiado en cuestiones de muy poca importancia; si uno de ellos no omitía detalle al explicar cómo había perdido un cordero, había que recordar la relación existente entre él y el infortunado animalito. Al nacer ya quedaba a su cuidado, ya estaba bajo su vigilancia por todos los días de su existencia, y el pastor tendría que ayudarle a pasar los ríos en avenida, tendría que transportarlo en las depresiones, tendría que llamarlo y domesticarlo; habría de ser su compañero. Tendría que hacerle objeto de sus pensamientos y de su interés, centro de su voluntad; tendría que animar y compartir sus escapadas; en defensa del animal quizá tuviera que enfrentarse con el león o con los ladrones de ganado, y hasta era posible que perdiese la vida.

Los grandes acontecimientos, los que borraban naciones de la faz de la tierra y cambiaban de unas manos a otras el dominio del mundo, eran para ellos nimiedades si es que, por azar, llegaban a su conocimiento. De tarde en tarde se enteraban de lo que hacía Herodes en esta o en aquella ciudad. Construyendo palacios y gimnasios, y entregándose a prácticas prohibidas. Según era su costumbre, en aquellos días, Roma no aguardaba a que la gente rezagada preguntase por ella; era ella la que iba a su encuentro. Sobre las colinas por las cuales iba conduciendo su desparramado rebaño, o en los rincones agrestes donde lo escondía, no era raro que estremeciese al pastor el estrépito de las trompetas, y, mirando con cautela, divisase una corte y a veces una legión, en marcha. Y cuando los centelleantes airones de los cascos habían desaparecido, y la excitación provocada por su presencia se habían calmado, se ponía a meditar para deducir el significado de las águilas y los globos dorados de la tropa y los atractivos de una vida tan opuesta a la suya propia.

Sin embargo, aquellos hombres, con lo toscos y sencillos que eran, poseían unos conocimientos y una sabiduría peculiares y exclusivos. Los sábados solían purificarse y entrar en las sinagogas, sentándose en los bancos más alejados del arca. Cuando al *chazan* paseaban el Torá por el templo, nadie lo besaba con mayor celo; cuando el *seliach* leía el texto, nadie escuchaba al intérprete con más absoluta fe; y nadie se llevaba en el recuerdo más sustancia del sermón del hermano mayor, ni dedicaba luego más ratos a meditarlo. En un verso del Shema encontraban toda la ciencia y toda la ley de sus vidas sencillas; veían que su Señor era un Dios Único, y que debían amarle con toda el alma. Y le amaban en efecto; y en ello consistía su sabiduría, mayor que la de los reyes.

Mientras hablaban, y antes de que hubiera terminado la primera guardia, los pastores se fueron durmiendo uno tras otro, cada uno tendido donde había estado sentado.

La noche, como la mayoría de las noches de invierno en la región de los montes, era clara, despejada y poblada por el centelleo de las estrellas. No soplaba ni un aliento de aire. La atmósfera no había parecido nunca tan pura, y la quietud era más que un simple silencio; unía un recogimiento sagrado, el anuncio de que el cielo se inclinaba, descendía, para susurrar alguna buena nueva a la tierra, que estaba escuchando.

Junto a la puerta, apretándose la capa contra el cuerpo, andaba el guardián. En ciertos momentos se paraba, atraído por una agitación que notaba en los rebaños dormidos o por el grito de un chacal en la ladera del monte. La medianoche llegaba lentamente; pero llegó por fin. Había terminado su tarea; ¡ahora podía entregarse al sueño sin sueños con que el trabajo bendice a sus fatigados hijos! El buen hombre dio unos pasos en dirección a la lumbre, pero se detuvo; a su alrededor surgía una luz, blanca y suave, como la de la luna. Aguardó sin aliento. La luz se hizo más viva; los objetos hasta entonces invisibles se divisaban perfectamente; veíase todo el campo, y todo inundado de claridad. Un escalofrío más penetrante que el causado por el aire de invierno (un escalofrío de miedo) sacudió su cuerpo. Levantó la vista; las estrellas habían desaparecido; la luz descendía de una ventana del cielo. Mientras él miraba, aquella claridad se convirtió en un gran esplendor, y entonces, aterrorizado, el buen hombre gritó:

—¡Despertad, despertad!

Los perros dieron un salto y marcharon ululando.

Los rebaños se apelotonaron desorientados.

Los hombres se pusieron en pie y empuñaron las armas.

—¿Qué hay? —preguntaban al unísono.

—¡Mirad! —les gritó el guardián—. ¡El cielo está en llamas!

De súbito la luz adquirió un fulgor irresistible, obligándoles a cubrir los ojos y a ponerse de rodillas; luego, mientras el miedo empequeñecía sus almas, cayeron sobre sus rostros, cegados y desmayándose, y hubieran muerto si una voz no les hubiese gritado:

—¡No temáis!

Y entonces ellos se pusieron a escuchar.

—No temáis: porque, mirad, yo os traigo buenas noticias, noticias dichosas que alegrarán a todas las gentes.

Aquella voz, baja y clara y de una dulzura apaciguadora sobrehumana, penetró todo su ser, llenándolos de confianza. Los hombres se incorporaron sobre las rodillas y, mirando con aire de adoración, contemplaron en el centro de una gran aureola la aparición de un hombre vestido con una túnica intensamente blanca. Por encima de los hombros sobresalían las puntas de unas alas brillantes y plegadas; sobre su frente lucía una estrella de vivo resplandor, brillante como la Hesperies; tenía las manos extendidas hacia ellos en ademán de bendecirles, y su cara era serena y de una hermosura divina.

A menudo habían oído hablar, y ellos mismos habían hablado, a su sencillo modo, de ángeles; ahora no dudaban, sino que, en su corazón, decían: «La gloria de Dios nos envuelve, y éste es el que se presentó al profeta junto al río Ulai».

El ángel continuó en seguida:

—¡Porque entre vosotros ha nacido hoy, en la ciudad de David, un Salvador, que es Cristo, el Señor!

Hubo otro momento de calma, mientras aquellas palabras se clavaban en sus mentes.

—Y ésta será la señal que os guíe —dijo luego el ángel anunciador—: Encontraréis al niño, envuelto en pañales, tendido en un pesebre.

El heraldo ya no dijo más; la buena nueva había sido pronunciada; no obstante, permaneció todavía un rato visible. De pronto la luz, cuyo centro parecía constituir él, se volvió rosácea y empezó a temblar; luego, por las alturas, hasta donde alcanzaba la vista de los hombres, se vio una rauda agitación de alas blancas, un ir y venir de formas radiantes y se oyó lo que parecía las voces de una multitud cantando al unísono.

—¡Gloria a Dios en las alturas, y en la tierra paz y buena voluntad para los hombres!

No se oyó una vez, sino muchas, la anterior alabanza.

Luego el heraldo levantó los ojos, como buscando la aprobación de un ser muy distante; sus alas se agitaron y se extendieron lenta y majestuosamente, blancas como la nieve por su parte superior, variopintas cual madreperlas, en la parte inferior, y cuando estuvieron extendidas a varios codos más arriba de su cabeza, se levantó ligeramente, y, sin ningún esfuerzo, flotó y desapareció de la vista, llevándose la luz consigo. Mucho rato después de haberse marchado, descendía aún del cielo el canto de alabanza, amortiguado cada vez más por la distancia:

—¡Gloria a Dios en las alturas, y en la tierra paz y buena voluntad para los hombres!

Cuando los pastores recobraron el sentido por completo, se miraron unos a otros con aire estúpido, hasta que uno de ellos dijo:

—Era Gabriel, el mensajero del Señor para los hombres.

Ninguno le respondió.

—Cristo el Señor ha nacido, ¿no ha dicho esto?

Entonces otro pastor recobró la voz, contestando:

—Esto es lo que ha dicho.

—¿Y no ha dicho también, en la ciudad de David que es la Belén nuestra que tenemos allá? ¿Y que le encontraríamos bajo la figura de un niño en pañales?

—Y tendido en un pesebre.

El primero que había hablado se quedó contemplando el fuego pensativamente, pero al fin dijo, como persona poseída por una repentina solución:

—No existe sino un lugar en Belén donde haya pesebre; uno solo, y es la cueva cercana al antiguo *khan*. Hermanos, vayamos a ver esto que ha pasado. Hace tiempo que los sacerdotes y doctores esperan y buscan al Cristo. Ahora ha nacido, y el Señor nos ha dado una señal por la que podremos reconocerle. Vamos allá y le adoraremos.

—Pero ¿y los rebaños?

—El Señor velará por ellos. Démonos prisa.

Entonces todos se levantaron y salieron de la *marah*.

Los pastores rodearon el monte, cruzaron la ciudad, llegaron a la puerta del *khan*, donde había un hombre de guardia.

—¿Qué queréis? —les preguntó.

—Esta noche hemos visto y oído grandes cosas —le contestaron.

—Ea, también nosotros hemos visto grandes cosas, pero oír no hemos oído nada. ¿Qué habéis oído vosotros?

—Bajemos a la cueva del cercado, a fin de cerciorarnos; luego te lo explicaremos todo. Ven con nosotros y velo por ti mismo.

—Es una tontería dar este paseo.

—No; ha nacido el Cristo.

—¡El Cristo! ¿Cómo lo sabéis?

—Vamos a ver primero.

El guardián se rió con desdén.

—¡El Cristo!, ¿de verdad? ¿Cómo vais a conocerle?

—Ha nacido esta noche, y ahora está acostado en un pesebre. Así nos han dicho. Y en Belén no hay sino un lugar que tenga pesebres.

—¿La cueva?

—Sí. Ven con nosotros.

Y atravesaron el patio sin que nadie se fijara en ellos, a pesar de que todavía había algunos que estaban despiertos hablando de la maravillosa luz que habían visto. La puerta de la cueva estaba abierta; en el interior ardía una linterna. Los pastores y el guardián entraron sin ceremonia.

—Yo os doy la paz —dijo el portero a José y al vecino de Beth-Dagon—. Aquí hay una gente que buscan a un niño nacido esta noche, al cual conocerán porque han de hallarlo en pañales y acostado en un pesebre.

La cara del estólido nazareno manifestó por unos momentos una viva emoción; luego desviándola dijo:

—El niño está aquí.

Y acompañaron a los visitantes hasta uno de los pesebres, y allí estaba el niño. Trajeron la linterna, y los pastores se quedaron inmóviles, mudos. El infantito no daba muestras de nada; era como los demás recién nacidos.

—¿Dónde está la madre? —preguntó el portero.

Una de las mujeres cogió al niño, se acercó a María, acostada allí cerca, y se lo puso en los brazos. Entonces los circunstantes se reunieron junto a los dos.

—¡Es el Cristo! —dijo por fin uno de los pastores.

—¡El Cristo! —repitieron todos, cayendo de rodillas para adorarle.

Uno de ellos dijo y repitió varias veces:

—Es el Señor, y su gloria está por encima de la tierra y los cielos.

Y aquellos hombres sencillos, sin dejarse asaltar ni un momento por la duda, besaron el borde del vestido de la madre, y partieron con cara gozosa. En el *khan* contaron la historia a toda la gente, que se había levantado y se agolpaba a su alrededor; y por toda la ciudad, y por el camino, regresando al aprisco, entonaban el himno de alabanza de los ángeles.

—¡Gloria a Dios en las alturas, y en la tierra paz, y buena voluntad para los hombres!

La historia se propagó, confirmada por la luz vista por tanta gente; y el siguiente día, y durante otros muchos más, multitudes curiosas visitaron la cueva, y algunos creyeron; aunque la mayor parte se rieron y se burlaron.

CAPÍTULO XII

LOS MAGOS LLEGAN A JERUSALÉN

El undécimo día después del nacimiento del niño en la cueva, a eso de la media tarde, los tres sabios se acercaban a Jerusalén por la carretera de Siquem. Después de cruzar el arroyo Cedrón, encontraron a muchas personas, ninguna de las cuales dejó de pararse y mirarles con curiosidad.

Judea era una avenida internacional obligatoria; un estrecho puente, levantado, al parecer, por la presión del desierto en el este y del mar en el oeste. Esto era y no podía pretender que fuese otra cosa. Por encima de ese puente, empero, la Naturaleza había fijado el cauce de una corriente comercial entre el este y el sur, y de aquí nacía la riqueza del país. En otras palabras, la riqueza de Jerusalén provenía de los impuestos que cobraba al comercio que pasaba por allí. Con la excepción de Roma, en ninguna otra parte se encontraban, constantemente reunidas, tan gran número de personas de tantas y tan distintas naciones; y en ninguna otra ciudad era el extranjero menos extraño a los avecindados en ella como dentro de sus muros y aledaños. A pesar de lo cual aquellos tres hombres excitaban la admiración de todos los que encontraban en su marcha hacia las puertas de la ciudad.

El hijo de una de las mujeres sentadas a la orilla del camino enfrente de las Tumbas de los Reyes vio al grupo que se acercaba e inmediatamente se puso a batir palmas y a gritar:

—¡Mira, mira! ¡Qué hermosas campanillas! ¡Qué camellos tan grandes!

Las campanillas eran de plata; los camellos, como hemos visto, eran de una talla y una blancura estraordinaria, y se movían con singular majestad; los arreos hablaban del desierto, de largas travesías por el mismo, y también de que sus poseedores estaban en posesión de abundantes medios. Y los tres jinetes iban sentados debajo de los pequeños toldos exactamente igual como aparecieron en el lugar de reunión al otro lado del Jebel. Sin embargo, no eran las campanillas, ni las guarniciones, ni el aire de los jinetes lo que resultaba tan maravilloso, sino la pregunta que formulaba el que iba en cabeza.

La entrada a Jerusalén por el norte discurre por una llanura que se inclina hacia el sur, dejando la Puerta de Damasco en un valle u hondonada. El camino es estrecho, y el prolongado uso lo ha hundido profundamente: en ciertos puntos lo hacen difícil los guijarros que el agua de las lluvias ha puesto al descubierto y ha dejado sueltos. Sin embargo, a uno y otro lado extendíanse en tiempos antiguos fértiles campos y bosques de olivos que, cuando crecían con toda su lozanía habían de ser muy hermosos y en especial habían de parecerlo a los viajeros recién llegados a las arideces del desierto. Yendo por dicho camino, los tres sabios se detuvieron delante del grupo que había enfrente de las Tumbas.

—Buena gente —dijo Baltasar, acariciándose la trenzada barba e inclinándose fuera de su litera—, ¿no está cerca Jerusalén?

—Sí —respondió la mujer, en cuyos brazos se había acurrucado el niño—. Si los árboles de aquella eminencia de allá fuesen un poco más bajos, veríais las torres de la plaza del mercado.

Baltasar dirigió una mirada al griego y al hindú, y luego preguntó:

—¿Dónde está el Rey de los Judíos que ha nacido?

Las mujeres se miraron unas a otras sin responder.

—¿No habéis tenido noticias de él?

—No.

—Pues decid a todo el mundo que nosotros hemos visto su estrella en el este, y hemos venido a adorarle.

Dicho lo cual, los jinetes siguieron en marcha. A otras personas formularon la misma pregunta, con idéntico resultado. Un gran grupo de gentes que encontraron camino de la gruta de Jeremías quedaron tan pasmados por la pregunta y el aspecto de los viajeros que dieron media vuelta y les siguieron hacia la ciudad.

Tan obsesionados iban los tres con la idea de la misión que les traía que no prestaban atención a la perspectiva que se ofrecía ahora ante ellos con la mayor magnificencia, ni al poblado que primero les recibió en Bezeth, ni a Mizpah, y Olivete, a su izquierda, ni a la muralla del otro lado de la población, con sus cuarenta torres, altas y sólidas, sobreañadidas en parte para proporcionarle mayor fortaleza, y en parte para satisfacer el gusto exigente de su real constructor, ni al muro que las contenía y doblaba hacia la derecha formando varios ángulos, y ofreciendo aquí de allá una puerta almenada, ascendiendo hasta las tres grandes columnas blancas de Phaselos, Mariamno e Hippico;

ni a Sión, el más alto de los montes, coronado de palacios de mármol, jamás tan hermosos; ni a las deslumbrantes terrazas del templo de María, reconocido como una de las maravillas del mundo; ni a las montañas regias bordeando el círculo la ciudad santa de modo que parecía situada en el fondo de una inmensa taza.

Llegaron al fin a una torre de gran altura y poder, dominando la entrada que en aquel tiempo correspondía a la actual Puerta de Damasco y señalaba el punto de reunión de las tres carreteras de Siquem, Jerico ý Gebeón. Un soldado romano guardaba el pasaje. En este momento la gente que seguía detrás de los camellos formaba una comitiva suficiente para arrastrar a los ociosos apostados en las cercanías del portal; de modo que cuando Baltasar se detuvo para hablar con el centinela, los tres jinetes quedaron convertidos instantáneamente en el centro de un apretado círculo ansioso de oír lo que ocurría.

—Yo te doy la paz —dijo el egipcio con voz clara.

El centinela no respondió:

—Hemos recorrido grandes distancias en busca de uno que ha nacido Rey de los Judíos. ¿Puedes decirnos dónde está?

El soldado levantó la visera de su celada y llamó con voz fuerte. De un departamento de la derecha del pasaje salió un oficial.

—Dejad paso —gritó a la multitud que ahora se agolpaba más. Y como parecían un tanto remisos a obedecer, avanzó haciendo girar vigorosamente la jabalina, ora a la derecha, ora a la izquierda; y de este modo fue ganando terreno.

—¿Qué queréis? —preguntóle a Baltasar en el idioma de la ciudad.

En la misma lengua respondió Baltasar:

—¿Dónde está el que ha nacido Rey de los Judíos?

—¿Herodes? —preguntó confundido el oficial.

—La realeza de Herodes viene del César, no me refiero a Herodes.

—No hay otro Rey de los Judíos.

—Sin embargo, nosotros hemos visto la entrella de Aquel al cual buscamos y venimos para adorarle.

El romano estaba perplejo.

—Seguid más adelante —dijo por fin—. Seguid más adelante. Yo no soy judío. Id a preguntar a los doctores del Templo, o al sacerdote Anás, o, mejor todavía, al mismo Herodes. Si hubiese otro Rey de los Judíos, él lo encontrará.

Con lo cual abrió paso para los extranjeros, los cuales cruzaron el corredor. Pero antes de penetrar en la angosta calle, Baltasar se detuvo para decir a sus amigos:

—Ya nos hemos anunciado bastante. Hacia la medianoche toda la ciudad estará enterada de nuestra presencia y de nuestra misión. Ahora vayámonos al *khan*.

CAPÍTULO XIII

LOS TESTIGOS EN PRESENCIA DE HERODES

Aquella tarde, antes de la puesta del sol, unas mujeres estaban lavando ropa en el peldaño superior del tramo que conducía a la piscina del estanque de Siloam. Todas ellas estaban arrodilladas ante sendos recipientes de tierra cocida. Al final de las escaleras, una muchacha las iba abasteciendo de agua, y mientras llenaba el cántaro cantaba. Era una canción alegre; sin duda aligeraba su tarea. De vez en cuando las lavanderas se sentaban sobre los talones y levantaban la vista hacia la pendiente de Ophel, recorriendo con los ojos la cima de lo que ahora es el Monte de la Ofensa, en aquel momento teñido de leve esplendor por el sol muriente.

Mientras doblaban las manos, frotando y escurriendo la ropa en los grandes barreños, otras dos mujeres se acercaron a ellas, cada una con un cántaro vacío sobre el hombro.

—La paz sea con vosotras —saludó una de las que llegaban.

Las lavanderas interrumpieron el trabajo, se secaron las manos y devolvieron el saludo.

—Es casi de noche; hay que dejar la tarea.

—El trabajo nunca termina —les respondieron.

—Pero llega la hora del descanso, y...

—De escuchar lo que haya ocurrido —interpuso otra:

—¿Qué noticias traéis?

—¿Es que no lo habéis oído?

—No.

—Dicen que ha nacido el Cristo —dijo la portadora de noticias, lanzándose a recitar su historia.

Era curioso ver los rostros de las trabajadoras iluminados por el interés; por parte de las otras, los cántaros descendieron al suelo, y puestos boca abajo quedaron convertidos al momento en asientos para sus propietarias.

—¡El Cristo! —exclamaron las oyentes.
—Así dicen.
—¿Quién lo dice?
—Todo el mundo; es del dominio público.
—¿Acaso lo cree nadie?
—Esta tarde han venido tres hombres cruzando el arroyo de Cedrón por el camino de Sichem —respondió la noticiera, puntualizando a fin de mitigar las dudas—. Cada uno montaba un camello de una blancura inmaculada, y mayor que todos los que se hayan visto nunca en Jerusalén.
Las oyentes abrieron de par en par ojos y boca.
—Para demostrar la opulencia de sus dueños —prosiguió la narradora—, iban éstos sentados bajo toldillos de seda; las hebillas de los arreos eran de oro, así como la orla de las bridas; y las campanillas eran de plata, y hacían una verdadera música. Nadie les conocía; tenían el aire de haber llegado del fin del mundo. Sólo uno de ellos tomaba la palabra, y a todas las personas que encontraba en el camino, incluso a las mujeres y a los niños, les hacía esta pregunta: «¿Dónde está el que ha nacido Rey de los Judíos?». Nadie le ha contestado; nadie ha entendido qué querían decir; con lo cual han seguido en marcha, sembrando a su paso la siguiente afirmación: «Porque nosotros hemos visto su estrella en el este, y hemos venido a adorarle». Han preguntado luego al romano que había en la entrada; y éste, no más enterado que las gentes sencillas halladas por el camino, les ha enviado a Herodes.
—¿Dónde están ahora?
—En el *khan*. Centenares de personas han ido ya a verles, y otros centenares más van ahora.
—¿Quiénes son esos viajeros?
—Nadie lo sabe. Se dice que son personas (hombres sabios que hablan con las estrellas); puede que sean profetas, como Elías y Jeremías.
—¿A quién se refieren al decir al Rey de los Judíos?
—Al Cristo, y afirman que ha nacido hace poco.
Una de las mujeres se puso a reír y reanudó la tarea, diciendo:
—Bien, cuando lo vea lo creeré.
Otra siguió su ejemplo.
—Y yo... sí, vamos, cuando vea que resucita a los muertos, creeré.
Una tercera persona comentó sosegadamente:
—Hace mucho tiempo que lo tenemos prometido. A mí me bastará con ver que cure a un leproso.
Y el grupo continuó sentado y hablando hasta que llegó la noche, que, auxiliada por la frialdad del aire, las hizo marcharse a casa.

Algo más tarde, hacia el principio de la primera guardia, se reunió en el palacio de Monte Sión una asamblea de unas cincuenta personas que nunca se juntaban excepto por orden de Herodes, y únicamente todavía cuando éste había pedido que le informaran sobre uno o varios de los misterios más profundos de la ley y la historia judía. Era, en resumen, una reunión de profesores de los colegios, sacerdotes principales, doctores de la ciudad más notables por su saber; jefes de los grupos de opinión, doctrinarios de los diferentes credos; príncipes de los saduceos, argumentadores fariseos; filósofos estoicos, sosegados, de suave elocuencia y socialistas esenios.

La cámara en que tenía lugar la reunión pertenecía a uno de los patios interiores del palacio; era muy espaciosa y de estilo romanesco. El suelo estaba enmosaicado con bloques de mármol; las paredes, no interrumpidas por ninguna ventana, estaban pintadas al fresco en entrepaños de un amarillo azafranado. Un diván ocupaba el centro del aposento; estaba cubierto de cojines de un paño color amarillo vivo, y tenía forma de la letra U, con la abertura dirigida hacia la puerta. En el arco del mismo, o sea, en la curva de la letra, había un gran trípode de bronce, curiosamente incrustado de oro y plata, sobre el cual descendía del techo un candelabro de siete brazos, cada uno sosteniendo una lámpara encendida. El diván y la lámpara eran genuinamente judíos.

Los reunidos estaban sentados en el diván al estilo de los orientales, y vestían con singular uniformidad, excepto por el color de las telas. Eran en su mayoría hombres entrados en años; inmensas barbas cubrían sus rostros; a sus largas narices añadíase el efecto de unos ojos grandes y negros, profundamente sombreados por las atrevidas cejas. Tenían todos un aire grave, hasta patriarcal. En resumen, la reunión de que hablamos era una sesión del Sanedrín.

El que estaba sentado delante del trípode, en el lugar que podríamos llamar la presidencia del diván, teniendo a los demás a su derecha y a su izquierda y al mismo tiempo de cara a él, habría acaparado instantáneamente la atención de un espectador. Su cuerpo había sido formado en un aventajado molde, aunque en la actualidad estaba encogido y encorvado hasta tomar un aspecto decrépito; la blanca túnica descendía de sus hombros en pliegues bajo los cuales no se adivinaba la menor indicación de un músculo ni de otra cosa que no fuera un anguloso esqueleto. Sus manos, medio escondidas por las mangas de seda, blanca y con rayas carmesí, se cogían una a otra encima de las rodillas. Al hablar extendía a veces el trémulo índice de la mano derecha; parecía incapaz de otro gesto. Pero su cabeza formaba una cúpula espléndida. Unos cabellos escasos, más blancos que la plata extendida en hebras finas, orlaba la base; la piel se pegaba a un cráneo ancho, completamente esférico, y resplandecía a la luz con brillo intenso; las sienes formaban profundas cavidades de las cuales sobresalía la frente como un risco arrugado; los ojos eran desvaídos y apagados; la nariz, estrecha, y toda la parte inferior de la cara la abrigaban los raudales de una barba venerable como la de Aarón. ¡Así era Hillel el Babilonio!

La línea de los profetas, extinguida mucho tiempo en Israel, tenía actualmente como sucesora a una dinastía de eruditos, de los cuales Hillel era el primero en saber, ¡un profeta en todo menos en inspiración divina! A la edad de ciento seis años era todavía el Rector del Gran Colegio.

Ante él, sobre la mesa, había desplegado un rollo o volumen de pergamino, escrito en caracteres hebraicos; detrás de él, a sus órdenes, estaba un paje ricamente vestido.

Se había discutido, pero en el momento en que los presentamos, los reunidos habían llegado a una conclusión; todos estaban en actitud de reposo, y el venerable Hillel, sin moverse, llamaba al paje.

—¡Hist!

El joven se adelantó respetuosamente.

—Ve a decir al rey que estamos dispuestos a darle una respuesta.

El muchacho se alejó a toda prisa.

Al cabo de un rato entraron dos oficiales y se pararon, uno a cada lado de la puerta. Tras ellos seguía muy despacio un personaje que causaba una tremenda impresión; un anciano con un traje color púrpura orlado de escarlata y sujeto a la cintura por una faja de oro de malla tan fina que se doblaba como el cuero. En las hebillas de sus zapatos lanzaban destellos las piedras preciosas; una estrecha corona trabajada en filigrana brillaba sobre un fez de la felpa carmesí más suave, el cual encuadraba la cabeza y caía hasta los hombros, dejando al descubierto la garganta y el cuello. En lugar de sello, colgaba de su cintura una daga.

El recién llegado andaba con paso vacilante, apoyándose pesadamente en un bastón. Hasta llegar a la abertura del diván no se detuvo, ni levantó los ojos del suelo; entonces, como si por primera vez tomara noticia de los reunidos y se animara con su presencia, irguióse y paseó una mirada altanera en su derredor, como el que se sobresalta y busca a un enemigo; tan hosca, recelosa y amenazadora era aquella mirada.

Así era Herodes el Grande; un cuerpo quebrantado por la enfermedad, una conciencia manchada por los crímenes, una mente de potencia magnífica, un alma dotada para hermanarse con los Césares; un hombre de sesenta y siete años, pero velando por su trono con un celo nunca tan aguzado, un poder jamás tan despósito y una crueldad en ningún tiempo tan inexorable.

Hubo un movimiento general por parte de la asamblea; los más ancianos se inclinaron en la zalema de una reverencia; los más aduladores se pusieron en pie, bajándose en profundas genuflexiones, con las manos sobre las barbas o sobre el pecho.

Recogidas sus salutaciones, Herodes se adelantó hasta el trípode, delante del venerable Hillel, quien respondió a su mirada glacial con una inclinación y una ligera elevación de manos.

—¡La respuesta! —ordenó el rey con imperiosa simplicidad, dirigiéndose a Hillel y plantando ante él el palo con ambas manos—. ¡La respuesta!

Los ojos del patriarca se inflamaron levemente. Levantando la cabeza y mirando al inquisidor cara a cara respondió, mientras sus asociados le prestaban la más viva atención.

—¡Sea contigo, oh, rey, la paz de Dios, de Abraham, de Isaac y de Jacob!

Había hablado en tono de invocación; ahora, cambiándolo, añadió:

—Tú nos has preguntado dónde deberá nacer el Cristo.

El rey asintió inclinándose, pero sus ojos malignos permanecieron clavados en la cara del sabio.

—Esta es la pregunta.

—Pues bien, oh, rey, hablando en mi nombre, así como en el de mis hermanos aquí presentes, sin que uno solo disienta, yo respondo: en Belén de Judea.

Hillel miró al pergamino del trípode, y señalando con el tembloroso índice continuó:

—En Belén de Judea, porque así escribió el profeta: «Y tú, Belén, en la tierra de Judea, no eres el menor entre los príncipes de Judá; porque de ti saldrá un gobernante que regirá mi pueblo de Israel».

El rostro de Herodes se nubló; sus ojos descendieron hacia el pergamino, y él se sumió en una profunda meditación. Los que le miraban no se atrevían a respirar, no despegaban los labios, ni tampoco habló él. Por último, giró sobre sus talones y salió de la cámara.

—Hermanos —dijo Hillel—, ya no nos necesitan.

Entonces los reunidos se levantaron y salieron por grupos.

—Simeón —dijo de nuevo Hillel.

Un hombre de unos cincuenta años bien cumplidos, pero en lo mejor de su vida, respondió y se acercó al sacerdote.

—Coge el pergamino sagrado, hijo mío; arróllalo con tierna precaución.

La orden fue obedecida.

—Ahora préstame tu brazo; quiero ir a mi litera.

El vigoroso Simeón se inclinó; con las arrugadas manos cogióse el anciano al apoyo que se le ofrecía y, levantándose, avanzó con paso débil hacia la puerta.

De este modo salieron el famoso Rector y Simeón, su hijo, el que había de sucederle en sabiduría, erudición y cargo.

Todavía más tarde aquella misma noche los sabios estaban acostados en un departamento del *khan,* pero despiertos. Las piedras que les servían de almohadas mantenían sus cabezas elevadas de modo que podían contemplar por el abierto pórtico las profundidades del cielo. Y mientras miraban las centelleantes estrellas pensaban en la próxima manifestación. ¿Cómo vendría? ¿Qué sería? Estaban por fin en Jerusalén; en su entrada habían preguntado por Aquel al cual buscaban; habían dado testimonio de su nacimiento; sólo faltaba encontrarle, y en cuanto a esto, ponían toda su confianza en el Espíritu. Los que esperan la voz de Dios, o que aguardan una señal de los Cielos, no pueden dormir.

Mientras estaban en tal situación apareció un hombre bajo la arcada, oscureciendo el albergue.

—¡Despertad! —les dijo—. Os traigo un mensaje que no es posible desoír.

Todos se sentaron.

—¿De quién? —preguntó el egipcio.

—De Herodes, el rey.

Cada uno de ellos sintió un estremecimiento en su espíritu.

—¿No eres el criado del *khan*? —preguntó luego Baltasar.

—Lo soy.

—¿Qué quiere el rey de nosotros?

—Su mensajero está ahí fuera; él os responderá.

—Dile pues que aguarde, que vamos.

—¡Tú tenías razón, oh, hermano mío! —exclamó el griego, cuando hubo salido el criado—. La pregunta hecha a la gente del camino y al guardia de la puerta nos ha proporcionado una pronta notoriedad. Estoy impaciente; levantémonos deprisa.

Los tres se levantaron, se pusieron las sandalias, se envolvieron en las capas y salieron.

—Yo os ayudo y os deseo paz, y ruego me perdonéis, pero mi amo, el rey, me ha enviado para que os invite a ir a palacio, donde quiere hablar privadamente con vosotros.

De este modo cumplió el encargo el mensajero.

Una lámpara ardía en la entrada. A su luz se miraron el uno al otro, y conocieron que el Espíritu estaba sobre ellos. Entonces el egipcio se acercó al criado, y dijo de modo que no fuese oído por los otros:

—Ya sabes dónde tenemos las cosas en el patio y dónde reposan nuestros camellos. Mientras estemos fuera prepáralo todo para partir, por si fuese necesario.

—Ve a tu quehacer tranquilo; confía en mí —respondió el dependiente.

—La voluntad del rey es nuestra voluntad —le dijo Baltasar al mensajero—. Te seguiremos.

Las calles de la Ciudad Santa eran estrechas entonces lo mismo que ahora, pero no tan desiguales y sucias, porque el gran constructor, no contento con la belleza, obligaba también a la limpieza y a la buena conservación. Siguiendo a su guía, los tres sabios hermanados caminaban sin decir palabra. Bajo la incierta luz estelar, más incierta todavía a causa de las paredes de uno y otro lado, flotando en absoluto a veces bajo los puentes que unían las cimas de las casas, salieron del terreno bajo y subieron a una colina. Al final llegaron a un portal elevado que cerraba el paso. A la luz de la lumbre que ardía en dos grandes braseros divisaron confusamente la estructura del edificio, así como a unos guardias inmóviles, apoyándose en sus armas. Entraron sin que nadie les pidiese el santo y seña. Luego, cruzando pasillo y corredores abovedados, atravesando patios y bajo columnatas no siempre iluminadas, ascendiendo tramos de escaleras, dejando atrás claustros y cámaras, fueron conducidos a una torre de gran altura. El guía se detuvo de pronto, y señalando hacia una puerta abierta le dijo:

—Entrad. El rey está ahí.

El aire de la cámara estaba cargado de perfume de madera de sándalo, y todos los muebles y adornos eran de un lujo afeminado. En el suelo, cubriendo el espacio central, extendíase una mullida alfombra, sobre la cual se levantaba un trono. Sin embargo, los visitantes no tuvieron tiempo sino para hacerse una idea confusa del aposento, de las otomanas y los lechos esculpidos y dorados, de los abanicos y los instrumentos musicales, de los candelabros de oro que centelleaban reflejando su propia luz, de las paredes pintadas al estilo de la voluptuosa escuela griega, una sola mirada a las cuales habría obligado a un fariseo a esconder la cara, presa de un santo horror. Herodes, sentado en el trono para recibirlos y vestido lo mismo que en la conferencia con los doctores y hombres de leyes, reclamaba toda la atención de sus entendimientos.

En el borde de la alfombra, hasta donde avanzaron sin esperar a que les invitasen, se prosternaron. El rey tocó una campanilla. Un sirviente entró y colocó tres sillas delante del trono.

—Sentaos —dijo el monarca, benévolamente. Cuando se hubieron acomodado prosiguió—: De la Puerta del Norte me han comunicado esta tarde la llegada de tres extranjeros, en curiosas cabalgaduras, y con aspecto de venir de lejanos países. ¿Sois vosotros?

El egipcio recogió el signo que le hacían el griego y el hindú, y respondió con la más profunda zalema:

—Si fuésemos otros que los que somos, el poderoso Herodes, cuya fama es un incienso para el mundo entero, no nos habría enviado a buscar. No podemos dudar de que nosotros somos los extranjeros.

Herodes acogió el discurso con una ademán de la mano.

—¿Quiénes sois? ¿De dónde venís? —preguntó, añadiendo en tono significativo—: Que cada uno hable por sí.

Cada uno a su vez, los tres sabios satisficieron su demanda, refiriéndose con sencillez a las ciudades y los países en que habían nacido y a las rutas seguidas para ir a Jerusalén. Un tanto desencantado, Herodes les acosó más directamente.

—¿Cuál era la pregunta que habéis hecho al oficial de servicio en la puerta?

—Le hemos preguntado: «¿Dónde está el que ha nacido Rey de los Judíos?»

—Ahora comprendo por qué la gente sentía tanta curiosidad. No excitáis menos la mía. ¿Hay otro Rey de los Judíos?

El egipcio no cambió de color:

—Ha nacido uno recientemente.

Una expresión de sufrimiento contrajo la oscura faz del monarca, como si un recuerdo atormentador cruzara por su mente.

—¡No de mí, no de mí! —exclamó.

Posiblemente revoloteaban delante de él las imágenes acusadoras de sus hijos asesinados. Pero recobrándose de la emoción, fuese lo que fuere, inquirió con firmeza:

—¿Dónde está el nuevo rey?

—Esto, oh, rey, es lo que nosotros quisiéramos preguntar.

—Me planteáis una adivinanza, un acertijo que sobrepasa a los de Salomón —replicó entonces el inquisidor—. Como veis, estoy en la época de la vida en que la curiosidad es tan ingobernable como lo era la niñez, cuando el jugar con ella era una treta cruel. Decidme más, y yo os corresponderé como los reyes se corresponden unos a otros. Comunicadme todo lo que sepáis acerca del recién nacido, y yo uniré mis esfuerzos a los vuestros para buscarle. Y cuando le hayamos encontrado, haré lo que vosotros queráis, le traeré a Jerusalén y le enseñaré el arte de gobernar. Pondré en juego mi influencia cerca del César para que sea proclamado y glorificado. Los celos no se interpondrán entre nosotros: lo juro. Pero explicadme primero cómo, estando tan notablemente separados por mares y desiertos, los tres habéis llegado a tener noticias de él.

—Te diré la verdad, oh, rey.

—Sigue —insistió Herodes.

Baltasar se puso de pie, y dijo en tono solemne:

—Hay un Dios Todopoderoso.

Herodes estaba visiblemente trastornado.

—Él nos ordenó venir acá, prometiéndonos que encontraríamos al Redentor del Mundo; que le veríamos y le adoraríamos, y daríamos testimonio de su llegada; y como signo, cada uno de nosotros vería una estrella. Su espíritu nos ha acompañado. ¡Oh, rey, su Espíritu está ahora con nosotros!

Un sentimiento avasallador se adueñó de los tres. Al griego le costó trabajo reprimir una exclamación. La mirada de Herodes pasó rápidamente del uno al otro. Estaba más receloso e insatisfecho que antes.

—Os burláis de mí —dijo—. Si no, decidme más. ¿Qué ha de venir después del advenimiento del nuevo rey?

—La salvación de los hombres.

—¿De qué?

—Del mal.

—¿Cómo?

—Mediante los tres agentes divinos: Fe, Amor y Buenas Obras.

—Entonces... —Herodes hizo una pausa, y por su expresión nadie habría podido afirmar qué sentimientos le animaban cuando continuó—, entonces vosotros sois los heraldos de Cristo. ¿Eso es todo?

Baltasar se inclinó en una profunda reverencia.

—Nosotros somos tus servidores, oh, rey.

El monarca agitó una campanilla, y apareció el sirviente.

—Trae los regalos —dijo su dueño.

El criado salió, pero unos momentos después regresaba, y, arrodillándose delante de los huéspedes, dio a cada uno una túnica exterior o manto escarlata y azul, y un cinto de oro. Los visitantes recibieron el honor que les hacían prosternándose a la manera oriental.

—Una palabra más —dijo Herodes, terminada la ceremonia—. Al oficial de la puerta, y hace unos momentos a mí mismo, le hablasteis de haber visto una estrella en el este.

—Sí —dijo Baltasar—. Su estrella, la estrella del recién nacido.

—¿En qué tiempo apareció?

—Cuando nos ordenaron venir acá.

Herodes se levantó, dando a entender que la audiencia había terminado. Bajando del trono y dirigiéndose hacia los visitantes, les dijo con toda benevolencia:

—Si como yo creo, oh, ilustres varones, sois en verdad los heraldos del Cristo recién nacido, sabed que esta noche he consultado a los más sabios en cosas judías y todos al unísono dicen que había de nacer en Belén de Judea. Yo os digo: Id allá; id y buscad con diligencia al tierno infante, y cuando lo hayáis encontrado traedme noticias de nuevo, para que pueda ir yo y adorarle. Ningún obstáculo ni oposición encontraréis en vuestro viaje. ¡La paz sea con vosotros!

Y, envolviéndose en el manto, salió de la cámara.

El guía vino inmediatamente y les condujo de nuevo a la calle y de ésta al *khan,* en cuyo portal el griego dijo impulsivamente:

—Vayámonos a Belén, oh, hermanos míos, tal como nos ha aconsejado el rey.

—Sí —gritó el hindú—. El Espíritu arde en mi interior.

—Así sea —asintió Baltasar tan calurosamente como los otros—. Los camellos están preparados.

Hicieron regalos al criado del *khan,* montaron en sus sillas, se informaron del camino a seguir para ir a la Puerta de Jaffa y partieron. Al acercarse ellos, los guardianes desatrancaron las grandes hojas de la puerta, y los viajeros salieron a campo libre, tomando el camino tan recientemente recorrido por José y María. Al salir fuera de Hinnon, en la llanura de Rephaim, apareció una luz, al principio desparramada y leve. Los pulsos de los tres sabios latieron aceleradamente. La luz cobró intensidad con gran rapidez, obligándoles a cerrar los ojos ante su ardiente resplandor. Cuando los abrieron de nuevo, ¡he ahí la estrella!, perfecta como la primera del cielo, pero muy baja y moviéndose lentamente delante de ellos. Y ellos juntaron las manos y gritaron, y se alegraron con un regocijo inenarrable.

—¡Dios está con nosotros! ¡Dios está con nosotros! —repetían frecuentemente, en una aclamación, hasta que la estrella, levantándose del valle del otro lado de Mar Elías, se quedó inmóvil sobre una casa arriba de la ladera del monte cercano a la ciudad.

CAPÍTULO XIV

LOS SABIOS ENCUENTRAN AL NIÑO

Era el comienzo de la tercera guardia, y en Belén la mañana despuntaba sobre los montes del este, pero tan débilmente que en el valle todavía era de noche. El vigilante de la azotea del *khan*, tiritando por la frialdad del aire, escuchaba con oído atento los primeros sones discernibles con los cuales la vida, al despertar, saluda a la aurora, cuando, de pronto, apareció sobre la montaña una luz que se movía en dirección al edificio.

El guardián pensó en una antorcha en manos de alguna persona; un momento después lo creyó un meteoro; pero aquel fulgor aumentó hasta convertirse en una estrella. Terriblemente asustado, gritó con voz fuerte, atrayendo a todo el recinto limitado por las paredes de la azotea. El fenómeno, continuando su movimiento insólito, seguía acercándose. Debajo del mismo, los árboles, las rocas y el camino brillaban como a la luz de un relámpago; mirada cara a cara su claridad se hacía cegadora.

Los espectadores más tímidos cayeron de rodillas y rezaron, escondidos los rostros; los más audaces se acurrucaron, cubriéndose los ojos, aventurando alguna que otra mirada temerosa.

Al cabo de un rato, el *khan* y todos sus alrededores estaban bañados por aquel resplandor irresistible. Los que se atrevieron a mirar, vieron la estrella parada encima mismo de la casa, delante de la cueva donde había nacido el Niño.

En el momento culminante de aquella escena aparecieron los tres sabios, y al llegar a la puerta, bajaron de los camellos y gritaron solicitando entrada. Cuando el criado dominó su terror lo suficiente para prestarle atención, quitó las barras y abrió. En medio de aquella luz extraña, los camellos tenían un aire espectral, y, además de su aspecto exótico, los rostros y la actitud de los tres visitantes tenían una vehemencia y una exaltación que contribuían a excitar todavía más los temores y la fantasía del guardián, que retrocedió y por algún tiempo fue incapaz de contestar la pregunta que le hacían:

—¿No es esto Belén de Judea?

Pero otros se acercaron, y con su presencia le dieron ánimo.

—No, esto es el *khan*. La ciudad está más allá.

—¿No hay aquí un niño recién nacido?

Los que allí se encontraban se miraban unos a otros maravillados, y algunos respondieron:

—Sí, sí.

—¡Llevadnos a su presencia! —pidió el griego, impaciente.

—¡Llevadnos a su presencia! —gritó Baltasar, despojándose de su aire grave—. Porque hemos visto su estrella, esta misma que contempláis encima de la casa, y hemos venido a adorarle.

El hindú juntó las manos, exclamando:

—¡Ciertamente, Dios vive! ¡Daos prisa, daos prisa! Hemos hallado al Salvador. ¡Benditos somos, somos benditos entre todos los hombres!

La gente de la azotea bajó y siguió a los extranjeros, a los cuales guiaban a través del patio hasta penetrar en el recinto. A la vista de la estrella, todavía parada encima de la cueva, pero menos incandescente que antes, algunos se volvieron atemorizados, aunque la mayor parte siguieron adelante. Cuando los extranjeros se acercaban a la casa, el disco se levantó. Al llegar ellos a la puerta se desvaneció, perdiéndose de vista. En los testigos de lo que entonces tuvo lugar nació el convencimiento de que había una relación divina entre la estrella y los extranjeros, y de que esa relación se extendía también hasta algunos, cuando menos, de los ocupantes de la cueva. Cuando la puerta de la misma se abrió, se metieron dentro en tropel.

La estancia estaba iluminada por una linterna suficiente nada más para permitir que los extranjeros contemplaran a la madre y al hijo, despierto en su regazo.

—¿Es tuyo el niño? —preguntó Baltasar a María.

Y ella, que había guardado en el recuerdo todo lo que se relacionase, aun levemente, con el niño, y lo había meditado en su corazón, lo levantó hacia la luz, diciendo:

—¡Es mi hijo!

Y los tres sabios cayeron de rodillas y le adoraron.

Vieron que aquel niño era como los demás. No rodeaba su cabeza ningún nimbo, ninguna corona material. Sus labios no se abrían para hablar. Si oía sus expresiones de gozo, sus invocaciones, sus plegarias, no lo manifestaba en modo alguno, sino que, como era propio en un niño de pañales, miraba más tiempo la llama de la linterna que a ellos.

Al cabo de un corto rato se levantaron, y volviendo a donde estaban los camellos, trajeron dones consistentes en oro, incienso y mirra, y los depositaron delante del niño, sin cesar en sus frases de adoración, de las cuales nada ha quedado escrito, porque el hombre reflexivo sabe que la pura adoración de un corazón puro era entonces lo que es ahora, y ha sido siempre: una inspirada canción.

¡Y aquel era el Salvador que de tan lejos habían venido a buscar!

Mas ellos le adoraban sin dejarse asaltar por la duda.

¿Por qué?

Su fe descansaba en las señales que les había enviado Aquel al cual desde entonces hemos dado en conocer por el nombre de Padre. Y ellos pertenecían a esa clase de hombres para los cuales las promesas del Padre bastan de tal modo por sí mismas que no preguntaban nada acerca de su manera de obrar. Pocos eran los que habían visto las señales y oído las promesas: la Madre y José, los pastores y los tres sabios. Sin embargo, todos creyeron por igual, es decir, en este período del plan de salvación, Dios lo era todo y el Niño nada. Pero sigue adelante, ¡oh, lector! Tiempo llegará en que todas las señales procedan del Hijo. ¡Dichosos los que entonces crean en Él!

Aguardemos aquel período.

LIBRO II

«Hay un fuego
Y un movimiento del alma que no quiere
[morar
En su propio y estrecho ser, sino que aspi-
[ra luego
A llegar más allá del medio apropiado del
[deseo;
Y, una vez inflamado, ya insaciable eterna-
[mente
Se lanza a las grandes aventuras sin can-
[sarse ni retroceder
De nada, sino del reposo.»

CHILDE HAROLD.

CAPÍTULO PRIMERO

JERUSALÉN BAJO LOS ROMANOS

Es preciso ahora acompañar al lector hasta veintiún años después, al comienzo de la administración de Valerio Grato, el cuarto gobernador imperial de Judea, un período que se recordará estuvo desgarrado por las agitaciones políticas habidas en Jerusalén, si bien, ciertamente, no fue el momento exacto en que estalló la querella entre los judíos y los romanos.

En el intervalo, Judea había estado sujeta a cambios que la afectaron en muy diversas maneras, pero en ninguna tan profundamente como en su estatuto político. Herodes, el Grande, murió antes del año de haber nacido el Niño. Murió tan miserablemente, que el mundo cristiano tuvo razón al creer que lo había fulminado la ira divina. Como todos los grandes gobernantes que han dedicado su vida a consolidar el poder por ellos creado, soñaban en transmitir su trono y su corona, en ser el fundador de una dinastía.

Con tal propósito, dejó un testamento dividiendo sus territorios entre sus tres hijos, Antipas, Felipe y Arquelao, el último de los cuales quedaba designado para sucederle en el título. Naturalmente, fue preciso someter el testamento a la sanción de Augusto, el emperador, quien ratificó todas sus provisiones con una sola excepción: la de retirarle a Arquelao el título de rey hasta que hubiera dado pruebas de su aptitud y de su lealtad. En lugar de concederle dicho título, el emperador le hizo etnarca, y en calidad de tal le permitió que gobernara nueve años, al cabo de los cuales, por su mala conducta y por no haber sabido apaciguar a los elementos turbulentos que crecían y se fortalecían a su alrededor, fue desterrado a la Galia.

César no se contentó con deponer a Arquelao. Castigó al pueblo de Jerusalén de un modo que hirió el orgullo judío y lastimó vivamente la sensibilidad de los altivos frecuentadores del Templo. Augusto redujo la Judea a una provincia romana, anexionándola a la prefectura de Siria. De modo que, en lugar de ser gobernada por un rey desde el palacio que erigió Herodes en Monte Sión, la ciudad cayó en manos de un oficial de segunda categoría, de un delegado llamado procurador, el cual se comunicaba con Roma a través del Legado de Siria, residente en Antioquía. Para hacer la herida aún más dolorosa, al procurador no se les permitía establecerse en Jerusalén. La sede de su gobierno era Cesárea. Más humillante todavía, empero, más exasperante, más estudiada la medida: Samaria, entre todas la despreciada con desprecio más profundo. ¡Samaria quedaba unida a Judea como una parte de la misma provincia! ¡Qué insufrible tormento los mojigatos separatistas o fariseos experimentaban al encontrarse en Cesárea y en presencia del procurador, codo a codo con los adoradores de Garizim y sufriendo sus burlas!

En semejante diluvio de pesares, un consuelo, uno nada más, le quedaba al pueblo caído: el sumo sacerdote ocupaba el palacio herodiano de la plaza del mercado, manteniendo allí una apariencia de corte. Cuál fuera su verdadera autoridad, es cosa que se calcula fácilmente. El juicio de vida o muerte quedaba en manos del procurador. La justicia se administraba en nombre y según los decretos de Roma. Detalle más significativo todavía: compartían la casa real el administrador de rentas y toda su cohorte de asistentes, registradores, recaudadores, publicanos, informadores y espías.

Sin embargo, a los que soñaban en una futura libertad, les causaba cierta satisfacción el hecho de que la persona de más autoridad del palacio fuese un judío. Su mera presencia en ella día tras día refrescaba en su memoria las alianzas y promesas de los profetas, y las épocas en que Jehová gobernaba las tribus por conducto de los hijos de Aarón, siendo para ellos un signo cierto de que no les había abandonado. Con esto alimentaban sus esperanzas, las cuales les ayudaban a tener paciencia y aguardar torvamente al hijo de Judá que había de gobernar Israel.

Judea era provincia romana desde hacía ochenta años, tiempo sobrado para que los Césares estudiasen la idiosincrasia del pueblo, tiempo suficiente, cuando menos, para advertir que a los judíos, con todo su orgullo, se les podía gobernar pacíficamente si se les respetaba la religión. Siguiendo esta política, los antecesores de Grato se habían abstenido cuidadosamente de interferir con ninguna de las prácticas sagradas de sus vasallos. Pero Grato eligió un proceder distinto: casi puede decirse que su primer acto oficial consistió en quitar a Anás la dignidad de Sumo Sacerdote y dársela a Ismael, hijo de Fabo.

Tanto si la medida fue ordenada por Augusto como si venía del mismo Grato, su improcedencia se puso de relieve con gran celeridad. Ahorraremos al lector un capítulo sobre política judía.

Sin embargo, para los que quieran seguir la narración con sentido crítico, son esenciales unas cuantas palabras sobre el tema. En esa época, prescindiendo de su origen, había en Judea el partido de los nobles o saduceos, y el separatista o partido popular. A la muerte de Herodes, los dos partidos se unieron contra Arquelao. Desde el templo al palacio, desde Jerusalén a Roma, le combatieron por todas partes. A veces con las armas de la intriga, a veces con las armas materiales de la guerra. Más de una vez resonaron los claustros sagrados de Moria con los gritos de los combatientes. Acabaron por enviarlo al exilio. Pero mientras duraba esta lucha, cada uno de los aliados perseguía sus propios objetivos. Los nobles cuidaban a Joazar, el sumo sacerdote. Por su parte, los separatistas eran sus más celosos adictos. Cuando la caída de Arquelao deshizo los planes trazados por Herodes, Joazar siguió la misma suerte. Anás, el hijo de Seth, fue elegido por los nobles para desempeñar tan elevada función, con lo cual los aliados se dividieron. El nombramiento del hijo de Seth les enfrentó en feroz hostilidad.

En el curso de la lucha con el infortunado etnarca, los nobles habían recurrido el recurso expeditivo de aliarse con Roma. Comprendiendo que cuando se suprimiera el protectorado había de sucederle necesariamente alguna forma de gobierno, sugirieron que Judea fuese convertida en una provincia. Tal hecho proporcionó a los separatistas un motivo más para atacarles, y cuando Samaria entró a formar parte de la provincia, los nobles quedaron en minoría, sin otro sostén que la corte imperial y el prestigio que les daba su rango y su riqueza. Sin embargo, por espacio de quince años —hasta el advenimiento, por tanto, de Valerio Grato—, consiguieron mantenerse tanto en el palacio como en el Templo.

Anás, el ídolo de su partido, había utilizado fielmente su poder en provecho de su amo imperial. Una guarnición romana ocupaba la Torre Antonia. Una guardia romana vigilaba las puertas del palacio. Un juez romano administraba justicia en lo civil y lo criminal. Un sistema romano de impuestos aplicado despiadadamente aplastaba a un tiempo al campo y a la ciudad. Día tras día, hora tras hora, la gente sufría atropellos físicos y morales, y aprendía la gran diferencia que hay entre una vida independiente y una vida de sujeción. Sin embargo, Anás les mantenía en relativa calma. Roma no tenía amigo más sincero. De tal modo, que cuando él salió del cargo, su pérdida se notó al instante. Al entregar la investidura a Ismael, el nuevo designado se convirtió en el jefe de una nueva combinación entre los de Beth y los de Seth.

Grato, el procurador, que con ello se había quedado sin ningún partido, vio cómo los fuegos, ahogados durante quince años en un rescoldo que sólo producía humo, empezaban a encenderse de nuevo, retornando a la vida. Un mes después de ocupar el puesto Ismael, los romanos creyeron necesario ir a visitarle en Jerusalén. Cuando los judíos, que estaban en las murallas, gritándole y abucheándole, vieron entrar su guardia por la puerta norte de la ciudad y dirigirse a la Torre Antonia, comprendieron el objetivo de la visita: una cohorte entera de legionarios venía a engrosar la primitiva guarnición. Ahora sería posible apretar impunemente los pernos de su yugo. Si el procurador creía conveniente hacer un escarmiento, ¡ay del primero que desobedeciese!

CAPÍTULO II

BEN-HUR Y MESSALA

Invitamos al lector a que, con la anterior explicación en la mente, se fije en uno de los jardines del palacio de Monte Sión. Era un mediodía de mediados de julio, cuando el calor del verano estaba en su punto máximo.

El jardín estaba limitado a uno y otro lado por edificios, en algunos sitios de dos pisos de altura, con pórticos dando sombra a las puertas, y ventanas en el piso inferior, mientras unas galerías reculadas, protegidas por fuertes balaustradas, adornaban y defendían el superior. Aquí de allá, además, las estructuras se apoyaban en lo que parecía unas columnatas bajas, permitiendo el paso de los vientos que soplasen y dejando a la vista otras partes del edificio, para que ostentasen mejor su belleza y grandiosidad. El arreglo del suelo resultaba igualmente placentero para el ojo. Había paseos, parterres de césped y arbustos, y unos cuantos árboles grandes, especies raras de palmera, agrupadas con el algarrobo, el albaricoque y el nogal. En el centro, desde donde el terreno descendía suavemente en todas direcciones, había un depósito, o profundo recipiente de mármol, cortado a intervalos por pequeñitas compuertas, que, una vez levantadas, vaciaban el agua en las acequias que bordeaban los paseos, ingenioso medio de librar el paraje de la sequía que imperaba en exceso en todas las demás partes de la región.

No lejos de la fuente había un pequeño estanque de agua límpida alimentando una espesura de cañas y adelfas de las que crecen en el Jordán y por las orillas del mar Muerto. Entre la espesura y el estanque, sin parar mientes en el sol que caía de lleno sobre ellos, dos muchachos, uno de unos diecinueve años, el otro de diecisiete, estaban sentados sosteniendo una interesante conversación.

Ambos eran hermosos y a la primera mirada se les habría

tomado por hermanos. Ambos tenían el cabello y los ojos negros. Sus rostros eran muy morenos, y, sentados, el desarrollo de su cuerpo parecía apropiado a su edad.

El mayor iba con la cabeza descubierta. Una túnica suelta, que le caía hasta la rodilla, constituía todo su atuendo, salvo por las sandalias y una capa azul claro que tenía extendida debajo de su cuerpo, sobre el asiento. El vestido dejaba al descubierto los brazos y las piernas, morenos como la cara. Y, no obstante, cierta gracia de sus maneras, cierto refinamiento de la fisonomía y la cultivada voz, revelaban su alcurnia. La túnica, de la lana más suave, teñida de gris y orlada de rojo en el cuello, las mangas y el borde de la falda, atada a la cintura por un cordón de seda terminado en borla, certificaba su naturaleza romana. Y si al hablar miraba altaneramente alguna que otra vez a su compañero y se dirigía a él como a un inferior, casi podía excusársele, porque pertenecía a una familia notable y distinguida, incluso en Roma, circunstancia que en aquella época justificaba toda la arrogancia.

En la terrible guerra entre el primer César y sus enemigos, un Messala había sido el amigo de Brutus. Según Filipo, luego se reconcilió con Octavio, sin que tuviera que sacrificar su honor. Todavía más tarde, cuando Octavio pretendía el Imperio, Messala le apoyó. Octavio, al llegar a la dignidad de emperador Augusto, se acordó del servicio recibido y derramó sobre la familia Messala un diluvio de honores. Entre otras cosas, habiendo sido reducida Judea a la condición de provincia, envió su hijo a Jerusalén, encargado de recibir y administrar los impuestos recaudados en aquella región. Y en dicho empleo había continuado el hijo desde entonces, compartiendo el palacio con el sumo sacerdote. El joven descrito era su hijo, y seguía la costumbre de remedar con excesiva fidelidad las relaciones que tenía su abuelo con los grandes romanos de su tiempo.

El compañero de Messala tenía el cuerpo más delgado. Las prendas que llevaba eran de blanco y fino hilo, del estilo que prevalecía en Jerusalén. Un paño sujeto por un cordón amarillo y dispuesto de modo que dejase libre la frente, cayendo por detrás casi hasta la espalda, cubría su cabeza. Un observador avezado a distinguir unas razas de otras y a estudiar las fisonomías mejor que los trajes, pronto habría descubierto que aquel adolescente descendía de judíos. La frente del romano era alta y estrecha; la nariz, afilada y aquilina, al paso que tenía los labios delgados y rectos y los ojos fríos y muy juntos debajo de las cejas. En cambio, el israelita tenía la frente baja y ancha, la nariz larga, con las aletas muy separadas, el labio superior, sombreando ligeramente al otro, corto y arqueándose hacia los hoyuelos de las comisuras, cual un arco de Cupido, detalles que, relacionados con el redondo mentón embellecido por un hoyuelo, los ojos grandes y las mejillas ovaladas y enrojecidas por un brillo vinoso, daban a su cara la suavidad, la energía y la belleza peculiares de su raza. El romano poseía un encanto severo y casto. El judío, rico y voluptuoso.

—¿No decías que el nuevo procurador ha de llegar mañana?

La pregunta procedía del más joven de los dos amigos y había sido formulada en griego, lengua que en aquella época, por una singular paradoja, prevalecía en todos los círculos más refinados de Judea. Habiéndose propagado del palacio al campo y al colegio. De ahí, sin que nadie supiera exactamente cuándo ni cómo, había entrado en el mismo Templo, y no sólo esto, sino que, ya dentro, no se había limitado a las puertas y a los claustros. Había invadido, incluso, recintos de una santidad tal que no admitía la presencia de gentiles.

—Sí, mañana —respondió Messala.

–¿Quién te lo ha dicho?

—He oído que Ismael, el nuevo gobernador del palacio (vosotros le llamáis sumo sacerdote), se lo decía anoche a mi padre. La noticia habría merecido más crédito, te lo aseguro, viniendo de un egipcio (que es una raza que ha olvidado la esencia de la verdad) o incluso de un indumeo (un pueblo que jamás supo lo que era la verdad), pero para cerciorarme bien, he visto esta mañana a un centurión de la Torre y me ha dicho que seguían haciendo preparativos para la recepción, que los armeros estaban bruñendo los cascos y escudos, y volviendo a dorar los globos y las águilas, y que limpiaban y aireaban apartamentos que llevaban mucho tiempo sin ser utilizados, como si la guarnición hubiera de aumentar. Se tratará probablemente de la guardia personal del gran hombre.

Es imposible dar una idea perfecta del estilo en que fue pronunciada la anterior respuesta, pues sus detalles más finos escapan continuamente al poder que maneja la pluma. El lector deberá ayudarse de su fantasía, y para ello será conveniente recordar que la piedad iba perdiendo terreno rápidamente en el cerebro y en el corazón de los hombres, o quizá lo expresaríamos mejor diciendo que estaba pasando de moda. La religión antigua había dejado casi de ser una fe. A lo más, un mero hábito de pensamiento y de expresión, cultivado con esmero, del lado correspondiente de la nariz y de una manera lánguida principalmente por los sacerdotes, que veían que el servicio del Templo les resultaba provechoso, y por los poetas, los cuales, en las rimas de sus versos, no podían pasarse sin las deidades familiares. En nuestros tiempos hay cantores que se encuentran en un caso parecido.

A medida que la filosofía iba ocupando el lugar de la religión, la sátira sustituía rápidamente al respeto, hasta tal punto, que, en opinión de los latinos, la sátira era para todo discurso, incluso para las pequeñas diatribas de la conversación, como la sal para las viandas y el aroma para el vino. El joven Messala, educado en Roma y recién llegado de allá, había adquirido aquel hábito y aquellos modales. El movimiento apenas perceptible del ángulo del párpado inferior, el claro gesto de elevar la aleta del lado correspondiente de la nariz, y de una manera lánguida de decir las cosas, parecían el mejor vehículo para transmitir la idea de una indiferencia general, sobre todo por las oportunidades que ofrecían para ciertas pausas retóricas, consideradas de importancia primordial para permitir que el oyente captase bien la ocurrencia feliz o recibiese el virus del epigrama mordaz. Una de tales pausas se produjo en la respuesta recién anotada después de la alusión al egipcio y al idumeo. El color de las mejillas del muchacho judío se intensificó. El chico permaneció callado, contemplando abstraído las profundidades del estanque.

—Nos dijimos adiós en este jardín. «¡La paz del señor Sea contigo!», fueron sus últimas palabras. «¡Los dioses te guarden!», dije yo. ¿Te acuerdas? ¿Cuántos años han pasado desde entonces?

—Cinco —respondió el judío, siempre mirando al agua.

—Pues bien, tienes motivo para estarle agradecido a... ¿A quién diré? ¿A los dioses? No importa. Tú has hecho muy hermoso. Los griegos dirían que eres bello. ¡Obra feliz de los años! Si Júpiter se regocijase con su Ganímedes, ¡vaya copero harías tú para el emperador! Dime, mi Judá, ¿cómo es que la llegada del procurador te interesa de tal modo?

Judá fijó sus grandes ojos en el que le preguntaba. Su mirada grave y pensativa atrajo la del romano y la retuvo mientras contestaba:

—Sí, cinco años. Recuerdo la separación. Tú te ibas a Roma. Yo te vi partir, y lloré, porque te quería. Los años han pasado, y tú has vuelto perfeccionado, refinado como un príncipe... No, no me burlo. Y sin embargo..., y sin embargo, me gustaría que fueses el mismo Messala que se marchó.

Las finas aletas del satirizador se agitaron, y al contestar lo hizo con un tonillo más acentuado.

—No, no un Ganímedes, sino un oráculo, mi Judá. Unas cuantas lecciones de mi maestro de retórica, endurecido por el Foro (te daré una carta para él cuando tengas el buen criterio suficiente para seguir una indicación que quería hacerte), un poco de práctica en las artes del misterio, y Delfos te recibiría como al mismo Apolo en persona. Al oír el sonido de tu voz solemne, la pitia iría a recibirte y te daría su corona. En serio, oh, amigo mío, ¿en qué me diferencio del Messala que se marchó? En cierta ocasión escuchaba al lógico mejor del mundo. Hablaba sobre el tema: «Discusión». Y recuerdo una de sus frases: «Antes de contestarle, comprende a tu antagonista». Veamos si yo te comprendo a ti.

El muchacho se sonrojó bajo la mirada cínica que tenía que soportar. Pero replicó con firmeza:

—Veo que te has aprovechado de las oportunidades que tuviste. De tus maestros has sabido cosechar y traer aquí muchos conocimientos y habilidades. Hablas con la facilidad de un maestro, mas tus palabras esconden un aguijón. Mi Messala, cuando se marchó, no tenía veneno en el cuerpo, y por nada del mundo habría herido los sentimientos de un amigo.

El romano sonrió como si le hubiesen dirigido un cumplido, y levantó con una sacudida su patricia cabeza.

—Oh, mi solemne Judá. Ahora no estamos en Dodona ni en Pytho. Deja ese estilo de oráculo y habla claro. ¿En qué te he ofendido?

El otro inspiró profundamente y dijo, tirando del cordón que le rodeaba la cintura:

—En estos cinco años también yo he aprendido algo. Hillel quizá no esté a la altura del maestro de lógica al cual escuchabas, y Simeón y Shammai son, sin duda, inferiores a tu profesor bregado por el Foro. Pero su ciencia no se extravía por senderos prohibidos. Los que se sientan a sus pies se levantan enriquecidos simplemente con el conocimiento de Dios, de la ley y de Israel. Y el efecto de tal enseñanza se manifiesta acrecentando el amor y el respeto para todo lo perteneciente a ellos. La asistencia al Gran Colegio y el estudio de lo que allí nos decían me ha enseñado que Judea no es lo que había sido. Sé la diferencia que hay entre un reino independiente y la pequeña provincia que es Judea. Sería yo más bajo y vil que un samaritano si no lamentara la degradación de mi país. Ismael no es legalmente el sumo sacerdote, ni puede serlo mientras viva el noble Anás. No obstante, es un levita, uno de los consagrados que durante miles de años han servido aceptablemente al Señor Dios en quien creemos y al cual adoramos. Su...

Messala le interrumpio con una carcajada mordaz.

—Ah, ahora te comprendo. Ismael, dices tú, es un usurpador. No obstante, creer a un idumeo antes que Ismael, es morder como una víbora. ¡Por el borracho hijo de Semele, vaya cosa ser judío! Los hombres y las cosas, incluso el cielo y la tierra, cambian. Pero un judío, nunca. Para él no hay atrás ni adelante. Es lo que fue su primer antepasado en el comienzo. Sobre esta arena te dibujo un círculo... ¡Ya está! Ahora, dime, ¿qué otra cosa más es la vida de un judío? Siempre el mismo rodar: Abraham aquí, Isaac y Jacob allá, y Dios en el centro. Pero el círculo (¡por el dueño de todos los truenos!) es demasiado grande. Volveré a dibujarlo —y se inclinó, apoyó el pulgar en el suelo e hizo rodar los otros dedos a su alrededor—. ¿Ves? El punto del pulgar es el Templo, el índice circunda Judea. Fuera de ese pequeño espacio, ¿no hay nada de valor? ¡Las artes! Herodes levantó grandes edificios, y por ello le maldicen. ¡La pintura, la escultura! Mirarlas es pecado. Ante la poesía corréis hacia vuestros altares. Excepto en la sinagoga, ¿quién de vosotros se atreve a practicar la elocuencia? En la guerra, todo lo que conquistáis en seis días lo perdéis en el séptimo. Siendo tales vuestra vida y vuestros límites, ¿quién me lo reprochará si me río de vosotros? Satisfecho con el culto de un pueblo tal, ¿qué es vuestro Dios al lado de nuestro Júpiter romano, que nos presta sus águilas para que podamos aprisionar el Universo con nuestros brazos? Hillel, Simeón, Shammai, Abtalión..., ¿qué son al lado de los maestros que nos enseñan que todo lo que se puede saber vale la pena saberlo?

El judío se levantó con la cara vivamente sonrojada.

—No, no. Sigue en tu puesto, mi Judá, sigue en tu puesto —gritó Messala, extendiendo la mano.

—Te burlas de mí.

—Escucha un poco más. Inmediatamente... —el romano sonrió con sonrisa irónica—, inmediatamente vendrán a ayudarme Júpiter y toda su familia, griega y latina, y pondrán un final grandilocuente a mi discurso. Yo aprecio tu bondad al venir de casa de tus padres para darme la bienvenida y renovar el cariño que nos teníamos en la infancia..., si es posible. «Id —dijo mi maestro en su última lección—. Id, y para vivir plenamente vuestras vidas, recordad que Marte reina y Eros ha encontrado los ojos.» Con ello quería decir que el amor no es nada y la guerra lo es todo. En Roma ocurre así. El matrimonio es el primer paso para el divorcio. La virtud es una joya que se compra y se vende. Cleopatra, al morir, nos legó sus artes. Ahora tiene una sucesora en todos los hogares romanos. El mundo sigue el mismo camino. Por tanto, en lo tocante a nuestro futuro, ¡abajo Eros; arriba Marte! Yo seré soldado. ¿Y tu (oh, mi Judá, te compadezco), tú qué podrás ser?

Judá se acercó más al estanque. Messala le habló con voz pausada y enfática.

—Sí, te compadezco, mi buen Judá. Del colegio a la sinagoga. Luego, al Templo. Después (¡ah, la culminación de la gloria!), el asiento en el Sanedrín. Una vida sin oportunidades. ¡Oh, que los dioses te ayuden! En cambio, yo...

Judá le miró y vio la oleada de orgullo que se encendía en su faz altanera, mientras seguía diciendo:

—En cambio, yo... Ah, todavía no está conquistado todo el mundo entero. El mar guarda islas que nadie ha visto. En el norte hay naciones que nadie ha visitado. La gloria de completar la expedición de Alejandro al Oriente Lejano aguarda al hombre que quiera conquistarla. Mira cuántas posibilidades se le ofrecen a un romano.

Un instante después, se expresaba de nuevo en tono lánguido.

—Una campaña en África, otra en busca del Scyta, luego ¡una legión! Muchas carreras terminan ahí. La mía, no. Yo (¡por Júpiter, qué ocurrencia!), yo cambiaré mi legión por una prefectura. Piensa en la vida de Roma con dinero. Dinero, vino, mujeres, juegos, poetas en el banquete, intrigas en la Corte, dados todo el año. Es perfectamente posible procurarse una vida tan regalada. Logro una buena prefectura, y ya la tengo. ¡Oh, mi Judá, aquí está Siria! Judea es rica. Antioquía es una capital para los dioses. Yo sucederé a Cirineo, y tú compartirás mi fortuna.

Los sofistas y retóricos que llenaban los establecimientos públicos de Roma, monopolizando casi la labor de enseñar a la juventud patricia, quizá habrían aprobado aquellas palabras de Messala, porque eran el exponente del sentir popular. Sin embargo, para el joven judío eran nuevas, y completamente distintas del estilo solemne de los discursos y conversaciones a que estaba habituado.

Pertenecía, además, a una raza cuyas leyes, usos y hábitos mentales excluían la sátira y la ironía. Era muy natural, pues, que escuchase agitado por distintos sentimientos. Este momento indignado, y un momento después sin saber si debía tomar en serio a su compañero. Los aires de superioridad que éste asumía le habían ofendido al comienzo. Pronto le resultaron irritantes, y al final se convirtieron en un vivo escozor. Al llegar a este punto, todos nos encontramos muy cerca de la cólera, pero el satírico la desató de otro modo. Para el judío del período heridiano, el patriotismo era una pasión salvaje apenas escondida bajo su humor habitual, y tan ligada a la historia, su religión y su Dios, que reaccionaba inmediatamente que alguien hacía burla de ellos. Por todo lo cual no es una exageración afirmar que el rato que tardó Messala en llegar a la última pausa representó un refinado tormento para su oyente. El cual, en este punto, dijo con forzada sonrisa:

—He oído decir que son pocos los que pueden permitirse el tomar a guasa su futuro. Tú me convences, oh, mi Messala, que yo no soy uno de ellos.

El romano le observó atentamente. Luego replicó:

—¿Por qué no encerrar la verdad dentro de una broma, lo mismo que dentro de una parábola? El otro día la gran Fulvia fue a pescar, y sacó más que entre todos los otros que la acompañaban. Y dijeron que fue porque su anzuelo tenía la punta cubierta de oro.

—¿Entonces no estabas, simplemente, bromeando?

—Mi Judá, veo que no te había ofrecido bastante —apresuróse a responder el romano, con los ojos centelleando—. Cuando yo sea perfecto y Judea me haga rico, te... te nombraré Sumo Sacerdote.

El judío giró sobre sus talones encolerizado.

—No te vayas —dijo Messala.

El otro se detuvo, indeciso.

—¡Dioses, Judá, cómo tuesta el sol! —gritó el patricio, observando la perplejidad de su compañero—. Busquemos una sombra.

Judá respondió fríamente:

—Será mejor que nos separemos. Ojalá no hubiese venido. Buscaba a un amigo y he encontrado a un...

—Romano —respondió Messala rápido.

Las manos del judío se crisparon, pero, dominándose de nuevo, fijó la mirada a lo lejos. Messala se levantó, cogió el manto de encima del banco, se lo echó sobre el hombro y siguió al judío. Cuando le hubo alcanzado, le puso la mano en el hombro y caminó a su lado.

—Así, con mi mano puesta de este modo, es como solíamos pasear de pequeños. Sigamos igual hasta la puerta.

Veíase claramente que Messala procuraba ser serio y afectuoso, aunque no conseguía desterrar de su rostro la expresión satírica. Judá le consintió la familiaridad.

—Tú eres un muchacho. Yo soy un hombre. Permite que te hable como tal.

El romano hacía gala de una benignidad soberbia. No se habría encontrado más a sus anchas Mentor enseñando al joven Telémaco.

—¿Crees en las Parcas? Ah, olvidaba que eres saduceo. Los esenios son la gente sensata que hay entre vosotros. Ellos creen en las hermanas. Yo también. ¡Cuán invariablemente se cruzan las tres en nuestro camino, impidiéndonos obrar como nos plazca! Yo me siento a trazar planes. Empiezo a señalar caminos aquí y allá. ¡Perpol! [1]. En el preciso momento en que estiraba los brazos para coger el mundo, siento detrás de mí el chirriar de unas tijeras. Miro y ¡allí está la maldita Atropos! Pero, mi Judá, ¿por qué te has puesto tan furioso cuando yo he hablado de suceder al viejo Cirineo? Has pensado que yo proyectaba enriquecerme esquilmando a tu Judea. Supongamos que fuera así. Es lo que algún romano hará. ¿Por qué no ser yo?

Judá acortó el paso.

—Otros extranjeros han sido dueños de Judea antes que los romanos —dijo, levantando la mano—. ¿Dónde están, Messala? Judea les ha sobrevivido a todos. Y lo que sucedió volverá a suceder de nuevo.

Messala recurrió otra vez a la ironía.

—Las Parcas tienen creyentes en otros sectores, además de los asenios. ¡Bien venido, Judá, bien venido a la nueva fe!

—No, Messala, no me cuentes en su número. Mi fe descansa en

---

[1] Contracción de «¡Per Pólux» (por Pólux). (N. del T.)

la peña que sirvió de fundamento a la de mis antepasados en tiempos muy anteriores a los de Abraham. Descansa en los pactos del Señor Dios de Israel.

—Demasiada pasión, mi Judá. ¡Qué sorpresa habría manifestado mi maestro si yo me hubiese hecho culpable de tanto calor en su presencia! Tenía que comunicarte otras cosas todavía, pero temo decirlas.

Luego de haber seguido adelante unas cuantas yardas, el romano tomó la palabra de nuevo.

—Creo ahora puedes escucharme, mayormente dado que lo que tengo que decirte se refiere a ti mismo. Yo te ayudaría, oh, amigo tan hermoso como Ganímedes. Yo te ayudaría con verdadera buena voluntad. Te amo.... todo lo que yo puedo amar. Te he dicho que quería ser soldado. ¿Por qué no serlo tú también? ¿Por qué no salir fuera del estrecho círculo en el que, según te he mostrado, se encierra toda la ambición que vuestras leyes y costumbres permiten?

Judá no respondió.

—¿Quiénes son los sabios de nuestros días? —prosiguió Messala.

—No los que agotan los años de su existencia peleándose por cosas muertas, por Baales, Joves y Jehováes, y por filosofía y religiones. Dime un nombre importante, oh Judá, y no me importa a donde vayas a buscarlo (a Roma, a Egipto, al Este, o aquí, en Jerusalén), y que Plutón me lleve si no pertenece a un hombre que sacó la fama de los materiales que le proporcionó el presente, y no tuvo por sagrado nada que no le ayudara a lograr su fin, ¡ni hizo escarnio de nada que le favoreciera! ¿Cómo actuó Herodes? ¿Cómo actuaron los Macabeos? ¿Cómo actuaron los Césares I y II? Imítalos. Empieza en seguida. Mira lo que tienes en la mano: la Roma tan dispuesta a ayudarte como lo estuvo con el idumeo Antipater.

El muchacho judío temblaba de rabia, y como la puerta del jardín estaba ya muy cerca, aceleró el paso, anhelando escapar.

—¡Ah, Roma, Roma! —murmuró.

—Sé cuerdo —prosiguió Messala—. Abandona las locuras de Moisés y las tradiciones. Mira la situación tal como está. Osa mirar a las Parcas a la cara y ellas te lo dirán: «Roma es el mundo». Pregúntales por Judea, y te contestarán: «Judea es lo que Roma quiere que sea».

Habían llegado a la puerta, Judá se detuvo, y apartó dulcemente la mano que se apoyaba en su hombro y miró a Messala, cara a cara, mientras las lágrimas temblaban en sus ojos.

—Yo te comprendo porque tú eres romano. Tú no puedes comprenderme. Yo soy israelita. Hoy me has hecho sufrir convenciéndome de que ya nunca más podremos ser amigos como fuimos.

¡Nunca más! Aquí nos separaremos. ¡La paz de Dios de mis padres more contigo!

Messala le ofreció la mano. El judío cruzó la puerta. Cuando hubo desaparecido, el romano estuvo callado un rato. Luego cruzó la puerta, a su vez, diciendo para sí mismo, con una sacudida de la cabeza:

—Sea así, pues. ¡Eros ha muerto! ¡Marte reina!

CAPÍTULO III

UN HOGAR JUDÍO

Desde la entrada a la ciudad Santa correspondiente a la que ahora se llama Puerta de San Esteban, se extendía una calle hacia el oeste, paralela a la cara norte de la Torre Antonia, cruzando un patio de aquel famoso castillo. Siguiendo el curso hasta el Valle del Tyropoeon, que continuaba un trecho hacia el sur, doblada y volvía a correr hacia el oeste hasta una corta distancia del punto donde la tradición nos dice que estaba la Puerta del Juicio y desde allí se dirigía bruscamente hacia el sur. El viajero o el estudioso familiarizado con aquella localidad reconocerá la avenida descrita como una parte de la Vía Dolorosa, que tiene para los cristianos más interés, si bien un interés muy penoso, que cualquier otra calle del mundo. Como el objetivo que ahora perseguimos no requiere que nos ocupemos de toda la calle entera, será suficiente señalar una casa que se levanta en el ángulo antes mencionado como marcando el cambio de dirección hacia el sur, la cual, constituyendo un punto importante y reclamando mucho interés, necesita ser descrita con cierta particularidad.

El edificio daba frente al norte y al oeste, unos cuatrocientos pies probablemente en cada dirección, y como las construcciones más pretenciosas del Oriente, tenía dos pisos de altura y era perfectamente cuadrangular. La calle de la parte oeste tenía unos doce pies de anchura, la del norte no más de diez. De modo que el que caminase junto a los muros y mirase hacia arriba había de sentirse profundamente impresionado por el aspecto tosco, inacabado, más bien repelente, pero fuerte e imponente que presentaban, porque eran de grandes sillares de piedra sin desbastar. Por la cara exterior estaban, en realidad, tal como habían salido de la cantera. Un crítico de aquel tiempo habría decidido que la casa tenía carácter de fortaleza, excepto por las ventanas, de las cuales estaba inusitadamente provista y por el afiligranado acabado de arcos y puertas. Las ventanas que daban al oeste eran cuatro en número, las que daban al norte solamente dos, todas abiertas a la altura del segundo piso, de tal manera que formaban un mirador saliente sobre la avenida de abajo. Las puertas eran las únicas aberturas visibles que cortaban la pared en el primer piso, y además de estar copiosamente reforzadas con cerrojos de hierro, como sugiriendo el afán de que resistieran bien el empuje y los golpes de las perchas de ataque, aparecían protegidas por cornisas de mármol, bellamente trabajado, y de tan atrevida proyección como para asegurar a los visitantes bien informados de las peculiaridades de aquel pueblo, que el rico señor que residía allí era saduceo, lo mismo en política que en credo religioso.

No mucho después de haberse separado del romano en el palacio de la parte alta de la plaza del mercado, el muchacho judío se detuvo delante de la puerta oriental de la casa descrita y llamó. El portillo (una puerta practicada en una de las dos grandes hojas de la entrada) se abrió para dejarle pasar. El chico entró precipitadamente, sin pararse a corresponder a la profunda zalema del portero.

Para hacernos una idea de la distribución interior de la fábrica, así como para ver qué más le ocurrió al muchacho, le seguiremos.

El pasaje al que había entrado no se diferenciaba mucho de un estrecho túnel de paredes artesonadas y abovedado techo. A uno y otro lado, el largo uso había manchado y bruñido unos bancos de piedra. Doce o quince pasos le llevaron a un patio oblongo, orientado en dirección norte-sur y limitado en sus cuatro arcos, excepto en el oriental, por una construcción que parecía la fachada de una casa de dos pisos, de los cuales el inferior estaba dividido en cuadras, mientras que el superior estaba almenado y defendido por una robusta balaustrada. Los criados que iban y venían por las terrazas; el ruido de los molinos, trabajando; las prendas colgadas de unas cuerdas tendidas desde un poste a otro; los pollos y palomas que se divertían corriendo por allí; las cabras, vacas, pollinos y caballos encerrados en las cuadras; una maciza pica de agua, destinada, al parecer, al servicio de todos ellos, denotaba que el propietario reservaba aquel patio para los servicios interiores de la casa. Hacia el este se levantaba un muro de separación perforado por otro pasaje semejante en todos sus aspectos al primero.

Emergiendo de este segundo pasillo, el muchacho penetró en otro patio espacioso, cuadrado, poblado de arbustos y parras y embellecido y refrescado por el agua de una pica levantada cerca de un porche de la parte septentrional. Aquí los compartimientos eran altos, ventilados y sombreados por unas cortinas a rayas blancas y rojas. Los arcos de los mismos descansaban sobre apiñados grupos de columnas. En el sur, un tramo de escaleras ascendía a las terrazas del piso superior, defendidas del sol por medio de grandes toldos. Otra escalera subía de las terrazas al tejado, el borde del cual quedaba señalado en todo su cuadrado perímetro por una cornisa esculpida y un pasamanos de ladrillos de barro cocido, hexagonales de forma y de un rojo vivo en color. En esta parte, por lo demás, se notaba una limpieza esmerada que, no consintiendo el polvo en los rincones y ni siquiera una hoja amarilla en los arbustos, contribuía tanto como todo lo demás a darle un aspecto de conjunto delicioso y acogedor, de tal modo que al respirar aquel aire agradable, el visitante adivinaba, aun antes de haber sido presentado, que iba a entrar en relación con una familia singularmente distinguida y refinada.

Habiendo caminado unos pasos por este segundo patio, el zagal dobló hacia la derecha, y escogiendo un sendero entre los arbustos, parte de los cuales estaban en flor, llegó a la escalera y subió a la terraza: ancho pavimento de losas blancas y pardas, perfectamente unidas, pero muy desgastadas. Pasando por debajo del toldo hasta una puerta de la parte norte entró en un aposento, que al caer detrás de él el cortinaje, quedó de nuevo en la oscuridad. Sin embargo, el chaval siguio ávanzando por el embaldosado suelo hasta un diván, sobre el cual se arrojó cara a tierra, tendiéndose en posición de reposo, con la frente apoyada sobre los cruzados brazos.

Al caer la noche, una mujer se acercó a la puerta y llamó. El muchacho respondió y la mujer entró en el aposento.

—La cena está lista, y es de noche. ¿No tienes hambre, mi hijo? —preguntóle.

—No —respondió él.

—¿Estás enfermo?

—Tengo sueño.

—Tu madre ha preguntado por ti.

—¿Dónde está?

—En el pabellón de verano, en la azotea.

El muchacho se revolvió un poco y se sentó.

—Muy bien. Tráeme algo que comer.

—¿Qué quieres?

—Lo que te plazca, Amrah. No estoy enfermo, sino apático. La vida no parece tan agradable como esta mañana. Es una dolencia nueva, oh, mi Amrah, y tú, que me conoces muy bien y nunca me has defraudado, puedes imaginar ahora qué será lo que me sirva de alimento y de medicina. Tráeme lo que se te antoje.

Las preguntas de Amrah y el tono de voz con que las formuló —bajo, compasivo, solícito—, revelaban el afectuoso lazo que les unía a los dos. La mujer puso la mano sobre la frente del chico. Luego, como tranquilizada, salió diciendo:

—Voy a ver.

Al cabo de un rato regresó trayendo en una bandeja de madera un tazón de leche, unas rebanadas de pan, un exquisito pastel de trigo triturado, un pájaro asado, miel y sal. En una punta de la bandeja había una copa de plata llena de vino. En la otra, un candelabro de latón, encendido.

Entonces, el aposento apareció claramente a la vista. Sus paredes finamente estucadas, el techo cruzado de grandes vigas de roble, oscurecidas por las manchas de la lluvia y del tiempo; el suelo, de baldosas pequeñas blancas y azules de forma hexagonal, muy firme y sufrido; unos cuantos taburetes con las patas esculpidas imitando las de los leones; un diván levantado un poco del suelo, tapizado de paño azul y cubierto parcialmente por una inmensa manta o bufanda de lana listada... En resumen, un dormitorio hebreo.

La misma luz puso también al descubierto la figura de la mujer, la cual, acercando un taburete al diván, colocó la bandeja sobre el mismo y luego se arrodilló disponiéndose a servir al mancebo. Tenía la cara de una mujer de cincuenta años, de cutis moreno y ojos negros, dulcificados en aquel instante por la ternura de una mirada casi maternal. Un blanco turbante cubría su cabeza, dejando al descubierto los lóbulos de las orejas, y en ellos, el signo que revelaba su condición: un orificio practicado con una lezna gruesa. Era una esclava, egipcia de origen, a la cual ni la redención del año quincuagésimo, el año sagrado, había podido traer una libertad que ella, por su parte, no habría aceptado, porque el muchacho al cual estaba sirviendo era su vida. Le había cuidado desde los pañales, le había atendido durante su infancia, y no habría sabido resignarse a dejar su servicio. Para sus amorosos ojos, aquel muchacho jamás sería un hombre.

Él sólo habló una vez durante la comida.

—Tú recuerdas, oh, mi Amrah, al Messala que solía venir a verme días y días consecutivos.

—Sí, le recuerdo.

—Se fue a Roma hace unos años, y ahora ha regresado. Hoy he ido a visitarle.

Un estremecimiento de disgusto recorrió el cuerpo del chaval.

—Sabía que te había pasado algo —respondió la mujer, profundamente interesada—. Los Messala jamás me gustaron. Cuéntamelo todo.

Pero el chico se sumió en la meditación, y ante la insistencia de las preguntas, dijo únicamente:

—Ha venido muy cambiado y no quiero más tratos con él.

Cuando Amrah se llevó la bandeja, salió también el muchacho, subiendo de la terraza a la azotea.

Se supone al lector más o menos enterado del aprovechamiento de las cimas de las casas, común en el Este. En materia de costumbre, el clima es, en todas partes, quien dicta las leyes. El verano de Siria encierra al que busca comodidad en el oscuro compartimiento. De noche, empero, le invita temprano a que salga. Las sombras que descienden sobre las cimas de los montes parecen velos que cubren vagamente a unas Circes cantoras, pero están muy lejos, al paso que la azotea está ahí mismo y suficientemente elevada por encima de las copas de los árboles para atraer a las estrellas, invitándolas a descender, por lo menos a bajar lo bastante para que brillen esplendorosas. Así la azotea se convertía en un punto de reunión: era campo de juego, dormitorio, *boudoir,* lugar de cita de la familia, sala de música, de danza, de conversación, de fantasiosas meditaciones y de oración.

Los mismos motivos que impulsan, en climas más fríos, a decorar a cualquier precio los interiores, inducen al oriental a embellecer la cima de su casa. El parapeto ordenado por Moisés convirtióse en el triunfo del ceramista. Encima del mismo se levantaron, más tarde, torres, sencillas o caprichosas. Y todavía más tarde, reyes y príncipes coronaron sus azoteas con pabellones de verano de mármol y oro. Cuando los babilonios colgaron jardines en el aire, el capricho no pudo ya llevar aquella tendencia a extremos mayores.

El chaval al cual vamos siguiendo andaba despacio por la azotea en dirección a una torre construida en el ángulo noroeste del palacio. Si hubiese sido un extraño, acaso hubiera dedicado una mirada a la estructura a la cual se estaba acercando, viendo de ella todo lo que la confusa luz le permitiese: una masa oscura, baja, con celosías, pilares y cúpulas. Pasando por debajo de una cortina levantada a medias, entró en el pabellón. En el interior reinaba una oscuridad total, excepto en los cuatro costados, donde había unas aberturas arqueadas, semejantes a portales, por las cuales era visible el cielo, encendido de estrellas. En una de tales aberturas y recostadas sobre un cojín de un diván, vio la figura de una mujer, poco discernible, a pesar de estar ataviada con una blanca y holgada prenda. Al sonido de los pies del muchacho hiriendo el suelo el abanico que aquella figura tenía en la mano detuvo su movimiento, lanzando destellos allí donde la luz de las estrellas hería las joyas que le esmaltaban. La mujer se sentó y pronuncio él nombre del joven.

—¡Judá, hijo mío!

—Soy yo, madre —respondió él, acercándosele más deprisa.

Al llegar junto a ella, se arrodilló. La madre le rodeó con sus brazos y lo llenó de besos, al mismo tiempo que lo estrechaba contra su seno.

CAPÍTULO IV

LAS EXTRAÑAS COSAS QUE BEN-HUR QUIERE SABER

La madre tomó de nuevo la cómoda actitud anterior en el cojín, mientras el hijo se sentaba en el diván, apoyando la cabeza en su regazo. Mirando por la abertura, ambos podían ver una buena extensión de azotea en la vecindad, un banco de azul oscuridad allá en el oeste, que sabían eran montañas, y el cielo con sus sombreadas profundidades, en el que brillaban las estrellas. La ciudad estaba silenciosa. Sólo se agitaba el viento.

—Amrah me dice que te ha pasado algo —empezó la madre, acariciándole la mejilla—. Cuando mi Judá era un niño, yo consentía que se atormentase por nimiedades, pero ahora es un hombre. No debe olvidar —y aquí su voz se hizo muy suave— que un día ha de ser mi héroe.

Hablaba en el lenguaje casi olvidado en el país, pero que unos cuantos —eran invariablemente gente notable, tanto por su sangre como por sus posesiones— cultivaban con cariño en toda su pureza, a fin de que se les distinguiera más claramente de los pueblos gentiles. El idioma en que las adoradas Rebeca y Raquel cantaban a Benjamín.

Aquellas palabras parecieron suscitar en el cerebro del muchacho una nueva sucesión de pensamientos. Sin embargo, al cabo de un rato cogió la mano con que su madre le abanicaba y dijo:

—Oh, madre mía, hoy me han hecho pensar en muchas cosas que nunca habían tenido cabida en mi mente. Dime, primero: ¿qué he de ser yo?

—¿No te lo he dicho? Tú has de ser mi héroe.

Aunque no podía ver la cara de su madre, el muchacho comprendió que hablaba jocosamente. Él se puso más serio.

—Tú eres muy buena y muy cariñosa, oh, madre mía. Nadie me amará como tú.

Y le llenó la mano de besos. Después prosiguió:

—Creo comprender por qué eludes mi pregunta. Hasta ahora mi vida te ha pertenecido. ¡Con qué amor, con qué dulzura me has gobernado! ¡Ojalá pudiera seguir siempre igual! Pero esto es imposible. Es voluntad del Señor que un día sea yo dueño de mí mismo. Un día de separación, y por lo mismo, penoso para ti. Seamos valientes y hablemos en serio. Yo quiero ser tu héroe, pero tú me has de poner en camino de serlo. Sabes lo que manda la ley: todo hijo de Israel ha de ocuparse en algo. Yo, que no soy una excepción, te pregunto: ¿cuidaré los rebaños? ¿O labraré la tierra? ¿O moveré la sierra? ¿O seré escribiente o abogado? ¿Qué seré yo? Madre amada y buena, ayúdame a encontrar la respuesta.

—Gamaliel ha dado hoy una conferencia —contestó ella, pensativamente.

—Si la ha dado, yo no le he oído.

—Entonces has paseado con Simeón, quien, según me han dicho, hereda el genio de su familia.

—No, no le he visto. He estado en la plaza del mercado, aunque no en el Templo. He visitado al joven Messala.

Un ligero cambio en la voz del muchacho atrajo la atención de la madre. Un presentimiento aceleró los latidos de su corazón. El abanico volvió a quedar inmóvil.

—¡Messala! —exclamó—. ¿Qué ha podido decirte para impresionarte de este modo?

—Ha venido muy cambiado.

—Quieres decir que ha vuelto convertido en un romano.

—Sí.

—¡Romano! —continuó la mujer, casi hablando consigo misma—. Para todo el mundo esta palabra significa dueño. ¿Cuánto tiempo ha estado fuera?

—Cinco años.

La madre irguió la cabeza, mirando hacia lo lejos, a través de la noche.

—Los aires de la Vía Sacra han invadido sin dificultad las calles de los egipcios y de Babilonia. Pero en Jerusalén, en nuestra Jerusalén, mora la alianza.

Y embargada por este pensamiento, descansó la cabeza en su cómodo apoyo. El joven fue el primero en tomar la palabra.

—Lo que Messala me ha dicho, madre mía, era bastante duro por sí mismo. Pero, unido a la manera de decirlo, ha hecho que alguna de sus frases fuera intolerable.

—Creo comprenderte. Toda Roma (sus poetas, oradores, senadores, cortesanos) anda loca por eso que ellos llaman sátira.

—Supongo que todas las naciones grandes son orgullosas —prosiguió el adolescente, casi sin tomar nota de la interrupción—. Pero el orgullo de esa gente no se parece al de los demás.

En estos últimos tiempos ha crecido tanto, que ni los mismos dioses se libran de su mordacidad.

—¡Los dioses sí se libran! —replicó, prestamente la madre—. ¡Más de un romano ha aceptado que le rindiesen culto, como si tuviera derecho a recibirlo!

—Pues bien. Messala siempre ha poseído una buena dosis de la desagradable cualidad. Cuando él era niño, le vi burlarse de extranjeros a los cuales hasta el mismo Herodes se dignaba recibir con todos los honores. Sin embargo, sus mofas siempre habían respetado a Judea. Por primera vez, hablando hoy conmigo, se ha referido irónicamente a nuestras costumbres y a nuestro Dios. Como tú habrías querido que hiciese, yo he roto definitivamente con él. Y ahora, oh, mi madre adorada, yo quisiera saber si hay base para que los romanos nos desprecien. ¿En que le soy inferior? ¿Pertenece nuestro pueblo a una categoría inferior? ¿Por qué he de sentir yo, ni aun en presencia del César, el encogimiento de un esclavo? Dime, en especial, si éste es mi ánimo y el camino que escojo. ¿No puedo perseguir los honores del mundo en todos los campos? ¿Por qué no puedo tomar la espada y gustar la pasión de la guerra? Como poeta, ¿por qué no puedo cantar todos los temas? Puedo trabajar los metales, puedo guardar los rebaños, puedo ser mercader... ¿Por qué no puedo ser un artista como los griegos? Dime, oh, madre mía (y en esto se condensa toda mi inquietud), ¿por qué un hijo de Israel no puede hacer todo lo que hace un romano?

El lector relacionará las preguntas anteriores con la conversación que había tenido el muchacho en la plaza del mercado. La madre, escuchando con todas las facultades despiertas por algo que una persona menos interesada en el adolescente no habría captado, no tardó más en establecer la misma relación, sugerida por las conexiones del tema, la dirección que tomaban las preguntas y posiblemente por el tono y el acento en que habían sido formuladas. Sentóse, y con voz tan pronta e incisiva como la de su hijo respondió:

—¡Comprendo, comprendo! Debido al ambiente, durante su infancia, Messala era casi judío. Si se hubiese quedado aquí, habría podido convertirse en un prosélito, pues hasta tal punto acogemos las influencias que maduran nuestras vidas. Pero los años pasados en Roma han pesado excesivamente en él. No me maravilla el cambio, pero —y aquí su voz se quebró— podía haber sido más tierno, por lo menos contigo. Duro y cruel es el temperamento del hombre que ya en la juventud sabe olvidar sus primeros afectos.

La mano de la mujer descendió suavemente sobre la frente del chico. Se introdujo entre sus cabellos y se entretuvo acariciándolos amorosamente, mientras los ojos —los de la madre— buscaban las estrellas más altas que descubría la mirada. Su orgullo respondía al del muchacho, no meramente como un eco, sino al unísino de una compenetración perfecta. Quería contestarle. Pero, al mismo tiempo, por nada del mundo habría querido darle una contestación poco satisfactoria: admitir que existiese una inferioridad podía debilitar el ánimo del hijo para toda la vida. La desconfianza en su propia capacidad la hacía tartamudear.

—El tema que me propones, oh, mi Judá, no es para ser tratado por una mujer. Déjame que lo aplace hasta mañana, y yo haré que el sabio Simeón...

—No me remitas al Rector —pidió él, bruscamente.

—Haré que venga a vernos.

—No. Yo busco algo más que una información. Y si bien él podría dármela mejor que tú, oh, madre mía, tú puedes darme lo que por su parte sería imposible dar: la decisión, que es el alma del alma de un hombre.

La madre recorrió el firmamento con una rápida mirada, tratando de abarcar todo el significado de las preguntas del hijo.

—Cuando anhelamos justicia para nosotros mismos, jamás es prudente ser injustos con los demás. Al negar valor en el enemigo al cual hemos derrotado, rebajamos nuestra victoria. Si el enemigo ha sido lo bastante fuerte para mantenernos a distancia y mucho más si lo ha sido para vencernos... —la madre vacilaba—, nuestra propia estimación nos obliga a buscar otras explicaciones a nuestras desgracias que la de acusarle de poseer cualidades inferiores a las nuestras propias.

Hablando luego más consigo misma que para su hijo, la madre empezó así:

—Fortalece tu corazón, hijo mío. Messala desciende de noble linaje. Su familia ha sido ilustre durante muchas generaciones. En los días de la Roma republicana (hasta qué tiempo remoto, es cosa que no puedo decirte), sus antepasados fueron famosos, algunos como soldados, otros en funciones civiles. No recuerdo sino a un cónsul de este nombre. Tenían el rango de senadores, y la gente buscó siempre su patronazgo porque siempre fueron ricos. No obstante, si tu amigo se vanagloriaba hoy de su ascendencia, podías tú dejarle corrido enumerándole la tuya. Si él se refería a las edades a través de las cuales puede seguirse el árbol familiar, o las hazañas, jerarquías o riquezas (y tales alusiones, excepto cuando las grandes ocasiones las exigen, son prenda de mentes mezquinas) si las mencionaba en prueba de superioridad, tú sin miedo, y tomándolas una por una, podías haberle desafiado a comparar nuestros respectivos historiales.

Parándose a meditar un momento, la madre prosiguió:

—Una de las ideas que se imponen prontamente en esta época es la de que el tiempo tiene mucho que ver con la nobleza de las razas y las familias. El romano que se jacte sobre este particular, comparándose con un hijo de Israel, quedará confundido en cuanto se someta a una prueba. La fundación de Roma marca su punto de arranque, y pocos de ellos pueden seguir su ascendencia hasta dicho período. Pocos de ellos lo pretenden, y de los pocos que lo intentan, te digo yo que ninguna podría sostener su alegato sin recurrir al testimonio de la tradición. Ciertamente, Messala no podría. Volvamos la vista ahora a nosotros. ¿Le aventajamos?

Un poco más de luz habría permitido al hijo observar la expresión de orgullo que se difundía por la faz de su madre.

—Imaginemos que el romano nos plantea semejante reto. Yo le respondería sin vacilación y sin jactancia.

Su voz titubeó. Un pensamiento más tierno le hizo cambiar la índole del argumento.

—Tu padre, oh, mi Judá, descansa con los suyos. Sin embargo, yo recuerdo, como si fuese esta misma noche, el día que él y yo, en compañía de muchos amigos alborozados, subimos al Templo a presentarle al Señor. Sacrificamos las palomas, y yo le di al sacerdote tu nombre, que el escribió en mi presencia: «Judá, hijo de Ithamar, de la Casa de Hur». Entonces se llevaron el nombre al registro y lo escribieron en un libro de la sección de historiales de la santa familia. No puedo decirte cuándo empezó la costumbre de inscribir a las personas de este modo. Sabemos que estaba en boga antes de la huida de Egipto. He oído decir a Hillel que Abraham hizo abrir el registro con su propio nombre y los de sus hijos, movido por las promesas del Señor que lo separaban a él y a los suyos de todas las demás razas concediéndoles la alcurnia más alta y selecta, haciéndoles los escogidos de la tierra. El pacto con Jacob tuvo un efecto semejante. «En tu simiente serán bendecidas todas las naciones de la tierra.» Así dijo el ángel a Abraham en el lugar de Jehovajireh. «Y el terreno en donde descansas, a ti te lo daré, y a tu simiente», dijo el Señor a Jacob, dormido en Bethel, camino de Harán. Más tarde, los sabios pensaron en la conveniencia de una justa distribución de la tierra prometida. Y para que el día de la partición se supiera quiénes tenían derecho a recibir parcelas, se abrio él Libro de las Generaciones. Pero no fue solamente por esto. La promesa de bendecir a toda la tierra a través del patriarca apuntaba a un futuro lejano. Un solo nombre se mencionaba relacionado con aquella bendición. El benefactor podía ser el más humilde de la familia elegida, porque el Señor nuestro Dios no sabe de distinciones de rango ni de fortuna. Así, para que la generación que debía presenciarlo viera el hecho más claro, y a fin de que sus componentes pudieran dar la gloria a quien perteneciese, era preciso que se llevara el registro con una meticulosidad absoluta. ¿Ha sido llevado así?

El abanico se movió en vaivén, hasta que, agitado por la impaciencia, el adolescente repitió la pregunta.

—¿Es absolutamente fiel ese registro?

—Hillel dijo que lo era, y de todos los hombres que han existido, ninguno mejor informado de esta cuestión. En determinadas épocas, nuestro pueblo ha prestado poca atención a ciertos aspectos de la Ley, pero jamás olvidó éste. El excelente rector ha seguido los Libros de las Generaciones a lo largo de tres períodos: desde las promesas hasta la apertura del Templo, de ahí hasta la Cautividad, y de ahí hasta el presente. Sólo en una ocasión sufrieron contratiempos los registros, y fue al final del segundo período. Pero en seguida que la nación regresó de su largo exilio, como primera atención debida a Dios, Zorobabel restauró los Libros, permitiéndonos, una vez más, seguir ininterrumpidamente los linajes de la descendencia judía por espacio de dos mil años. Y ahora...

La madre hizo una pausa como para dar ocasión al oyente de medir el tiempo que había mencionado.

—Y ahora —prosiguió—, ¿cómo queda el gesto romano de vanagloriarse de una sangre enriquecida por las edades? Según esa prueba, los hijos de Israel, que guardan los rebaños allá en el viejo Rephaim, son más nobles que el más noble de los Marcios.

—Pero madre... Según los libros, ¿quién soy yo?

—Lo que he dicho hasta aquí, hijo mío, estaba relacionado con tu pregunta. Te contestaré. Si Messala estuviera presente, acaso objetara, como otros han objetado, que el rastro exacto de tu linaje se interrumpió cuando los asirios tomaron Jerusalén y desviaron el Templo, con todas sus preciosas reliquias. Pero tú podrías alegar la piadosa acción de Zorobabel, y replicar que toda certeza con respecto a las genealogías romanas terminó cuando los bárbaros del Oeste tomaron Roma y acamparon durante seis meses en su asolado emplazamiento. ¿El gobierno recogía la historia de las familias? No, no. Nuestros Libros de las Generaciones dicen la verdad y siguiéndolos en sentido retrospectivo hasta llegar a la Cautividad, hasta la fundación del primer Templo y hasta la salida de Egipto, tenemos la certeza absoluta de que descendientes en línea directa de Hur, el asociado de Josué. Si el tiempo santifica el linaje, ¿cabe un honor más grande y perfecto? ¿Deseas llevar la investigación más atrás? De ser así, coge el Torá, busca el Libro de los Números y entre las setenta y dos generaciones que sucedieron a Adán, puedes encontrar al mismo progenitor de tu estirpe.

Hubo un rato de silencio en la cámara de la azotea.

—Te doy las gracias, madre mía —exclamó después Judá, estrechando en la suya las dos manos de su madre—. Te doy las gracias de todo corazón. Hice bien al no querer que llamases al buen rector. No habría podido dejarme más satisfecho que me has dejado tú. Sin embargo, para que una familia sea verdaderamente noble, ¿es suficiente el tiempo nada más?

—Ah, lo olvidas, lo olvidas. Nuestro alegato no se funda meramente en el tiempo. La preferencia de Dios constituye nuestro timbre especial de gloria.

—Tú hablas de la raza, madre. Yo hablo de la familia, de nuestra familia. En los años que se han sucedido desde nuestro Padre Abraham, ¿qué hazañas ha realizado? ¿Qué ha hecho? ¿Qué grandes cosas ha llevado a cabo que la eleven por encima del nivel de las otras?

La madre titubeó, temiendo que hubiera estado todo el rato interpretando mal el propósito de su hijo. Las noticias que éste buscaba podían significar mucho más que una simple satisfacción de la voluntad herida. La juventud no es sino la pintada concha dentro de la cual, en continuo crecimiento, vive ese ente maravilloso que es el espíritu del hombre, solicitando el momento de hacer aparición, que en unos se da antes que en otros. La madre se estremecía al percibir que en aquel instante quizá sonase para su hijo el momento supremo; que, cual los niños al nacer extienden las inexpertas manos tentando las sombras mientras el llanto abre sus labios, así quizá su espíritu luchase, en medio de una ceguera temporal, por asirse a su impalpable futuro. Aquellos a los cuales acude un muchacho preguntando: «¿Quién soy yo y qué he de ser?», deben andar con muchísimo cuidado. Cada palabra de la respuesta puede resultar para su vida futura lo que el toque de cada dedo del artista en la arcilla que está modelando.

—Tengo la sensación, oh, Judá mío —dijo la mujer, dándole unas palmaditas en la mejilla con la misma mano que él había estado acariciando—, tengo la sensación de que todo lo que he dicho ha sido una escaramuza con un antagonista más real que imaginario. Si Messala es el enemigo, no me dejes combatiendo con él a oscuras. Explícame todo lo que te ha dicho.

CAPÍTULO V

ROMA E ISRAEL — UNA COMPARACIÓN

El joven israelita tomó entonces la palabra y reprodujo la conversación con Messala, deteniéndose de un modo particular en las frases despectivas que éste había tenido para los judíos, sus costumbres y el muy limitado círculo de su existencia.

Temerosa de interrumpir, la madre escuchaba, discerniendo claramente la cuestión. Judá había ido al palacio de la plaza del mercado, atraído por el afecto de un compañero de juego a quien esperaba encontrar exactamente igual como era cuando se separaron, años atrás. Y se enfrentó con un hombre, y en vez de reír y recordar los juegos pretéritos, el hombre no había tenido palabras sino para el futuro, refiriéndose a la gloria que tenía que conquistar, a las riquezas y al poder. Inconsciente del origen de aquello, el visitante se había marchado herido en su orgullo, aunque estimulado por una ambición natural. Pero la madre lo veía, y no sabiendo qué inclinación podían tomar aquellas aspiraciones, sintióse de pronto invadida por un temor genuinamente judío. ¿Qué sería si aquellas ambiciones devenían un señuelo que le apartaba de la fe patriarcal? A sus ojos, tal consecuencia era más temible que todas las otras. Una sola manera se le ocurría de evitarlo, y se puso a la tarea inmediatamente, y el amor vino a reforzar el ascendiente que siempre tuvo sobre su hijo, de tal manera que su discurso adquirió a ratos una energía viril, y a ratos el fervor de un poeta.

—Jamás hubo un pueblo —empezó diciendo— que no se creyese igual, por lo menos, a cualquier otro, ni ninguna gran nación que no se creyese la más superior. Cuando los romanos miran por encima del hombro a Israel y se ríen, repiten meramente la locura de los egipcios, los asirios y los macedonios. Y como su carcajada va contra Dios, el resultado será el mismo.

Ahora su voz se hizo más firme.

—No existe una norma según la cual determinar la superioridad de las naciones. De ahí la vanidad de tal pretensión y la ociosidad de disputar sobre ella. Un pueblo se levanta, corre su carrera y muere, bien por su propia mano, bien por mano de otro, que sucediéndole en el poder ocupa su puesto e inscribe nombres nuevos sobre los monumentos antiguos. Así es la historia. Si me pidieran que simbolizara a Dios y al hombre en la forma más sencilla, dibujaría una línea recta y un círculo, y de la línea diría: «Ese es Dios, porque únicamente Él se mueve eternamente adelante». Y del círculo: «Este es el hombre. Tales son sus movimientos». No quiero decir que no haya diferencia entre las carreras de las naciones. No hallarás dos iguales. La diferencia, empero, no está en la extensión del círculo que describen, ni en el espacio de tierra que cubren, sino en la esfera en que se mueven, siendo la más alta la más próxima a Dios. Pararme aquí, hijo mío, sería dejar el tema en el punto en que lo hemos empezado. Prosigamos. Existen señales para medir el radio del círculo que cada nación describe durante su curso. Comparemos, según ellas, a hebreos y romanos. La señal más simple la proporciona la vida cotidiana del pueblo. Sobre esto solamente diré que Israel ha olvidado en ocasiones a Dios, mientras que los romanos jamás lo conocieron. En consecuencia, no es posible la comparación. Tu amigo, o, mejor dicho, tu antiguo amigo, nos acusaba, si te he comprendido bien, de que no tenemos poetas, ni artistas, ni guerreros. Con lo cual se proponía, supongo, negar que hayamos tenido grandes hombres: el otro signo más infalible de todos, después del primero. Un gran hombre, oh, hijo mío, es aquel cuya vida demuestra que ha sido reconocido, si no llamado, por Dios. Un persa sirvió de instrumento para castigar a nuestros padres apóstatas. Otro persa fue elegido para devolver los hijos de aquéllos a Tierra Santa. Mayor que ambos fue, sin embargo, el macedonio, cuya mano vengó la destrucción de Judea y del Templo. Lo que distinguió esencialmente a aquellos hombres fue que fueron elegidos por Dios, cada uno para llevar a cabo un designio divino. Su calidad de gentiles no disminuye su gloria. No pierdas de vista esta definición mientras prosigo.

»Se supone que la guerra es la más noble ocupación de los hombres y que la mayor grandeza consiste en ensanchar los campos de batalla. Aunque el mundo haya aceptado esta idea, no te dejes engañar. Que debemos adorar algo es una ley que continuará en vigor mientras haya algo que no podamos comprender. La oración del bárbaro es un gemido de miedo dirigido a la Fuerza, la única cualidad divina que puede concebir claramente. De ahí su fe en los héroes. ¿Qué es Júpiter, sino un héroe romano? La excelsa gloria de los griegos radica en haber sido los primeros que elevaron a la Razón por encima de la Fuerza. En Atenas, al orador y al filósofo los reverenciaban más que al guerrero. El conductor de carrozas y el que gana carreras pedestres siguen siendo los ídolos de la arena. Pero la inmortalidad queda reservada para el cantor más dulce. Varias ciudades se disputan el honor de haber sido la cuna de un mismo poeta. Pero ¿fue el heleno el primero en negar la antigua fe de los bárbaros? No. Hijo mío, esta gloria nos pertenece a nosotros. Contra la brutalidad, nuestros padres erigieron a Dios. En nuestro culto, el gemido de miedo dejó lugar a Hosanna y al Salmo. Los hebreos y los griegos habrían hecho progresar en sentido ascendente a toda la Humanidad. Mas, ¡ay!, los que gobiernan el mundo presuponen que la guerra es una constante eterna, por lo cual, por encima de la Razón y por encima de Dios, los romanos han entronizado al César, el que absorbe todo poder asequible, el que prohíbe toda otra grandeza.

»La época griega fue un período de florecimiento del genio. En premio de la libertad que entonces se disfrutó, ¡qué pléyade de pensadores ofreció la Razón! Todas las ramas del saber alcanzaron un esplendor tal y una perfección tan absoluta, que en todo menos en la guerra, los romanos han recurrido a la imitación. Un griego es actualmente el modelo de los oradores del Foro. Escucha bien, y en todas las canciones romanas oirás el ritmo de los griegos. Si un romano abre la boca para hablar sabiamente de moral, o de lucubraciones abstractas, o es un plagiario, o es el discípulo de alguna escuela que tuvo por fundador a un heleno. En nada sino en la guerra, lo repito, tiene derecho Roma a reclamar para sí la originalidad. Sus juegos y espectáculos son inventos griegos salpicados de sangre para halagar la ferocidad de su populacho. Su religión, si merece tal nombre, está hecha con las aportaciones de la fe de todos los demás. Sus dioses más venerados vienen del Olimpo, incluso su Marte, y hasta el Júpiter que Roma ensalza de tal modo. De modo, hijo mío, que entre el mundo entero sólo Israel puede disputar la superioridad a los griegos y pretender arrebatarles la palma del genio más genuino.

»Para las excelencias de los otros pueblos, el egocentrismo del romano es una coraza, impenetrable como el peto de su armadura. ¡Ah!, esos saqueadores implacables! Bajo sus pisadas, la tierra tiembla como un suelo azotado a latigazos. Junto con los demás, hemos caído nosotros. ¡Ay qué pena, hijo mío, que tenga que decírtelo! Ellos son dueños de nuestros puestos más elevados y más santos, y nadie puede aventurar cómo terminará esta ciudad. Pero una cosa sé, y es que ellos pueden triturar a Judea como una almendra machacada a martillazos y devorar a Jerusalén, que es el aceite y la miel del mundo. Y, no obstante, la gloria de los hombres de Israel perdurará como una luz en el firmamento elevada a cimas que ellos no alcanzarán. Porque su historia es la historia de Dios, que la escribió con las manos de aquellos hombres, lo proclamó con sus lenguas, y estuvo Él mismo en todo lo bueno que hicieron, hasta en lo más nimio. Dios, que moró con ellos, en el Sinaí como Legislador, en el desierto como Guía, en la guerra como Capitán, en el gobierno como Rey... Dios, que muchas veces apartó las cortinas del pabellón en que tiene su lugar de reposo, de esplendor irresistible, y como un hombre hablando a otros hombres, les enseñó el camino del bien y de la felicidad, y cómo debían vivir, y les hizo promesas por las cuales han de continuar eternamente en vigor. Oh, hijo mío, ¿será posible que aquellos con los cuales moró Jehová así, con una familiaridad tan pasmosa, no recogieran algo de Él? ¿Que en sus vidas y gestas las cualidades humanas comunes no se mezclaran y tiñeran hasta cierto punto con lo divino? ¿Que sus genios no encerrasen en sí, aun después del transcurso de las edades, algo de celestial?

Por un buen rato, el susurro del abanico fue el único sonido que se percibía en la cámara.

—Si consideramos el arte limitado a la escultura y a la pintura, es cierto —dijo luego la madre—. Israel no ha tenido artistas.

Tal confesión salió con pesar de sus labios, porque debe recordarse que aquella mujer era saducea, y su fe, al contrario de la de los fariseos, permitía amar lo bello en todas sus formas y sin atender a su origen.

—Sin embargo, quien quiera hacernos justicia —prosiguió luego—, no olvidará que la habilidad de nuestras manos quedó atada por la prohibición: «No levantarás ante ti ninguna imagen esculpida ni nada que se parezca a un ser cualquiera», que el Sopherim extendió perversamente más allá de su propósito y de su tiempo. Como tampoco debe olvidarse que mucho antes de que apareciera Dédalo en el Ática y con sus estatuas de madera transformase la escultura hasta hacer posibles las escuelas de Corinto y Egina, con sus últimos triunfos de Poecilo y el Capitolio, mucho antes de Dédalo, repito, dos israelitas, Bezaleel y Aholiab, los maestros constructores del primer tabernáculo, se dice que fueron expertos «en todas las artes manuales» y esculpieron los querubines del trono de la misericordia encima del arca. Eran de oro batido, no cincelado. Unas estatuas, a la vez humanas y divinas. «Y deberán extender sus alas hacia lo alto..., y sus caras se mirarán mutuamente». ¿Quién afirmará que no eran hermosos o que no fueron las primeras estatuas?

—¡Oh, ahora veo que los griegos nos han dejado atrás! —exclamó Judá, vivamente interesado—. Y el arca... ¡Malditos sean los babilonios que la destruyeron!

—No, Judá, no te apartes de la fe. No quedó destruida, sino únicamente perdida, escondida con demasiada precaución en alguna cueva de las montañas. Un día (tanto Hillel como Shammal lo aseguran), un día, cuando el Señor señale la hora, la encontrarán y la traerán, e Israel danzará ante ella, cantando como en los antiguos tiempos. Y los que entonces vean las caras de los querubines, por más que hayan visto el rostro de la Minerva de marfil, se mostrarán dispuestos a besar la mano del judío, por amor a su genio, dormido por espacio de millares de años.

La madre, en su vehemencia, había levantado la voz y pronunciado las frases casi con la viveza y la pasión de un orador. Ahora, para recobrarse, o para recoger de nuevo el hilo de su pensamiento, descansó un rato.

—¡Qué buena eres, madre! —dijo el adolescente, agradecido—. Jamás me cansaré de repetirlo. Shammai no habría podido hablar mejor, y tampoco Hillel. Yo vuelvo a ser un verdadero hijo de Israel.

—¡Adulador! —dijo ella—. Tú no sabes que no hago otra cosa que repetir lo que oí a Hillel en una discusión que tuvo un día en mi presencia con un sofista de Roma.

—No importa. El calor y el sentimiento son tuyos.

La madre recobró al momento la seriedad.

—¿Dónde estaba? Ah, sí, reclamaba para nuestros padres hebreos el honor de haber fabricado las primeras estatuas. La habilidad del escultor no acapara todo el campo del arte, como tampoco el arte condensa en sí toda la grandeza. Siempre me imagino a los grandes hombres desfilando a lo largo de los siglos en grupos, en vistosas compañías, separables según sus nacionalidades. Aquí los hindúes, allí los egipcios, más allá los asirios. Sobre ellos, la música de las trompetas y el esplendor de las banderas. Y a derecha e izquierda, como espectadores reverentes, las generaciones, innumerables, que han vivido desde el comienzo. Mientras desfilan, me imagino a los griegos gritando: «¡Mirad! La Hélade abre la marcha». Entonces los romanos replican: «¡Silencio! El lugar que vosotros ocupabais ahora nos corresponde a nosotros. Os hemos dejado atrás como polvo hollado». Y todo el rato, desde la cabeza hasta la zaga de la columna que desfila, así como hasta el más lejano futuro, se extiende un chorro de luz del cual los caminantes no saben nada, excepto que les guía eternamente delante... ¡la Luz de la Revelación! ¿Quienes son los que la llevan? ¡Ah, son los de la antigua sangre judía! Cómo brinca en nuestras venas al pensarlo! Por la luz les conoceremos. ¡Tres veces benditos, oh, padres nuestros, servidores de Dios, guardadores de las alianzas! Vosotros sois los hombres, tanto de los vivos como de los muertos. La primera línea es vuestra, y aunque cada romano fuese un César, ¡no podríais perderla!

Judá estaba profundamente conmovido.

—No te interrumpas, te lo ruego —exclamó—. Tú me haces oír el son de los tamboriles. Espero ver a Miriam y a las mujeres que la seguían bailando y cantando.

La madre captó los sentimientos del hijo, y con despierto criterio los entretejió en su discurso.

—Muy bien, hijo mío. Si sabes oír los tamboriles de la profetisa, serás capaz de hacer lo que iba a pedirte. Puedes echar mano de tu fantasía y quedarte a mi lado, como a un lado de la comitiva, mientras los escogidos de Israel pasan ante nosotros, a la cabeza de la procesión. Ahí vienen. Los patriarcas, primero. Luego, los padres de las tribus. Casi oigo las campanillas de sus camellos y el balar de sus rebaños. ¿Quién es ese que anda solo entre las compañías? Un anciano. Aunque su ojo no ha perdido el brillo, ni su fuerza natural, aparece decaído. ¡Él vio a Dios cara a cara! Guerrero, orador, poeta, legislador, profeta; su grandeza es cual la del sol de la mañana, el raudal de su esplendor apaga todas las otras luces, incluso las de los primeros y más nobles de los Césares. Detrás de él vienen los jueces. Y luego los reyes. El hijo de Jessé, un héroe en la guerra y un cantor de himnos, eternos como el del mar. Y su hijo, el cual, aventajando a todos los otros reyes en riquezas y sabiduría, hizo habitable el desierto y fundó ciudades en extensos territorios, sin olvidar nunca a Jerusalén, escogido por Dios para sede suya en la tierra. ¡Inclínate, hijo mío! Los que vienen ahora son los primeros de su estirpe, y los últimos. Levantan el rostro como si oyesen una voz en el cielo y aguzaran el oído. Sus vidas estuvieran saturadas de pesares. Sus vestidos huelen a tumbas y a cavernas. Escucha a una mujer entre ellos: «Cantad al Señor, porque ha triunfado gloriosamente!». ¡No, baja la frente hasta el polvo ante ellos! Fueron lenguas de Dios, sirvientes suyos que escudriñaron los cielos, y viendo todo el futuro escribieron lo que habían visto, dejando lo escrito para que fuese confirmado por el tiempo. Los reyes palidecían cuando les veían acercarse. Las naciones temblaban al son de sus voces. Los elementos se convertían en sus criados. En las manos llevaban todos los bienes y todas las plagas. ¡Ve al Tishbita y a su criada Elihsa! ¡Ve al entristecido hijo de Hilkiah, y al primero, el que contempló visiones, junto al río Chebar! Y de los tres hijos de Judá que rechazaron la imagen de los babilonios, ¡mira!, mira a aquel que en el festín de los mil señores confundió de tal modo a los astrólogos. Y más allá (¡oh, hijo mío, besa el polvo de nuevo!) más al dulce hijo de Amos, ¡del cual recibió el mundo la promesa del Mesías que ha de venir!

Durante este párrafo el abanico se había movido rápidamente. Ahora se detuvo, y la voz de la mujer se amortiguó.

—Estás cansado —dijo.

—No —respondió el muchacho—. Estaba escuchando un nuevo himno de Israel.

La madre seguía atenta a su propósito y pasó por alto el halagador comentario.

—Bajo la luz que me ha sido posible, Judá mío, he presentado ante ti nuestros grandes hombres: patriarcas, legisladores, guerreros, cantores, profetas. Volvamos la mirada hacia lo mejor de Roma. Delante de Moisés coloquemos a César, y a Tarquino delante de David. Sila, ante cualquiera de los Macabeos. El mejor de los cónsules, junto a los jueces. Augusto junto a Salomón, y habremos terminado: la comparación acaba aquí. Pero piensa entonces en los profetas: los mayores de los mayores.

La mujer se rió con desdén.

—Perdóname. Estaba pensando en el adivino que prevenía a Cayo Julio contra los idus de Marzo, y me lo imaginaba buscando en las entrañas de un pollo los malos agüeros que su amo despreciaba. Desde este cuadro vuelve la vista hacia Elijah sentado en la cima del monte, camino de Samaria, entre los cuerpos humeantes de Ahab de la cólera de nuestro Dios. Finalmente, oh, Judá mío, si podemos permitirnos si irreverencia, la comparación, ¿cómo juzgaremos a Jehová y a Júpiter, si no es por lo que sus servidores han hecho en sus respectivos nombres? Y en cuanto a lo que harás tú...

La madre pronunció estas últimas palabras muy lentamente y con voz temblorosa.

—En cuanto a lo que tú harás, hijo mío, será servir al Señor, al Señor Dios de Israel, no a Roma. Para un hijo de Abraham no existe la gloria sino en los caminos del Señor. En ellos, en cambio, se encuentra en abundancia.

—¿Podré ser, pues, soldado?

—¿Por qué no? ¿No llamó Moisés a Dios capitán de guerra?

En el pabellón de verano hubo ahora un largo silencio.

—Tienes mi consentimiento —dijo por último la madre—, con tal de que sirvas al Señor y no al César.

El muchacho se conformó con la condición, y poco a poco quedó dormido. Entonces la madre se levantó, le puso el cojín debajo de la cabeza, le arropó con una manta y, besándole tiernamente, se alejó.

CAPÍTULO VI

EL ACCIDENTE DE GRATO

El hombre bueno, lo mismo que el malo, ha de morir. Pero, recordando las enseñanzas de nuestra fe, de él y de tal acontecimiento decimos: «No importa, abrirá los ojos en el cielo». Lo más aproximado a ello en la vida es el despertar pasando de un sueño saludable y reparador a una percepción pronta y clara de cuadros y sones deliciosos.

Cuando Judá despertó, el sol estaba muy alto sobre los montes, las palomas habían salido a bandadas, llenando el aire con los destellos de sus blancas alas, y hacia el sudoeste contemplaba el Templo, una aparición áurea en el azul del cielo. Sin embargo, aquéllos eran objetos familiares y no merecieron sino una mirada fugitiva. En el borde del diván, muy próxima a él, estaba sentada una muchachita de apenas quince años que cantaba acompañándose de un nebel apoyado en sus rodillas, y que tocaba con delicada gracia. El joven se volvió hacia ella, escuchando.

He aquí lo que cantaba:

«¡Sin despertar, escúchame, amor!
Errando, errando del sueño por el mar,
tu espíritu al mío ha venido a llamar.
¡Sin despertar, escúchame, amor!
Un don del Sueño, el rey del descanso,
los sueños felices, dichosos te traigo.

¡Sin despertar, escúchame, amor!
De todo el mundo de sueños, sea el que a ti vino
el que ahora tú escojas, el más dulce y divino.
¡Escoge, pues, y duerme, mi amor!
Pero nunca más puedas elegir,
a menos, a menos..., que sueñes en mí.»

La niña dejó el instrumento, y abandonando las manos sobre el regazo aguardó a que él hablase. Y como se hace necesario que digamos algo de ella, aprovecharemos la oportunidad, añadiendo todos los datos particulares de la familia en la cual han introducido, que el lector desee conocer.

Los favores de Herodes habían dejado de su muerte a muchas personas enriquecidas con vastas posesiones. Cuando a la fortuna material se unía la de descender en línea directa e indiscutible de algún hijo famoso de una de las tribus, especialmente si era la Judá, el dichoso mortal quedaba erigido en Príncipe de Jerusalén. Una distinción que bastaba para depararle los homenajes de sus compatriotas menos favorecidos, y el respeto, si no algo más, de los gentiles con los cuales le ponían en contacto los negocios o el trato social. De los componentes de este estamento, ninguno se había conquistado, así en la vida privada como en la pública, una consideración mayor que el padre del muchacho al que venimos siguiendo. Sin dejar de acordarse ni por un momento de su país, supo ser, no obstante, leal al rey, sirviéndole fielmente, en el interior y en el extranjero.

Determinadas misiones lo llevaron a Roma, donde su conducta llamó la atención de Augusto, el cual se esforzó sin disimulo en ganarse su amistad. De ahí que guardase en su casa muchos regalos que hubieran halagado la vanidad de los reyes (togas de púrpura, sillones de marfil, páteras [2] de oro) mucho más valiosos todavía por haber sido la mano imperial la que los había entregado como prenda de distinción. Un hombre tal no podía por menos que ser rico. No obstante, su opulencia no derivaba únicamente de la largueza de sus regios protectores. Él había obedecido gustoso la ley que le obligaba a tener una ocupación, y en vez de una había abarcado varias. De los pastores que cuidaban rebaños por las llanuras y las faldas de los montes hasta el antiguo Líbano, un buen número le rendía cuentas en calidad de dueño del ganado. En las ciudades del litoral, así como en las del interior, había fundado casas de tráfico. Sus barcos le traían plata de España, cuyas minas eran entonces las más ricas que se conocían, mientras sus caravanas llegaban del Este dos veces al año, cargadas de sedas y especias. En cuestiones de fe era hebreo, observador de la ley y de todos los ritos esenciales. Sus puestos en la sinagoga y en el Templo no tenían que llorar su ausencia. Conocía a fondo las Escrituras. Se recreaba con el trato de los profesores de los colegios, y llevaba su respeto por Hillel casi hasta el extremo de la adoración. Sin embargo, no era en ningún aspecto un separatista. Su hospitalidad incluía a los extranjeros incluso de haber obsequiado en su mesa hasta a los samaritanos. Si hubiese sido un gentil y hubiese vivido, el mun-

[2] Vasos de poco fondo usados en los sacrificios. (N. del T.)

do quizá le habría oído nombrar como rival de Herodes Atico. El caso es que pereció en el mar unos diez años antes de este segundo período de nuestra historia, en lo mejor de la vida, y fue llorado por toda Judea. Hemos entrado ya en relación con dos miembros de su familia: su viuda y su hijo. El único que nos faltaba conocer era una hija, la niña a quien hemos visto cantándole a su hermano.

Tirzah se llamaba la muchacha, y mientras ella y su hermano se miraban mutuamente, su parecido resaltaba con toda claridad. La fisonomía de la niña tenía la misma regularidad que la del muchacho, y era del mismo tipo judío. Poseían también en común el encanto de la inocencia infantil en la expresión. La vida hogareña y el confiado amor que suele engendrar permitía el negligente atavío en que se presentaba la niña. Una camisa abotonada sobre el hombro derecho y pasando holgadamente por encima del pecho y la espalda y por debajo del brazo izquierdo no escondía sino a medias su persona más arriba de la cintura, al paso que dejaba los brazos completamente desnudos. Un ceñidor recogía los pliegues de la prenda, señalando el principio de la falda. La cabeza la llevaba cubierta de un modo muy sencillo y elegante, un pañuelo listado, de la misma tela, con hermosos bordados y atado en estrechas bandas, de modo que descubriese la forma de su cabeza sin hacerla aparecer más grande, y el conjunto lo coronaba una borla que descendía de la coronilla del gorro. Llevaba anillos en la oreja y en el dedo, brazaletes, y ajorcas en los tobillos, todo de oro. En el cuello llevaba un collar de oro curiosamente adornado con una red de finas, delicadas cadenitas, de las cuales partían pendientes de perlas. Llevaba las puntas de las pestañas y las yemas de los dedos pintadas. El cabello le colgaba en dos largas trenzas por la espalda. Un rizado bucle reposaba sobre cada mejilla, delante de la oreja respectiva. Habría sido imposible negar su gracia, su refinamiento y su belleza.

—¡Muy hermosa, Tirzah mía, muy hermosa! —exclamó el adolescente con gran animación.

—¿La canción? —preguntó ella.

—Sí, y la cantante también. Tiene una fantasía griega. ¿Dónde la aprendiste?

—¿Te acuerdas del griego que actuaba en el teatro el mes pasado? Decían que solía cantar en la corte para Herodes y su hermana Salomé. Salió precisamente un instante después de una exhibición de luchadores y en la sala todo era ruido. Pero a la primera nota se hizo un silencio tan grande que oí hasta la menor palabra. De él aprendí la canción.

—Pero la cantaba en griego.

—Y yo en hebreo.

—Ah, sí. Estoy orgulloso de mi hermanita. ¿Sabes otra igualmente bella?

—Muchas. Pero ahora dejémoslas. Amrah me ha enviado a decirte que te subirá el desayuno, y no es preciso que bajes. En estos momentos ya debería estar aquí. Te cree enfermo, se figura que ayer te ocurrió un accidente terrible. ¿Qué fue? Cuéntamelo y ayudaré a Amrah a medicarte. Ella conoce los remedios de los egipcios, que siempre fueron una colección de estúpidos, pero yo tengo muchas recetas de los árabes, los cuales...

—Son todavía más estúpidos que los egipcios —concluyó el muchacho, meneando la cabeza.

—¿Lo crees así? Muy bien, pues —replicó ella casi sin pausa, y llevándose las manos a la oreja izquierda—. No querremos saber nada de las recetas de los unos ni de las de los otros. Aquí tengo una cosa mucho mejor y más segura: el amuleto que un mago persa dio a un miembro de nuestra familia, no sé cuándo, hace muchísimo tiempo. Mira. La inscripción está casi completamente borrada.

La niña ofreció el pendiente a su hermano, el cual lo cogió, lo miró y se lo devolvió riendo.

—Aunque me estuviese muriendo, Tirzah, no podría servirme de su poder. Es una reliquia de la idolatría, prohibida a todos los hijos e hijas creyentes de Abraham. Tómalo, pero no lo lleves más.

—¿Prohibido? No hay tal —objetó la hermana—. La madre de nuestro padre lo llevó no sé cuántos sábados de su vida. Ha curado no sé a cuánta gente. Por lo menos pasan de tres. Y está aprobado. Mira, ahí verás la señal de los rabíes.

—No tengo fe en amuletos.

Tirzah levantó los ojos atónita hasta encontrar los del muchacho.

—¿Qué diría Amrah?

—Los padres de Amrah se dedicaban a un trabajo muy humilde, a las orillas del Nilo.

—¿Y Gramaliel?

—Gramaliel dice que son invenciones impías de descreídos y siquemitas.

Tirzah contempló el aro, asaltada por la duda.

—¿Qué haré con él?

—Llévalo, hermanita. Te favorece. Contribuye a embellecerte, aunque yo te juzgo muy hermosa hasta sin su ayuda.

La muchacha, muy satisfecha, se puso otra vez el amuleto en la oreja, a tiempo que entraba Amrah al pabellón de verano, trayendo una bandeja con una jofaina, agua y toallas.

Como Judá no era fariseo, la ablución fue breve y sencilla. La sirvienta volvió a salir, dejando a Tirzah en la tarea de peinar al hermano. Cuando tenía un bucle colocado a su gusto, se desataba el espejito metálico que, siguiendo la moda de sus compatriotas, llevaba colgado del cinturón, y se lo daba a Judá a fin de que pudiera fijarse en sus triunfos y en cuán hermoso le ponía. Entretanto, no dejaban de conversar.

—¿Qué te parece, Tirzah? Yo me marcho.

Ella dejó caer las manos, asombrada.

—¿Marcharte? ¿Cuándo? ¿Adónde? ¿Para qué?

Él soltó la carcajada.

—¡Tres preguntas de un solo tirón! ¡Vaya mujer! —Un segundo después se puso serio—. Ya sabes que la ley me ordena elegir alguna ocupación. Y nuestro buen padre me dio el ejemplo. Hasta tú me despreciarías si gastase en la ociosidad los frutos de su industria y sus conocimientos. Me iré a Roma.

—Ah, yo quiero acompañarte.

—Tú debes quedarte con nuestra madre. Si la abandonásemos los dos, moriría.

La cara de la niña perdió la expresión luminosa.

—¡Ah, sí, sí! Pero ¿y tú? ¿Es preciso que marches? Aquí en Jerusalén puedes aprender todo lo que se necesita para ser un buen comerciante. Si ésta es la actividad que quieres escoger.

—No, no es la profesión en que estoy pensando. La ley no exige que el hijo sea lo que fue el padre.

—¿Qué otra cosa puedes ser?

—Soldado —replicó él, con cierto deje de orgullo en la voz.

Los ojos de la niña se llenaron de lágrimas.

—Te matarán.

—Si tal es la voluntad de Dios, sea. Pero, Tirzah, no todos los soldados mueren en la guerra.

Tirzah le rodeó el cuello con los brazos, como para retenerle a su lado.

—¡Somos tan felices! Quédate en casa, hermano mío.

—Nuestra casa no puede continuar siempre como ahora. Tú misma te marcharás antes de mucho tiempo.

—¡Jamás!

La vehemencia de la exclamación hizo sonreír al adolescente.

—Un príncipe de Judá u otro de alguna de las tribus vendrá pronto a pedir mi Tirzah y se la llevará a la grupa para que sea la luz de otro hogar. ¿Qué será de mí entonces?

La muchacha respondió con sollozos.

—La guerra es una profesión —continuó él, con mayor seriedad—. Para aprenderla bien hay que ir a la escuela, y ninguna escuela como un campamento romano.

—¿Verdad que no lucharías por Roma? —preguntó Tirzah, conteniendo la respiración.

—Ni tú. Hasta tú la odias. El mundo entero la odia. En esto puedes buscar, oh, Tirzah, la razón de la respuesta que voy a darte: sí, lucharía por ella, si, en pago, ella me enseñase la manera de luchar un día contra ella.

—¿Cuándo te irás?

En aquel momento se oyeron las pisadas de Amrah, que regresaba.

—¡Chist! —recomendó el muchacho—. Que no se entere de mi propósito.

La fiel esclava entró trayendo el desayuno y colocó la bandeja que lo contenía sobre un taburete situado ante los dos hermanos. Luego, con las blancas servilletas sobre el brazo, quedóse para servirles. Los dos hermanos se habían mojado los dedos en la jofaina de agua y se disponían a secárselos, cuando un ruido llamó su atención. Se pararon a escuchar y percibieron una música marcial que venía de la fachada norte de la casa.

—¡Soldados del Pretorio! ¡Debo verlos! —gritó Judá, saltando del diván y precipitándose fuera del aposento.

Un momento después estaba inclinado sobre el parapeto de ladrillos que limitaba la azotea en el ángulo noroeste, y tan abstraído que no se daba cuenta de que tenía a Tirzah a su lado, apoyando una mano sobre su hombro.

Siendo la azotea más alta de la localidad, desde donde estaban se dominaban todas las cimas de los edificios, extendiéndose hacia el este hasta la enorme e irregular Torre Antonia, mentada ya como ciudadela de la guarnición y cuartel general del gobernador. La calle, de no más de diez pies de anchura, aparecía cruzada aquí de allá por puentes, que lo mismo que las otras azoteas a lo largo del trayecto empezaban a ocupar hombres, mujeres y niños atraídos por la música. Aunque la palabra muy poco apropiada. Lo que llegaba a los oídos de la gente que salía era más bien un estrépito de trompetas y los estridentes *litui* [3], que tanto gustaban a los soldados.

Al cabo de un rato el destacamento llegó a la vista de los adolescentes apostados sobre la casa de los Hur. Venía primero una vanguardia armada con armas ligeras —honderos y arqueros, en su mayor parte—, marchando en filas e hileras notablemente distanciadas. Luego, un cuerpo de infantería pesada, dotada de grandes escudos y de *hastae longae,* es decir, de lanzas idénticas a las utilizadas en los duelos delante de Ilión. Luego, los músicos, y luego todavía un oficial a caballo, solo, pero seguido inmediatamente de una guardia de caballería, tras de la cual venía aún una columna de infantería también con armas pesadas, la cual, avanzando en apiñada formación, llenaba la calle desde una a otra pared, y parecía no tener fin.

Las tostadas piernas de los hombres, el cadencioso ritmo con que se movían los escudos de derecha a izquierda, el destello de

[3] Especie de clarines.

las escamas metálicas, hebillas, petos y yelmos, todos perfectamente bruñidos; las plumas meciéndose encima de los altos airones; el balanceo de las insignias y las lanzas calzadas de hierro; el paso audaz y confiado, acompasado y medido con rigurosa exactitud; el aire tan grave y tan vigilante, al mismo tiempo, de la tropa; la unidad casi mecánica de toda la masa en movimiento, hicieron una tremenda impresión en Judá, como viniendo de algo más bien sentido que visto. Dos objetos fijaron principalmente su atención: el águila de la legión primero, una efigie dorada sostenida encima de una larga asta con las alas extendidas reuniéndose encima de la cabeza. El muchacho sabía que cuando la sacaban de su cámara en la Torre, la recibían con honores divinos.

El segundo objeto era el oficial cabalgando solo en medio de la columna. Excepto por la cabeza, que mostraba desnuda, llevaba la armadura completa. De su cadera izquierda colgaba una espada corta, y en la mano ostentaba un bastón de mando, que tenía el aspecto de un rollo de papel blanco. En vez de sillas, sentábase sobre una gualdrapa color púrpura, la cual, junto con una brida adornada de oro y unas riendas de seda formando una ancha orla en la parte que cogían las manos, completaba los arreos del caballo.

Cuando aquel hombre se encontraba todavía bastante lejos, Judá observó que bastaba su presencia para suscitar una colérica excitación en los que le miraban. La gente se apoyaba en los barandales, o se ponía osadamente en pie fuera de ellos, amenazándole con los puños. Le seguía dando fuertes gritos y le escupía al pasar por debajo de los puentes que unían los terrados. Las mujeres hasta le arrojaban las sandalias, a veces con tan buena puntería que le tocaban. Cuando estuvo más cerca, los gritos se hicieron claros, distintos:

—¡Ladrón, tirano, perro de los romanos! ¡Fuera Ismael! ¡Devolvednos a nuestro Amás!

Cuando lo tuvo muy cerca, Judá vio que, como era más natural, el hombre no compartía la indiferencia de la cual tan soberbio alarde hacían los soldados. Tenía la cara nublada y huraña, y las miradas que dirigía de vez en cuando a sus perseguidores estaban cargadas de amenazas, de tal modo que los más tímidos retrocedían ante ellas.

El adolescente había oído hablar de la costumbre, copiada de la que tenía el primer César, según la cual los comandantes en jefe, para indicar su rango, aparecían en público sin otro distintivo que una corona de laurel en la cabeza. Por este signo conoció al oficial: ¡Valerio Grato, el nuevo procurador de Judea!

A decir verdad, aquel romano, soportando la no provocada tormenta, despertaba las simpatías del joven judío, el cual, cuando el jinete llegó a la esquina de la casa, se asomó todavía más para verle pasar, y al realizar este movimiento apoyó una mano sobre un ladrillo que sin que nadie se hubiese fijado, hacía mucho tiempo que estaba partido. La presión bastó para arrancar el trozo exterior, iniciando su caída. Un estremecimiento de horror agitó el cuerpo del muchacho. Pero al estirar el brazo para coger el improvisado proyectil, su gesto parecióse exactamente el de la persona que arroja algo lejos de sí. Su intento no solamente fracasó, sino que sirvió para dar impulso al fragmento que caía. El chico gritó con todas sus fuerzas. Los soldados de la guardia levantaron la vista. El gran hombre los imitó, y en aquel momento hirióle el proyectil, derribándole del asiento, como muerto.

La cohorte se detuvo. Los guardias saltaron del caballo y se apresuraron a cubrir al jefe con sus escudos. Por otra parte, la gente que presenciaba el suceso, no dudando ni por un instante que lo había hecho de intento, vitoreaba al muchacho todavía bien visible arriba en el parapeto, petrificado por el cuadro que contemplaban sus ojos y por las consecuencias que su imaginación la representaba sin equívoco ninguno.

Un espíritu maligno propagóse con velocidad increíble de una azotea a la otra por todo el curso del desfile, apoderándose de todo el mundo, empujando a todos en el mismo sentido. Las manos arrancaban febriles los ladrillos y el barro tostado al sol con los que estaban construidas en su mayor parte las casas, y empezaban a arrojarlos con furia contra los legionarios parados abajo. Con ello estalló una batalla. Pero, por supuesto, la disciplina se impuso. No es necesario para nuestro relato describir la lucha, la degollina, la pericia de uno de los dos bandos, la desesperación del otro... Será mejor que volvamos la vista hacia el apabullado promotor de todo aquello.

El adolescente se levantó del parapeto con la faz en extremo pálida.

—¡Oh, Tirzah, Tirzah! ¿Qué será de nosotros?

La niña no había visto lo que pasaba abajo, pero estaba escuchando los gritos y contemplando la loca actividad de la gente que se agitaba ante su mirada en la cima de las casas. Sabía que estaba ocurriendo algo terrible. Pero, por lo demás, ignoraba la causa que lo había originado, y no se imaginaba que ella o alguno de sus seres queridos estuviese en peligro.

—¿Qué ha pasado? ¿Qué significa todo esto? —preguntó, en súbita alarma.

—He matado al gobernador romano. El ladrillo le ha caído a la cabeza.

Parecía como si una mano invisible hubiese rociado su cara de fina ceniza, ¡tan pálida se puso al instante! Rodeó a su hermano con el brazo, y le miró pensativa a los ojos, aunque sin pronunciar palabra. Los temores del muchacho se transmitieron a Tirzah, pero al notarlo, él recobró parte de su valor.

—No lo hice a propósito, Tirzah. Ha sido un accidente —dijo más calmado.

—¿Qué harán los soldados? —preguntó ella.

El adolescente dirigió la mirada al tumulto que aumentaba por momentos así en la calle como en las azoteas y se acordó del hosco semblante de Grato. Si no había muerto, ¿hasta dónde llegaría su venganza? Y si había fallecido, ¿hasta qué punto la violencia del pueblo excitaría el furor de los legionarios? Para evitar la respuesta, asomóse a mirar otra vez por encima del parapeto en el preciso momento en que los guardias ayudaban al romano a montar de nuevo sobre su caballo.

—¡Vive, vive, Tirzah! ¡Bendito sea el Señor Dios de nuestros padres!

Con tal exclamación, y con un rostro más luminoso, retrocedió para contestar la pregunta de su hermana.

—No temas, Tirzah. Explicaré cómo ha sido. Ellos se acordarán de nuestro padre y de los servicios por él prestados, y no nos harán ningún daño.

Estaba acompañando a la muchacha al pabellón de verano, cuando el techo crujió bajo sus pies y de abajo, del patio, al parecer, subió el estrépito de robustos maderos cediendo a los golpes, seguido por un grito de sorpresa y dolor. El muchacho se detuvo a escuchar. El grito se repitió. Luego vino un ruido de muchas pisadas precipitadas y de voces enardecidas de rabia mezcladas con otras levantadas en oración. Después se oyeron gritos de mujeres presas de un terror mortal. Los soldados habían derribado la puerta septentrional y eran dueños de la casa. La terrible sensación de que iban a darle caza estremeció al adolescente. Su primer impulso fue el de huir, pero ¿adónde? Nada, sino unas alas, hubieran podido facilitarle un recurso. Con los ojos alocados de miedo, Tirzah le cogió del brazo.

—¡Oh, Judá! ¿Qué significa esto?

Los criados caían asesinados. ¿Y su madre? ¿No era la suya una de las voces que había oído?

Con toda la energía que le quedaba, el muchacho dijo:

—Quédate aquí, Tirzah. Yo bajaré a ver lo que pasa y volveré luego a buscarte.

Su voz no tenía la firmeza que habría querido darle. Tirzah le cogio con más fuerza, arrimándose a él.

Más claro, más agudo, ya no una ficción de la fantasía, levantóse el grito de la madre. El hijo no vaciló más.

—Ven, pues. Vamos allá.

Al final de las escaleras, la terraza o galería estaba llena de soldados. Otros entraban y salían corriendo de las habitaciones, con las espadas desenvainadas. Allá, cierto número de mujeres se apiñaban unas contra otras o rezaban pidiendo misericordia. Apartada de ellas, una cuyo vestido aparecía desgarrado y cuyo largo pelo se derramaba sobre el rostro, luchaba por librarse de un hombre que tenía que poner a contribución todo su poder para conservar la presa. Los gritos de aquella mujer eran los más agudos de todos. Abriéndose paso a través del tremendo estrépito, habían llegado, perfectamente distinguibles, hasta la azotea. Hacia ella se lanzó Judá con pasos largos y rápidos, cual si le llevasen unas alas.

—¡Madre, madre! —gritó.

La madre extendió los brazos hacia él. Pero cuando sus manos ya casi le tocaban, alguien cogió al muchacho y lo apartó a un lado. Entonces, éste oyó que uno decía a grandes gritos:

—¡Es él!

Judá miró y vio... a Messala.

—¿Qué? ¿Ese es el asesino? —preguntó un hombre alto, con armadura de legionario bellamente trabajada—. ¡Caramba, si no es más que un niño!

—¡Dioses! —exclamó Messala, sin olvidar su tonillo—. ¡Una nueva filosofía! ¿Que diría Séneca de la proposición sosteniendo que un hombre ha de llegar a la madurez antes de odiar lo suficiente para ser capaz de matar? Ya le tenéis. Aquélla es su madre, y la de allá, su hermana. Tenéis a toda la familia.

Por amor a ellas, Judá olvidó el resentimiento.

—¡Ayúdalas, oh, mi Messala! Acuérdate de nuestra infancia, y ayúdalas. Yo, Judá, te lo ruego.

Messala fingió no oírle.

—Ya no puedo continuar siéndote útil aquí —le dijo al oficial—. En la calle, uno se divierte más. ¡Abajo Eros! ¡Arriba Marte!

Con estas últimas palabras desapareció. Judá le comprendió bien, y con la amargura en el alma elevó una oración al cielo.

—¡En la hora de tu venganza, oh, Señor, que sea mi mano la que la descargue sobre él! —suplicó.

Haciendo un supremo esfuerzo, consiguió entonces acercarse al oficial.

—Oh, señor, la mujer que estás oyendo es mí madre. ¡Perdónala! Perdona a mi hermana, aquella niña de allá. Dios es justo y corresponderá a tu misericordia con su misericordia.

El oficial pareció impresionado.

—¡Las mujeres a la Torre! —gritó—. Pero no les hagáis ningún daño. Os pediré cuentas de lo que les pase —luego, dirigiéndose a los que sujetaban a Judá, dijo—: Buscad cuerdas, atadle las manos y sacadlo a la calle. Su castigo será decidido más tarde.

Los soldados se llevaron a la madre. La pequeña Tirzah, vestida con el traje hogareño y atontada por el miedo, siguió pasivamente a sus guardianes. Judá les dirigió una última mirada y se cubrió la cara con las manos, como si quisiera grabarse indeleblemente el recuerdo de aquella escena. Es posible que derramara lágrimas, aunque nadie las vio.

Y en aquel momento y lugar se apoderó en él lo que puede recibir justamente el nombre de maravilla de la vida. El lector reflexivo de estas páginas ha discernido lo suficiente para adivinar que el joven judío era un muchacho de natural tierno casi hasta el afeminamiento, resultando que pocas veces deja de seguir al hábito de amar y ser amado. El ambiente en que había crecido no había estimulado los elementos más rudos de su naturaleza, si es que poseía alguno. En ocasiones había sentido la inquietud y los impulsos de la ambición, pero no habían sido como los sueños informes de un niño caminando por la orilla del mar y contemplando el ir y venir de majestuosos barcos. Pero si sabemos imaginarnos un ídolo, sensible al culto a que estaba habituado, arrojado de pronto fuera de su altar y echado en medio de las ruinas de su pequeño universo de amor, podremos hacernos una idea de lo que le había ocurrido ahora al joven Ben-Hur y del efecto que ello causaba en todo su ser.

Sin embargo, ningún signo apareció, nada vino a indicar que hubiese sufrido una transformación, excepto que, cuando levantó la cabeza y presentó las manos para que se las atasen, el arco de Cupido que antes formaban había desaparecido de sus labios. En aquel instante se despojó de la infancia y pasó a ser un hombre.

Una trompeta sonó en el patio. Al cesar la llamada, la galería quedó limpia de soldados. Muchos de los cuales, no atreviéndose a presentarse a las filas con muestras visibles del saqueo en las manos, arrojaban al suelo lo que habían cogido, hasta sembrarlo de géneros de gran valor. Cuando bajó Judá, la formación estaba completa y el oficial aguardando que se cumpliera su última orden.

La madre, la hija y toda la servidumbre salieron por la puerta del norte, cuyas ruinas obstruían el pasillo. Los domésticos, algunos de ellos nacidos en la casa, daban unos gritos lastimeros. Cuando por fin vio desfilar ante él los caballos y todos los ocupantes mudos de la morada, Judá empezó a comprender el alcance de la venganza del procurador. El edificio entero había sido sentenciado. Hasta donde fuera posible ejecutar la orden ningún ser viviente quedaría dentro de sus paredes. Si en Judea había otras gentes bastante temerarias para concebir la idea de asesinar a un gobernador romano, la historia del escarmiento hecho en la principesca familia de Hur les serviría de advertencia, al paso que la ruina de la morada conservaría viva la historia.

El oficial esperó fuera mientras un destacamento de hombres recomponía provisionalmente la puerta.

En la calle, la lucha había cesado casi por completo. Encima de las viviendas, unas nubes de polvo revelaban aquí de allá los puntos en los que se seguía combatiendo. En su mayor parte, la cohorte formaba en posición de descanso, sin que ni su esplendor ni sus filas hubiesen disminuido en modo alguno. Habiendo llegado al punto de no pensar ya en sí mismo, Judá no prestaba atención a otra cosa que a los prisioneros, entre los cuales buscaba en vano a su madre y a Tirzah.

De pronto, del suelo donde había estado tendida, levantóse una mujer y retrocedió prestamente hacia la puerta. Algunos guardias estiraron los brazos para cogerla y lanzaron un sonoro grito al fracasar en el intento. La fugitiva precipitóse hacia Judá, y echándose al suelo le abrazó las rodillas. El áspero cabello negro, sucio de polvo, le cubría los ojos.

—Oh, Amrah, mi buena Amrah —le dijo el muchacho—. Dios te ayude, que yo no puedo ayudarte.

La mujer no podía articular palabra.

Judá se inclinó y le dijo en voz baja:

—Vive, Amrah, por Tirzah y por mi madre. Ellas volverán y...

Un soldado apartó a la esclava. Ésta se puso en pie de un salto, y echando a correr cruzó la puerta y el pasillo, internándose en el vacío patio.

—Dejadla —gritó el oficial—. Sellaremos la casa y morirá de hambre.

Los hombres reanudaron su tarea, y cuando hubieron terminado dieron la vuelta hasta la parte oeste. Cuando la puerta correspondiente hubo quedado cerrada también, el palacio de los Hur dejó de ser una morada habitable.

Finalmente, la cohorte regresó a la Torre, donde permaneció el gobernador con objeto de recobrarse de los daños sufridos y disponer de sus prisioneros. Al décimo día después de estos hechos, visitó la plaza del mercado.

CAPÍTULO VII

UN ESCLAVO DE GALERAS

Al día siguiente, un destacamento de legionarios fue al devastado edificio, cerró las puertas definitivamente, selló los ángulos con cera y a ambos lados clavó un rótulo en latín:

ESTA CASA ES PROPIEDAD DEL EMPERADOR

Aconsejados por su altivo orgullo, los romanos consideraron que el anuncio sería suficiente para el caso. Y lo fue.

Al día siguiente, a eso de las doce, un decurión con su tropa de diez hombres a caballo se acercaba a Nazaret desde el sur, o sea viniendo de la parte de Jerusalén. Nazaret era entonces un poblado disperso, colgado en la ladera del monte, y tan insignificante que su única calle era poco más que un sendero piosamente hollado por el ir y venir de hatos y rebaños. La gran llanura de Esdraelon llegaba hasta sus cercanías por el sur, y desde la elevación del oeste se divisaban las costas del Mediterráneo, la región del otro lado del Jordán y el monte Hermón. Abajo, el valle y los terrenos de uno y otro lado estaban dedicados a huertos, viñas, vergeles y pastos. Bosquecillos de palmeras daban un aire oriental al panorama. Las casas, apiñadas irregularmente, pertenecían a la categoría más humilde. Eran cuadradas, de un solo piso, tejado plano y cubiertas de parra de un verde brillante. La sequía que había requemado las montañas de Judea dejándolas agostadas, pardas y sin vida, se había detenido en los límites de Galilea.

Cuando la cabalgata estuvo cerca del poblado sonó la trompeta, produciendo un efecto mágico en los vecinos. Los pasillos de entrada y las puertas de las fachadas dieron paso a grupos de personas ansiosas por ser las primeras en descubrir el significado de una visita tan poco corriente.

Debe recordarse que Nazaret no sólo estaba apartada de toda ruta importante, sino enclavada en los dominios de Judas de Gamala, por lo cual no es difícil imaginar los sentimientos que despertó la llegada de los legionarios. Pero cuando éstos estuvieron en el pueblo y cruzaron la calle, el menester que desempeñaban se hizo evidente, y entonces el miedo y el odio cedieron el lugar a la curiosidad, bajo cuyo impulso la gente, sabiendo que se pararían inevitablemente junto al pozo de la parte noroeste de la población, abandonaron entradas y puertas y se apiñaron detrás de la comitiva.

Un prisionero escoltado por los jinetes constituía el centro de la curiosidad. Andaba a pie, con la cabeza descubierta, medio desnudo y las manos atadas a la espalda. Una correa sujeta a sus muñecas lo ataba al cuello de un caballo. El polvo se levantaba siguiendo el progreso del grupo y envolvía al prisionero en una niebla amarilla, que a ratos se convertía en una verdadera nube. Débil, con los pies doloridos, parecía caerse hacia delante. Los aldeanos pudieron ver que era muy joven.

En el pozo, el decurión hizo alto, y junto con la mayoría de sus hombres bajó de la silla. El prisionero se derrumbó sobre el polvo, atontado, sin preguntar nada. Veíase que se encontraba en la última fase del agotamiento. Comprobando, al acercarse más, que era todavía un adolescente, los vecinos le hubieran ayudado... si se hubiesen atrevido.

En medio de su perplejidad, y mientras los picheles pasaban de mano en mano entre los soldados, se avistó un hombre bajando por el camino de Sephoris.

Al divisarle, una mujer gritó:

—¡Mirad! Allá viene el carpintero. Ahora sabremos algo.

La persona a la cual se refería tenía un aspecto muy venerable. Finos y blancos bucles caían de debajo de los bordes de su abultado turbante, y la mata de pelo todavía más blanco de su barba se desparramaba sobre la pechera de su túnica gris y basta. Se acercaba despacio, porque, en adición a su edad, llevaba algunas herramientas (un hacha, una sierra, un cepillo, todos muy toscos y pesados) y se comprendía que había recorrido una larga distancia sin reposar.

Cuando estuvo cerca, el hombre se detuvo para observar a los reunidos.

—¡Oh, rabí, buen rabí José! —gritó una mujer, corriendo hacia él—. Aquí hay un prisionero. Ven a preguntar a los soldados para que sepamos quién es, qué ha hecho y qué harán con él.

El rostro del rabí permaneció inexpresivo. Dirigió, sin embargo, una mirada al prisionero, y un momento después fue a donde estaba el oficial.

—¡La paz del Señor sea contigo! —saludóle, con inalterable gravedad.

—Y la de los dioses contigo —respondió el decurión.
—¿Eres de Jerusalén?
—Sí.
—Tu prisionero es joven.
—En años sí.
—¿Puedo preguntarte qué ha hecho?
—Es un asesino.
La gente repitió la palabra con asombro, pero el rabí José prosiguió el interrogatorio.
—¿Es un hijo de Israel?
—Es judío —contestó, secamente, el romano.
La fluctuante compasión de los espectadores volvió a ganar terreno.
—No sé nada de vuestras tribus, pero puedo hablar de su familia —continuó el decurión—. Quizás hayas oído nombrar a un príncipe de Jerusalén llamado Hur, Ben-Hur es el nombre que le dan. Vivió en los tiempos de Herodes.
—Le había visto —dijo José.
—Pues ése es su hijo.
Las exclamaciones se generalizaban, y el decurión se apresuró a ponerles fin.
—Anteayer, en las calles de Jerusalén, le faltó poco para que matase al noble Grato arrojándole un ladrillo a la cabeza desde la azotea de un palacio. El de su padre, creo.
Hubo una pausa en la conversación durante la cual los nazarenos miraban al joven Ben-Hur como a una fiera salvaje.
—¿Le mató? —preguntó el rabí.
—No.
—¿Cumple condena?
—Sí, a galeras para toda la vida.
—¡El Señor le ayude! —exclamó José, saliendo por una vez de su impasibilidad.
En ello un jovencito que había llegado con José, pero había permanecido detrás de él inobservado, dejó al suelo un hacha que llevaba, y, yendo hasta la enorme piedra plantada junto al pozo, cogió un jarro de agua. Su movimiento había sido tan silencioso que antes de que los guardianes hubieran podido oponerse, si tal hubiese sido su designio, el zagal se había inclinado delante del prisionero y le ofreció de beber.
La mano posada amorosamente sobre su hombro despertó al infortunado Judá, quien, levantando los ojos, vio una faz que no había de olvidar nunca: la faz de un muchacho de su misma edad sombreada por unos rizos de un color castaño rubio; una faz iluminada por unos ojos azul oscuro, a la vez tan dulces, tan atractivos, tan llenos de amor y de santa intención que ejercían sobre quien se posaban todo el poder del mando y de la voluntad.

El espíritu del judío, a pesar de lo endurecido que estaba por los días y las noches de sufrimiento, y de que la amargura de la injusticia sufrida le hiciese incluir en sus sueños de venganza a todo el mundo, derritióse bajo la mirada del desconocido, volviendo a ser el de un niño. Acercando los labios al jarro bebió larga y copiosamente. No le habían dirigido ni una palabra; ninguna pronunció él.

Cuando hubo acabado de beber, la mano que había descansado sobre el hombro del sufriente se colocó sobre su cabeza y permaneció allí entre los polvorientos rizos, el tiempo suficiente para rezar una bendición; luego el desconocido llevó el jarro a su puesto, sobre la piedra, y, cogiendo de nuevo el hacha, volvió al lado del rabí José. Todos los ojos le siguieron, los del decurión lo mismo que los de los aldeanos.

Así terminó la escena en el pozo. Cuando hombres y caballos hubieron bebido, reemprendieron la marcha. Pero el humor del decurión no era el mismo de antes; por su propia mano ayudó al prisionero a levantarse del polvo y lo montó sobre un caballo, detrás de un soldado. Los nazarenos regresaron a sus casas; entre ellos el rabí José y su aprendiz.

Y de este modo, por vez primera, Judá y el hijo de María se encontraron y se separaron.

LIBRO III

CLEOPATRA.—*La magnitud de nuestro dolor, proporcionada a nuestra causa, ha de ser tan grande como aquello que lo produce.*

(Entra, abajo, DIÓMERES.)

—*¿Cómo está? ¿Ha muerto?*

DIÓMERES.—*La muerte se cierne sobre él, pero no ha muerto.*

Shakespeare, *Antonio y Cleopatra* (acto IV, escena XIII).

CAPÍTULO PRIMERO

QUINTO ARRIO SE VA AL MAR

La ciudad de Minesum daba nombre al promontorio que coronaba, unas millas al sudoeste de Nápoles. Un montón de ruinas es todo lo que de ella queda en la actualidad; pero en el año 24 de Nuestro Señor —al cual es conveniente trasladar al lector— era una de las poblaciones más importantes de la costa occidental de Italia.

En el año mencionado, el viajero que hubiese ido al promontorio a regalarse con la vista que desde allí se ofrecía, habría trepado a una muralla y, con la ciudad a su espalda, habría contemplado abajo la bahía de Nápoles, tan deliciosa entonces como ahora, y luego, lo mismo que hoy, habría visto aquella costa sin par, el cono humeante, el cielo y las olas de un azul delicado e intenso, aquí Ischia, allá Capri, y su mirada habría viajado de la una a la otra, regresando nuevamente, a través del aire violado. Y al final —porque los ojos se fatigan de lo bello como el paladar de los dulces—, al final se habría parado en un espectáculo que el turista moderno no puede contemplar; la mitad de la escuadra de reserva de Roma navegando o meciéndose anclada a sus pies. Así mirada, Minesum era un lugar altamente indicado para que se reunieran tres grandes señores y con toda calma se repartiesen el mundo entre ellos.

Además, en los antiguos tiempos había en la muralla un determinado punto que daba frente al mar, una puerta abierta formando el extremo de una calle que, después de aquella salida, se extendía en forma de ancho dique, penetrando varios estadios olas adentro.

Una fresca mañana de septiembre, el sosiego del guardián de la muralla se vio alterado por un grupo que bajaba por la calle en ruidosa conversación. El centinela les dirigió una mirada; luego se puso otra vez a dormitar.

El grupo lo constituían veinte o treinta personas, en su mayoría esclavos, llevando antorchas que daban mucho humo y poca llama, dejando en el aire el perfume del nardo hindú. Los amos iban delante, dándose el brazo. Uno de ellos, que representaba unos cincuenta años de edad, ligeramente calvo y con una corona de laurel sobre sus escasos cabellos, parecía por las atenciones que le prodigaban los otros el objeto central de una afectuosa ceremonia. Todos lucían amplias togas de lana blanca, adornada por una ancha faja de púrpura. Al centinela le había bastado una sola mirada. Conoció, sin dudarlo un momento, que se trataba de gente de elevado rango que acompañaba a un amigo al barco después de una noche de jolgorio. Más detalladas explicaciones las proporcionará la conversación que sostenían.

—No, Quinto mío —decía uno, dirigiéndose al que llevaba la corona—, la Fortuna hace mal arrebatándote tan pronto de nuestro lado. Ayer nada más regresaste de los mares de más allá de las Columnas. ¡Canastos, si todavía no has habituado las piernas a caminar por tierra firme!

—¡Por Castor! Si un hombre puede emplear un juramento femenino —interpuso otro al cual el vino había afectado algo más—, no nos lamentemos. Nuestro Quinto no va sino a buscar lo que perdió anoche. Los dados en un barco que se balancea no son lo mismo que los dados en la costa, ¿eh, Quinto?

—¡No ofendas a la Fortuna! —exclamó un tercero—. No es ciega ni voluble. En Antium, donde nuestro Arrio la interroga, le contesta con movimientos afirmativos, y en el mar le acompaña empuñando el timón. Se lo lleva de nuestro lado, pero ¿no nos lo devuelve siempre con una nueva victoria?

—Los griegos son quienes nos lo quitan —interrumpió otro—. Reprochémosles a ellos, no a los dioses. Aprendiendo a comerciar, olvidando el pelear.

Con estas palabras el grupo cruzó la puerta y salió al dique, teniendo ante sí la bahía embellecida por la luz de la mañana. Para el marino veterano el chapoteo de las olas era como un saludo. Aspiró largamente, como si el perfume del agua fuese más dulce que el de los nardos, y levantó la mano al aire.

—¡Los favores los coseché en Praeneste, no en Antium..., y mirad! Viento del oeste. ¡Gracias, oh, Fortuna, madre mía! —exclamó formalmente.

Todos los amigos repitieron la exclamación, y los esclavos blandieron las antorchas.

—¡Allá viene! —continuó él, señalando a una galera fuera del dique—. ¿Qué necesidad tiene un marino de otra querida? ¿Es más graciosa tu Lucrecia, Cayo mío?

Y, mirando al navío que se acercaba, justificó su orgullo. Una vela blanca estaba atada al mástil bajo; los remos se hundían, se levantaban, permanecían un momento inmóviles, luego se hundían otra vez, cual el movimiento de un ala y con un ritmo perfecto.

—Sí, dejad tranquilos a los dioses —dijo en tono serio con los ojos fijos en el bajel—. Ellos nos envían oportunidades. Nuestra es la culpa si las perdemos. En cuanto a los griegos, tú olvidas, oh, mi Lentulo, que los piratas que voy a castigar son griegos. Una victoria sobre ellos tiene más importancia que cien sobre los africanos.

—¿De modo que te diriges hacia el mar Egeo?

El marino no tenía ojos sino para su barco.

—¡Qué gracia, qué agilidad! Un pájaro no desdeñaría más la irritación de las olas. ¡Mirad! —exclamó, pero añadiendo casi inmediatamente—: Perdona, mi Lentulo, voy al Egeo; y como la partida está tan próxima os diré el motivo; guardadlo, empero, en secreto. No quisiera que ofendieseis al duunviro cuando le encontréis. Es un amigo mío. El tráfico entre Grecia y Alejandría, como quizá hayáis oído decir, es poco inferior al existente entre Alejandría y Roma. El pueblo de aquella parte del mundo olvidó celebrar la Cerealia, y Triptolemo les ha recompensado con una cosecha que no vale la pena recoger. Sea como fuere, el tráfico ha aumentado de tal modo que no consiente una interrupción de un solo día. También es posible que tengáis noticia de los piratas del Quersoneso agazapados en sus madrigueras del Euxino[1]. ¡Por Baco, que no los hay más atrevidos! Ayer llegó aviso a Roma de que habían penetrado en tropel en el Bósforo, hundido las galeras en Bizancio y Calcedonia, invadido el Propontide[2], y que, no saciados todavía, habían hecho irrupción en el Egeo. Los mercaderes de trigo que tienen barcos en el Mediterráneo oriental están amedrentados. Han celebrado una audiencia con el mismo emperador, y de Ravena sale hoy un centenar de galeras, y de Misenum... —aquí hizo una pausa, como para excitar la curiosidad de sus amigos, y terminó con un enfático—: ¡una!

—¡Afortunado Quinto! ¡Te felicitamos!

—La preferencia es heraldo de un ascenso. Te saludamos, duunviro, nada menos.

—Quinto Arrio, el duunviro, suena mejor que Quinto Arrio, el tribuno.

De este modo derramaban sobre él un diluvio de felicitaciones.

—Yo me alegro junto con los demás —dijo el amigo empapado de vino—, me alegro mucho; pero debo ser práctico, oh, mi duunviro, y mientras no sepa si el ascenso te ayuda a mejorar los conocimientos sobre los dados, no sabré si los

[1] Ponto Euxino, el actual mar Negro.
[2] El actual mar de Mármara.

dioses te han querido bien o mal en este..., en este negocio.

—¡Gracias, muchas gracias! —respondió Arrio, dirigiéndose a todos colectivamente—. No más que trajerais linternas diría que sois augures. ¡Perpo! ¡Diré más y os mostraré qué grandes adivinos sois! Ved, y leed.

De los pliegues de la toga sacó un rollo de papel y se lo entregó diciendo:

—Recibido mientras estaba anoche a la mesa. De Sejano.

El nombre era ya grande en el mundo romano. Grande y no tan infamante como se hizo después.

—¡Sejano! —exclamaron a coro, apiñándose para leer lo que había escrito el ministro.

«*Sejano a C. Caecilio Rufo, Duunviro*
»ROMA, *XIX. Kal. Sept.*

»César ha recogido buenos informes de Quinto Arrio, el tribuno. El particular ha tenido noticias de su valor, manifestado en los mares occidentales; de tal modo que es voluntad suya que el mencionado Quinto sea transferido instantáneamente al Este.

»Es voluntad del César, además, que tú cuides de que se despachen sin demora cien trirremes de primera clase, con la dotación completa, contra los piratas que han aparecido en el Egeo, y que Quinto sea designado para el mando de la flota enviada.

»Los detalles corren de tu cuenta, mi Caecilio.

»Es cosa urgente, como te demostrarán las informaciones adjuntadas para que las examines, y los informes sobre el mencionado Quinto.

»Sejano»

Arrio concedió poca atención a la lectura. A medida que el barco se acercaba y se hacía perfectamente visible, convertíase cada vez más en una poderosa atracción para él, que lo miraba con los ojos de un entusiasta. Al final levantó al aire los sueltos pliegues de su toga; en respuesta a la señal del otro lado del aplustro, u obra muerta en forma de abanico de la popa del barco, desplegaron una bandera escarlata; mientras, varios marineros aparecían en las amuradas y se lanzaron a trepar por las cuerdas de la antena, o verga, y recogieron la vela. La proa viró en redondo, y el compás de los remos se aceleró en un cincuenta por ciento; con lo cual el barco emprendió la carrera lanzándose derechamente hacia Quinto y sus amigos. El marino observó la maniobra con un brillo bien perceptible en los ojos. La docilidad con que el navío respondía al timón y la seguridad con que mantenía su carrera eran detalles que se hacían notar especialmente como excelentes virtudes en las que se podría confiar en el momento de la acción.

—¡Por las ninfas! —exclamó uno de los amigos, devolviendo el rollo de papel—, ya no podemos seguir diciendo que nuestro Quinto será grande; lo es en la actualidad. Nuestro afecto tendrá ahora grandes hazañas de que alimentarse. ¿Qué otras cosas debes presentarnos?

—Ninguna más —respondió Arrio—. Lo que vosotros conocéis del asunto es en estos momentos noticia sabida entre el palacio y el Foro. El duunviro es discreto; la misión que me encomiendan y en qué lugar encontraré mi flota me lo dirá en el barco, donde me aguarda un paquete sellado. De todos modos, si tenéis algo que ofrecer hoy en alguno de los altares, rogad a los dioses en favor de un amigo que marcha a remo y a vela en dirección a Sicilia. Pero ahí está el barco, y viene hacia acá —añadió, fijando de nuevo la atención en el bajel—. Me interesa observar a sus jefes; navegarán y lucharán junto a mí. No es cosa fácil arrimar a un barco de costado a una orilla como ésta; veamos, pues, su entrenamiento y pericia.

—¿Qué? ¿No conocías la embarcación?

—Jamás la había visto; y hasta el momento ignoro si me trae algún conocido.

—¿Da esto igual?

—No importa mucho. Nosotros, la gente de mar, nos conocemos presto; nuestros amores, como nuestros odios, nacen de los peligros súbitos.

El bajel pertenecía a la clase llamada *naves liburnicae;* era largo, estrecho, sobresalía poco del agua y estaba modelado para alcanzar gran velocidad y rápida maniobra. Tenía una hermosa proa. De sus pies se levantaba un surtidor de agua al acercarse, salpicando toda la proa que elevaba su curva graciosa como dos veces la altura de un hombre sobre el plano de cubierta. Sobre los costillajes de los costados había unas figuras de Tritones soplando en unas conchas. Debajo de la amura, fija a la quilla y sobresaliendo bajo la línea de flotación, había el rostrum o pico, una pieza de sólida madera, reforzada con hierro, que en las acciones se usaba como espolón. Una recia moldura se extendía desde la proa por todo lo largo de los costados del barco, señalando la altura de las bordas perforadas a uno y otro lado por las saeteras; debajo de las amuradas, en tres hileras, cada una de ellas cubierta con una capa o escudo de piel de toro, estaban los agujeros en los que se movían los remos: sesenta a derecha y sesenta a izquierda. Como mayor ornamentación, unos caduceos se apoyaban contra la altanera proa. Dos inmensas sogas que cruzaban la proa señalaban el número de anclas almacenadas en aquella parte.

La simplicidad de la obra superior declaraba que los remos

constituían el recurso principal de la tripulación. Unos refuerzos situados delante y detrás y unos obenques fijos en anillas sujetas a la cara interior de las bordas sostenían un mástil colocado algo más adelante de la mitad del barco. El aparejo era el necesario para maniobrar una gran vela cuadrada y la verga de la cual colgaba. Por encima de las amuradas era visible la cubierta.

Excepto por los marinos que habían recogido la vela y se demoraban todavía en la verga, el grupo del dique no veía sino a un hombre, que estaba en la proa, cubierto con un yelmo y protegido por un escudo.

Las ciento veinte palas de roble de los remos, blancas y brillantes por obra de la piedra pómez y del constante lavado de las aguas, se levantaban y caían como movidas por una sola mano, y empujaban a la galera adelante a una velocidad que rivalizaba con la de un moderno barco de vapor.

Tan rápida y, en apariencia, alocadamente venía el navío que los hombres de tierra que acompañaban al tribuno estaban alarmados. De pronto, el hombre de proa levantó la mano en un gesto peculiar, ante el cual todos los remos se levantaron, permanecieron un momento quietos en el aire y cayeron luego aplomados. El agua hervía y burbujeaba alrededor de los mismos; la galera se estremeció en todo su maderamen y se detuvo como espantada. Otro gesto de la mano, y de nuevo se levantaron los remos, sus palas quedaron horizontales, y cayeron; pero esta vez los de la derecha, bajando en dirección a la popa, empujaban adelante, mientras los de la izquierda, descendiendo hacia la proa, empujaban atrás. Tres veces bajaron y empujaron los remos de este modo, unos en sentido contrario a los otros. El barco giró hacia la derecha, como rodando sobre un eje; entonces, bajo la acción del viento, arrimóse suavemente de costado al dique.

El movimiento puso la popa a la vista, con todos sus adornos: Tritones como en la proa, el nombre en grandes letras en relieve, el timón a un costado; la elevada plataforma en la que se sentaba el hombre del yelmo —majestuosa figura con la armadura completa y las manos sobre la cuerda del timón— y el aplustro, alto, dorado, esculpido e inclinado sobre el timonel, como una hoja grandiosa y rizada.

En medio de la maniobra, sonó, breve y estentórea, la trompeta, y de las escotillas se derramaron los marineros, todos soberbiamente equipados, con yelmos de bronce, bruñidos escudos y jabalinas. Mientras los hombres de combate ocupaban sus puestos como para una acción, los marineros se encaramaban prestamente a los obenques y se colgaban de la verga. Oficiales y músicos pasaron a sus respectivos puestos. No hubo gritería ni ruido alguno innecesario. Cuando los remos tocaron al dique, desde la cubierta del timonel lanzaron una pasarela. Entonces el tribuno se volvió hacia sus acompañantes y con una gravedad hasta entonces no manifestada les dijo:

—Al deber, ahora, amigos míos.

Y quitándose la guirnalda de la cabeza la dio al jugador de dados.

—¡Toma tú el mirto, oh, favorito del cubilete! —le dijo—. Si regreso, buscaré de nuevo mis sestercios; pero si no triunfo no regresaré. Cuelga mi corona en su atrio.

Luego abrió los brazos, y los que le acompañaban se acercaron uno por uno a recibir el abrazo de despedida.

—¡Los dioses vayan contigo, oh, Quinto! —decían.

—Adiós —contestaba él.

A los esclavos que blandían las antorchas les saludó con la mano. Luego se volvió hacia el barco que aguardaba, luciendo hermoso las bien ordenadas hileras de hombres con los gallardos airores en los yelmos, los escudos y las jabalinas. Mientras subía por la pasarela sonaron las trompetas, y sobre el aplustro se levantó el *vexillum purpureum*, o insignia del comandante de una flota.

CAPÍTULO II

EN EL REMO

El tribuno, de pie en la cubierta del timonel y con la orden del duunviro abierta en la mano, se dirigió al jefe de los remeros u *hortator*.

—¿Qué fuerza tienes?

—En remeros, ciento veintidós, con diez suplentes.

—Formando relevos de...

—Ochenta y cuatro.

—¿Y tu costumbre?

—Ha sido de relevar y volver al banco cada dos horas.

El tribuno meditó un momento.

—La distribución es dura, y yo la reformaré, pero no en seguida. Los remos no deben descansar ni de día ni de noche.

Luego le dijo al encargado de la vela:

—El viento es favorable. Haz que la vela ayude a los remos.

Cuando los que habían escuchado sus órdenes se alejaron, dirigióse al piloto jefe o rector.

—¿Qué tiempo de servicio llevas?

—Treinta y dos años.

—¿En qué mares, principalmente?

—Entre nuestra Roma y el Este.

—Tú eres el hombre que yo habría elegido.

El tribuno volvió a leer las órdenes recibidas.

—Pasado el cabo de Camponella, pondremos rumbo a Mesina. Desde allí sigue la curva de la costa calabresa, hasta que Melito quede a tu izquierda; entonces... ¿Conoces las estrellas que gobiernan en el mar Jónico?

—Las conozco bien.

—Entonces, desde Melito pondremos rumbo al este hacia Cythera. Ayudando los dioses, no anclaré hasta la bahía de Antimona. La misión es urgente. Confío en ti.

Era un hombre prudente Arrio; prudente y de los que, aun enriqueciendo los altares de Praeneste en Antium, opinan, no obstante, que el favor de la diosa ciega depende más del cuidado y buen criterio del que solicita sus favores que de las dádivas y promesas que haga. Como anfitrión en el banquete, se había pasado la noche bebiendo y jugando; pero el olor del mar le había devuelto el espíritu del navegante, y no descansaría hasta conocer bien su barco. El conocimiento no deja sitio al azar. Habiendo empezado por el jefe de los remeros y el piloto, pasó revista a los otros oficiales —el comandante de los soldados, el jefe de almacén, el jefe de las máquinas, el superintendente de las cocinas o fuegos— recorrieron las diversas dependencias. Nada escapaba a su inspección. Cuando hubo terminado, de toda la comunidad encerrada entre aquellas estrechas paredes, él sólo conocía perfectamente todos los elementos materiales dispuestos para el viaje y para los incidentes que pudieran ocurrir; viendo que los preparativos no dejaban nada que desear, no le restaba ya sino una cosa: llegar a conocer a fondo al personal que tenía bajo su mando. Y como ésta era la parte más delicada y difícil de su tarea, y requería mucho tiempo, se puso a ella según su estilo particular.

A las doce de aquel día, la galera estaba surcando el mar a la altura de Paestum. El viento seguía soplando de oeste, hinchando la vela a satisfacción del jefe. Habían quedado establecidas las guardias. En la antecubierta se había levantado el altar, rociándolo con sal y cebada, y ante el mismo había dirigido el tribuno solemnes plegarias a Júpiter, a Neptuno y a todas las Oceánidas, haciendo votos, derramando el vino y quemando el incienso. Y ahora, para mejor estudiar a sus hombres, estaba sentado (figura verdaderamente marcial) en el espacioso camarote.

El tal camarote —conviene decirlo— era el compartimiento central de la galera; tenía sus buenos sesenta y cinco pies por treinta, y estaba iluminado por tres anchas escotillas. Una hilera de puntales corría de un extremo a otro sosteniendo el techo, y cerca del centro se veía el mástil, todo erizado de hachas, lanzas y jabalinas. Por cada escotilla descendían dobles tramos de escaleras a derecha e izquierda, provistos de un eje de giro en la cima, que permitía sujetar al techo los extremos inferiores; y como ahora estaban levantados, el compartimiento tenía el aspecto de un salón que recibiese la luz del firmamento.

El lector comprenderá fácilmente que aquello era el corazón del barco, el hogar de todos los que iban a bordo: comedor. dormitorio, campo de ejercicios y lugar de solaz para los libres de servicio; diversos usos que hacía posible el hecho de que la vida estuviera sujeta allí a una ordenación minuciosa en todos los detalles y a una rutina implacable como la muerte.

En el extremo posterior del camarote había una plataforma, a la que se subía por varios peldaños. Sobre ella se sentaba el jefe de los remeros, teniendo delante una mesa sonora, sobre la cual llevaba el compás con un mazo. A su derecha había una clepsidra, o reloj de agua, para medir los relevos y guardias. Sobre él, en una plataforma más bien alta, bien protegida por dorado barandal, el tribuno tenía sus cuarteles (dominándolo todo) amueblados con un lecho, una mesa y una cátedra, o sillón almohadillado y provisto de brazos y alto respaldo; enseres todos ellos que, por permiso imperial, podían ser de la más refinada elegancia.

Así acomodado, arrellanado en el gran sillón, meciéndose con el balanceo del bajel, la capa militar envolviendo a medias su túnica, espada al cinto, Arrio observaba con ojo vigilante a sus subordinados, y era no menos cuidadosamente observado por ellos. Con ojo crítico examinaba todo lo que tenía a la vista, parándose, empero, más largo rato en los remeros. Sin duda el lector habría hecho lo mismo; sólo que los habría mirado con más simpatía, al paso que la mente del tribuno, como suele acontecer entre los jefes, se adelantaba a lo que estaba viendo, inquiriendo los resultados de todo ello.

En sí mismo, el espectáculo era bien simple. A lo largo de los costados del camarote, sujetos al maderamen del barco, había lo que a primera vista parecía tres hileras de barcos; una inspección más detallada mostraba, empero, que se trataba de una sucesión de asientos escalonados; en cada una de las escaleras el segundo asiento estaba encima y detrás del primero, y el tercero, encima y detrás del segundo. Para acomodar los sesenta remeros en un costado, el espacio destinado a los mismos admitía diecinueve bancos triples separados por intervalos de una yarda, con un vigésimo banco distribuido de tal modo que su asiento superior estaba situado encima exactamente del más bajo, del primer banco. Tal ordenación concedía a cada remero espacio sobrado para sus movimientos, cuando estaba entregado a su tarea, siempre que los acompasase con los de sus compañeros, del mismo modo que los acompasan los soldados que marchan con cadencioso paso en formación cerrada. Además, tal distribución permitía multiplicar los bancos sin otro límite que el de la longitud de la galera.

En cuanto a los remeros, los de los bancos primero y segundo iban sentados, mientras que a los del tercero, habiendo de manejar unos remos más largos, se les consentía que estuvieran de pie. Los remos tenían las empuñaduras lastradas con plomo, y cerca del punto de equilibrio estaban atados a unas correas flexibles, lo cual hacía posible elevarlos en posición casi horizontal; aunque, al mismo tiempo, exigía una habilidad mayor, dado que una ola caprichosa podía sorprender en cualquier momento a un individuo y despedirle fuera de su asiento. Los agujeros para los remos servían de sendas ventanillas por las que el galeote recibía aire puro en abundancia.

La luz descendía sobre ellos por la reja que formaba el suelo entre la cubierta y la amurada que tenían sobre sus cabezas. De ahí que en algunos aspectos aquellos hombres habían podido encontrarse en condiciones mucho peores. Sin embargo, no hay que pensar que su vida tuviera nada de agradable. No se les permitía comunicarse entre ellos. Día tras día ocupaban sus puestos sin hablar; durante las horas de trabajo ninguno podía ver las caras de los demás; los cortos ratos de descanso había que destinarlos al sueño o a ingerir apresuradamente algún alimento. Jamás reían; nadie oyó nunca que alguno cantase. ¿De qué sirve la lengua cuando un suspiro o un gemido expresan todo lo que los hombres sienten, mientras, obligados por las circunstancias, piensan en silencio? La existencia de aquellos infelices penados era como una corriente subterránea que discurriese lenta, laboriosamente hacia la desembocadura, fuese ésta la que pudiere ser.

¡Oh, Hijo de María! ¡La espada tiene ahora un corazón, y tuya es la gloria! Esto es actualmente; pero en los días en que transcurre esta historia, para los cautivos no había sino fatigas en las murallas, y en las calles, y en las minas, y las galeras tanto de guerra como de comercio, eran vientres insaciables. Cuando Druilio conquistó para su país la primera victoria naval, los romanos se aplicaron a los remos, y la gloria fue para el remero no menos que para el soldado de marina. Aquellos bancos que ahora tratamos de imaginarnos daban testimonio del cambio operado con las conquistas, y sirven de ilustración lo mismo a la política que a las hazañas de Roma. Casi todas las naciones tenían hijos en ellos, en su mayor parte prisioneros de guerra, escogidos por sus músculos y resistencia. Aquí un bretón; delante de él, un libio; detrás un hijo de Crimea. En otra parte, un escita, un galo, uno de Thebas. Penados, romanos arrojados en confusión con godos y longobardos, judíos, etíopes y bárbaros de las costas de Maeotis. Aquí un ateniense, allí un salvaje pelirrojo de Hibernia, más allá unos gigantes de ojos azules de Cimbria [3].

El trabajo de los remeros no requería arte suficiente para tener sus mentes ocupadas, a pesar de lo toscas y simples que eran. Extender los brazos adelante, tirar, poner la pala horizontal, volver a hundirla...; en eso se resumía todo; unos movimientos tanto más perfectos cuanto más automáticos. Incluso la atención que tenían que restar al exterior, al mar, llegaba a ser con el tiempo una cosa instintiva más bien que de pensamiento. Así,

[3] Nombre que se daba a la península de Jutlandia (Dinamarca). (N. del T.)

como fruto de un largo servicio, los pobres desdichados se embrutecían —se volvían pacientes, obedientes, sin espíritu—, eran criaturas de poderoso músculo e intelecto exhausto que vivían de recuerdos y al final descendían a un estado alquímico semiinconsciente en el cual la miseria se convierte en un hábito y el alma lo resiste todo sin rebelarse.

Hora tras hora el tribuno se mecía en un sillón volviéndose de derecha a izquierda, pensando en todo menos en la desdicha de los esclavos sentados en los bancos. Sus movimientos, precisos y exactamente iguales en uno y otro costado del bajel, se hacían monótonos al cabo de un tiempo, y entonces él se distraía fijándose en los individuos uno a uno, por turno. Con su estilete tomaba nota de los reparos que le sugerían, pensando que si todo iba bien, hallaría entre los piratas a cuyo encuentro iba hombres mejores para llenar los puestos.

No era necesario conservar los nombres propios de los esclavos traídos a la tumba de las galeras; por ello se echaba mano del recurso, más cómodo, de identificarlos por los números pintados en los bancos respectivos. Pasando de un asiento a otro, de uno y otro costado, los perspicaces ojos del gran hombre llegaron por fin al número sesenta, que, como se ha dicho, correspondía propiamente al último banco de mano izquierda, pero que, por falta de espacio a popa, había sido pintado sobre el primer asiento del primer banco. Allí se detuvieron.

El banco del número sesenta estaba algo más arriba del nivel de la plataforma, y sólo a unos pies de distancia. La luz que se filtraba por la rejilla de arriba permitía que la mirada del tribuno distinguiera perfectamente al remero; erecto y, al igual que sus compañeros, desnudo, excepto por un paño atado más abajo de la cintura. Se descubrían, empero, algunos puntos a su favor. Era muy joven, no pasaría de los veinte años. Arrio no estaba aficionado únicamente a los dados, era entendido, físicamente hablando, en hombres, y cuando se encontraba en tierra tenía la costumbre de visitar gimnasios para ver y admirar a los atletas más famosos. Indudablemente, de algún profesor había recogido el concepto de que la fuerza dependía tanto de la calidad como del volumen de los músculos, al paso que para sobresalir en su empleo se necesitaba cierta dosis de inteligencia, además de la fuerza propiamente dicha. A semejanza de muchos hombres obsesionados por una pasión favorita, aceptaba la tesis, estaba siempre buscanso ejemplos que la ilustrasen y la confirmasen.

Puede creer el lector que si bien el tribuno, en su búsqueda de la perfección, encontraba a menudo objetos en los que pararse a estudiarlos, raras veces se sentía completamente satisfecho; en realidad pocas veces reclamaron su atención tan largo rato como en esta circunstancia.

Al comienzo de cada movimiento del remo, el cuerpo y el

rostro del remero se veían desde la plataforma de perfil; al terminar el movimiento el cuerpo quedaba de espaldas y en la actitud de tirar del remo. La gracia y la facilidad de la acción sugería al principio una duda sobre la sinceridad del esfuerzo realizado; duda que pronto se desechaba; la firmeza con que el esclavo sostenía el remo al echar los brazos adelante y el modo como se doblaba bajo su empuje eran pruebas de la fuerza aplicada al mismo, y no sólo esto, sino que manifestaban también la pericia del remero, absorbiendo al observador sentado en el ancho sillón en la búsqueda de la combinación de fuerza e inteligencia que constituía la idea central de su teoría.

En el curso de su estudio, Arrio observó la juventud de aquel sujeto, y completamente desprovisto de toda ternura a este respecto, notó también que parecía de buena estatura y que sus extremidades, superiores e inferiores, eran singularmente perfectas. Quizá los brazos fuesen demasiado largos, pero el reparo quedaba eliminado bajo una masa de músculos que, en algunos movimientos, se hinchaban como retorcidas sogas. En el redondo busto todas las costillas se hacían visibles; sin embargo, aquella delgadez no era sino la reducción tan afanosamente buscada por los que frecuentan las palestras. En conjunto, los movimientos del remero poseían cierta armonía, lo cual, además de confirmar la teoría del tribuno, estimulaba a la vez su curiosidad y su interés general.

Arrio no tardó en sorprenderse esperando el momento de ver por completo la cara de aquel hombre. Y observó que tenía la cabeza bien formada, sostenida sobre un cuello ancho en su base, pero de una flexibilidad y una gracia extremas. De perfil, su fisonomía tenía un corte oriental y esa delicadeza de expresión que se ha tomado siempre como prenda de pureza de sangre y prueba de un espíritu de fina sensibilidad. Hechas estas observaciones, el interés del tribuno por aquel hombre subió de punto.

«Por los dioses —díjose a sí mismo—, ¡ese sujeto me causa una gran impresión! Promete mucho. He de saber algo más acerca de él.»

Inmediatamente pudo ver lo que deseaba; el remero que volvió y le miro.

—¡Un judío! ¡Un muchacho!

Bajo la mirada perfectamente fija en él, en aquellos momentos, los grandes ojos del esclavo se abrieron todavía más; la sangre le sonrojo hasta las mismas cejas; la pala se demoró en sus manos. Pero al instante el mazo del *hortator* cayó con enojado golpe. El remero se estremeció, desvió la cara de la mirada del observador y, cual si le hubieran reprendido personalmente, bajó el remo que tenía a medio levantar. Cuando volvió a mirar al tribuno, su sorpresa fue muchísimo mayor; sus ojos se encontraron con una sonrisa cariñosa.

Entretanto la galera penetró en los estrechos de Mesina y, dejando atrás la ciudad de este nombre, viró al cabo de un tiempo hacia el este, quedando la nube que coronaba el Etna en el cielo de la parte de popa.

Cuantas veces volvía Arrio a su plataforma del camarote reanudaba otra vez el estudio del remero, y no cesaba de decirse a sí mismo:

«Este muchacho tiene espíritu. Un judío no es un bárbaro. He de saber algo más acerca de él.»

CAPÍTULO III

ARRIO Y BEN-HUR SOBRE CUBIERTA

Había transcurrido el cuarto día y la *Astraea* —así se llamaba la galera— volaba por el mar Jónico. El cielo estaba sereno y el viento soplaba como desatado por la benevolencia de todos los dioses.

Siendo posible alcanzar a la flota antes de llegar a la bahía del este de la isla de Citérea, designada como punto de concentración, Arrio, un tanto impaciente, pasaba mucho tiempo a cubierta. Con gran diligencia, tomaba nota de todo lo concerniente al barco, y, por lo general, quedaba satisfecho. En el camarote, meciéndose en el gran sillón, su pensamiento revertía continuamente al número sesenta.

—¿Conoces al hombre que acaba de salir de aquel banco? —le preguntó al *hortator*.

En aquel momento tenía lugar un relevo.

—¿Del número sesenta? —dijo el jefe.

—Sí.

El jefe miró vivamente al remero que se alejaba.

—Como tú sabes —contestó—, no hace sino un mes que el barco ha salido de manos de su constructor, y sus hombres son tan nuevos para mí como el barco.

—Es judío —comentó Arrio, pensativamente.

—El noble Quinto es muy sagaz.

—Es muy joven —prosiguió Ario.

—Pero es el mejor remero que tenemos —repuso el otro—. He visto doblarse su remo casi hasta romperse.

—¿Qué disposición tiene?

—Es obediente; otra cosa no la sé. Una vez me presentó una petición.

—¿Cuál?

—Deseaba que le dejase alternar el trabajo, un tiempo en el costado derecho, otro en el izquierdo.

—¿No dio ninguna razón para ello?

—Él había observado que los hombres confinados siempre al mismo costado acaban deformes. Dijo además que un día de tempestad o de combate podía presentarse de súbito la necesidad de cambiar de costado, y entonces no estaría en condiciones de prestar servicio.

—¡Perpo! La idea es nueva. ¿Qué más has observado de él?

—Es mucho más limpio que sus compañeros.

—En esto es romano —comentó Arrio en tono de aprobación—. ¿No sabes nada de su historia?

—Ni una palabra.

El tribuno meditó un rato y se volvió para ocupar de nuevo su asiento.

—Si me encuentro a cubierta cuando él haya terminado el servicio —se paró para decir—, envíamelo. Que venga solo.

Unas dos horas después, Arrio estaba bajo el aplustro de la galera, en el estado de ánimo del que, viéndose arrastrado rápidamente hacia un acontecimiento de grandísima trascendencia, no tiene otra cosa que hacer sino esperar el estado de ánimo en que la filosofía inviste al hombre de recto criterio de la mayor calma y que siempre rinde los mejores frutos. El piloto estaba sentado con la mano sobre la soga mediante la cual se manejaban las palas del timón, una a cada costado del bajel. Unos cuantos marineros dormían a la sombra de la vela, y arriba en la verga había un vigía. Levantando la vista del solarium colocado bajo el aplustro, a fin de que sirviera de referencia para mantener el rumbo, Arrio vio que se le acercaba el remero.

—El jefe te ha nombrado, noble Arrio, y ha dicho que tú habías dispuesto que viniera a buscarte. Aquí estoy.

Arrio inspeccionó la figura, alta, musculosa, la tez, que brillaba bajo los rayos del sol teñida por una sangre rica; la examinó admirativamente y pensó en la arena del circo. Pero también los modales del joven le produjeron una excelente impresión: la voz tenía un acento que parecía aludir a una vida vivida, al menos en parte, bajo refinadoras influencias; los ojos eran claros y abiertos, y más curiosos que retadores. Bajo la mirada experta, inquisitiva y dominadora fija en ella, la cara del muchacho no revelaba nada que empañase su gracia juvenil, ninguna acusación, hosquedad o amenaza; sólo dejaba ver las huellas que un gran pesar prolongado largo tiempo imprime, cual la pátina del tiempo modifica la superficie de los cuadros. Como reconociendo tácitamente el efecto que todo ello le producía, el romano habló como un hombre maduro a otro más joven, no como el dueño al esclavo.

—El *hortator* me dice que eres su mejor remero.

—El *hortator* es muy amable —respondió el joven.
—¿Has servido mucho tiempo?
—Unos tres años.
—¿En los remos?
—No recuerdo haber descansado de ellos un solo día.
—El trabajo es duro; pocos hombres lo resisten un año sin derrumbarse, y tú... tú no eres sino un muchacho.
—El noble Arrio olvida que el espíritu tiene mucho que ver con la resistencia de un hombre. Con su ayuda a veces el débil medra, mientras el fuerte perece.
—Por tu modo de hablar eres judío.
—Mis antepasados, muy anteriores a los primeros romanos, fueron hebreos.
—El obstinado orgullo de tu raza no ha desaparecido de ti —dijo Arrio, observando el sonrojo de la faz del remero.
—El orgullo jamás es tan vivo como cuando está encadenado.
—¿Qué motivos tienes para sentirlo?
—El ser judío.
Arrio sonrió.
—Jamás estuve en Jerusalén —dijo—, pero me han hablado de sus príncipes. Y conocí a uno de ellos. Era mercader y surcaba los mares. Poseía cualidades que le habrían hecho apto para rey. ¿A qué categoría perteneces tú?
—Debo responderte desde el banco de una galera. Pertenezco a la categoría de los esclavos. Mi padre era un príncipe de Jerusalén y, como mercader, surcaba los mares. En la cámara de los huéspedes de Augusto le conocían y honraban.
—¿Su nombre?
—Ithamar, de la casa de Hur.
El tribuno levantó la mano atónito.
—¿Un hijo de Hur, tú?
Después de un silencio preguntó:
—¿Qué es lo que te ha traído aquí?
Judá bajó la cabeza; su pecho inspiraba el aire con dificultad. Cuando hubo dominado bastante sus sentimientos miró al tribuno a la cara y respondió:
—Me acusaron de intento de asesinato contra Valerio Grato, el procurador.
—¿Tú? —gritó Arrio, todavía más pasmado y retrocediendo un paso—. ¿Tú aquel asesino? El relato de aquel hecho retumbaba por toda Roma, y llegó hasta mi barco en el río, junto a Lodinum.
Los dos hombres se miraron en silencio.
—Creía a la familia de Hur barrida de la faz de la tierra —dijo Arrio, tomando la palabra el primero.
Una oleada de tiernos recuerdos barrió el orgullo del joven, y las lágrimas brillaron sobre sus mejillas.

—¡Madre, madre! ¡Y mi pequeña Tirzah! ¿Dónde estarán? Oh, tribuno, noble tribuno, si algo supieras de ellas —y el muchacho unía las manos en actitud suplicante—, dime todo lo que sepas. Dime si viven, y si viven, dónde están y en qué situación. ¡Oh, te lo ruego, dímelo!

Y se acercaba a Arrio, tanto que sus manos rozaban los pliegues de la capa que descendían de los cruzados brazos del tribuno.

—Aquel día horrible hace tres años que pasó —siguió diciendo—, tres años, oh, tribuno, cada hora de los cuales vale por toda una vida de desdicha (una vida en un abismo sin fondo, sin otra compañía que la muerte, sin otro alivio que el trabajo) y en todo este tiempo ni una palabra de nadie, ni un murmullo. ¡Oh, si al ser olvidados pudiésemos, por lo menos, olvidar! ¡Si pudiera esconderme de aquella escena, de cuando me arrebataron a mi hermana, de la última mirada de mi madre! Yo he sentido el aliento de la peste, y el choque de los navíos en la batalla; he oído la tempestad azotando el mar, y he reído, aunque los otros rezaban; la muerte habría sido una liberación. Doblaba el remo; sí, en un esfuerzo supremo por librarme de la obsesión de lo que ocurrió aquel día. Piensa en cuán poca cosa me consolará. Dime que han muerto, si no algo peor, pues felices no pueden serlo mientras yo les falte. Las he oído llamarme por la noche; las he visto caminar sobre el agua. ¡Ah, jamás encontraré nada más verdadero que el amor de mi madre! Y Tirzah... Su aliento era como el perfume de los lirios blancos. Era la rama más joven de la palmera; ¡tan fresca, tan tierna, tan graciosa, tan hermosa! Con ella, todo el día era luminosa mañana. Entraba y salía haciendo música. ¡Y mi mano fue la que las hundió!

—¿Admites tu delito? —preguntó severamente Arrio.

Causaba admiración ver el cambio operado en Ben-Hur; tan instantáneo y total fue. Su voz se hizo incisiva; las manos se levantaron crispadas; todas las fibras de su cuerpo se estremecieron; sus ojos se inflamaron.

—Tú has oído hablar del Dios de mis padres —dijo—, de Jehová infinito. ¡Por su verdad y su omnipotencia, y por el amor con que ha seguido a Israel siempre, juro que soy inocente!

El tribuno se conmovió profundamente.

—¡Oh, noble romano —continuó Ben-Hur—, dame un poco de esperanza y envía una luz a mi oscuridad, más intensa cada día!

Arrio le volvió la espalda y se puso a caminar por la cubierta.

—¿No te juzgaron? —preguntó, parándose de repente.

—¡No!

El romano levantó la cabeza, sorprendido.

—¡Sin juicio, sin testigos! ¿Quién te sentenció?

En aquel tiempo los romanos —es preciso recordarlo—, no eran tan amantes de la justicia y de sus formalismos como en la época de su decadencia.

—Me ataron con cuerdas y me llevaron a un calabozo de la Torre. No vi a nadie. Nadie me habló. Al día siguiente unos soldados me llevaron a la orilla del mar. Desde entonces he sido un esclavo de galeras.

—¿Qué habrías podido demostrar?

—Que yo era un muchacho demasiado joven para ser un conspirador. Grato era para mí un desconocido. Si hubiera tenido intención de matarle no era aquél el momento ni el lugar. Él cabalgaba en medio de una legión, y estábamos en pleno día. Yo no podía escapar. Por lo demás, yo pertenecía a una clase que estaba en muy buenas relaciones con Roma. Mi padre había recibido distinciones por los buenos servicios prestados al emperador. Teníamos muchos bienes que perder. Aquello significaba una ruina cierta para mí, para mi madre y para mi hermana. Yo no tenía motivo alguno para quererle mal a Grato, al paso que todas las demás consideraciones (propiedad, vida, familia, conciencia, la ley, que para un hijo de Israel es como el aire para nuestro pecho) habrían detenido mi mano, por fuerte que hubiese sido el propósito. Yo no estaba loco. La muerte era preferible al deshonor. Y, créeme, te lo ruego, lo es todavía.

—¿Quién estaba contigo cuando se dio el golpe?

—Yo estaba en la azotea, en la casa de mi padre. Tirzah, el alma de la ternura, estaba conmigo, a mi lado. Ambos nos apoyábamos en el parapeto para ver pasar a la legión. Un ladrillo cedió a la presión de mi mano y cayó sobre Grato. Yo creí que le había matado. ¡Ah, qué horror sentí!

—¿Dónde estaba tu madre?

—Abajo, en su cuarto.

—¿Qué fue de ella?

Ben-Hur cerró los puños y exhaló el aliento casi como un gemido.

—No lo sé. Vi cómo la arrastraban fuera de allí. Es todo lo que sé. Sacaron de la casa todo ser viviente, hasta el ganado irracional, y sellaron las puertas. Habían decidido que mi madre no debía volver. Yo también pregunto por ella. ¡Ah, una palabra nada más! Ella, por lo menos, era inocente. Yo sé perdonar... ¡Pero perdóname tú, noble tribuno! Un esclavo como yo no debe hablar de perdón ni de venganza. Estoy atado a un remo por toda la vida.

Arrio escuchaba con viva atención, tratando de sacar partido de su experiencia con esclavos. Si el sentimiento manifestado en esta ocasión era fingido, el muchacho interpretaba perfectamente su papel. Por otra parte, si era real, no cabía dudar de la inocencia del judío. Y si éste era inocente, ¡de qué modo tan ciego habían hecho uso del poder! ¡Toda una familia suprimida como castigo por un accidente! La idea le trastornó.

No hay providencia mejor que la que impide que nuestras

ocupaciones, por rudas o sanguinarias que sean, destruyan por completo nuestro sentido moral, y hace que cualidades tales como la justicia y la misericordia, si realmente nos iluminaron, sigan viviendo bajo aquellas ocupaciones, cual flores bajo la nieve. El tribuno sabía ser inexorable. De otro modo no habría sido apto para los menesteres de su cargo, pero también sabía ser justo; hacerle comprender que una cosa era injusta equivalía a ponerle en el camino de enmendarla. Las dotaciones de los barcos en que servía daban con el tiempo en llamarle el buen tribuno. Los lectores inteligentes no necesitarán mejor definición de su carácter.

En esta ocasión eran muchas las circunstancias que favorecían evidentemente al joven, y hasta cabía suponer que otras menos palmarias le beneficiaban también. Posiblemente, Arrio conociese a Valerio Grato y no le amase. Posiblemente había conocido al difunto Hur. Al dirigirle la súplica, Judá se lo había preguntado, y como se habrá notado, él no respondió.

Por una vez, el tribuno se quedó perplejo sin saber qué hacer, titubeando. Gozaba de amplias facultades. En el barco era el dueño absoluto. Todas sus predisposiciones le inclinaban a la clemencia. No obstante, se decía que no había prisa, o mejor, la había por llegar a Cytherea. En aquel momento no podían privarse de su mejor remero. Aguardaría, recogería más datos, se aseguraría al menos de que aquel muchacho era el príncipe de Hur y de que poseía un carácter bueno. De ordinario, los esclavos solían ser embusteros.

—Hay bastante —dijo en voz alta—. Vuelve a tu puesto.

Ben-Hur hizo una reverencia. Luego levantó los ojos de nuevo hasta la cara de su dueño, pero no vio nada que alentase la esperanza. Volvióse lentamente, miró atrás y dijo:

—Si te acuerdas de mí nuevamente, oh, tribuno, no dejes de tener en cuenta que te he suplicado sólo en favor de mi familia: de mi madre y de mi hermana.

Y se marchó.

Arrio le siguió con ojo admirado.

«¡Perpol! —pensó—. Con algún adiestramiento, ¡qué hombre para la arena! ¡Qué corredor! ¡Oh, dioses! ¡Qué brazo para la espada o el cesto!»

Y en voz alta gritó:

—¡Detente!

Ben-Hur se detuvo. Arrio fue hasta él.

—Si fueses libre, ¿qué harías?

—¡El noble Arrio se burla de mí!

—¡No! ¡Por los dioses, no!

—En tal caso, te contestaré gozoso. Me entregaría a un deber que considero el primero de la vida. No reconocería otro. No descansaría hasta que mi madre y Tirzah estuvieran acomodadas de nuevo en casa. Dedicaría todos los días, todas las horas a labrar su felicidad. Cuidaría de ellas. Nunca un esclavo habría sido más fiel. Han perdido mucho, pero, ¡por el Dios de mis padres, yo les proporcionaría más!

El romano no esperaba semejante respuesta. Por un momento se olvidó de su propósito.

—Yo hablaba a tu ambición —dijo, recobrándose—. Si tu madre y tu hermana hubiesen muerto, o no pudieses hallarlas, ¿qué harías?

Una visible palidez se extendió por la faz de Ben-Hur, que volvió la mirada hacia el mar. Luchaba con un sentimiento poderoso. Cuando lo hubo vencido, miró al tribuno.

—¿Qué camino seguiría? —preguntó.

—Sí.

—Tribuno, te diré la verdad. La noche antes del día a que me he referido obtuve permiso para ser soldado. Sigo con la misma intención. Y como en toda la Tierra no hay sino una escuela de guerra, allá iría.

—¿A la palestra?

—No, a un campamento romano.

—Pero primero tendrías que familiarizarte con el manejo de las armas.

Como un amo nunca obra cuerdamente aconsejando a un esclavo, Arrio comprendió que había sido imprudente. Su voz y actitud tomaron, de pronto, un acento frío.

—Ahora vete —le dijo—. Y no te ilusiones con lo que ha habido entre nosotros. Quizá no hice sino jugar contigo —mirando a lo lejos pensativamente, añadió—: O si vuelves a pensar en ello con alguna esperanza, escoge entre la fama de un gladiador y el servicio de un soldado. El primero puede ganarse los favores del emperador. No hay recompensa para el segundo. Además, tú no eres romano. ¡Vete!

Poco después, Ben-Hur estaba otra vez en su banco.

La tarea siempre es ligera si uno tiene el corazón ligero. El manejo del remo no le parecía tan pesado a Judá. Cual un pájaro canoro, había llegado hasta él una esperanza. Apenas podía ver a tal visitante, ni oír su canto. Sin embargo, que estaba allí lo sabía. Sus sentimientos se lo declaraban. La advertencia del tribuno: «Quizá no hice sino jugar contigo», la rechazaba cuantas veces volvía a su mente. El hecho de que el gran hombre le hubiese llamado y le hubiese preguntado su historia, era el pan con que alimentaba su espíritu hambriento. Algo bueno saldría de ello, sin duda. Sobre su banco descendía una luz clara, brillante de promesa. Y rezó.

—¡Oh, Dios! ¡Yo soy un fiel hijo de ese Israel que Tú has amado tanto! ¡Ayúdame, te lo ruego!

CAPÍTULO IV

NÚMERO 60

En el golfo de Antemona, al este de la isla de Citherea, anclaron las cien galeras. Allí, el tribuno dedicó un día a una labor de inspección. Luego puso rumbo a Naxos, la mayor de las Cícladas, a mitad de camino entre Grecia y Asia, semejante a una gran piedra plantada en mitad de una ruta, desde la cual podría retar a todo el que pasase, al mismo tiempo que estaría en situación de marchar instantáneamente contra los piratas, tanto si estaban en el Egeo como fuera, en el Mediterráneo.

Mientras la flota, en buen orden, remaba en dirección a las montañosas costas de la isla, se avistó una galera que venía del norte. Arrio fue a su encuentro. Resultó ser un transporte recién salido de Bizancio, y de boca de su capitán supo los datos que más necesitaba.

Los piratas procedían de las más alejadas costas del Euxino [4]. Hasta Tanais, la de la boca del río [5] que se suponía alimentaba a Palus Maetis [6], estaba representado entre ellos. Habían realizado los preparativos en el mayor secreto. La primera noticia que se supo fue cuando aparecieron a la entrada del Bósforo tracio y a continuación destruyeron la flota estacionada allí. Desde aquel punto hasta la salida del Helesponto, todo lo que flotaba en el mar había caído bajo sus garras. Sesenta galeras, o más, formaban el escuadrón, todas bien organizadas y abastecidas. Unas cuantas eran birremes. El resto, poderosas trirremes. Un griego las mandaba, y los pilotos, a los que se tenía por familiarizados con todos los mares orientales, eran griegos también. Habían

[4] Mar Negro.
[5] El río Don.
[6] El mar Azof. (N. del T.)

recogido un botín incalculable. En consecuencia, el pánico no cundía por el mar solamente. Cerradas sus puertas, muchas ciudades enviaban todas las noches sus moradores a las murallas. El tráfico había cesado casi en absoluto.

¿Dónde estaban ahora los piratas?

A esta pregunta, del mayor interés, recibió Arrio respuesta.

Después de saquear Hefestia, en la isla de Lemnos, el enemigo había cruzado por entre el grupo tesálico, y según las últimas noticias, había desaparecido en los golfos entre Eubea y la Hélade.

Tales eran las noticias.

Entonces los habitantes de la isla, a lo que el raro espectáculo de un centenar de barcos lanzados a la carrera en compacto escuadrón había atraído a las cimas de los montes, vio cómo la vanguardia de la división viraba súbitamente hacia el norte, y cómo los demás navíos la seguían, girando todos en el mismo punto, cual una columna de caballería. Hasta ellos habían llegado las noticias de la piratería, y ahora, al contemplar las blancas velas hasta que desaparecieron entre Rhene y Syro, los más sensatos sintieron profundo alivio e inmenso agradecimiento. Roma siempre defendía lo que había conquistado con recia mano. En recompensa a los tributos que exigía, daba seguridad.

El tribuno estaba más que contento de los movimientos del enemigo. Estaba doblemente agradecido a la fortuna, la cual le había proporcionado informes dignos de confianza y había atraído a los enemigos a unas aguas en las que, más que en ningunas otras, su destrucción quedaba garantizada. Conocía el tremendo estrago que hasta una galera sola podía causar en un mar abierto como el Mediterráneo, y la dificultad que ofrecía el descubrirla y darle alcance. Sabía también de qué modo las circunstancias que concurrían en aquella ocasión contribuirían a dar mayor realce a sus servicios y a su gloria, si de un solo golpe lograba destrozar toda la hueste de los piratas.

Si el lector coge un mapa de Grecia y el Egeo se fijará en que la isla de Eubea está situada a lo largo de las costas clásicas como un baluarte que las defiende de Asia, dejando entre ella y el continente un canal de sus buenas ciento veinte millas de largo con un promedio de apenas ocho millas de ancho. La entrada del norte había admitido la flota de Jerjes. Ahora recibía a los audaces incursores del Euxino. Las ricas ciudades de los golfos de Pelasgo y Melia ofrecían un botín seductor. Por lo cual, y consideradas todas las circunstancias, Arrio juzgo que encontraría a los piratas en algún punto más allá de las Termópilas, y alegrándose de que así fuera, resolvió cerrarles el paso por el norte y por el sur, para lo cual era preciso no perder ni una hora, renunciando incluso a gozar de los vinos y las mujeres de Naxos. En consecuencia, siguió adelante sin tregua ni descanso hasta que, poco antes de oscurecer, se vio el Monte Ocha irguiéndose hacia el cielo, y el piloto anunció que había aparecido la costa eubea.

A una señal, la flota descansó sobre los remos. Reanudada la marcha, Arrio se puso al mando de cincuenta galeras, con el designio de hacerlas subir al canal arriba, mientras otra división, igualmente nutrida, volvía la proa hacia la parte exterior, o sea, la que miraba al mar libre de la isla, con la orden de correr a toda prisa hacia el acceso superior y descender luego desplegado, cual una red que no dejara pasar nada entre sus mallas.

En verdad, ninguna de ambas divisiones igualaba en número a los piratas, pero, en compensación, cada una poseía ventajas, entre las cuales no era en modo alguno la menor una disciplina con la que la horda de los sin ley no podía contar, por grande que fuera la bravura de sus componentes. Por lo demás, el tribuno había calculado astutamente que si por azar una de las dos divisiones era derrotada, la otra sorprendería al enemigo desorganizado por la victoria y en situación de ser aniquilado fácilmente.

Entretanto, Ben-Hur continuaba en su banco, relevado de seis en seis horas. El descanso en el golfo de Antemona había reparado sus fuerzas. El remo no se le hacía fatigoso, y el jefe que vigilaba en la plataforma no tenía nada que objetar.

Por lo general, la gente no advierte la tranquilidad de espíritu que proporciona el saber dónde uno se encuentra y hacia dónde se dirige. La sensación de haberse perdido origina un profundo malestar, y todavía peor es la que se experimenta al marchar a ciegas hacia lugares desconocidos. En Ben-Hur, el hábito había embotado sólo en cierta medida tales sensaciones. Empujando hora tras hora, a veces días y noches enteros, consciente en todo momento de que la galera se deslizaba rauda por alguna de las múltiples rutas del ancho mar, el anhelo de saber dónde se encontraba y adónde iba, no se apartaba de su mente. Ahora cobraba mayor intensidad alentado por la esperanza reavivada en su pecho desde la conversación sostenida con el tribuno. Cuanto más estrecho es el lugar en que uno se mueve, tanto más intenso ese afán. Y Ben-Hur no dejó de observarlo. Parecíale oír todos los ruidos del barco en movimiento, y los escuchaba uno por uno cual si fueran voces que vinieran a revelarle algo. Levantaba los ojos hacia la rejilla de encima de su cabeza y a través de ésta contemplaba aquella luz de la cual le correspondía una tan pequeña porción, esperando, sin saber qué. Y muchas veces se sorprendió a sí mismo a punto de ceder a la tentación de dirigir la palabra al jefe de la plataforma, a cual dignatario ningún incidente de la batalla habría dejado más atónito.

Durante el largo tiempo de servicio que llevaba, observando los escasos rayos de sol que caían sobre el suelo del camarote había llegado a conocer, generalmente, el cuadrante hacia el que ponía rumbo el navío cuando estaba en marcha. Por supuesto, esto sólo ocurría en días claros, como los que su buena fortuna enviaba al tribuno. Semejante cálculo no le había fallado en todo el tiempo desde que partieron de Cytherea, y pensando que se dirigían hacia Judea, su vieja patria, notaba con fina percepción todas las variaciones del rumbo. Con un zarpazo de dolor había observado el súbito cambio hacia el norte, que, como se recordará, tuvo lugar cerca de Naxos. Sin embargo, no podía conjeturar siquiera el motivo del mismo, pues debe tenerse presente que, al igual que los otros esclavos compañeros suyos, nada sabía de la situación ni le interesaba lo más mínimo el viaje. Su puesto estaba junto al remo, y allí le tenían inexorablemente, estuviese el barco anclado o navegando. En el espacio de tres años, una vez nada más se le permitió mirar desde cubierta. Y ya sabemos cuándo fue. No tenía idea de que un poderoso escuadrón en orden cerrado siguiese al bajel que él contribuía a empujar. Ignoraba, asimismo, el objetivo que aquel escuadrón perseguía.

Cuando al ponerse el sol retiró sus últimos rayos del camarote, la galera seguía enfilando hacia el norte. Vino la noche, y Ben-Hur no pudo notar que se produjera cambio alguno. En aquellos momentos, el perfume del incienso se esparcía por los corredores.

«El tribuno está delante del altar —pensó—. ¿Será que vamos a entrar en combate?»

Ben-Hur se puso a observar atentamente.

Había participado en muchas batallas sin haber visto ninguna. Desde el banco había oído su estrépito arriba y a su alrededor y estaba familiarizado con todas sus notas, casi como lo está un cantante con las de una canción. Habíase familiarizado también con muchos preliminares de un encuentro, de los cuales, entre los romanos igual que entre los griegos, el más invariable era el sacrificio a los dioses. Eran los mismos ritos celebrados al emprender una travesía, y en él, al percibirlos, hacían el efecto de una advertencia.

Hay que tener en cuenta que para él y para los otros esclavos compañeros suyos una batalla ofrecía un interés muy distinto al que tenía para un soldado o para un marino. No les interesaba el peligro que pudiera presentarse, sino el hecho de que una derrota podía significar un cambio de condición para los que sobreviviesen. Podía representar la libertad o, por lo menos, un cambio de dueño, que quizá mejorase su existencia.

A su debido tiempo fueron encendidas las linternas y colgadas junto a las escaleras, y el tribuno bajó de cubierta. A una orden suya, los soldados se pusieron las armaduras. A otra, fueron revisadas las máquinas y el suelo quedó sembrado de lanzas, jabalinas y flechas en grandes carcajes, junto con recipientes de aceite inflamable y cestos de pelotas de algodón arrollado sueltamente como las torcidas de las velas de cera. Y cuando, por fin, Ben-Hur vio al tribuno subido a su plataforma, ponerse la armadura y sacar el yelmo y el escudo, ya no pudo dudar más el significado de aquellos preparativos, y se dispuso a soportar la última ignominia de su servicio.

Fija en cada banco había una cadena provista de pesadas argollas. El *hortator* procedió entonces a colocarlas a los remeros, pasando de uno a otro, sin dejarles otra elección que la de obedecer, ni posibilidad alguna de escapar, en caso de desastre.

En el camarote se hizo un silencio absoluto, roto solamente al principio por el roce de los remos en sus prisiones de cuero. Todos los ocupantes de los bancos compartían los mismos sentimientos, y Ben-Hur más intensamente que los otros. Unos sentimientos que hubiera querido rechazar a toda costa. El choque de los grillos le informó pronto de los progresos que hacía el jefe en su recorrido. A su momento le tocaría el turno a él. Pero ¿no intercedería el tribuno en su favor?

El lector puede cargar, según le plazca, tal ocurrencia a la cuenta de la vanidad o a la del egoísmo. Lo cierto es que en aquel momento se adueñó del cerebro de Ben-Hur. Éste creía en una intervención del romano. Sea como fuere, la contingencia pondría al descubierto los sentimientos de aquel hombre. Si en medio de las preocupaciones de la batalla inminente se acordaba de él, daría prueba de haberse formado una opinión. Daría prueba de que, tácitamente, lo había elevado por encima de sus asociados en el infortunio. Sería un gesto que justificaría la esperanza.

Ben-Hur esperaba con ansiedad. Le parecía que transcurrían siglos enteros. A cada golpe de remo miraba al tribuno, quien, terminados sus sencillos preparativos, se tendió sobre el lecho y se dispuso a descansar, ante lo cual el número 60 se burló de sí mismo, sonrió tristemente y decidió no mirar más en aquella dirección.

El *hortator* se acercaba. Ahora estaba en el número 1. Los grillos chirriaban de un modo horrible. ¡El número 60, por fin! Saliendo de su desesperación, Ben-Hur mantuvo el remo inmóvil y presentó el pie al oficial. En aquel momento, el tribuno se revolvió, se sentó e hizo una seña al jefe.

Una fuerte conmoción sacudió el cuerpo del judío. El gran hombre apartó los ojos del *hortador* para mirarle a él. Cuando volvió a hundir el remo, toda aquella sección del barco parecía haber cobrado vida. Ben-Hur no había oído nada de lo que dijeron. Le bastaba con que la cadena colgase ociosa de su anilla en el banco, y el jefe, volviendo a su asiento, se pusiese a marcar el compás con el mazo. Jamás aquellas notas se habían parecido tanto a una música. Arrimando el pecho al emplomado mango, el judío empujaba con todo su poder. Empujaba hasta que el remo estaba a punto de quebrarse.

El jefe fue a donde estaba el tribuno y señaló sonriendo al número 60.

—¡Qué fuerza! —exclamó.

—¡Y qué espíritu! —respondió el tribuno—. ¡Perpol! Trabaja mejor sin los grillos. No se los pongan nunca más.

Diciendo lo cual, se tendió de nuevo sobre el lecho.

Bajo el empuje de los remos, la nave se deslizaba hora tras hora sobre un agua apenas rizada por el viento. Los que no tenían servicio, dormían. Arrio, en su lecho. Los soldados, en el suelo.

Una, dos veces relevaron a Ben-Hur. Pero él no podía dormir. ¡Tres años de noche, y, por fin, un rayo de sol rasgando la oscuridad! ¡Perdido sin rumbo por el mar, y ahora tierra! Muerto tanto tiempo y, ¡verdad!, él estremecimiento y el revolverse de la resurrección. En una hora semejante no cabía el sueño. La esperanza se lanza hacia el futuro. El presente y el pasado no son sino criados que la sirven dándole aliento y embelleciendo las circunstancias. Partiendo del favor del tribuno, la esperanza empujaba a Ben-Hur adelante indefinidamente. Lo que maravilla no es que unos objetos tan imaginarios como los frutos que nos presenta nos puedan hacer tan dichosos, sino que podamos admitirlos como tan reales. Es preciso que sean como brillantes adormideras bajo cuya influencia, bajo su escarlata, su oro y su púrpura, la razón retrocede y no actúa en todo el rato. Los sufrimientos quedarían calmados. Serían recobrados el hogar y los bienes de su familia. Su madre y su hermana estarían de nuevo en sus brazos... Tales eran los pensamientos centrales que daban en aquel momento a Ben-Hur una felicidad desconocida hasta entonces. El hecho de que estuviera corriendo como sobre alas hacia una batalla horrible, no entraba para nada en sus pensamientos. La duda no se mezclaba con los objetos que acariciaba su esperanza, y que brillaban únicos y esplendorosos. De ahí que su gozo fuese tan completo y tan perfecto que en su corazón no quedaba lugar para la venganza. Messala, Grato, Roma y todos los recuerdos amargos y apasionados ligados a ellos eran como calamidades desvanecidas, miasmas de la tierra sobre los cuales flotaba él, lejos, sin riesgo, escuchando el cantar de las estrellas.

La oscuridad más intensa que precede al alba dormía sobre las aguas, y todo marchaba bien en la *Astraea*, cuando un hombre, bajando de cubierta, fue a toda prisa hasta la plataforma en la que dormía el tribuno, y le despertó. Arrio se levantó, se puso el yelmo, se colocó la espada, cogió el escudo y se acercó al comandante de los soldados de marina.

—Los piratas están muy cerca. ¡Levántate y prepárate! —le dijo.

Y pasó hacia las escaleras, tranquilo, confiado, de tal modo que uno podía pensar: «¡Dichoso él! Apicio[7] le tiene preparado un festín».

(7) Anfitrión famoso por su fausto y su esplendidez.

CAPÍTULO V

EL COMBATE NAVAL

A bordo todo el mundo, hasta el mismo barco, despertó. Los oficiales corrían a sus puestos. Los soldados empuñaban las armas y eran conducidos a cubierta. En todos los aspectos parecían legionarios. Unos subían a cubierta carcajes de flechas y brazadas de jabalinas. Junto a la escalera central, otros preparaban para su empleo las vasijas de aceite y las pelotas incendiarias. Otros encendían linternas adicionales. Otros llenaban cubos de agua. Los remeros de relevo estaban formados delante del jefe. La Providencia había querido que Ben-Hur fuese uno de éstos. Oía arriba el ruido apagado de los preparativos finales: los marineros arriando la vela, extendiendo las jaretas, desatando las máquinas y colgando sobre el costado la armadura de piel de toro. Al cabo de un rato, el silencio volvió a reinar en la galera. Un silencio preñado de vago temor y ansiedad que, bien interpretado, significa: *todo a punto.*

A una señal transmitida desde cubierta y comunicada al *hortador* por un elegante oficial situado en las escaleras, los remos pararon súbitamente.

¿Qué significaba aquello?

De los ciento veinte esclavos encadenados a los bancos, ni uno solo se hizo la pregunta. Ningún incentivo les movía. Patriotismo, sentido del honor y del deber, eran cosas que nada les decían. Sentían únicamente la emoción común en los hombres lanzados a ciegas y sin remedio hacia el peligro. Puede suponerse que el más embrutecido de todos, sujetando el remo inmóvil, pensaba en lo que podía ocurrir, pero no podía prometerse nada. La victoria no serviría más que para remachar más sólidamente sus cadenas, mientras que en la derrota correría el mismo destino que el barco. Hundiéndose o en llamas la suerte del navío sería la suya propia.

De lo que ocurriese en el exterior, nada les era permitido preguntar. ¿Quiénes eran los enemigos? ¿Y qué importaba si eran amigos, hermanos o paisanos suyos? Si el lector extrema las preguntas, comprenderá la necesidad que obliga a los romanos cuando en tales casos amarraban a los desventurados a sus asientos.

Poco tiempo tuvieron, sin embargo, para tales pensamientos. Un sonido parecido a un remar de galeras por la parte de proa llamó la atención de Ben-Hur, y la *Astraea* se balanceó como en medio de innumerables olas. Por su mente cruzó la idea de una flota congregada y maniobrando, formando probablemente para un ataque. Aquella imaginación aceleró la sangre en sus venas.

De cubierta descendió otra señal. Los remos se hundieron, y la galera se puso en marcha imperceptiblemente. Ni un sonido del exterior, ni uno tampoco del interior, y, sin embargo, todos los hombres del camarote se habían aprestado instintivamente para un choque. El mismo barco parecía compartir aquella predisposición y contener el aliento, avanzando agazapado como un tigre.

En situaciones tales, se pierde la noción del tiempo. Por ello, Ben-Hur no podía formarse idea del camino andado. Al final se levantó en el puente un clamor de trompetas, fuerte, claro, prolongado. Los golpes del jefe hacían retumbar la mesa sonora. Los remeros estiraron los brazos adelante en toda su longitud, y hundiendo más profundamente que antes las palas de los remos, empujaron de súbito todos a una. La galera se estremeció en todo su maderamen y respondió dando un salto. Otras trompetas unieron sus voces al estruendo. Todas sonaban en la parte trasera, ninguna delante. De esta parte sólo llegó brevemente un tumulto creciente de voces. Hubo un choque tremendo. Los remeros de enfrente de la plataforma del jefe se tambalearon, y algunos cayeron. El barco dio un salto hacia atrás, recobróse luego, y se lanzó adelante con impulso más irresistible que anteriormente. Vibrantes y agudos gritos de terror daban los hombres, haciéndose oír sobre el estrépito de las trompetas y sobre el ruido del golpe y de los chirridos de la colisión. Luego, Ben-Hur sintió que bajo sus pies la quilla se había subido sobre algo que se hacía pedazos. Los hombres que le rodeaban se miraban unos a otros amedrentados. Un grito de triunfo retumbó en la cubierta. ¡El espolón de los romanos había vencido! Pero ¿quiénes eran los que se había tragado el mar? ¿Qué lengua hablaban? ¿De qué país procedían?

¡Ni pausa, ni reposo! La *Astraea* se lanzó adelante. Entretanto, unos cuantos marineros bajaron corriendo al camarote y, sumergiendo las bolas de algodón en las vasijas de aceite, las arrojaron a los camaradas de la cima de las escaleras. El fuego se sumaría a los demás horrores del combate.

Inmediatamente, la galera escoró de tal modo que a los hombres del costado que se levantaba se les hacía difícil mantenerse en sus bancos. Y otra vez los calurosos vivas de los romanos, acompañados de gritos de desesperación. Un barco enemigo, cogido por los apresadores garfios del gran arbotante que se balanceaba en la proa, levantábase en el aire presto a caer y hundirse.

El griterío aumentaba a derecha y a izquierda. Delante y atrás se levantaba un clamoreo indescriptible. De vez en cuando se producía un choque seguido de súbitos alaridos de espanto, dando testimonio de otros barcos embestidos y de sus dotaciones sumergiéndose en los remolinos.

La lucha no se desarrollaba a costa de un solo bando. Una y otra vez bajaban a un romano por la escotilla y le dejaban sangrando, a veces agonizando, en el suelo.

También a veces penetraban en el camarote bocanadas de humo mezclado con vapor hediondo que traían un olor a carne humana quemada, y la mezquina luz se convertía entonces en una opaca niebla amarilla. Esforzándose en todo momento por encontrar aire, Ben-Hur comprendió que estaban atravesando la nube de un barco en llamas. Un barco incendiado con sus remeros encadenados a los bancos.

Entretanto, la *Astraea* no cesaba de avanzar. De repente se paró. Los remos salieron disparados de las manos de los remeros, y éstos de sus asientos. En la cubierta hubo entonces un furioso martillear de pisadas, y en los costados, el rechinar de los barcos enredados el uno en el otro. Por primera vez, el estrépito ahogó el redoblar de la masa. Los hombres se desplomaban al suelo presa del pánico o miraban en su derredor buscando un lugar donde esconderse. En medio de aquella escena espantosa, un cuerpo cayó o fue arrojado por la escotilla, yendo a parar cerca de Ben-Hur. Éste contempló la semidesnuda ruina, cuyo rostro oscurecía un apelotonamiento de cabello, y debajo del mismo, el escudo de piel de toro descubriendo el tejido de mimbre: un bárbaro procedente de las naciones de blanco cutis del norte al cual la muerte había privado del botín y de la venganza.

¿Cómo había llegado allí? Una mano de hierro lo habría arrebatado de la cubierta adversaria... ¡No! ¡La *Astraea* había sido abordada! ¡Los romanos luchaban sobre su propia cubierta! Un escalofrío paralizó al joven hebreo. Arrio se hallaba en una situación apurada. Quizá estuviera defendiendo su propia vida. ¿Y si le matasen? ¡Dios de Abraham, presérvalo! Las esperanzas y los sueños tan tardíamente amanecidos, ¿serían solamente sueños y esperanzas? Madre, hermana, casa, hogar, Tierra Santa... Después de todo, ¿no llegaría a verlos? Sobre su cabeza tronaba el tumulto. Ben-Hur miró a su alrededor. En el camarote todo era confusión. Los remeros paralizados en sus bancos. Soldados y marineros corriendo a ciegas de un lado para otro. Sólo el jefe continuaba imperturbable en su asiento, batiendo inútilmente el tablero sonoro y esperando la orden del tribuno. Ejemplo viviente en medio de aquella niebla amarilla de la disciplina sin igual que había sojuzgado el mundo.

Su ejemplo ejerció un efecto benéfico en Ben-Hur, que se dominó lo suficiente para pensar. El honor y el deber atacaban al romano a su plataforma. Pero él, ¿qué tenía que ver, entonces, con aquellos imperativos? El banco no era sino un lugar del cual huir, mientras que si moría como un esclavo, ¿quién se beneficiaría de su sacrificio? En cambio, conservando la vida, quedaba por delante el deber, si no el honor. Su vida pertenecía a los suyos. Ahora se levantaban ante él más reales que nunca. Les veía abriendo los brazos, les oía implorándole. ¡Correría a ellos! Dio un paso, pero se detuvo. ¡Ay! Una sentencia romana le tenía encadenado. Mientras siguiera en vigor, sería inútil escapar. En todo el ancho mundo no había lugar alguno donde estuviera a salvo del requerimiento imperial. No lo había en tierra, no lo había en el mar.

Ben-Hur se pronunció por obtener la libertad bajo las normas de la ley a fin de poder morar en Judea y llevar a cabo la empresa a la cual dedicaría sus días y todos sus desvelos de buen hijo. En otro país no quería vivir. ¡Dios Santo! ¡Cuánto había esperado, mirado y rogado para que se presentase semejante liberación! ¡Y cuánto tardaba en conseguirla! Pero al final la había entrevisto en la promesa del tribuno. ¿Qué otra cosa había podido significar la simpatía del gran hombre? ¡Y si ahora matasen a un bienhechor tan tardíamente aparecido! Los muertos no vuelven para redimir a los vivos de sus cuitas. No debía suceder. Arrio no debía morir. Mejor sería, al menos, morir con él que sobrevivirle siendo un galeote.

Ben-Hur volvió a mirar a su alrededor. Sobre el techo del camarote seguía librándose la batalla. Los barcos enemigos seguían rechinando y oprimiendo los flancos de la nave. En los bancos, los esclavos pugnaban por librarse de las cadenas, y viendo fracasados sus esfuerzos, aullaban como dementes. Las guardias habían subido a cubierta. La disciplina había cedido el puesto al pánico. No, el jefe seguía en su asiento, inalterable, tranquilo como siempre, y, excepto por el mazo, desarmado. En vano llenaba con su tamborileo los huecos del estrépito. Ben-Hur le dirigió una última mirada. Luego se alejó de allí, no en fuga, sino para buscar al tribuno. Un corto trecho le separaba de la escotilla de popa. Lo salvó de un salto, y estaba a mitad de las escaleras, a suficiente altura para divisar por un momento el cielo encendido por el rojo de sangre del incendio, el mar lleno de barcos y de despojos, la lucha que se libraba alrededor de la dependencia del piloto, la multitud de asaltantes, la escasez de defensores, cuando, de súbito, sus pies perdieron el apoyo y cayó hacia atrás. Al llegar al suelo, le pareció que ésta se levantaba y se hacía pedazos. Luego, en un abrir y cerrar de ojos, la parte delantera del casco se partió en dos, y el mar, cual si hubiera permanecido todo el rato al acecho, se lanzó dentro silbando y echando espumarajos, y para Ben-Hur todo se convirtió en oscuridad y encabritadas olas.

No se puede afirmar que el joven judío se valiera por sí mismo en aquel trance. Aunque además de su energía habitual poseía la fuerza suplementaria indefinida que la naturaleza guarda en reserva para cuando peligra la vida, la oscuridad y el rugir y arremolinarse del agua le dejaron atontado. Incluso el contener la respiración fue un acto involuntario.

El aflujo de agua le arrojó como un leño hacia el interior del camarote, donde habría perecido ahogado de no ser por el reflujo que originó el barco al hundirse. Estando así a varias brazas por debajo de la superficie, la hueca masa le vomitó fuera y se elevó junto con los despojos sueltos. En este movimiento de ascenso topó con algo y se agarró a ello. El tiempo pasado bajo las olas le parecía un siglo más largo de lo que realmente fue. Al final emergió fuera del agua. Abriendo desmesuradamente la boca, llenó de nuevo sus pulmones de aire, libró el cabello y los ojos de agua, se acomodó mejor en el tablón al que se había cogido y paseó una mirada por su alrededor.

Bajo las olas, la muerte le había perseguido de cerca. Salido a la superficie la encontró esperándole, aguardando bajo múltiples formas.

Aquí de allá, por entre el humo que se había extendido sobre el mar como una niebla semitransparente, brillaban núcleos de intenso fulgor. Una rápida percepción le dijo que eran barcos en llamas. La batalla continuaba. No podía adivinar quién era el vencedor. De vez en cuando cruzaban barcos por el radio de su visión, proyectando sombras contra las luces. Entre las opacas nubes de más allá, percibía el estampido de otros barcos chocando unos con otros. Sin embargo, el peligro acechaba mucho más cerca. Cuando la *Astraea* se hundió, en su cubierta había, como se recordará, su propia dotación y las de las dos galeras que la habían atacado a un mismo tiempo, y las tres fueron engullidas por el abismo. Muchos de aquellos hombres salieron a la superficie juntos, y sobre los tablones o los soportes de diversa índole continuaba un combate empezado quizá en el fondo del torbellino, varias brazadas debajo. Encogiéndose y retorciéndose en un abrazo mortal, atacando a veces con la espada o la jabalina, mantenían en agitación las aguas que les rodeaban, aquí negras como la tinta, allá inflamadas en espantosos reflejos. Nada tenía que ver él con sus luchas. Todos eran enemigos. Ni uno habría hecho otra cosa que matarle para arrebatarle el tablón en que flotaba. Ben-Hur procuró alejarse a toda prisa.

En tales circunstancias, percibió el ruido de unos remos en rapidísimo movimiento y vio que se le echaba encima una galera. La alta proa parecía doblemente alta y la roja luz que jugueteaba sobre sus dorados y esculpidos le daba el aspecto de una serpiente viva. Bajo su casco, el agua hervía levantando nubes de voladora espuma.

Ben-Hur se apartó empujando la tabla, excesivamente ancha e ingobernable. Los segundos eran preciosos. La mitad de uno podía salvarle o perderle. En el momento crítico, cuando estaba haciendo un esfuerzo sobrehumano, un yelmo emergió del mar como un destello de oro, al alcance de su mano. Luego salieron dos manos con los dedos extendidos. Grandes y fuertes eran. Una vez cogidas a algo no habría sido posible hacerles soltar la presa. El yelmo se elevó más, y con él, el rostro que encuadraba. Luego aparecieron dos brazos que se pusieron a azotar el agua furiosamente. La cabeza se volvió atrás, y la luz le dio en la cara. Una boca desencajada. Unos ojos abiertos, pero sin vista. La palidez sin sangre de un hombre que se ahoga... ¡No puede imaginarse nada más lúgubre! Sin embargo, Ben-Hur soltó un grito de gozo ante aquel cuadro. Cuando el rostro se hundía de nuevo, cogió al desventurado por la cadena del yelmo que pasaba por debajo de la barbilla y le arrastró hacia el tablón.

Aquel hombre era Arrio, el tribuno.

Durante un rato, el agua escupió espuma y se arremolinó violentamente alrededor de Ben-Hur, que puso a contribución todas sus fuerzas para continuar agarrado al madero y al mismo tiempo sostener fuera de la superficie la cabeza del romano. La galera había pasado, librándose por poco espacio del golpe de sus remos y cruzando por en medio de los hombres que flotaban, aplastando cabezas cubiertas de yelmos lo mismo que otras desnudas, y no dejando otra cosa en su estela que el mar encendido en chispas de fuego. Un choque apagado, seguido de un alarido tremendo, hizo que el salvador apartase la vista de su protegido. Y cierto alborozo salvaje invadió su corazón. La *Astraea* había sido vengada.

Después de aquello, la batalla cambió de signo. La resistencia se transformó en huida. Pero ¿quiénes eran los vencedores? Ben-Hur comprendía bien hasta qué punto su libertad y la vida del tribuno dependían de aquella contingencia. Poco a poco empujó el tablón debajo del cuerpo del segundo hasta que la madera lo sostuvo a flote, después de lo cual pudo limitarse a mantenerlo en aquella posición. La aurora venía lentamente. Ben-Hur contemplaba su despliegue, a ratos esperanzado, a ratos con temor. ¿Traería ante sus ojos a los romanos o a los piratas? Si eran los piratas, el tribuno estaba perdido.

Al fin, la mañana se abrió por completo. No soplaba ni un aliento de aire. Lejos, a la izquierda, se veía la tierra. Demasiado distante para intentar ganarla. Aquí de allá flotaban hombres a la deriva, como él mismo. En algunos puntos, fragmentos chamuscados, y a veces todavía humeantes, ennegrecían el mar. Allá delante, muy lejos, una galera reposaba con la destrozada vela colgando de una inclinada verga y los remos parados. Todavía más lejos distinguía unos puntos en movimiento, y pensó que acaso fueran barcos en fuga o persiguiendo a otros. O también podían ser blancas aves volando.

Así transcurrió una hora. Su ansiedad crecía. Si no recibían auxilio rápidamente, Arrio moriría. A veces estaba tan quieto que parecía un cadáver. Ben-Hur le quitó el yelmo. Después, con gran dificultad, la coraza. El corazón latía débilmente. Aquello le dio esperanza, y siguió resistiendo. No podía hacer otra cosa que esperar, y, según el estilo de su pueblo, rezar.

CAPÍTULO VI

ARRIO ADOPTA A BEN-HUR

Las angustias que sufre el que estuvo a punto de ahogarse y vuelve a la vida son más dolorosas que las sufridas cuando se ahogaba. Arrio tuvo que soportarlas, y al final, con gran regocijo de Ben-Hur, estuvo en condiciones de hablar.

De una serie de preguntas incoherentes acerca de dónde estaba y de quién le había salvado y cómo, su mente revirtió a la batalla. La duda sobre quién habría vencido estimuló sus facultades hasta despertarlas por completo, resultado al que contribuía no poco el prolongado descanso. Por lo menos el que pudo disfrutar sobre aquel sostén. Al cabo de un rato, se sintió comunicativo.

—Comprendo que vuestra salvación depende del resultado de la lucha. Veo también lo que has hecho por mí. Para ser justo debo reconocer que me has salvado la vida arriesgando la tuya propia. Lo reconozco abiertamente y, pase lo que pase, puedes contar con mi agradecimiento. Más aún, si la fortuna me trata generosamente y salimos con bien de este peligro, te favoreceré como corresponde a un romano que cuenta con medios y oportunidades para demostrar su gratitud. Sin embargo..., sin embargo, queda por ver si animado por tus buenas intenciones, me has hecho realmente un favor. O más bien, apelando a tu buena vluntad —el romano titubeaba—, quisiera exigirte la promesa de que, si ocurre determinado acontecimiento, me prestarás el mayor servicio que un hombre puede prestar a otro. Y a ello quiero que te obligues desde ahora.

—Si no se trata de una cosa prohibida, la haré —contestó Ben-Hur.

—¿Eres, en verdad, un hijo de Hur, el judío? —inquirió luego.

—Es como te dije.

—Yo conocí a tu padre...

Judá se acercó más porque el tribuno tenía la voz muy débil. Acercóse y escuchó con ansiedad. Creía que al final iban a hablarle de su hogar.

—Le conocía y le apreciaba —prosiguió Arrio.

Hubo otra pausa, durante la cual algo desvió los pensamientos del romano.

—No puede ser —continuó después— que tú, un hijo suyo, no hayas oído hablar de Catón y de Bruto. Fueron grandes, y nunca tan grandes como en su muerte. Al morir dejaron esta ley: un romano no puede sobrevivir a su buena fortuna. ¿Me escuchas?

—Te oigo.

—Los patricios de Roma tienen la costumbre de llevar un anillo. Verás uno en mi mano. Cógelo ahora.

Y le presentó la mano a Judá, quien hizo lo que le ordenaban.

—Póntelo en la tuya propia.

Ben-Hur lo hizo.

—La joya sirve para algo —continuó Arrio en seguida—. Yo poseo bienes y dinero. Hasta en la misma Roma me consideran rico. No tengo familia. Enseña el anillo a mi liberto, que gobierna en mi ausencia. Le encontrarás en una villa cerca de Misenum. Dile cómo ha llegado a tu poder y pídele lo que quieras, o todo lo que tenga. No se negará a tu demanda. Si vivo, todavía haré algo mejor por ti. Te haré libre y te restituiré a tu hogar y a tu pueblo, y tú podrás entregarte a la ocupación que más te plazca. ¿Me oyes?

—No tengo más remedio que oírte.

—Entonces, jura. Por los dioses...

—No, buen tribuno. Yo soy judío.

—En este caso, por Dios, o según la fórmula más sagrada para los que pertenecen a tu credo, júrame que harás lo que voy a decirte ahora y del mismo modo que te lo diga. Estoy esperando. Dame tu promesa.

—Noble Arrio, tus maneras me advierten que debo esperar algo de la mayor trascendencia. Dime primero lo que deseas.

—¿Lo prometerás entonces?

—Esto sería obligarme de antemano al juramento y... ¡Bendito sea el Dios de mis padres! ¡Allí viene un barco!

—¿En qué dirección?

—Del norte.

—¿Puedes determinar su nacionalidad por algunas señales externas?

—No. Yo siempre serví en los remos.

—¿Luce una bandera?

—No veo ninguna.

Arrio permaneció callado cierto tiempo, al parecer sumido en profunda reflexión.

—¿Continúa hacia acá todavía el barco? —preguntó al final.

—Todavía.

—Mira ahora si ves la bandera.

—No trae ninguna.

—¿Ni algún otro signo?

—Tiene la vela desplegada y es de tres bancos. He ahí todo lo que puedo decirte.

—Un romano victorioso enarbolaría muchas banderas. Ha de ser un enemigo. Escucha ahora —dijo Arrio, poniéndose otra vez muy serio—. Oye mientras todavía puedo hablar. Si es una galera pirata, tu vida está a salvo. Quizá no te den la libertad. Acaso te pongan de nuevo en el remo, pero no te matarán. En cambio, a mí...

El tribuno tartamudeó.

—¡Perpo! —continuó resueltamente—. Soy demasiado viejo para someterme al deshonor. En Roma dirás que Quinto Arrio, como es propio de un tribuno romano, se hundió con su barco en medio del enemigo. Esto es lo que quería que hicieses. Si la galera pertenece a los piratas, empújame fuera del tablón y ahógame. ¿Me oyes? Jura que lo harás así.

—No quiero jurar —replicó Ben-Hur, con fuerza—. Ni haré lo que me pides. La Ley, que es lo que para mí tiene mayor fuerza, oh, tribuno, me pediría cuentas de tu vida. Toma tu anillo —añadió, quitándoselo del dedo—, tómalo y retira con él todas las promesas de favorecerme si nos libramos de este peligro. La condena que me envió a las galeras por toda la vida me hizo esclavo. Sin embargo, no lo soy, como tampoco soy tu liberto. Soy un hijo de Israel, y en estos momentos, por lo menos, mi propio dueño. Toma el anillo.

Arrio no se movió.

—¿No quieres? —continuó Judá—. Entonces, no por enojo ni empujado por ningún despecho, sino para librarme de una obligación odiosa, daré tu regalo al mar. ¡Mira, oh, tribuno!

Y arrojó el anillo lejos de sí. Aunque sin mirar, Arrio oyó el choque de la joya con el agua, en cuyo seno se hundió.

—Has hecho una tontería —dijo—. Una tontería mayúscula en una persona que se encuentre en tu situación. No dependo de ti para morir. La vida es un hilo que puedo romper sin tu ayuda. Y si lo rompo, ¿qué será de ti? Los hombres resueltos a morir prefieren perecer a manos de otros, por la razón de que el alma que Platón nos dio se rebela ante la idea de destruirse a sí misma. Esto es todo. Si la galera es de los piratas, escaparé de este mundo. Estoy decidido. Soy romano. La victoria y el honor lo son todo. Sin embargo, yo te habría servido y tu no quisiste. El sello era lo único que podía atestiguar mi voluntad en estos momentos. Ambos estamos perdidos. Yo moriré echando de menos el triunfo y la gloria que me habrían arrebatado. Tú vivirás para morir un poco más tarde, lamentando haber cometido la locura de no cumplir los piadosos deberes que te exigía. Te compadezco.

Ben-Hur vio con más claridad que antes las consecuencias de su gesto, pero no vaciló.

—En mis tres años de esclavitud, oh, tribuno, tú has sido el primero que me miró con afecto. ¡No, no! Hubo otro —su voz descendió de tono, los ojos se le humedecieron y vio claramente, como si la tuviera delante en aquel mismo momento, la cara del muchacho que le dio de beber junto al antiguo pozo de Nazaret—. Por lo menos, tú fuiste el primero que me preguntó quién era. Y si al extender el brazo para cogerte cuando estabas ciego e ibas a hundirte por última vez también yo pensé en los muchos beneficios que podrías reportarme en mi calamidad, no lo hice, a pesar de todo, por puro egoísmo. Te ruego que lo creas. Por otra parte, según la manera de entender que Dios me concede en esta ocasión, los fines que mis sueños acarician han de ser conseguidos únicamente por medios lícitos. El imperativo de mi conciencia me ordena que muera contigo antes que ser tu asesino. Aunque me ofrecieras toda Roma y la oferta fuese válida porque tú fueras el dueño de ella, no te mataría. Tu Catón y tu Bruto no eran sino niños pequeños comparados con los hebreos cuya ley debe obedecer todo judío.

—Pero yo te lo he ordenado. ¿Has...?

—Aunque tu mundo fuese mucho más elevado, no me impresionaría. No tengo más que decir.

Ambos se quedaron callados, esperando.

Ben-Hur miraba a menudo hacia el barco que se acercaba. Arrio reposaba con los ojos cerrados, indiferente.

—¿Estás seguro de que es un enemigo? —preguntó Ben-Hur.

—Así lo creo —respondió el otro.

—Ahora se para y baja un bote por el costado.

—¿Ves su bandera?

—¿No hay ningún otro signo por el cual podamos conocer si es romano?

—Si lo fuese traería un yelmo sobre la punta del mástil.

—Entonces, alégrate. Veo el yelmo.

Arrio todavía no se tranquilizaba.

—Los ocupantes del bote están recogiendo a los náufragos —dijo Ben-Hur—. Los piratas no son humanitarios.

—Acaso necesiten remeros —replicó Arrio, acordándose posiblemente de las ocasiones en que había rescatado gente para este propósito.

Ben-Hur estaba atento a las acciones de los desconocidos.

—El barco se aleja —dijo.

—¿Hacia dónde?

—Allá a nuestra derecha hay una galera que parece abandonada. La que venía pone rumbo hacia ella. Ahora está a su lado. Ahora envía hombres a bordo.

Entonces, Arrio abrió los ojos y salió de su impasibilidad.

—Da gracias a tu Dios —le dijo a Ben-Hur, después de haber dirigido una mirada a las galeras—. Da gracias a tu Dios, como yo las doy a mis numerosos dioses. Un pirata no salvaría aquel barco. Lo hundiría. Por esta acción y por el yelmo del mástil, conozco que es romano. La victoria es mía. No me ha abandonado la Fortuna. Estamos salvados. Agita la mano, llámales. Tráelos acá prestamente. Yo seré duunviro y tú... Yo conocía a tu padre y le amaba. Era realmente un príncipe. Él me enseñó que un judío no es un bárbaro. Te llevaré conmigo. Serás mi hijo. Da gracias a tu Dios y llama a los marineros. ¡Deprisa! Hay que continuar la persecución. No ha de escapar ni un solo pirata. ¡Dales prisa!

Judá se incorporó sobre el tablón, agitó la mano y gritó con todas sus fuerzas. Al final llamó la atención de los marineros del bote, que vinieron en seguida a recogerlos.

Arrio fue recibido en la galera con todos los honores de un héroe singularmente favorecido por la Fortuna. Tendido sobre un lecho de cubierta, escuchaba los detalles de la conclusión de la lucha. Cuando todos los supervivientes que flotaban por el mar estuvieron a salvo, y el premio de la victoria asegurado, enarboló de nuevo su bandera de comandante y se lanzó hacia el norte para reunirse con la flota y completar la victoria. A su debido tiempo, los cincuenta navíos que bajaban por el canal cerraron sobre los piratas fugitivos y los aplastaron por completo. Ni uno escapó. Acrecentando la gloria del tribuno, veinte galeras enemigas fueron capturadas.

En el dique de Misenum, al regresar de su crucero, Arrio fue objeto de una cálida recepción. Al joven que le acompañaba atrajo pronto la curiosidad de los amigos congregados allí, y cuando preguntaron quién era, el tribuno se puso a explicarles con profundo afecto de qué modo había sido salvado, y les presentó al extranjero, omitiendo cuidadosamente todo lo relativo a la historia anterior de éste. Al terminar su narración, llamó a Ben-Hur a su lado y dijo, apoyando una mano cariñosa sobre su hombro:

—Buenos amigos, éste es mi hijo y heredero, al cual, habiendo de heredar mis bienes (si es voluntad de los dioses que deje alguno), conoceréis por mi nombre. Os ruego que le améis como me amáis a mí.

Con toda la rapidez que permitía la ocasión, llenaron los requisitos legales necesarios para que Ben-Hur pasase a ser hijo adoptivo de Arrio. De esta manera, cumplió el valiente romano la promesa hecha a Ben-Hur, introduciéndole felizmente en el mundo imperial. Al mes siguiente del regreso de Arrio, en el teatro de Scauruos se celebró con toda magnificencia el *Armilustrium.* Un costado del edificio quedó engalanado con trofeos militares, entre los cuales los más visibles eran veinte proas complementadas por sus correspondientes aplutros, audazmente arrancadas de otras tantas galeras. Y sobre ellas, de modo que los ochenta mil espectadores allí sentados pudieran leerla, había esta inscripción:

TOMADAS A LOS PIRATAS EN EL GOLFO DE EURIPO POR
QUINTO ARRIO DUUNVIRO

LIBRO IV

ALVA.—*Si el monarca fuese injusto... Y, en esta ocasión...*

REINA.—*Entonces, yo debo esperar la justicia hasta que venga, y los más felices son, con mucho, aquellos cuya conciencia les permite aguardar tranquilamente su derecho.*

SCHILLER, *Don Carlos* (Ac. IV, esc. XV).

CAPÍTULO PRIMERO

BEN-HUR REGRESA AL ESTE

El mes al que ahora llegamos es el de julio, el año el 29 del Señor, y el lugar, Antioquía, la Reina de Oriente, y después de Roma, la ciudad más fuerte, si no la más populosa, del mundo.

Hay quien opina que los vicios y extravagancias de aquella época tuvieron su origen en Roma y de allí se propagaron a todo el Imperio, y que las grandes ciudades no hacían otra cosa sino reflejar los estilos de su dueña, la del Tíber. Debemos poner en duda el acierto de semejante opinión. Los conquistadores reaccionaron influyendo en la moral del conquistador. Roma encontró en Grecia una fuente de corrupción, y lo mismo en Egipto. De modo que, cuando haya agotado el tema, el erudito cerrará los libros, seguro y convencido de que el río desmoralizador corría desde el Este hacia el Oeste y de que esa ciudad de Antioquía, una de las más antiguas sedes del poder y el esplendor asirios, era una de las fuentes principales del mortífero caudal.

Una galera de transporte entraba por la desembocadura del río Orontes, procedente de las azules aguas del mar. Era por la mañana. Hacía mucho calor, y, sin embargo, todos los que podían concederse tal privilegio se encontraban en cubierta. Ben-Hur, entre otros.

Los cinco años transcurridos habían dejado al joven judío en plena virilidad. A pesar de que la túnica de blanco lino con que se vestía disimulaba algo su figura, su presencia poseía un atractivo inusitado. Hacía una hora o más que había ocupado un asiento a la sombra de la vela, y durante aquel rato, varios pasajeros de su propia nacionalidad habían intentado trabar conversación con él, pero había sido en vano. Ben-Hur había contestado a sus preguntas brevemente, si bien con grave cortesía, y en lengua latina. La pureza de su dicción, sus cultivados modales, su reserva, todo servía para estimular todavía más la curiosidad. A los que le observaban de cerca les llamaba la atención cierta incongruencia entre su porte, que tenía la soltura y la gracia del de un patricio, y ciertos detalles de su persona. Así, sus brazos eran desproporcionalmente largos, y cuando se cogía a algún sitio para protegerse de los movimientos del barco, hacíase notar el tamaño de sus manos y la fuerza innegable que se adivinaba en ellas, de modo que a la curiosidad por saber qué y quién era, se mezclaba continuamente el deseo de conocer los pormenores de su vida. En resumen, no se puede describir mejor su aspecto que con la siguiente frase: Este hombre tiene una historia que contar.

Durante el viaje, la galera se había parado en uno de los puertos de Chipre, donde habían recogido a un hebreo de aspecto muy venerable, callado, reservado, paternal. Ben-Hur se aventuró a dirigirle algunas preguntas. Las respuestas ganaron su confianza, y el intento terminó en una animada conversación.

Quiso la casualidad que cuando la galera procedente de Chipre penetraba en la bahía del Orontes, otros dos barcos a los cuales habían avistado en el mar entraron en el río al mismo tiempo, y al pasar, las dos enarbolaron unas banderolas del amarillo más brillante. Se hicieron muchas conjeturas acerca del significado de aquellas señales. Por fin, un pasajero se dirigió al respetable hebreo solicitando información sobre aquel particular.

—Sí, conozco el significado de las banderas —contestó éste—. No indican ninguna nacionalidad. Declaran meramente a quién pertenede el navío.

—¿Posee otros muchos su propietario?

—En efecto.

—¿Le conoces?

—He tratado con él.

Los pasajeros miraban al hebrero como pidiéndole que continuara. Ben-Hur escuchaba con interés.

—Vive en Antioquía —prosiguió el hebreo, con su sosiego característico—. Las inmensas riquezas que posee le han hecho popular, y no siempre se habla de él con afecto. Había antes en Jerusalén un príncipe perteneciente a una familia muy rancia llamada Hur.

Judá hizo un esfuerzo por conservar la compostura, pero su corazón latía aceleradamente.

—El tal príncipe era mercader, y poseía un genio especial para los negocios. Montó muchas empresas. Unas con ramificaciones hacia el Oriente lejano, otras ramificándose hacia el Oeste. Tenía sucursales en las grandes ciudades. Cuidaba de la de Antioquía un hombre llamado Simónides, que al decir de algunos había sido un siervo de la familia, y aunque llevara un nombre griego, era israelita. El amo pereció ahogado en el mar. No obstante, sus empresas continuaron en marcha y casi con la misma prosperidad. Pero al cabo de un tiempo, el infortunio se cebó en la familia. El único hijo del príncipe, ya mayorcito,intentó matar al procurador Graco en una de las calles de Jerusalén. Poco le faltó para lograr su empeño, y desde entonces no se había sabido nada de él. Lo cierto es que el furor romano se descargó contra toda la familia. No quedó con vida nadie que llevase aquel nombre. Su palacio fue sellado, y ahora sirve de refugio a las palomas. Sus bienes fueron confiscados. Todo lo que se pudo averiguar pertenecía a los Hur, fue confiscado. El procurador se curó la herida con un bálsamo de oro.

—Quieres decir que se apropió de los bienes —puntualizó uno de los oyentes.

—Eso dicen —contestó el hebreo—. Yo me limito a contar la historia tal como me la contaron a mí. Siguiendo con nuestro relato, Simónides, que había sido el representante del príncipe aquí en Antioquía, al cabo de poco tiempo se puso a comerciar por su propia cuenta, y en un tiempo increíblemente corto se convirtió en el más poderoso de los mercaderes de la ciudad. Imitando a su antiguo dueño, envió caravanas a la India. Y actualmente tienen en el mar las galeras suficientes para formar una flota regia. Dicen que nada le sale mal. Sus camellos nunca mueren; si no es de viejos. Sus barcos jamás se hunden. Si echa una piedra al río la sacará luego convertida en oro.

—¿Cuánto tiempo lleva así?

—Menos de diez años.

—Hubo de arrancar con una buena base.

—Sí, dicen que de los bienes del príncipe el procurador sólo cogió lo que encontró al alcance de su mano: caballos, ganados, casas, tierras, barcos, mercancías. El dinero no pudieron hallarlo, aunque tenía que haber sumas inmensas. Qué se hiciera del mismo, ha sido un misterio que ha quedado sin solución.

—Para mí, no —dijo un pasajero, en tono de mofa.

—Te comprendo —respondió el hebreo—. Otros han tenido tu misma idea. Es creencia común que le sirvió de base de partida a Simónides. El mismo procurador comparte esta opinión (o la compartía, por lo menos), pues en el espacio de cinco años, dos veces ha cogido al mercader y lo ha sometido a tormento.

La mano de Judá estrujaba la cuerda que tenía asida.

—Se dice —prosiguió el narrador— que en el cuerpo de aquel hombre no queda hueso sano. La última vez que le vi estaba sentado en un sillón, inválido e informe, sostenido por almohadones.

—¡Qué modo de torturarle! —exclamaron varios oyentes en un aliento de voz.

—Ninguna dolencia habría podido producir una deformidad

tal. Sin embargo, los sufrimientos no hicieron mella en él. Todo lo que tenía le pertenecía legalmente, y lo utilizaba de acuerdo con la ley. No pudieron arrancarle otra confesión. Ahora, empero, está fuera del alcance de toda persecución. Tiene una licencia para comerciar firmada por el mismo Tiberio.

—La ha pagado con creces, lo garantizo.

—Esos barcos son suyos —continuó el hebrero, pasando por alto el comentario—. Es costumbre entre sus marineros saludarse cuando se encuentran por el mar desplegando banderas amarillas, consigna que significa: «Hemos tenido un viaje afortunado».

La historia terminó aquí.

Cuando el transporte estuvo bien adentro del canal del río, Judá se dirigió al hebreo.

—¿Cómo se llamaba el amo del mercader?

—Ben-Hur, príncipe de Jerusalén.

—¿Qué fue de la familia del príncipe?

—Al muchacho lo enviaron a galeras. Yo diría que ha muerto. El plazo de vida que permite semejante sentencia suele ser de un año. De la viuda y de la hija, nada se ha sabido. Los que saben la suerte que corrieron no quieren hablar. Sin duda murieron en uno de los castillos que bordean los caminos de Judea.

Judá se acercó a la dependencia del piloto. Tan absorto estaba en sus pensamientos, que no se fijaba en las orillas del río, de una soberana belleza desde el mar hasta la ciudad, con vergeles de parras y todas las frutas de Siria, y pobladas de villas tan lujosas como las de Nápoles. Tampoco observaba los navíos pasando como una flota interminable, ni oía los cantos y los gritos de los marineros, unos trabajando y otros divirtiéndose. La luz del sol inundaba el firmamento desparramando una cálida calígine sobre la tierra y el agua. En ninguna parte sino en su vida había la menor sombra.

Una sola vez despertó, momentáneanente interesado, y fue cuando uno señaló el Bosquecillo de Dafne, divisable desde un recodo del río.

CAPÍTULO II

EN EL ORONTES

Cuando la ciudad se desplegó ante su vista, los pasajeros estaban a cubierta, afanoso de no perderse nada de aquella escena. El respetable judío ya presentado al lector era el que más se distinguía dando detalles.

—Aquí el río corre en dirección oeste —decía, como respondiendo a todos en general—. Recuerdo cuando lamía la base de las murallas. Pero desde que somos súbditos romanos hemos vivido en paz. Y como ocurre siempre en épocas así, el comercio ha conseguido lo que quería: toda la orilla del río está llena de muelles y desembarcaderos. Allá —y el hebreo señalaba hacia el sur— está el Monte Casio, o, como a la gente de aquí le gusta llamarle, la Montaña del Orontes, mirando hacia su hermana Amnio, en el norte. Y entre los dos se extiende la llanura de Antioquía. Más lejos están las Montañas Negras, de donde los Acueductos de los Reyes traen el agua más pura a las sedientas calles y a los pobladores, a pesar de que dichas montañas son una espesura de bosques agrestes, salvajes, densos y llenos de pájaros y de animales salvajes.

—¿Dónde está el lago? —preguntó uno.

—Allí, hacia el norte. Provéete de un caballo, si quieres visitarlo, o, mejor aún, de un bote, porque un tributario lo une con el río.

—«¡El Bosquecillo de Dafne! —exclamó, dirigiéndose a un tercer interrogador—. Nadie sería capaz de describirlo, pero mira, Apolo lo empezó y lo terminó. Lo prefiere al Olimpo. La gente va para verlo un momento (un momento nada más) y nunca se marcha de allí. Tienen un refrán que lo explica todo: «Mejor ser un gusano y alimentarse en los morales de Dafne que huésped del rey».

—¿De modo que me aconsejas que me mantenga apartado de aquel paraje?

—¡De ningún modo! Tú irás. Todo el mundo va: el filóloso cínico, el muchacho viril, las mujeres, los sacerdotes... Todos van. Tan seguro estoy de lo que harás que me tomo la molestia de darte un consejo. No busques alojamiento en la ciudad. Sería perder tiempo. Vete en seguida a la población que se levanta a la orilla del bosque. Se pasa por un jardín rociado por muchas fuentes. Los adoradores del dios y de su doncella Penaes edificaron la villa, y en sus pórticos y senderos hallarás tipos, trajes, dulzuras y linajes en otro sitio imposibles. Pero, ¡ah, la muralla de la población!, allí está, la obra maestra de Xeraeus, el maestro de la arquitectura mural.

Todos los ojos siguieron la dirección que señalaba su índice.

—Aquella parte fue construida por orden del primer seléucida. Trescientos años de vida la han hecho un trozo más de la peña sobre la cual descansa.

El defensivo muro justificaba el encomio. Alto, sólido, con muchos y atrevidos ángulos, doblaba hacia el sur hasta perderse de vista.

—En su cima hay cuatrocientas torres, y cada una es un depósito de reserva de agua —continuó el hebreo—. ¡Mirad ahora! Por encima del muro, a pesar de su altura, se ven en la distancia dos montes, que quizá conozcáis como las crestas rivales del Sulpio. La edificación que se levanta sobre el que está más lejos es la ciudadela, la guarnece todo el año una legión romana. Enfrente de ella y por esta parte se levanta el Templo de Júpiter, y más abajo la fachada de la residencia del legado, a un tiempo palacio lleno de dependencias y fortaleza contra la cual se estrellaría la turba inofensivamente como un viento del sur.

En este punto, los marineros empezaron a reducir vela, con lo cual el hebreo exclamó apasionadamente:

—Los que odiáis el mar y los que estáis acostumbrados a pronunciar votos por llegar, ¡mirad! Preparad ya vuestras maldiciones y vuestras plegarias. Aquel puente de allá, sobre el cual pasa el camino hacia Seleucia, señala el límite de la navegación. Allí los camellos cargan lo que han descargado los buques, si va destinado a otros lugares. Más allá del puente empieza la isla en la que Calinico edificó su ciudad nueva, enlazándola con cinco grandes viaductos, tan sólidos que ni el tiempo, ni las avenidas del río, ni los terremotos han dejado huella en ellos. De la ciudad principal, os diré, amigos míos, que el haberla visto iluminaría todos los días de vuestras respectivas vidas.

Cuando el informador terminaba, el barco viró y se acercó lentamente al desembarcadero contiguo a la muralla, poniendo más claramente a la vista la vida que bullía a lo largo del río en aquel paraje. Por fin echaron las pasarelas y guardaron los remos. El viaje había terminado. Entonces Ben-Hur buscó al respetable hebreo.

—Permíteme molestarte un poco antes de decirte adiós.

El hombre asintió con una inclinación.

—La historia del mercader ha despertado mi curiosidad y me ha hecho concebir la idea de verle. ¿Has dicho que se llama Simónides?

—Sí. Es un judío con nombre griego.

—¿Dónde lo encontraría?

El conocido del mercader le dirigió una mirada penetrante antes de contestar:

—Quizá vale la pena que te ahorre una mortificación. Simónides no es un prestamista.

—Tampoco soy yo uno que pide dinero prestado —dijo Ben-Hur, sonriéndose de la malicia del otro.

El hombre levantó la cabeza y reflexionó unos instantes.

—Uno se imaginaría —respondió luego— que el comerciante más rico de Antioquía tendría para su negocio una casa en consonancia con su riqueza. Pero si quieres encontrarle de día, sigue el río hasta aquel puente de allá, bajo el cual tiene sus cuarteles en un edificio que parece un contrafuerte de la muralla. Delante de la puerta hay un inmenso desembarcadero, siempre cubierto de mercancías que han llegado o que hay que embarcar. La flota allí encallada es suya. No puedes equivocarte. Le encontrarás.

—Muchas gracias.

—La paz de nuestros padres sea contigo.

—Y contigo también.

Dos mozos de cuerda cargados con el equipaje de Ben-Hur recibieron las órdenes que éste les dio en el muelle.

—A la ciudadela —les dijo.

El mandato indicaba que el recién llegado traía algún encargo militar oficial.

Dos grandes calles que se cortaban en ángulo recto dividían la ciudad en cuatro sectores. Al principio de una de ellas se levantaba un edificio curioso e inmenso, llamado el Nymphaeum, corriendo en dirección norte. A pesar de haber salido recientemente de Roma, cuando los mozos, habiendo llegado a la avenida, doblaron hacia el sur, la magnificencia de aquella arteria urbana dejó maravillado al joven judio. A derecha e izquierda se sucedían los palacios, y entre ellos se extendían indefinidamente dobles columnatas de mármol, dejando espacios separados para peatones, animales de carga y vehículos rodados, todos bajo la sombra y refrescados por fuentes que fluían incesantemente.

Ben-Hur no estaba de humor para gozar del espectáculo. La

historia de Simónides absorbía todos sus pensamientos. Llegado al Omphalo, un monumento de cuatro arcos anchos como las calles que Epiphanes, el octavo de los seléucidas, se había erigido a sí mismo, cambió repentinamente de idea.

—Esta noche no quiero ir a la ciudadela —les dijo a los mozos—. Llevadme al *khan* más cercano al puente de la calzada de Seleucia.

El grupo dio media vuelta, y antes de mucho rato, Ben-Hur se encontró acomodado en una taberna de construcción primitiva, si bien anchurosa, a la distancia de una pedrada del puente debajo del cual tenía sus cuarteles Simónides. Toda la noche la pasó en la azotea. En su mente se mantenía vivo un pensamiento: «Ahora, ahora tendré noticias de mi casa, de mi madre, de mi querida hermanita Tirzah. Si siguen en este mundo las encontraré».

CAPÍTULO III

LA PETICIÓN DE SIMÓNIDES

Al día siguiente, temprano, a fin de pasar inadvertido, Ben-Hur buscó la casa de Simónides. Penetrando por una entrada almenada, pasó a una sucesión de muelles, desde los cuales subió río arriba en medio de un tráfico febril, hasta llegar al Puente Seleucio, bajo el cual se detuvo a contemplar la escena.

Allí, inmediatamente debajo del puente, estaba la casa del mercader, mole de piedra gris sin trabajar, a la que no era posible atribuir ningún estilo y que ofrecía el aspecto descrito por el viajero, es decir, el de un contrafuerte de la muralla contra la que se recortaba. En la fachada, dos inmensas puertas comunicaban con el muelle. Unos agujeros de la parte superior, provistos de gruesas rejas, hacían el oficio de ventanas. En las grietas de las paredes se mecía la hierba, y en algunos sitios un musgo negro salpicaba las piedras, por todo lo demás desnudas.

Las puertas estaban abiertas. Por una entraban los géneros. Por la otra salían. Y todo el mundo se movía con gran prisa, precipitadamente.

En el muelle había montones de géneros enfardados de todas las maneras posibles y grupos de esclavos, desnudos hasta la cintura, yendo y viniendo con la despreocupación del que no piensa sino en el trabajo.

Debajo del puente había una flota de galeras, unas cargando y otras descargando. Todos los mástiles ostentaban una banderola amarilla. Del muelle a la flota y de barco a barco, los servidores del tráfico iban y venían formando bulliciosas contracorrientes.

Encima del puente y al otro lado del río de la orilla del agua se levantaba un muro sobre el cual se erguían las caprichosas cornisas y los torreones de un palacio imperial, cubriendo todo el espacio de la isla mencionada por el hebreo en su descripción.

Pero a pesar de todos sus atractivos, Ben-Hur apenas se fijó en ella. No se ocupaba sino de pensar que ahora, al fin, sabría noticias de su familia, siempre que fuese verdad que Simónides había sido un esclavo de su padre. Sin embargo, ¿querría reconocer aquel hombre la relación que hubo entre él y el príncipe? Esto equivaldría a renunciar a sus riquezas y al emporio comercial del que tan regia muestra aparecía desplegada en el muelle y en el río. Y otra cosa de trascendencia todavía mayor para el mercader: significaría abandonar su carrera en medio de un éxito pasmoso y declararse a sí mismo esclavo otra vez. Nada más pensarlo un momento, una petición tal parecía una monstruosidad. Desnudándola de ropajes diplomáticos, era lo mismo que decir: «Tú eres un esclavo mío. Dame todo lo que posees, y hasta tu misma persona».

Sin embargo, la fe en sus derechos y la esperanza que ocupaba mayor espacio en su corazón daban ánimo a Ben-Hur para la entrevista. Si la historia a la que había prestado oídos era cierta, Simónides le pertenecía, con todo lo que poseyese. Haciendo honor a la justicia, sea dicho que a Ben-Hur le importaban poco las riquezas. Cuando se encaminó hacia la puerta, bien tomada su determinación, hízose una promesa a sí mismo: «Que me dé noticias de mi madre y de Tirzah, y yo le daré la libertad sin pedirle cuentas».

El interior de la casa era el de un vasto almacén dividido en ordenados departamentos en los que, cuidadosamente colocados, se amontonaban en pilas separadas géneros de todas clases. Aunque la luz era escasa y triste y el aire sofocante, los hombres iban de un lado para otro con paso vivo. En algunos sitios, vio Ben-Hur hombres armados de sierras y martillos embalando mercancías. Caminando despacio por la callejuela que formaban las pilas, preguntábase si el hombre de cuyo genio tan abundantes pruebas se le ofrecían había podido ser un esclavo de su padre. Y en caso afirmativo, ¿a qué clase perteneció? Si era judío, ¿había nacido de algún sirviente? ¿O era un deudor, o el hijo de alguno? ¿O le habían condenado por ladrón? Esta sucesión de pensamientos no alteraba lo más mínimo el respeto creciente que le inspiraba el mercader. Un respeto del que él mismo se daba cuenta cada vez con mayor claridad. Una de las características de la admiración que sentimos por otra persona es la de que busca continuamente circunstancias que la justifiquen.

Al fin se le acercó un hombre y le dirigió la palabra.

—¿Qué deseas?

—Quiero ver a Simónides, el mercader.

—¿Quieres venir por aquí?

Siguiendo un buen número de callejuelas del almacén llegaron, por último, a un tramo de escaleras, ascendiendo las cuales encontróse Ben-Hur en el techo del depósito de mercancías y delante de una construcción para describir la cual lo mejor que puede decirse es que se trataba de una casa menor, de piedra, edificada sobre otra, invisible desde el desembarcadero y sobresaliendo al oeste del puente, bajo el cielo libre. La azotea, encerrada por un muro bajo, parecíase a una terraza cuya abundancia de brillantes flores asombraba al visitante. En medio de aquel precioso cinturón asentábase la casa, simple bloque cuadrado, sin otra abertura que una entrada en la fachada. Un sendero limpio de polvo conducía hasta la puerta, por entre una doble hilera de rosales persas en plena floración. Respirando el dulce perfume de las rosas, Ben-Hur siguió al guía.

Al extremo de un oscuro pasillo interior se detuvieron delante de una cortina entreabierta.

El sirviente dijo, con voz sonora:

—Hay un extranjero que quiere ver al dueño.

Una voz clara respondió:

—Que entre, en nombre de Dios.

Al departamento en el que fue introducido el visitante un romano le habría dado el nombre de atrio. Las paredes estaban artesonadas. Cada panel formaba un compartimiento semejante a un despacho moderno y todos los compartimientos estaban llenos de folios debidamente rotulados, teñidos por el tiempo y el uso. Entre los paneles y encima y debajo de lo mismo corrían bordillos de madera, en otro tiempo blanca y ahora teñida de un color crema, trabajada en una filigrana de maravilloso dibujo. Encima de una cornisa de bolas doradas levantábase el techo a estilo de pabellón, interrumpido luego en una cúpula de poca altura formada de centenares de panes de mica violeta, que daban paso a un chorro de luz deliciosamente sedante. El suelo estaba cubierto con alfombras grises de un grosor tal que el pie que las invadía quedaba medio enterrado y no producía el menor ruido.

Bajo la luz central del aposento había dos personas: un hombre descansaba en un sillón de elevado respaldo y anchos brazos, tapizado de doblados almohadones. Y a su izquierda, apoyándose en el respaldo del asiento, una joven que era como un capullo de rosa presto a abrirse en esplendorosa mujer. Al verla, Ben-Hur sintió que la sangre sonrojaba su frente, y habiéndose inclinado, tanto para recobrar la presencia de ánimo como en señal de respeto, no pudo ver el gesto de levantar las manos, ni el estremecimiento y el movimiento de sorpresa exteriorizados por el ocupante del sillón en el momento de fijar la mirada en el recién llegado. Una emoción que se fue con la misma rapidez que se había presentado. Cuando Ben-Hur levantó los ojos, hombre y muchacha estaban en la misma posición, excepto que la mano de la muchacha había descendido y ahora descansaba sobre el hombro del inválido. Ambos le miraban fijamente.

—Si eres Simónides, el mercader, y eres judío... —Ben-Hur se interrumpió un instante—, que la paz del Dios de Abraham sea contigo y con los tuyos.

Las últimas palabras se dirigían a la joven.

—Yo soy el Simónides que dices, judío por derecho de nacimiento —respondió el hombre, con una voz singularmente clara—. Soy Simónides y soy judío, y correspondo a tu saludo, rogándote en seguida que me permitas saber quién ha venido a verme.

Mientras Ben-Hur escuchaba la respuesta, sus ojos advertían que la figura del hombre, en vez de tener la forma que corresponde a una persona sana, no era sino un montón informe hundido en las profundidades de los cojines, cubierta por una acolchada bata de seda oscura. Sobre aquella deformidad destacaba una cabeza de proporciones regias —el tipo ideal de cabeza de estadista y de conquistador—, una testa de ancha base y abovedada por delante, tal como Miguel Angel la habría modelado para su César. El blanco cabello descendía en despoblados mechones sobre las blancas cejas, acentuando la negrura de los ojos que brillaban entre ellos como luces melancólicas. La cara parecía huérfana de sangre, y la arrugaban múltiples pliegues, especialmente debajo de la barbilla. En otras palabras, aquella cabeza y aquella cara eran las de un hombre más capaz de mover al mundo que el mundo de moverle a él. Un hombre con templo suficiente para sufrir dos veces doce sesiones de tortura hasta terminar en el deforme inválido que era, sin un gemido, y mucho menos una confesión. Un hombre dispuesto a renunciar a la vida, pero jamás a un propósito, ni tampoco a una resolución. Un hombre nacido con armadura, vulnerable sólo a través de lo que amaba. Hacia él extendió Ben-Hur las manos, abiertas y con la palma hacia arriba, como ofreciéndole la paz al mismo tiempo que se la pedía.

—Yo soy Judá, hijo de Ithamar, el difunto jefe de la casa de Hur y príncipe de Jerusalén.

La mano derecha del mercader —una mano larga y delgada, que se había adaptado a copia de sufrimientos a su deformidad—, extendida fuera de la túnica se cerró con fuerza. Po lo demás, su dueño no dio la menor prueba de emoción. No hizo nada que permitiese suponer en él sorpresa ni interés alguno. No exteriorizó nada, sino esta sosegada respuesta:

—Los príncipes de Jerusalén, de sangre pura, son siempre bien venidos a mi casa. Bien venido seas tú. Dale un asiento al joven, Ester.

La muchacha cogió una otomana que había allí cerca y la llevó a donde estaba Ben-Hur. Al levantarse, después de haber colocado el asiento, los ojos de ambos se encontraron.

—La paz del Señor sea contigo —le dijo pudorosamente—. Siéntate y descansa.

La muchacha volvió a su puesto junto al sillón sin haber adivinado el objetivo del visitante. Las facultades de la mujer no llegan hasta este punto. Si se trata de sentimientos más delicados, tales como la compasión, la misericordia, la simpatía, ésos sí, los perciben. Y en ello radica una diferencia entre ella y el hombre. Una diferencia que perdurará mientras la mujer continúe siendo, por naturaleza, más sensible a los sentimientos mencionados. Con espontánea simplicidad, la joven daba por seguro que aquel joven venía a curarse una herida que su vida había sufrido.

Sin ocupar el asiento que le ofrecían, Ben-Hur dijo, con profunda deferencia:

—Ruego al buen amo Simónides que no me tome por un intruso. Subiendo ayer por el río, me enteré de que conocías a mi padre.

—Conocí al príncipe Hur. Estuvimos asociados para ciertas empresas permitidas a los mercaderes que buscan ganancias en países situados al otro lado del mar y del desierto. Pero, siéntate, te lo ruego... Ester, tráele vino al joven. Nehemías habla de un hijo de Hur que en otro tiempo gobernó la mitad de Jerusalén. ¡Vieja casa la de Hur! ¡Vieja de verdad, por nuestra fe! En los días de Moisés y de Josué, incluso hubo algunos de sus vástagos que hallaron gracia a los ojos de Dios y participaron de los honores tributados a los príncipes de los hombres. Apenas cabe suponer que su descendiente, venido en línea directa hasta nosotros, rechace un vaso de vino generoso, del auténtico vino de Sorek, criado en las faldas meridionales del Hebrón.

Cuando el discurso del mercader hubo terminado, Ester se encontraba ya delante de Ben-Hur con una taza de plata llenada de un jarrón que había encima de una mesa algo apartada del sillón. Ofrecía la bebida con la faz inclinada hacia el suelo. Ben-Hur le tocó la mano ligeramente para apartar la taza. Sus ojos se encontraron de nuevo, en cuyo instante el joven advirtió que era bajita, no le llegaba ni a la altura del hombro, pero muy graciosa y de cara hermosa y dulce, con unos ojos negros e indeciblemente suaves. «Es cariñosa y bonita —pensó—, y tiene el mismo aire que tendría Tirzah si viviera. ¡Pobre Tirzah!»

Luego dijo en voz alta:

—No, tu padre, si lo es...

—Yo soy Ester, la hija de Simónides —respondió ella, con dignidad.

—Entonces, hermosa Ester, cuando tu padre haya escuchado lo que voy a decirle no formará mala opinión de mí, aunque no me apresure a probar su vino, de famosa cosecha, como tampoco espero perder gracia ante ti. ¡Quédate aquí conmigo un momento!

Ambos jóvenes se volvieron hacia el mercader como haciendo causa común.

—¡Simónides! —dijo entonces Ben-Hur, con tristeza—. ¡Mi padre, al morir, tenía un sirviente de tu nombre, y me han dicho que aquel sirviente eres tú!

Las piernas del mercader se movieron bruscamente debajo de la túnica, y la delgada mano se crispó.

—¡Ester, Ester! —llamó, con voz severa—. ¡Aquí, no ahí, pues tú eres hija de tu madre y mía! ¡Aquí, no ahí, te digo!

La joven miró al padre y luego al visitante. Después dejó la taza sobre la mesa y se fue, obediente, al lado de su padre. En su cara se pintaban visiblemente la admiración y el temor.

Simónides levantó la mano izquierda, abandonándola en la de la muchacha, que se había apoyado amorosa en su hombro y dijo, desapasionadamente:

—He envejecido tratando con los hombres. Si el que te dijo lo que has referido era un amigo enterado de mi historia y no pasó demasiado someramente sobre ella, hubo de persuadirte de que soy un hombre que no puede por menos que desconfiar de los de su estirpe. El Dios de Israel ayude al que, al final de su vida, se ve precisado a hacer tal confesión. Son pocos los amores que tengo, pero los tengo. Uno de ellos es un alma —y aquí se llevó la mano que sostenía la suya a los labios, en un gesto inconfundible—, un alma que hasta este momento se ha entregado a mí despojado de todo egoísmo, sirviéndome de un consuelo tan grande que si me lo arrebataran me moriría.

Ester dejó caer la cabeza hasta que su mejilla estuvo en contacto con la de su padre.

—El otro amor no es sino un recuerdo. Acerca del cual añadiré que, como una bendición del Señor, abarcaba a toda una familia. ¡Y ojalá —la voz de Simónides bajó de tono y se puso temblorosa—, ojalá supiera dónde están los que la formaban!

La cara de Ben-Hur se coloreó, y dando un paso adelante gritó impulsivamente:

—¡Mi madre y mi hermana! ¡Ah, es a ella a quien te refieres!

Ester levantó la cabeza como si el joven le hubiese dirigido aquellas palabras a ella.

Pero Simónides, recobrando la calma, respondió fríamente:

—Escúchame hasta que termine. Por ser yo lo que soy, y por los amores de que te he hablado, antes de contestar a tu pregunta acerca de mis relaciones con el príncipe Hur, y como eres tú. ¿Tienes algún testimonio escrito? ¿O ha venido en persona?

La pregunta era clarísima, y el derecho a hacerla, indiscutible. Ben-Hur se sonrojó, juntó las manos, balbuceó y se volvió sin saber qué hacer.

Simónides le insistió:

—¡Las pruebas, las pruebas, digo yo! ¡Preséntamelas! ¡Depositalas en mis manos!

Ben-Hur no contestó nada. No había previsto la demanda, y ahora que se producía, se dio cuenta, como nunca se había dado, de que los tres años de galeote habían borrado y destruido todas las pruebas de su identidad. Su madre y su hermana habían desaparecido, y ningún ser humano tenía noticia de que él siguiera existiendo. Eran muchas las personas con las que estaba en relación, pero todo terminaba ahí. Si Quinto Arrio hubiese estado presente, ¿qué podría haber dicho más sino dónde lo encontró y que le creía firmemente cuando afirmaba que era hijo de Hur? Pero, como se verá luego con todo detalle, el bravo marino romano había muerto. Judá había sentido la soledad anteriormente. Ahora esta sensación penetró hasta lo más profundo e íntimo de su vida. Quedóse de pie, con las manos enlazadas, anonadado. Simónides respetó su sufrimiento y aguardo én silencio.

—Maestro Sinónides —dijo al final—, lo único que puedo hacer es contarte mi historia. Y no lo haré si tú no aplazas, entretanto, el juicio y te dignas escucharme con la mejor voluntad.

—Habla —respondió Simónides, ahora verdadero dueño de la situación—, habla y te escucharé tanto mejor dispuesto cuanto que yo no he negado que seas la persona que afirmas ser.

Ben-Hur tomó la palabra y narró su vida apresuradamente, aunque con ese sentimiento que es la fuente de la elocuencia. Pero como nosotros ya la conocemos hasta el momento en que desembarcó en Misenum, en compañía de Arrio, regresando victorioso del Egeo, en este punto recogeremos sus palabras.

—Mi benefactor se ganó el aprecio y la confianza del emperador, que le colmó de honrosas recompensas. Los comerciantes del Este contribuyeron también con magníficos regalos. De modo que vino a ser doblemente rico entre los más opulentos de Roma. ¿Es posible que un judío olvide su religión o el país donde nació, siendo éste la Tierra Santa de nuestros padres? El buen hombre me adoptó por hijo, según todas las formalidades legales, y yo me esforcé en corresponderle justamente. Ningún hijo cumplió más fielmente sus deberes con un padre verdadero que yo con él. Quiso hacerme estudiar arte, filosofía, retórica, oratoria. Me habría proporcionado el maestro más famoso. Decliné sus insistentes ofrecimientos porque yo era judío y no podía olvidar al Señor mi Dios, ni la gloria de los profetas, ni la ciudad edificada en los montes por David y Salomón. Ah, pregúntame por qué no acepté ninguno de los favores del romano. En primer lugar, le amaba. Pensé, además, que con su ayuda podría reunir influencias que me permitiesen un día desvelar el misterio que rodeaba por completo la suerte corrida por mi madre y mi hermana. Y a todos estos motivos todavía se añadía otro del cual no quiero hablar. Diré solamente que me dominaba de tal modo, que me entregué al manejo de las armas y la adquisición de los conocimientos que se consideran esenciales para dominar a fondo el arte de la guerra. En la palestra y en los circos de la ciudad, me esforcé sin descanso, y no menos en los campamentos, y en todos ellos soy conocido, pero no con el nombre de mis padres. Las coronas que gané (y las paredes de una villa de las afueras de Misenum sostiene muchas), todas fueron concedidas al hijo de Arrio, el duunviro. Únicamente en calidad de tal soy conocido entre los romanos. Siempre persiguiendo tenazmente mi secreto objetivo, dejé Roma y me vine a Antioquía, con la intención de acompañar al cónsul Majencio en la campaña que está organizando contra los partos. Ya maestro en el manejo individual de todas las armas, busco ahora los más elevados conocimientos relativos a la dirección de los cuerpos militares en el campo de batalla. El cónsul me ha admitido como un miembro más de su familia militar. Pero ayer, cuando nuestro barco entraba en el Orontes, otros dos pasaron junto al nuestro desplegando banderas amarillas. Un compañero de viaje y paisano nuestro de Chipre explicó que aquellos navíos pertenecían a Simónides, el primero de los mercaderes de Antioquía; nos dio también noticias de tal comerciante, de sus maravillosos éxitos en los negocios, de sus flotas y caravanas, y del continuo ir y venir de las mismas, e ignorando que todo ello me interesaba mucho más que a los otros oyentes, dijo que Simónides era judío y que en otro tiempo fue un sirviente del príncipe de Hur, y tampoco se calló las crueldades de Graso, ni qué fin habían pretendido conseguir.

Ante esta alusión, Simónides inclinó la cabeza, y la hija, como para ayudarle a esconder sus sentimientos, disimulando al mismo tiempo la profunda compasión que la conmovía, escondió la cara en el cuello de su padre. Éste levantó en seguida los ojos, y dijo con voz clara:

—Te escucho.

—¡Oh, buen Simónides! —exclamó entonces Ben-Hur, dando un paso adelante, mientras toda su alma buscaba la manera de expresarse—. Veo que no quedas convencido y que sigo envuelto todavía en las sombras de tu desconfianza.

El mercader mantuvo los rasgos de su cara inmóviles como el mármol, y su lengua permaneció quieta.

—Y veo no menos claramente la difícil situación en que me encuentro —prosiguió Ben-Hur—. Todo lo referente a mí que esté relacionado con los romanos puedo probarlo; me bastaría visitar al cónsul, huésped actualmente del gobernador de la ciudad; pero no puedo probar que sea hijo de mi padre. Los que podrían ayudarme a ello, ¡ay de mí!, han muerto o no se sabe dónde se encuentran.

Ben-Hur se cubrió la cara con las manos, en cuyo momento Ester se levantó y, acercándole la rechazada copa, le dijo:

—¡Este vino es del país que todos amamos tanto! ¡Bébelo, te lo ruego!

Su voz sonaba tan dulce como la de Rebeca, ofreciendo de beber en el pozo cercano a la ciudad de Nahor; el joven vio que sus ojos estaban bañados de lágrimas, y bebió, diciendo:

—Hija de Simónides, tu corazón está lleno de bondad; muy generosa eres al dejarme compartir este vino con tu padre. ¡Que nuestro Dios te bendiga! Yo te doy las gracias.

Luego se dirigió otra vez al mercader:

—No poseyendo pruebas de que sea el hijo de mi padre, retiraré la demanda que te había hecho, oh, Simónides, y saldré de aquí para no molestarte más. Permíteme decir solamente que no pensaba hacerte volver a la servidumbre ni pedirte cuentas de tu fortuna. En cualquier circunstancia habría dicho, como ahora digo, que todos los frutos de tu trabajo y de tu genio te pertenecen. Guárdalos en buena hora. No necesito parte alguna de ellos. Cuando el buen Quinto, mi segundo padre, se hizo a la mar para el que fue su último viaje, me declaró heredero suyo, dejándome una fortuna principesca. Por lo cual, si vuelves a pensar en mí, que sea recordando esta pregunta, que por los profetas y por Jehová, Dios tuyo y mío, juro era mi objetivo principal el venir aquí. ¿Qué sabes? ¿Qué puedes decirme de mi madre, y de Tirzah, mi hermana, la que estaría en la plenitud de su belleza y de su gracia, lo mismo que esta joven, dulzura de tu vida, si no tu vida misma? Oh, ¿qué puedes contarme de ellas?

Las lágrimas corrían por las mejillas de Ester. Pero el hombre era obstinado. Con voz clara, respondió:

—He dicho ya que conocía al príncipe Ben-Hur. Recuerdo que me enteré de la desgracia que sobrevino a su familia. Recuerdo la amargura que esta noticia me causó. La misma que abrumó con tan grandes calamidades a la viuda de mi amigo, se ha cebado desde entonces en mí, y con idéntico espíritu. Iré más allá y te diré que he realizado diligentes indagaciones en relación a tu familia. Pero... no puedo decirte nada de ellas. Ha desaparecido.

Ben-Hur exhaló un gran gemido.

—¡Entonces..., entonces, otra esperanza arruinada! —exclamó, luchando con sus sentimientos—. Estoy habituado a las desilusiones. Te ruego perdones que me haya presentado a ti, y si te he causado alguna molestia dispénsame en atención a mi pena. Ahora no le queda a mi vida ningún otro objetivo que la venganza. Adiós.

Al llegar a la cortina, volvióse un momento y dijo sencillamente:

—Os doy las gracias a los dos.

—La paz te acompañe —respondió el comerciante.

Ester no pudo hablar. Sollozaba.

Y así se marchó Ben-Hur.

CAPÍTULO IV

SIMÓNIDES Y ESTER

Apenas hubo salido Ben-Hur, Simónides pareció despertar de un sueño. Su rostro se coloreó, la luz mortecina de sus ojos adquirió brillo, y dijo animadamente:

—¡Pronto, Ester! ¡Llama!

La joven se acercó a la mesa y agitó la campanilla para la servidumbre.

Uno de los paneles del muro giró, dejando a la vista una entrada por la que penetró un hombre que dio un rodeo hasta encontrarse delante del mercader, al cual saludó con una ligera reverencia.

—Malluch, aquí, más cerca, junto al sillón —dijo el dueño, en tono imperioso—. Debo encargarte una misión que no puede fracasar, aunque el sol dejara de seguir su curso. ¡Escucha! En estos momentos baja al almacén un joven alto, gallardo, vistiendo el traje de Israel. Síguele, que su propia sombra no sea más tenaz y fiel. Y todas las noches envíame una relación de dónde está, qué hace, con quién se acompaña. Y si, sin ser descubierto, escuchas su conversación, repítemela palabra por palabra, junto con todo lo que sirva para poner al descubierto su personalidad, sus hábitos, sus móviles, su vida. ¿Comprendes? ¡Ve pronto! Un momento, Malluch: si sale de la ciudad, ve tras él. Y fíjate bien, Malluch, pórtate como un amigo. Si te dirige la palabra, dile lo que quieras y mejor cuadre con la ocasión, excepto que estás a mi servicio; de esto, ni una palabra. ¡Pronto, date prisa!

El hombre saludó como antes y se fue.

Simónides se frotó las fláccidas manos y se puso a reír.

—¿Qué día es, hija? —preguntó en medio de sus carcajadas—. ¿Qué día es? Deseo recordarlo, porque ha llegado la felicidad. Míralo, búscalo riendo y, riendo, dímelo, Ester.

El regocijo le pareció antinatural a la hija, la cual, como para alejar a su padre de semejante estado de ánimo, contestó pesarosa:

—¡Ay de mí, padre, ojalá olvidase yo este día!

Las manos de Simónides cayeron al instante, y su barbilla, descendiendo hasta el pecho, desapareció, disimulada entre los pliegues que formaban la parte inferior de su rostro.

—¡Cierto, muy cierto, hija mía! —respondió sin levantar los ojos—. Hoy es el vigésimo día del mes cuarto. Hoy hace cinco años que Raquel, tu madre, se desplomó y murió. A mí me trajeron a casa destrozado como me ves, y a ella la encontraron muerta de dolor. ¡Ah, ella era para mí como un bosquecillo de alcanfores en las viñas de En-Gedi! Yo he amasado mi mirra con mis especias. Con mi panal he comido mi miel. La enterramos en un lugar solitario. En una tumba abierta en la montaña, sin nadie en sus cercanías. No obstante, en medio de la oscuridad me dejó una lucecita, a la que los años han dado la luminosidad de la mañana. —El mercader levantó la mano y la posó sobre la cabeza de su hija—. ¡Dios de amor, te doy las gracias porque la Raquel que perdí vive ahora de nuevo en mi Ester!

Un instante después, levantó la cabeza y dijo, como animado por un pensamiento repentino:

—¿No es pleno día fuera?

—Lo era cuando entró el joven.

—Pues haz que venga Abimelech y me lleve al jardín, donde pueda ver el río y los barcos, y te contaré, querida Ester, por qué hace un momento nada más la risa abría mis labios y llenaba mi lengua de canciones, y mi espíritu se parecía a un corzo o a un ciervo joven brincando por las montañas de las especias.

Obedeciendo a la llamada de la campanilla, entró un criado, y a una orden de la muchacha empujó la silla, provista de unas ruedecitas para tal fin, sacándola del aposento y llevándola a la azotea de la casa inferior, llamada por Simónides su jardín. Por entre los rosales y los parterres de otras flores menores, fruto y triunfo de un amoroso cuidado, pero que ahora no atraían la atención de su dueño, fue situado éste en un lugar desde el cual podía ver las cimas de los palacios de la isla levantándose frente a él, el puente empequeñeciéndose en la perspectiva hasta la lejana orilla, y bajo del puente, el río poblado de naves, todas nadando en medio de los esplendores de sol matinal sobre las rizadas aguas. Allí le dejó el criado en compañía de Ester.

Los continuos gritos de los trabajadores, sus golpes y martillazos no le molestaban más ni menos que las pisadas de los transeúntes sobre el piso del puente, casi encima misma de su cabeza, siendo tan familiares para sus oídos como la perspectiva que tenía delante para sus ojos. Por lo cual le pasaban inadvertidos, excepto en lo que tenían de heraldos y promesas de futuras ganancias.

Ester estaba sentada en el brazo del sillón, acariciando su mano y aguardando sus palabras, que vinieron, al fin, cuando la poderosa voluntad de su padre le hubo hecho volver a ser el mismo de siempre, con su hablar sosegado característico.

—Mientras el joven estaba hablando, yo te observaba a ti, Ester, y pensaba que te dejabas vencer por él.

La joven bajó los ojos al contestar:

—Para decirte la verdad, padre, le creí.

—¿A tus ojos es, pues, el perdido hijo del príncipe de Hur?

—Si no lo es... —la joven vaciló.

—¿Qué, si no lo es, Ester?

—He sido tu doncella, padre, desde que mi madre acudió a la llamada de Dios. Siempre a tu vera, te he visto y oído negociar sabiamente con toda clase de hombres, píos e impíos, buscando provechos. Y ahora te digo ciertamente que si el joven no es el príncipe que pretende ser, entonces jamás la falsedad ha representado tan bien delante de mí el papel de la verdad más estricta.

—Por la gloria de Salomón, hija, has hablado con gran convicción. ¿Crees tú que tu padre fue el siervo del suyo?

—He entendido que te lo preguntaba como una cosa que sólo sabía de oídas.

La mirada de Simónides se entretuvo un rato entre sus nadadores barcos, si bien la imagen de los mismos no se grababa en su mente.

—Ea, Ester, eres una buena hija, con una perspicacia genuinamente judía y con años y energías suficientes para escuchar un penoso relato. Préstame, pues, atención, y te hablaré de mí, de tu madre y de muchas cosas del pasado que tú no sabes, ni has imaginado ni siquiera en sueños. Cosas que escondí a los romanos perseguidores para no malbaratar una esperanza, y a ti también para que tu espíritu creciera en dirección a Dios tan erguido como crece la caña hacia el sol. Yo nací en una tumba en el valle de Hinnom, en la parte sur de Sión. Mis padres eran siervos hebreos, al cuidado de los olivos y las higueras que, junto con muchas cepas, crecían en el Jardín del Rey, muy cerca de Siloam, y en mi niñez yo les ayudaba. Pertenecían a la clase de los que están sujetos a la servidumbre a perpetuidad. A mí me vendieron al príncipe Hur que, después de Herodes, era entonces el hombre más rico de Jerusalén. El príncipe me sacó del jardín y me transfirió a su almacén de Alejandría, en Egipto, donde me hice mayor. Le serví seis años, y en el séptimo, según la ley de Moisés, quedé libre.

Ester palmoteó alegremente.

—¡Ah, entonces no eres ya siervo de su padre!

—No, hija, escucha. En aquellos tiempos había en los claustros del Templo abogados que disputaban con vehemencia, sosteniendo que los hijos de los que estaban sujetos a la servidumbre por toda la vida heredaban la condición de sus padres. Pero el príncipe Hur era un hombre justo con todas las cosas, e interpretaba la ley según las normas de la secta más estricta, por lo cual no hacía caso alguno de las pretensiones de los abogados. Decía que yo era un siervo comprado, en el verdadero sentido de las palabras del gran legislador, y, mediante escritos sellados, que todavía conservo, me concedió la libertad.

—¿Y mi madre? —preguntó Ester.

—Todo lo sabrás, hija mía, ten paciencia. Antes no haya terminado, verás que primero me habría olvidado de mí mismo que de tu madre. Al cumplirse el término de mi servidumbre, subí por la Pascua a Jerusalén. Mi dueño me obsequió. Yo, que le tenía mucho afecto, le pedí que me dejase continuar a su servicio. Él lo admitió, y le serví todavía otros siete años, pero ahora como un hijo de Israel contratado. En representación suya hube de afrontar los riesgos de los barcos en el mar, y los peligros de la tierra mandando caravanas a Susa, a Persépolis y a los países de la seda, que se encuentran todavía más allá. En verdad que eran empresas arriesgadas, hija mía, pero el Señor bendijo todo lo que emprendí. Traje a casa grandes ganancias para el príncipe, enriqueciendo al mismo tiempo mis conocimientos con datos y noticias sin los cuales no habría podido desempeñar con éxito los cargos que luego han caído sobre mí. Un día era huésped suyo en su casa de Jerusalén. Una sirvienta entró trayendo unas rebanadas de pan en una bandeja, y vino primero hacia mí. Entonces fue cuando vi a tu madre, me enamoré de ella y me la llevé en el secreto de mi corazón. Al cabo de un tiempo fui a ver al príncipe para hacerla mi esposa. Él me dijo que estaba sujeta a servidumbre a perpetuidad, pero que si ella lo deseaba la declararía libre, a fin de que yo quedara satisfecha. Ella correspondió a mi amor con el suyo, pero vivía feliz donde estaba y rechazó la libertad. Yo rogué y supliqué, yendo repetidas veces a verla después de largos períodos de ausencia. Ella decía siempre que estaba dispuesta a ser mi esposa con tal que yo me convirtiera en su compañero de servidumbre. Nuestro padre Jacob sirvió otros siete años por su Raquel. ¿No podía hacer yo otro por la mía? Pero tu madre dijo que tenía que sujetarme como ella a ser siervo para siempre. Yo me marché, pero volví. Mira, Ester, mira aquí.

Simónides le presentó el lóbulo de la oreja.

—¿No ves la huella de la lezna?

—Sí, la veo —exclamó la joven—. ¡Ah, cómo amaste a mi madre!

—¡Amarla, Ester! Ella era para mí más que la Sulamita para el rey cantor: más bella, más inmaculada, una fuente de los jardines, un manantial de agua viva, mil arroyos del Líbano. El dueño, cediendo a mis súplicas, me llevó ante los jueces y me clavó la oreja con la lezna a la puerta de su casa. Así pasé a ser su siervo para toda la vida. De este modo conquisté a mi Raquel. ¿Y hubo alguna vez un amor como el mío?

Éste se inclinó para besarla. Ambos permanecieron un rato callados, pensando en la muerta.

—Mi amo pereció ahogado en el mar. Fue la primera pena que me hirió —prosiguió el mercader—. Hubo muchos días de luto en su casa, y también en la mía, aquí en Antioquía, que era donde vivía entonces. ¡Y ahora fíjate bien, Ester! Cuando desapareció el príncipe, yo era su mayordomo principal. Todo lo que poseía estaba bajo mi dirección y gobierno. ¡Juzga tú hasta qué punto me apreciaba y cuánta confianza me tenía! Yo corrí a Jerusalén a rendir cuentas a la viuda, la cual me confirmó en mi cargo. Entonces me apliqué a cumplir la misión que tenía encomendada con mayor diligencia. El negocio crecía y prosperaba un año tras otro. Diez años transcurrieron, y luego se descargó el terrible golpe que has oído contar al joven visitante: el accidente, según lo ha llamado él, que le ocurrió al procurador Graco. El romano lo tomó como un intento de asesinarle y bajo este pretexto, con la venia de Roma, confiscó y se apropió la inmensa fortuna de la viuda y los hijos. Y no se contentó con esto. A fin de que no pudiera revocarse la sentencia, trasladó a todas las partes interesadas. Desde aquel aciago día hasta el de hoy, nada se ha sabido de la familia de Hur. El hijo, al cual había visto yo de niño, fue condenado a galeras. Se supone que a la viuda y a su hija las encerraron en uno de los muchos presidios de Judea, los cuales, en cuanto se han cerrado sobre los sentenciados, son lo mismo que sepulcros sellados. Su recuerdo se borró de la mente de los hombres tan por completo como si el mar los hubiera tragado lejos de las miradas de la gente. No pudimos saber cómo murieron. No, ni siquiera supimos si habían muerto.

Ester tenía los ojos húmedos de lágrimas.

—Tiene buen corazón, Ester. Bueno como el de tu madre. Y yo ruego a Dios que no corra la suerte de la mayoría de los corazones buenos: la de ser pisoteado por los ciegos y los despiadados. Pero, escucha todavía. Yo fui a Jerusalén con objeto de ayudar a mi dueña, y en la puerta de la ciudad me cogieron y me llevaron a las celdas subterráneas de la Torre Antonia. El motivo no lo supe hasta que Graco en persona vino a verme y me reclamó el dinero de la casa de Hur, sabiendo que, según las normas de cambio que regían entre nosotros los judíos, yo podía retirar fondos en diferentes mercados del mundo. Al requerirme para que firmara la orden, me negué. Él tenía las casas, los terrenos, los géneros, los barcos y todos los bienes muebles de las personas a las cuales yo servía, pero no tenía el dinero. Y comprendí que si conservaba la gracia a los ojos del Señor, podría reconstruir su destrozada fortuna. Me negué repetidamente a las demandas del tirano. Él me sometió a tormento. Mi voluntad no flaqueó, y Graco tuvo que dejarme libre sin haber conseguido nada. Yo me vine a casa y empecé de nuevo, comerciando a nombre de Simónides de Antioquía, en lugar de hacerlo con el del príncipe Hur de Jerusalén. Tú sabes, Ester, de qué modo he prosperado, cómo han aumentado maravillosamente en mi manos los millones del príncipe. Sabes también que al cabo de tres años, cuando me dirigía a Cesárea, Graco me cogió por segunda vez y por segunda vez me dio tormento para obligarme a confesar que mis géneros y dinero estaban sujetos a la orden de confiscación, y sabes que fracasó lo mismo que antes. Con el cuerpo destrozado regresé a casa y encontré a mi Raquel muerta de tanto temer y sufrir por mí. El Señor, nuestro Dios, reinaba y yo vivía. Del mismo emperador conseguí permiso e inmunidad para comerciar por todo el mundo. Hoy en día (¡bendito sea Aquel que tiene las nubes por carroza y camina sobre los vientos!), hoy en día, Ester, lo que quedó bajo mi administración y custodia se ha multiplicado en un número de talentos suficientes para enriquecer a un César.

Simónides levantó la cabeza, orgulloso. Los ojos de padre e hija se encontraron, y cada uno leyó el pensamiento del otro.

—¿Qué debo hacer con el tesoro, Ester? —preguntó el primero, sin bajar la vista.

—Padre mío —respondió la joven, en voz queda—, ¿no te lo ha pedido hace sólo un momento su legítimo dueño?

Simónides siguió sin bajar la mirada.

—¿Y tú, hija mía? ¿Te dejaré en la indigencia?

—No, padre, siendo tu hija, ¿no soy también su sierva de por vida? ¿Y de quién escribieron: «La energía y el honor son sus vestiduras, y su alma se alborozará en tiempos venideros»?

Un destello de amor inefable iluminó la faz del mercader al contestar:

—El Señor ha sido bueno conmigo de muchas maneras. Pero tú, Ester, eres el más excelente y soberano de todos los favores que me ha concedido.

Y la estrechó contra su pecho y la llenó de besos.

—Escucha ahora —dijo entonces con voz más clara—, escucha por qué reía esta mañana. En aquel joven he creído ver la aparición de su padre en lo mejor de su juventud. Mi espíritu se levantaba para saludarle. Sentía que mis días de pruebas y trabajos habían terminado. Me ha costado un esfuerzo no ponerme a gritar en voz alta. Me moría de ganas de cogerle de la mano, enseñarle el saldo de lo que he ganado y decirle: «¡Mira, todo esto es tuyo! Y yo soy tu siervo, presto ahora a ser relevado». Y así lo habría hecho. Ester, así lo habría hecho, sino que en aquel momento tres pensamientos han venido a detenerme.

Quiero estar seguro de que es el hijo de mi amo. Tal ha sido el primer pensamiento. Si lo es, quiero saber algo de su natural. Piensa, Ester, cuántos hay entre los que han nacido en la opulencia para los cuales las riquezas no son sino maldiciones que los desencaminan.

El anciano hizo una pausa. Sus manos se cerraron y luego en su voz vibró la nota de la pasión, al continuar su relato:

—Considera, Ester, los dolores que he sufrido en manos de los romanos, no únicamente en las de Graco, no. Los desalmados miserables que cumplían sus órdenes la primera vez y la última eran romanos, y todos por igual se reían al oír mis alaridos. Considera mi destrozado cuerpo y los años que hace que no tengo la estatura que tenía. Piensa en tu madre enterrada en aquella solitaria tumba, su alma destrozada como lo está mi cuerpo. Considera los sufrimientos de los miembros de la familia de mi amo, si todavía viven, y la crueldad que significa haberlos borrado del mundo de los vivos, si han muerto. Considéralo todo, e iluminada por el amor del Cielo, dime hija, ¿no ha de caer ni un caballo, no ha de correr una roja gota en expiación? No me digas, como a veces suelen los predicadores, no me digas que la venganza le pertenece al Señor. ¿Acaso en el castigo como en el amor no cumple su voluntad por medio de instrumentos suyos? ¿No tiene hombres de guerra en mayor número que profetas? ¿No ha dictado Él la ley: ojo por ojo, mano por mano, diente por diente? ¡Ah! ¿No he soñado todos estos años en la venganza, rogando y preparándome para el día de descargarla? ¿No me ha dado paciencia ver cómo crecía mi caudal, pensando y prometiéndome, tan cierto como que el Señor vive que un día había de servirme para castigar a los malhechores? Y cuando, hablando de su entrenamiento en el manejo de las armas, el joven ha dicho que se adiestraba para un fin que no quería declarar, yo he dicho cuál era mientras él seguía todavía en el uso de la palabra: ¡la venganza! Éste ha sido, Ester, éste ha sido el tercer pensamiento que me ha hecho permanecer impasible y duro todo el rato que él ha estado suplicando y ha llenado mis labios de risas cuando se ha marchado.

Ester acarició las marchitas manos, y como si su espíritu se uniese al de su padre adelantándose en el futuro para inquirir lo que traería, dijo:

—El joven se ha marchado. ¿Volverá otra vez?

—Sí; Malluch, el fiel Malluch va con él, y le traerá de nuevo cuando yo esté preparado.

—¿Y cuándo será esto, padre?

—No tardará mucho, no tardará mucho. Él cree que todos los testigos han muerto. Pero hay uno que sigue con vida y que no dejará de reconocerle, si es realmente el hijo de mi amo.

—¿Su madre?

—No, hija, yo cuidaré de ponerle ese testigo delante. Hasta entonces, dejemos que el asunto repose en las manos del Señor. Estoy cansado. llama a Abimelech.

Ester llamó al criado, y entraron de nuevo en la casa.

CAPÍTULO V

EL BOSQUE DE DAFNE

Al salir del inmenso almacén, atormentaba a Ben-Hur la idea de que tenía que añadir un nuevo fracaso a los numerosos que había cosechado ya en la búsqueda de sus familiares. Y tal pensamiento le hacía sentir una depresión exactamente en proporción al inmenso cariño que tenía a las que constituían el objetivo de sus pesquisas. Como si un espeso velo le rodease, experimentaba la sensación de hallarse completamente solo en la tierra, y esta sensación, más que ninguna otra cosa, arrebata al alma abatida todo el interés que la vida pudiera inspirarle aún.

Pasando entre los hombres y las pilas de mercancías, salió a la orilla del desembarcadero, sintiendo la tentadora atracción de las frescas sombras que oscurecían las profundidades del río. La perezosa corriente parecía detenerse, aguardándole. Contrarrestando tal estado de ánimo, por su mente cruzó el refrán del viajero: «Mejor ser gusano y alimentarse en los morales de Dafne, que huésped de un rey». Girando sobre sus talones, Ben-Hur salvó a buen paso el embarcadero y regresó al *khan*.

—¡El camino de Dafne! —exclamó el marinero, sorprendido de la pregunta que hacía Ben-Hur—. ¿No habías estado aquí nunca? Pues considera este día como el más dichoso de tu vida. No puedes equivocarte. La primera calle que encontrarás a la izquierda, la cual marcha en dirección sur, conduce directamente al Monte Sulpio, coronado por el altar de Júpiter y el Anfiteatro. Síguela hasta la tercera calle transversal, conocida por Columnata de Herodes. Dobla allí hacia la derecha, y sigue sin variar atravesando la ciudad antigua de Seleuco hasta las puertas de bronce de Epifanes. Allí empieza el camino de Dafne. ¡Que los dioses te guarden!

Después de dar unas órdenes en relación a su equipaje, Ben-Hur se puso en movimiento.

La Columnata de Herodes la encontró fácilmente. De allí hasta las puertas de bronce anduvo siempre por debajo de una arcada contigua de mármol, confundido entre una multitud compuesta por gente de todas las naciones activas de la Tierra.

Era casi la hora cuarta del día cuando cruzó la puerta, y se encontró formando parte, como uno más, de una procesión al parecer interminable que se dirigía hacia el famoso Bosque. El camino estaba dividido en secciones separadas para peatones, para jinetes y para los que iban en carrozas. Y cada una de ellas estaba partida en dos: una para los que iban y otra para los que venían. Bajas balaustradas, interrumpidas por macizos pedestales, muchos de ellos adornados con estatuas, señalaban las líneas divisorias. A derecha e izquierda del camino extendíanse taludes de césped esmeradamente cultivado, realzado a trechos por grupos de encinas y sicómoros y pabellones de verano vestidos de parras para alojar a los fatigados, de los cuales, en la mitad de la senda reservada a los que regresaban, había siempre grandes multitudes. El piso destinado a los peatones estaba pavimentado con losas rojas. El destinado a los que iban montados estaba cubierto de arena bien apisonada, pero no tan compacta y sólida que devolviese el eco de los cascos o de las ruedas. Era pasmoso el número y variedad de fuentes que manaban, todas ellas regalos de reyes visitantes, y todas atrayendo poderosamente al viajero. La magnífica avenida se prolongaba en dirección suroeste hasta las puertas del Bosque, a una distancia de algo más de cuatro millas de la ciudad.

Absorto en su tristes pensamientos, Ben-Hur apenas se fijaba en la regia liberalidad que había presidido la construcción de aquella avenida. No prestaba más atención, al principio, a la multitud que iba con él. De la misma indiferencia hacía objeto a las comitivas procesionales. A decir verdad, aparte del ensimismamiento que le poseía, no sentía Ben-Hur ni vestigio de la complacencia de un romano visitando las provincias, recién salido de las ceremonias que se arremolinaban diariamente una y otra vez alrededor de la columna de oro levantada por Augusto como centro del mundo. Las provincias no podían ofrecer nada nuevo o superior. Más bien aprovechaba toda oportunidad de cruzar por entre los grupos que marchaban en la misma dirección, aunque demasiado despacio para su impaciencia. A tiempo que llegaba a Heracleia, una población suburbana entre la ciudad y el Bosque, un tanto agotado por el ejercicio, empezó a sentirse asequible a las distracciones. En determinado momento llamó su atención una hermosa mujer que conducía un par de cabras. Mujer y cabras adornadas con igual esplendor de cintas y flores. Luego se paró a mirar un buey de poderoso cuerpo y blancura de nieve, cubierto de sarmientos recién cortados y llevando dentro de un cesto, sobre su ancho lomo, a un niño desnudo, imagen del joven Baco, exprimiendo dentro de una copa el zumo de las uvas maduras y bebiéndolo en medio de los ritos de la libación.

Al reanudar la marcha se preguntaba qué altares irían a enriquecer aquellos dones. Un caballo pasó por su lado con las crines cortadas, según la moda de la época. Su jinete vestía con lujo soberbio. Ben-Hur sonrió al observar el orgullo que animaba conjuntamente al hombre y al animal. Después de esto, se volvía con frecuencia al oír el rodar de los vehículos y las pisadas ahogadas de los cascos. Sin darse cuenta, se interesaba paulatinamente por los estilos de las carrozas y de sus ocupantes, mientras pasaban por su vera, yendo y viniendo. Y no se pasó mucho rato sin que empezara a tomar nota de las personas que había a su alrededor. Observó que las había de todas las edades, sexos y condiciones, y que todas iban con traje de fiesta. Una comitiva vestía uniformada de blanco, otra de negro. Unos llevaban banderas, otros incensarios humeantes. Unos andaban despacio, cantando himnos; otros caminaban al ritmo de la música de flautas y panderetas. Si el camino estaba igual todos los días del año, ¡qué maravillosos cuadros había de ofrecer Dafne! Al final, las manos se pusieron a aplaudir y un estallido de gritos gozosos siguió al movimiento de multitud de dedos que se levantaban señalando. Ben-Hur miró y vio sobre la cresta de un monte la puerta en forma de templete del consagrado Bosque. Los himnos arreciaron hasta convertirse en torrentes de voces. La música acelero su compás. Y llevado por la impetuosa corriente y compartiendo el afán general, el joven judió entró, y estando, como estaban, sus gustos romanizados, quedóse prendado inmediatamente de aquel lugar.

Al otro lado de la construcción que adornaba el camino de entrada —una columna puramente griega— paróse sobre una ancha explanada pavimentada con pulidas losas. A su alrededor, una multitud inquieta y alborotadora destacaba sobre el iridiscente rocío que se levantaba de las fuentes con blancura de cristal. Delante de él, unos senderos limpios de polvo se abrían en abanico hacia el sur, internándose en un jardín y luego en una selva, sobre la cual descansaba un velo de vapor azul pálido. Ben-Hur miraba pensativo, indeciso, sin saber adónde ir.

En aquel momento, una mujer exclamaba:

—¡Muy hermoso! Pero ¿adónde iremos ahora?

Su compañero, que llevaba una corona de laurel, le contestó riendo:

—¿Adónde ir, bárbara hermosa? La pregunta revela un temor pueril. ¿No acordamos que al salir de Antioquía dejaríamos atrás, sobre la tierra ingrata, todas las zozobras y ansiedades de este mundo? Los vientos que soplan aquí son el aliento de los dioses. Aspiremos su perfume a pleno pulmón.

—Pero ¿y si nos extraviamos?

—¡Oh, la tímida! Nadie se perdió jamás en Dafne, excepto aquellos sobre los cuales se cierran para siempre sus puertas.

—¿Quiénes son? —preguntó ella, todavía miedosa.

—Los que se han dejado ganar por los encantos de estos lugares y han decidido vivir y morir aquí. ¡Oye! No nos movamos de aquí y te los enseñaré.

Sobre el pavimento de mármol se oyeron los pasos precipitados de unos pies calzados de sandalias. La multitud se abrió dejando paso, y un grupo de muchachas vino corriendo a rodear al hombre que había hablado y a su bella amiga, empezando a cantar y a bailar al son de las panderetas que ellas mismas tocaban. La mujer, asustada, se arrimó al hombre, que la rodeó con un brazo, mientras, con cara de regocijo, su otra mano levantaba en alto y la movía al compás de la música. El cabello de las bailarinas flotaba suelto, y a través de la túnica de gasa que apenas las cubría entreveíanse las sonrosadas formas de sus piernas. Es imposible expresar con palabras la voluptuosidad de aquella danza. Después de un breve giro, huyeron raudas por entre la creciente multitud, con la misma ligereza que habían venido.

—¿Y ahora qué opinas? —le gritó el hombre a la mujer.

—¿Quiénes son? —preguntó ésta.

—Devadasi, sacerdotisas consagradas al Templo de Apolo. Hay un verdadero ejército de ellas. En las solemnidades forman el coro. Éste es su hogar. A veces se alejan hasta otras ciudades, pero todo lo que recogen lo traen acá para enriquecer la casa del músico divino. ¿Nos iremos ahora?

Un minuto después habían desaparecido.

La seguridad de que en Dafne no se perdía nadie tranquilizó a Ben-Hur, y él también se puso a caminar, sin saber hacia dónde.

Lo primero que atrajo su atención fue una escultura erguida sobre un pedestal del jardín. Resultó ser la estatua de un centauro. Una inscripción enteraba al visitante indocto que representaba precisamente a Quiron, el bien amado de Apolo y Diana, al cual habían instruido ambos en los misterios de la caza, la medicina, la música y la profecía. Pedía, asimismo, la inscripción al extranjero que a determinada hora de una noche clara levantase los ojos a cierto punto del cielo, y vería al muerto viviendo entre las estrellas, adonde había trasladado Júpiter a los genios benéficos.

No obstante, el más sabio de los centauros continuaba al servicio del género humano. En la mano sostenía un rollo de pergamino sobre el que se leían, escritos en griego, unos párrafos de una advertencia:

¡Oh, viajero!
¿Eres extranjero?

I. Escucha el canto de los arroyos y no temas la lluvia de las fuentes, y de este modo las náyades aprenderán a amarte.
II. Las brisas invitadas a frecuentar Dafne son Céfiro y Auster; amables ministros de vida, ellas reunirán para ti delicadas dulzuras. Cuando sopla Euro, Diana está en alguna otra parte cazando. Cuando arrecia Boreas, ve a esconderte, porque Apolo está enojado.
III. Las sombras del Bosque son tuyas durante el día. De noche pertenecen a Pan y a sus Dríadas. No los molestes.
IV. Come con parquedad los lotos de las orillas de los arroyos, a menos que quieras perder la memoria, con lo cual te convertirías en un hijo de Dafne.
V. Da un rodeo cuando encuentres a la araña tejiendo: es Arachne trabajando por Minerva.
VI. Si quisieras contemplar las lágrimas de Dafne, corta un solo brote de una mata de laurel y muere.

¡Pon atención!
Y quédate y sé feliz

Ben-Hur dejó que los que se apiñaban a su alrededor cuidasen de interpretar la mística advertencia y se alejó de allí en el momento que pasaba el toro blanco. El muchacho continuaba sentado en el cesto, seguido de una procesión, detrás de la cual venía otra vez la mujer de las cabras, y detrás de ésta, las tocadoras de flautas y panderetas, y otra comitiva de gentes que traían ofrendas.

—¿Adónde van? —preguntó un espectador.

Otro le respondió:

—El toro va destinado al Padre Júpiter. La cabra...

—¿No apacentó un tiempo Apolo los rebaños de Admeto?

—¡Sí, la cabra es para Apolo!

Otra vez hemos de apelar a la benevolencia del lector para introducir una explicación. Después de haber tenido mucho trato con personas de credo distinto al nuestro, adquirimos cierta facilidad de adaptación en asuntos religiosos. Poco a poco descubrimos la hermosa verdad de que todos los credos cuentan con la adhesión de hombres buenos que merecen todos nuestros respetos, pero a los cuales no podemos respetar si no sabemos mostrarnos corteses con sus creencias. Ben-Hur había llegado a esta fase. Ni los años pasados en Roma ni los vividos en la galera habían hecho mella en su fe religiosa. Seguía siendo judío. No obstante, según su manera de ver, no era ninguna impiedad buscar las bellezas que encerraba el Bosque de Dafne.

El comentario anterior no obsta para que digamos luego que aun en el caso de que sus escrúpulos hubiesen llegado a tal extremo, no es improbable que en aquella ocasión los hubiese acallado. Sentíase colérico, no como el que se irrita por el fracaso de una nimiedad, ni su cólera nacía como la del tonto sacada de los pozos de la nada para disiparse mediante un reproche o una maldición. Era la suya la ira peculiar de los temperamentos ardientes despertados por el súbito aniquilamiento de una esperanza —de un sueño, si se prefiere— que les hacía pensar que la felicidad elegida estaba en verdad al alcance de la mano En tales casos, ningún intermediario logrará despejar la pasión. La querella es contra el Hado.

Siguiendo un poco más esta filosofía, digámonos que si en ocasión de semejantes querellas el Hado fuese un ser tangible al que se pudiera anonadar con una mirada o un golpe, o fuese un personaje dotado de voz con el cual pudiésemos cambiar palabras subidas de tono, el desdichado mortal no acabaría viendo siempre, invariablemente, que con sus enojos lo único que ha hecho ha sido castigarse a sí mismo.

De hallarse en su estado de ánimo corriente, Ben-Hur no habría venido al Bosque solo, o, en caso de venir sin compañía, habría aprovechado la situación de que gozaba en la familia del cónsul tomando provisiones para no andar ociosamente de un lado para otro, desconocedor y desconocido. Habría tenido grabados en su mente todos los puntos interesantes, y los habría visitado uno tras otro utilizando los servicios de algún guía, como si despachara asuntos de negocios. Y en caso de querer pasar unos días de ocio en el delicioso paraje, habría tenido a mano una carta para el dueño o jefe de todo ello, fuese quien fuere. De este modo habría sido un espectador más de las perspectivas que el Bosque ofrecía, al igual que el alborotador rebaño al que iba acompañando, mientras que ahora las deidades del Bosque no le inspiraban la menor reverencia y ni curiosidad siquiera. Cegado por la más amarga desilusión, iba a la deriva, no esperando el Hado, sino buscándolo como un duelista desesperado.

Todo el mundo se ha encontrado en una situación de espíritu semejante, aunque quizá no todos en el mismo grado. Todo el mundo reconocerá que es la situación en la que ha realizado las más atrevidas hazadas con aparente serenidad. Y todos lo que leyeren dirán: «Afortunado será Ben-Hur si la locura que ahora se apodera de él no es más que un arlequín simpático trayendo unos silbatos y un gorro pintado, y no una Violencia apuntando implacable su espada».

CAPÍTULO VI

LOS MORALES DE DAFNE

Ben-Hur entró en los bosques acompañando a las procesiones. Al principio no sentía interés bastante para preguntar adónde se dirigirán. Sin embargo, viniendo a sacarle de una indiferencia absoluta, tenía la vaga impresión de que se encaminaban hacia los templos, centros principales del Bosque, monopolizadores de los atractivos supremos.

Al cabo de un rato, lo mismo que los cantadores se unen a un coro fugitivo, empezó repitiéndose a sí mismo: «Mejor ser gusano y alimentarse en los morales de Dafne, que huésped de la mesa de un rey».

La continuada repetición de la frase suscitó en su mente una serie de preguntas que le importunaban pidiendo respuesta. ¿Tan en extremo dulce era la existencia en el Bosque? ¿De qué nacía su encanto? ¿Se encerraba en alguna laberíntica profundidad filosófica? ¿O era algo evidente, algo manifiesto en la superficie discernible por nuestros sentidos cotidianos bien despiertos? Cada año, miles de personas renunciaban al mundo y se entregaban al servicio del Bosque. ¿Descubrían éstos el secreto de su encanto? Y una vez descubierto, ¿bastaba para promover un olvido tan absoluto que desterrase de la mente todas las cosas infinitamente diversas de la vida, las que dulcifican y las que amargan, las esperanzas que se ciernen sobre el futuro próximo, así como los pesares nacidos del pasado? Si el Bosque obraba en ellos tan benéficos efectos, ¿por qué no los había de obrar asimismo en él? Pero era judío... ¿Sería posible que las excelencias de aquel lugar beneficiasen a todo el mundo menos a los hijos de Abraham? Ben-Hur puso en juego todas sus facultades para descubrir el misterioso secreto, sin parar mientes a los cantos de los portadores de ofrendas ni a las réplicas de sus asociados.

El cielo no le proporcionó nada que le hiciera darse por

satisfecho en sus pesquisas. Era azul, muy azul, y poblado de trinadoras golondrinas. Exactamente igual era el cielo de la ciudad.

Más adelante, saliendo de las espesuras que quedaban a mano derecha, una brisa cruzaba la avenida azotándole dulcemente con una oleada de agradables perfumes, formado por una mezcla de rosas y de especias en combustión. Ben-Hur se detuvo, como hacían otros, mirando hacia la parte de la que venía la brisa.

—¿Un jardín allá? —preguntó a un hombre que había a su lado.

—Será más bien que los sacerdotes celebran alguna ceremonia, que rinden culto a Diana, a Pan o a alguna divinidad de las selvas.

El desconocido le había contestado en la lengua de su madre. Ben-Hur le dirigió una mirada sorprendida.

—¿Eres hebreo? —le preguntó.

El hombre respondió con una sonrisa cortés:

—Yo nací a una pedrada de distancia de la plaza del mercado de Jerusalén.

Ben-Hur se disponía a continuar la conversación, cuando un reflujo de la multitud le apartó de la cara de la muralla que miraba hacia los bosques, al mismo tiempo que alejaba de allí al desconocido. En la mente del joven seguían presentes, cual un resumen de aquel hombre, la túnica y el bastón habituales, el paño pardo de la cabeza, atado con un cordón amarillo, y la enérgica cara judía dando fe de que su propietario vestía aquellas prendas con todo derecho.

Esto había tenido lugar en un punto donde principiaba un sendero que se internaba entre el arbolado, ofreciendo una bonita manera de huir de las ruidosas procesiones. Ben-Hur aprovechó la oportunidad.

Penetró primero en una espesura que desde el camino parecía conservarse en estado silvestre, cerrada, impenetrable, lugar indicado para que anidasen los pájaros libres. Sin embargo, unos pocos pasos le bastaron para ver incluso allí la mano de quien gobernase el lugar. Los arbustos estaban en flor o cargados de frutos. Bajo sus inclinadas ramas, el suelo aparecía cubierto de flores de vivos colores. Sobre ellas extendían los jazmines sus delicados lazos. Noche y día, calmoso o apresurado, el aire se cargaba de exhalaciones de lilas y rosas, de lirios y tulipanes, de adelfas y madroñeros, todos viejos amigos conocidos en los valles o en los jardines que rodean la ciudad de David. Y para que nada faltara a las sombras iluminadas por los colores de las flores de la espesura, un arroyo desataba dulcemente su caudal, partiéndose en varios y ondulantes cursos.

Mientras seguía adelante, de la arboleda se levantaban a derecha a izquierda el grito del palomo y el arrullo de las tórtolas. Los mirlos le aguardaban y parecían ordenarle que se acercase más. Un ruiseñor continuó en su puesto sin miedo, aunque habría bastado estirar el brazo para cogerlo. Una codorniz pasó corriendo por delante de sus pies, llamando a los polluelos que acompañaba, y mientras él estaba parado, esperando que los pajaritos se apartasen de su camino, de un lecho de meloso azmicle desperezóse una figura adornada con ramos de capullos de oro. Ben-Hur se estremeció. ¿Se le había permitido ver, realmente, a un sátiro en sus dominios? La criatura le miró, mostrando en los dientes una curvada podadera, sonrióse del susto que ella misma había tenido, y ¡helo aquí! ¡El encanto se puso de manifiesto! ¡Una paz libre de temores, una paz compartida por todo y por todos! ¡He aquí su esencia!

Ben-Hur se sentó en el suelo debajo de un limonero que extendía sus grises raíces yendo al encuentro de una ramificación del arroyo. Muy cerca de la cantarina superficie del agua colgaba el nido de un palo, y el diminuto pajarillo, asomado a la entrada del nido, le miraba a los ojos. «Verdaderamente, el pajarito se dirige a mí» —pensó Ben-Hur—. Me dice: «No me das miedo, porque la ley que impera en este paraje de dichas es el Amor».

El encanto del Bosque le parecía clarísimo a Ben-Hur, y con el ánimo alegre resolvió constituirse en uno de los que se retiraban para siempre en Dafne. Cuidando de las flores y los arbustos y contemplando el crecimiento de las calladas excelencias que se veía por todas partes, ¿no podría, como el hombrecito de la podadera en la boca, libertarse de los días de tormento de su vida, olvidándolos al mismo tiempo que el mundo le olvidaba también?

Pero poco a poco el temperamento judío empezó a removerse en su interior.

Aquel encanto podía bastar para satisfacer a ciertas personas. ¿De qué clase serían éstas?

El amor es delicioso. ¡Ah, sí! ¡Cuán agradable sucesor para un desamparo como el que le agobiaba! Pero ¿es el amor todo lo que hay en la vida? ¿Todo?

Una cosa le diferenciaba de los que se enterraban contentos en aquel paraje. Ellos no tenían deberes que cumplir, no era posible que los hubiesen tenido. En cambio, él...

—¡Dios de Israel! —gritó en voz alta, poniéndose en pie vivamente y con las mejillas encendidas—. ¡Madre! ¡Tirzah! ¡Maldito sea el instante y maldito el lugar en los que quise buscar la felicidad alejado de vosotras!

Y atravesó precipitadamente la espesura, llegando a una corriente de agua de la categoría de un río que discurría entre márgenes de mampostería, interrumpidas a veces por acequias dotadas de compuertas. Un puente prolongaba la senda que estaba siguiendo hasta el otro lado de la corriente. Parándose en mitad del mismo, el joven vio otros varios, sin que hubiese dos parecidos. Debajo de él, el agua se arremansaba en una profunda hoya, un poco más abajo se despeñaba rugiendo por entre las rocas, luego formaba otra hoya y otra cascada. Y así continuaba hasta perderse de vista. Puentes, hoyas y sonoras cascadas decían, tan claramente como pueden relatar una historia las cosas inanimadas, que el río corría con el permiso de un dueño y del modo exacto que el dueño quería, es decir, dócil y gobernable como corresponde a un sirviente de los dioses.

Más allá del puente divisó una perspectiva formada por anchos valles y alturas irregulares, con bosques y lagos y caprichosas casas enlazadas todas por blancos senderos y luminosas corrientes. El nivel de los valles era más bajo, a fin de poder derramar sobre ellos el agua del río para refrescar el ambiente en los días de sequía, y parecían verdes alfombras con dibujos de parterres y campos de flores, entre los cuales pastaban rebaños de ovejas blancas como bolas de nieve. Desde muy lejos se oían las voces de los pastores que seguían a los rebaños. Como para recordarle a quien estaba dedicado todo lo que contemplaba, los altares levantados debajo del inmenso cielo parecían innumerables. En cada uno, sirviéndolo, aparecía una figura vestida de blanca túnica, mientras aquí y allá, pasando del uno al otro, desfilaban largas procesiones vestidas de blanco, y el humo de los altares se levantaba hasta media altura y se detenía luego formando pálidas nubes suspendidas sobre aquellos devotos lugares.

Aquí, allá, volando dichosa, parándose embriagada, de un objeto a otro, de un punto a otro, ora en el prado, ora en las alturas, ahora entreteniéndose a penetrar en las espesuras y a observar las procesiones, luego perdiéndose en vanos esfuerzos por recorrer los senderos y las corrientes que se prolongaban entrelazados hasta confusas perspectivas para terminar en... ¡Ah! ¿Cuál podía ser el final apropiado de una escena tan hermosa? ¿Qué adecuados misterios se escondían detrás de una introducción tan maravillosa? Aquí, allá, decíamos al comienzo, volaba errante su mirada, de tal modo que, obligado por la perspectiva que tenía ante sus ojos y como compendio de todo lo que estaba contemplando, no pudo dejar de decirse, íntimamente convencido, que la paz saturaba el aire y el suelo, y que allí todo invitaba a quedarse, tenderse y descansar tranquilamente.

De pronto, una revelación alboreó en su mente. El Bosque era, en realidad, un templo. ¡Un templo inmenso, sin muros!

¡Jamás hubo nada parecido!

El arquitecto no había perdido el tiempo atormentándose respecto a columnas y pórticos, proporciones o interiores, ni a ninguna otra limitación del sentimiento épico que quería materializar. Simplemente había hecho de la Naturaleza una sierva suya. El arte no puede llegar a mayores cimas. Del mismo modo construyó la Arcaria el habilidoso hijo de Júpiter y Calisto. Y en ésta, lo mismo que en aquélla, el genio inspirador fue griego.

Desde el puente, Ben-Hur siguió adelante hasta el valle más cercano.

Llegó donde pacía un hato de ovejas. La pastora era una muchacha y le llamó con el ademán.

—¡Ven!

Más adelante, el camino se bifurcaba rodeando un altar. Un pedestal de negro neis cubierto por una losa de mármol blanco hábilmente exfoliado. Sobre la losa había un brasero soportando una llama. Junto al altar, una mujer, al verle, agitó una varita de sauce, y mientras él seguía adelante le gritó:

—¡Quédate!

Y su sonrisa tenía la tentación de la juventud apasionada.

Más adelante todavía encontró una de las procesiones. A su cabeza, una tropa de niñas, desnudas, excepto por las guirnaldas que las cubrían, entonaba una canción esforzando sus vocecitas agudas. Luego, una tropa de muchachos, también desnudos y con el cuerpo muy tostado por el sol, seguía detrás, danzando al ritmo de la canción de las niñas. Detrás de ellos venía la procesión, formada exclusivamente por mujeres vestidas del modo más simple, sin preocuparse de si alguna parte de su cuerpo quedaba al descubierto, y trayendo a los altares cestos de especias y dulces. Mientras Ben-Hur pasaba, ellas le tendían las manos y le decían:

—Quédate y ven con nosotras.

Una de las mujeres, una griega, cantó una estrofa de Anacreonte:

Es por hoy que tomo o doy,
vida y copa apuro hoy,
por hoy ruego, por hoy pido,
¿sabe alguien si el mañana vendrá alegre o afligido?

Pero él siguió su camino, indiferente, llegando a un bosque lujuriante, en el corazón de un valle y en el punto preciso en que más atractivo podía parecer al ojo que lo mirase. Cuando quedaba ya cerca del sendero que seguía el joven, su sombra poseía una intensa seducción, y a través del follaje se distinguía el brillo de lo que parecía ser una pretenciosa estatua. Ben-Hur dejó, pues, la senda y penetró en el fresco retiro.

La yerba estaba fresca y limpia. Los árboles no se echaban unos encima de otros, y pertenecían a todas las especies propias del Este, bien mezcladas con otros exóticos, aclimatados de lejanos países. Aquí, agrupadas en compañía exclusiva de ellas mismas, unas palmeras adornadas de plumas como reinas. Allá sicómoros, remontándose por encima de laureles de follaje más oscuro, y encinas perennes ostentando su oscuro verdor junto con cedros suficientemente grandes para ser reyes del Líbano. Y morales y terebintos tan hermosos que no es hipérbole referirse a ellos calificándolos de sacados del Paraíso...

La estatua resultó ser una Dafne de portentosa belleza. No obstante, Ben-Hur apenas tuvo tiempo sino para dirigirle una fugitiva mirada; en la base del pedestal una muchacha y un joven dormían abrazados debajo de una piel de tigre. Junto a ellos tenían los instrumentos símbolo de sus respectivos oficios —él, un hacha y una hoz; ella, el cesto—, abandonados descuidadamente sobre un montón de rosas que se marchitaban.

Aquel cuadro le hizo estremecer. Allá, en el silencio de la perfumada espesura, había descubierto, o así lo pensó, que el encanto del gran Bosque nacía de una paz libre de temores, y casi se dejó ganar por tan hermoso hechizo; ahora, en esa pareja durmiendo en pleno día —durmiendo a los pies de Dafne—, leía un capítulo más, un capítulo al que sólo es tolerable que se aluda vagamente. La ley de aquel paraje era el Amor, pero un Amor sin Ley.

¡Y ésa era la dulce paz de Dafne!

¡Era el objetivo de la vida de sus sacerdotes!

¡Para eso entregaban sus rentas reyes y príncipes!

¡Para eso una clase sacerdotal hábil y experta domeñaba a la Naturaleza: sus pájaros, arroyos y lirios, el río, el trabajo de muchas manos, la santidad de los altares, el fértil poder del sol!

Sería curioso anotar ahora que, mientras Ben-Hur continuaba caminando asaltado por semejantes reflexiones, experimentaba una especie de pena por los que enriquecían con sus votos el gran templo al aire libre, especialmente por aquellos que con su trabajo personal le daban una belleza tan extremada. De qué modo habían pasado a la situación en que estaban ya no era un misterio; ante sí tenía Ben-Hur el motivo, la influencia, la inducción que los habían vencido. Por supuesto, algunos se dejaron ganar por la promesa ofrecida a su atormentado espíritu de que en aquella morada consagrada a los dioses y a cuya belleza podían contribuir, si no tenían dinero, con su trabajo, gozarían de una paz inalterable. Los de esta clase, evidentemente, eran personas impresionables, en cuyo espíritu hacían profunda mella así el miedo como la esperanza. Pero la gran masa de los fieles no estaba en su caso. Apolo tenía unas redes muy grandes con unas mallas muy pequeñas, y uno casi no sabría decir qué pescado cobraban sus pescadores. Y no es principalmente que uno no supiera describir lo que traían sus redadas, sino que no debe describirlo.

Baste señalar que la gran masa la componían los sibaritas del mundo y los rebaños —en número, mayores; en categoría, más bajos— de los devotos de un sensualismo descarado que imperaba casi por completo en todo el Oriente. No era a ninguna exaltación mística: no era al dios cantor, ni a su desventurada amante, ni a ninguna filosofía cuyo disfrute requiriese la calma del retiro, ni a ningún servicio que hiciera sentir el consuelo que se halla en la religión, ni al amor en su sentido más elevado a los que ofrecían sus votos. Buen lector, ¿por qué no habrá que decir aquí la verdad? ¿Por qué no enterarnos de que, en aquella época, no había sino dos pueblos capaces de exaltaciones sublimes: los que vivían según la ley de Moisés y los que vivían según la ley de Brama? Eran los únicos que hubieran podido gritar: «Mejor una ley sin amor que un amor sin ley».

Por lo demás, la simpatía nace en gran parte como fruto del humor que nos domina en determinado momento. Brota en nuestro pecho con mucha mayor facilidad cuando nos sentimos completamente satisfechos.

Ben-Hur andaba con paso más rápido y la cabeza más erguida, y si bien no percibía menos intensamente que antes todas las delicias que le rodeaban, las examinaba con espíritu más sosegado, a veces, incluso, con el labio curvado en desdeñosa mueca; es decir, que no podía olvidar tan pronto cuán cerca había estado él mismo de dejarse engañar por el falso señuelo.

CAPÍTULO VII

EL ESTADIO DEL BOSQUE

Delante de Ben-Hur había un bosque de cipreses, cada uno de los cuales era una columna alta y recta como un mástil. Aventurándose en el sombreado abrigo oyó una trompeta que sonaba alegremente, y un instante después vio al paisano suyo que había encontrado en la avenida que se dirigía a los templos tendido allí cerca sobre la hierba. El hombre se levantó y vino a reunirse con él.

—La paz te doy de nuevo —le dijo en tono placentero.

—Gracias —respondió Ben-Hur. Y en seguida preguntó—: ¿Sigues el mismo camino que yo?

—Voy al estadio, si es adonde tú te diriges.

—¡El estadio!

—Sí. La trompeta que has oído ahora mismo llamaba a los competidores.

—Buen amigo —dijo Ben-Hur con franqueza—. Confieso que desconozco el bosque. Si permites que te siga, te lo agradeceré.

—Será para mí un placer. ¡Escucha! Oigo las ruedas de los carros. Están colocándose en la pista.

Ben-Hur escuchó un momento, luego completó su presentación posando una mano sobre el brazo de su compatriota y diciendo:

—Yo soy el hijo de Arrio, el duunviro. ¿Y tú?

—Yo soy Malluch, un mercader de Antioquía.

—Mira, buen Malluch, la trompeta, el rechinar de las ruedas y la perspectiva de una diversión me entusiasman. Poseo alguna habilidad en estos ejercicios. En las palestras de Roma no soy un desconocido. Vámonos a las carreras.

Malluch se demoró un momento para decir prestamente:

—El duunviro era romano; sin embargo, veo a su hijo vistiendo el traje de los judíos.

—El noble Ario era mi padre adoptivo —respondió Ben-Hur.

—¡Ah! Comprendo, y te pido perdón.

Saliendo del cinturón del bosque, llegaron a un campo en medio del cual había una pista exactamente igual por su trazado y extensión que las de los estadios. El piso del camino, o pista propiamente dicha, era de tierra blanda apisonada y regada; limitábanla por ambos lados sendas sogas poco tirantes sostenidas por jabalinas plantadas en el suelo. Para acomodar a los espectadores y a los que se interesaban por algo más que la mera práctica del deporte, había varias tribunas sombreadas por espesos toldos y dotadas de filas de asientos que se elevaban escalonadamente. Los recién llegados encontraron sitio en una de aquellas tribunas.

Al pasar, Ben-Hur contó los carros: nueve en total.

—Mis encomios para los aurigas —dijo de buena gana—. Yo pensaba que aquí en el Este no aspiraban a nada mejor que a los tiros de dos caballos, pero veo que son ambiciosos y les gusta gobernar las regias cuadrigas. Observemos qué tal se portan.

Ocho cuadrigas pasaron por delante de la tribuna; unas al paso, otras al trote, y todas guiadas con pericia excepcional. La novena vino al galope. Ben-Hur estalló en una exclamación:

—He estado en los establos del emperador, amigo Malluch, pero, ¡por nuestro padre Abraham, de bendita memoria! Jamás había visto otros iguales a éstos.

En aquel momento pasaba rauda la última cuadriga. De pronto los animales cayeron en confuso montón. Uno de los espectadores, en la tribuna, lanzó un grito agudo. Ben-Hur volvió la cabeza y vio a un anciano, de uno de los asientos superiores, casi puesto en pie, con las manos crispadas y levantadas al cielo, los ojos centelleantes y la larga barba blanca agitada por el temblor. Algunos de los espectadores vecinos suyos se habían puesto a reír.

—Cuando menos deberían respetar su barba. ¿Quién es? —preguntó Ben-Hur.

—Un potentado del desierto, de un lugar situado más allá de Moab, propietario de rebaños de camellos y de caballos que, según dicen, descienden de los corceles de carreras del primer faraón. Lleva el nombre y el título de jeque Ilderim.

Tal fue la respuesta de Malluch.

Entretanto el auriga hacía grandes esfuerzos por calmar a los animales, aunque inútilmente. Cada una de sus infructuosas tentativas aumentaba la excitación del jeque.

—¡Ojalá Abaddon le tome por su cuenta! —gritaba el patriarca con voz chillona—. ¡Corred! ¡Volad!, ¿me oís, hijos míos? —la pregunta se dirigía a los que estaban junto a él, y que por lo visto pertenecían a su tribu—. ¿Me oís? Han nacido en el desierto, como vosotros mismos. ¡Contenedlos; deprisa!

Los brincos de los animales iban en aumento.

—¡Maldito romano! —seguía gritando el jeque, amenazando con el puño al auriga—. ¿Y no me juraba que sabría gobernarlos? ¿No lo juraba por toda la camada de bastardos dioses latinos? ¡No, dejadme; dejadme, digo! Correrían raudos como las águilas y con la docilidad de corderos mansos, juraba. Maldito sea; ¡maldita la madre de una raza de embusteros que le llama hijo! ¡Mirad mis inapreciables corceles! ¡Que toque a uno nada más con el látigo, y...! —el resto de la frase lo ahogó el furioso rechinar de sus dientes—. Id unos cuantos a cogerles la cabeza y habladles. Una palabra, una sola, de la canción de la tienda que os cantaban vuestras madres bastará. ¡Ah, qué tonto, qué tonto fui al poner mi confianza en un romano!

Algunos de los amigos más listos del anciano se interpusieron entre él y los caballos. Favoreció la estratagema el hecho de que el jeque se hubiese quedado sin aliento.

Ben-Hur, pensando que comprendía los sentimientos del viejo, experimentaba por él una profunda simpatía. A su modo de entender, era posible que, dada su manera de pensar y su concepto de lo inapreciable, más que el mero orgullo de propietario, más que la ansiedad por el resultado de la carrera, moviera al patriarca el amor que tenía a sus caballos; un amor, una ternura próximos a la pasión más profundamente sentida.

Eran los cuatro unos bayos lustrosos, sin una mancha, perfectamente emparejados y tan bien proporcionados que parecían menos poderosos de lo que realmente eran. Delicadas orejas remataban en punta las cabezas pequeñas; los rostros eran anchos y llenos entre los ojos; las dilatadas ventanas de la nariz ponían al descubierto membranas de un rojo tan vivo que sugería el brillo de la llama; los cuellos formaban arcos orlados por unas crines finas y tan abundantes como para abrigar los hombros y el pecho, unas crines que, en feliz consonancia con los copetes, descendían semejando pliegues de sedosos velos; entre las rodillas y las cernejas, las piernas eran lisas como una mano abierta, pero encima de las rodillas las redondeaban poderosos músculos, necesarios para sostener los perfectos y macizos cuerpos; los cascos eran cual tazas de ágata pulida, y al encabritarse los corceles azotaban el aire y a veces el suelo con las colas, largas y abundantes, de un negro lustroso. El jeque había dicho que no tenían precio, y había dicho bien.

En esta segunda y más detenida mirada a los caballos, Ben-Hur leía la historia de las relaciones que habían tenido con su dueño. Habían crecido entre los ojos del patriarca, constituyendo el objeto de sus cuidados más especiales durante el día, y las imágenes en que se recreaba su orgullo, de noche, cuando la familia se hallaba reunida dentro de la negra tienda allá en el seno sin sombras del desierto; habían sido como sus hijos predilectos. Para que pudieran arrebatar un triunfo al altanero y odiado romano, el viejo había traído sus amores a la ciudad, sin dudar un momento que serían capaces de vencer, con tal de encontrar a un experto de confianza que los tomara en sus manos; no sólo a un hombre hábil, sino dotado de un espíritu que el espíritu de los caballos reconociese como similar al suyo. A diferencia de la gente del Oeste, más fría, el jeque no podía protestar cortésmente de la falta de pericia del auriga y despedirle del mismo modo; como árabe y como jeque tenía que estallar y hacer retumbar el aire que le rodeaba con sus clamores.

Antes de que el patriarca hubiera agotado los epítetos, una docena de manos cogían los bocados de los caballos, obligándoles a permanecer quietos. En aquellos momentos apareció otro carro sobre la pista, y a diferencia de los demás, auriga, vehículo y corceles iban exactamente igual como se presentarían en el circo el día de la prueba final. Por una razón que luego se verá claramente, conviene describir aquí al detalle el lujoso carruaje.

No debería presentar dificultad el hacerse una idea exacta de cómo era el carro a que nos referimos, tan nombrado en los tiempos clásicos. Basta que uno se represente una narria provista de ruedas bajas y ancho eje coronada por una caja abierta por la parte posterior. Tal era el modelo primitivo. Con el tiempo se despertó el genio artístico, y parándose en la tosca máquina, elevóla a la categoría de objeto bello; así, por ejemplo, aquella en que nuestra fantasía se imagina a la Aurora cabalgando delante del nacimiento del día.

Los aurigas de la antigüedad, tan astutos y ambiciosos como sus sucesores de nuestros tiempos, llamaban *pareja* a su carruaje más humilde y *cuadriga* al de mayor categoría. En este último disputaban los juegos olímpicos y otras competiciones habidas en las festividades a imitación de aquéllos.

Los mismos aurigas mencionados preferían poner a los animales en una sola fila, y para distinguirlos llamaban a los dos situados a uno y otro lado de la lanza, caballos de yugo, y a los de la derecha y la izquierda corceles externos de pista. Daban por seguro también que la mayor velocidad se conseguía permitiendo a los brutos la mayor libertad de acción, y en consecuencia el arnés utilizado era particularmente sencillo; reducíase en realidad a un collar que rodeaba el cuello del animal y a un tirante atado al collar, a menos que incluyamos en el significado de arneses las riendas y la cabezada. Cuando querían enganchar, los dueños colocaban un estrecho yugo de madera cerca de la punta de la lanza y, mediante correas que pasaban por unas anillas del extremo del yugo, sujetaban éste al collar. Los tirantes de los caballos del yugo los ataban al eje; los de los corceles exteriores, al travesaño de delante del piso de la cuadriga. Entonces sólo faltaba la colocación de las riendas, la cual, juzgada atendiendo a los jueces modernos, no era la parte menos curiosa del método. Para ello había en la punta de la lanza una anilla grande. Asegurando primero los extremos en dicha anilla, separaban las riendas de forma que correspondiese una a cada caballo y las pasaban hacia el cochero, deslizándolas separadamente por dentro de las anillas próximas a la boca del animal de la parte interna de las cabezadas.

Con esta sencilla generalización en la mente, será fácil adquirir nuevos detalles sobre el particular siguiendo los incidentes de la escena que se desarrollaba.

Los otros contendientes habían sido recibidos en silencio; el último fue más afortunado. Mientras se acercaba a la tribuna desde la cual contemplamos la escena, grandes demostraciones del alborozo, aplausos y vítores señalaban su avance, dando por resultado que la atención de todo el mundo se concentrase en él exclusivamente. Podía notarse que en su carro los caballos de yugo eran negros, mientras que los de ambos lados lucían una blancura de nieve. De conformidad con lo que imponían los cánones del gusto romano, los cuatro animales habían sido mutilados, les habían cortado la cola, y, para completar semejante barbaridad, sus esquiladas crines estaban divididas en moños atados con llamativas cintas rojas y amarillas.

En su progreso el extranjero llegó al fin a un punto en el cual la carroza era ya visible desde la tribuna. Su aspecto hubiera justificado por sí solo el griterío. Las ruedas eran una maravilla de construcción. Recios aros de bronce bruñido reforzaban los cubos, por otra parte muy ligeros; los radios eran secciones de colmillos de marfil, colocados con su curvatura natural hacia fuera, a fin de darles la concavidad conveniente, entonces como ahora considerada muy importante; llantas de bronce sujetaban la pinas, que eran de brillante ébano: en consonancia con las ruedas, el eje aparecía rematado por cabezas de tigres rugientes, esculpidas en bronce, y el fondo era de sauce tejido y recubierto de oro.

La llegada de los arrogantes caballos y de la resplandeciente cuadriga obligó a Ben-Hur a fijarse en el auriga con creciente interés.

¿Quién era?

Ben-Hur se hizo en seguida la misma pregunta; no podía ver la cara del hombre, ni siquiera toda su figura; sin embargo, su aire y su actitud le eran familiares, y le intrigaban vivamente haciéndole pensar en una época lejana del pasado.

¿Quién podría ser?

Ahora estaba más cerca, y los caballos venían al trote. Por los gritos de la muchedumbre y el lujo del carruaje había que pensar que se trataría de algún oficial favorito o de un príncipe famoso. El aparecer en una carrera de carrozas no estaba reñido con un elevado rango. Los mismos reyes competían a menudo por ganar la corona de hojas que constituía el premio al vencedor. Se recordará que Nerón y Cómodo gustaban de guiar carrozas. Ben-Hur se levantó y se abrió paso hasta encontrarse cerca de la soga que limitaba la pista, delante del asiento más bajo de la tribuna. Tenía la cara seria, el gesto impaciente.

Un instante después la persona del conductor apareció por entero a la vista. Un compañero iba con él, un Myrtilo, según diría una descripción clásica. Eran estos hombres de elevada alcurnia a los que se permitía satisfacer su pasión por las carreras. Ben-Hur no podía ver sino al auriga, de pie y erguido sobre la carroza, con las riendas arrolladas repetidamente alrededor del cuerpo, parcamente cubierto por una túnica de tela color rojo claro. En la mano derecha tenía un látigo; en la otra —el brazo levantado y ligeramente extendido—, las cuatro riendas. Mantenía el cuerpo en una posición en extremo graciosa y animada. Con estatuaria indiferencia recibía los aplausos y los vítores. Ben-Hur lo miraba con fija obsesión; su instinto y su memoria le habían servido fielmente: *el auriga era Messala.*

Por el gusto en la elección de los caballos, por la magnificencia de la carroza, por la actitud y el alarde que hacía de su persona y, sobre todo, por la expresión de sus rasgos, fríos, agudos, aquilinos, impuesta en su país como fruto de un dominio del mundo que perduraba desde muchas generaciones atrás, Ben-Hur reconoció a Messala, nada cambiado, tan altanero, confiado y audaz como siempre, el mismo en ambición, cinismo y burlona despreocupación.

CAPÍTULO VIII

LA FUENTE DE CASTALIA

Mientras Ben-Hur bajaba los escalones de la tribuna, un árabe se puso en pie sobre el inferior y gritó:

—¡Hombres del Este y del Oeste: oíd! El buen jeque Ilderim os saluda. Con cuatro caballos, descendientes de los favoritos de Salomón el Sabio, ha venido aquí a contender con los mejores. Necesita imperiosamente un hombre fuerte que los guíe. Al que los tome bajo su mando y le deje satisfecho le promete enriquecerlo para siempre. Aquí, allá, en la ciudad y en los circos, y en todas partes donde se congreguen los hombres vigorosos, anunciadles esta oferta. Así ha dicho mi amo, el jeque Ilderim el Magnánimo.

La proclama levantó un gran rumor entre la gente reunida debajo del toldo. Por la noche sería repetida y discutida en todos los círculos deportivos de Antioquía. Al oírla, Ben-Hur se detuvo y miró titubeando al heraldo y luego al jeque. Malluch pensó que estaba a punto de aceptar, pero sintió un gran alivio cuando al poco rato el joven se volvió hacia él y le preguntó:

—¿Adónde iremos ahora, buen Malluch?

El fiel compañero respondió con una carcajada:

—Si quieres semejarte a otros que visitan el Bosque por primera vez, irás inmediatamente a que te revelen tu fortuna.

—¿Mi fortuna, ha dicho? Aunque la proposición trae un aire de incredulidad, acudamos al momento a la diosa.

—No, hijo de Arrio, estos apolonianos conocen una treta mejor. En lugar de hacerte hablar con una pitonisa o una sibila, te venderán una simple hoja de papiro, apenas secada del tallo, y te ordenarán que la sumerjas en el agua de cierta fuente; y en tal momento verás en ella unos versos por los cuales acaso te enteres de tu futuro.

El rostro de Ben-Hur perdió el brillo de interés.

—Hay personas que no tienen necesidad de molestarse por su futuro —dijo con tristeza.

—¿Prefieres entonces visitar los templos?

—Son griegos, ¿verdad?

—Aquí dicen que son griegos, en efecto.

—Los helenos fueron los creadores de la belleza en todas las artes; pero en la arquitectura sacrificaron la variedad a una belleza inmutable. Sus templos son todos iguales. ¿Cómo le llaman a la fuente?

—Castalia.

—¡Ah! Es famosa en todo el mundo. Vámonos allá.

Por el camino, Malluch observaba atentamente a su compañero, notando que, de momento al menos, su buena disposición de ánimo se había evaporado. No prestaba atención a las gentes que pasaban; las maravillas que encontraban en su marcha no le arrancaban admiradas exclamaciones; andaba despacio, silencioso, y hasta huraño.

La verdad era que la presencia de Messala le había sumido en profundas meditaciones. Parecíale que hacía una hora apenas que aquellas poderosas manos le arrancaban de la compañía de su madre, una hora apenas que los romanos habían clavado el sello sobre las puertas de la casa de su padre. Rememoraba ahora como en la desventura sin esperanza de su vida —si merecía el nombre de vida—, de galeote, aparte del trabajo, había tenido poca cosa más que hacer sino forjarse sueños de venganza, el objeto principal de todos los cuales era Messala. Solía decirse entonces que podía haber una escapatoria para Graco, pero para Messala... ¡jamás! Y para endurecer y reafirmar su resolución solía repetirse una y mil veces: «¿Quién nos señaló a los perseguidores? Y cuando le pedí ayuda —aunque no para mí—, ¿quién se mofó y se alejó riendo?». Y el sueño terminaba invariablemente del mismo modo. «El día que le encuentre, ¡asísteme, tú, Dios bueno de mi pueblo!, ¡ayúdame a encontrar una venganza especial y adecuada!»

Y ahora el encuentro era inminente.

Quizá si hubiese hallado a Messala pobre y sufriendo, los sentimientos de Ben-Hur hubiesen cambiado; pero no había ocurrido así. Le halló más que próspero, con una prosperidad deslumbrante, centelleante, como el reflejo del sol sobre un pan de oro.

Resultaba, pues, que lo que Malluch tomaba por un pasajero decaimiento del ánimo, era una cavilación acerca de cuándo se vería cara a cara con su enemigo, y de cómo podría hacer más memorable aquel momento.

Al cabo de un rato penetraron en una avenida de encinas, por la que la gente iba y venía en grupos; aquí peatones y jinetes, allá mujeres en literas llevadas por esclavos, y de vez en cuando pasaban con gran estrépito veloces coches.

Al final de la avenida el camino formaba una pendiente suave, descendiendo a una hondonada a mano derecha de la cual se levantaba un escarpado muro de roca gris, mientras a la izquierda se extendía un prado de primaveral frescor. Luego llegaron a la vista de la famosa Fuente de Castalia.

Cruzando por entre un tropel de gente reunido allí, Ben-Hur vio un manantial de agua dulce manando de la cima de una piedra y derramándose en una pica de mármol blanco donde, después de mucho hervir y espumear, desaparecía como por un embudo.

Junto a la pica, bajo un pequeño pórtico cortado en sólido muro, estaba sentado un sacerdote, anciano, con barba, arrugado, y cubierto con una capucha. No podía darse una figura mejor de eremita. De la actitud de los allí presentes habría sido difícil deducir cuál era la atracción más celebrada, si la fuente siempre desatándose en voladoras gotas, o el sacerdote a todas horas presente. Un sacerdote que oía, veía, era visto, pero jamás hablaba. De vez en cuando un visitante extendía hacia él una mano provista de una moneda. Con un astuto guiño, el anciano cogía la mano y le daba en cambio una hoja de papiro.

El receptor se apresuraba a sumergir el papiro en la pica; luego, levantando al sol la goteante hoja recibía la recompensa de una inscripción versificada que aparecía en el haz de la misma, y la fama de la fuente rara vez sufría demérito por falta de gracia de la poesía. Antes de que Ben-Hur pudiera poner el oráculo a prueba, se vio a otros visitantes viniendo por el prado. Su aspecto excitó la curiosidad de la reunión; la del joven judio igual que la de los demás.

Vio primero un camello muy alto y muy blanco, guiado por un hombre sentado sobre su lomo. El castillo del animal, además de ser inusitadamente grande, era carmesí y oro. Otros dos jinetes con largas lanzas en la mano seguían al camello.

—¡Qué precioso animal! —exclamó uno de los presentes.

—Será un príncipe de lejanas tierras —contestó otro.

—Un rey, más probablemente.

—Si montara en un elefante, yo diría que es un rey.

Un tercero fue de distinto parecer.

—¡Un camello, y un camello blanco! —dijo en tono autoritario—. ¡Por Apolo, amigos, los que allá vienen (porque podéis ver que son dos), no son reyes ni príncipes; son mujeres!

En medio de la discusión llegaron los extranjeros.

Visto de cerca, el camello no desmentía la impresión producida de lejos. Ninguno de los viajeros reunidos en la fuente imaginó que hubiese visto nunca un animal de aquella especie más alto ni más majestuoso. ¡Qué ojos tan grandes; qué pelo tan extremadamente fino y blanco; qué pies tan contráctiles cuando levantados, tan silenciosos al posarse sobre el suelo y tan anchos una vez soportando el peso del cuerpo! Nadie había visto jamás otro par igual. ¡Y cuán bonito juego hacía con sus arreos de seda y todos los adornos de orlas de oro, y las borlas doradas! El tintineo de las campanillas de plata precedía su marcha, y el animal se movía airoso como si no se diera cuenta de la carga que transportaba.

Pero, ¿quiénes eran el hombre y la mujer que ocupaban el castillo?

Todos los ojos les saludaron con esta misma pregunta.

Si el primero hubiese sido un príncipe o un rey los filósofos que hubiera entre la multitud no habrían podido negar la imparcialidad del tiempo. Cuando vieron la delgada y demacrada faz escondida debajo de un turbante inmenso y el cutis color de momia, que hacía imposible formarse una idea de su nacionalidad, hubieron de pensar complacidos que el límite de la vida está señalado lo mismo para los grandes que para los insignificantes. En su persona no descubrieron nada tan envidiable como la manta que lo abrigaba.

La mujer iba sentada al estilo oriental, en medio de velos y blondas de una figura iniagualable. Más arriba de los codos llevaba unos brazaletes en forma de arrollados áspides, unidos a otros, en la muñeca, mediante cordones de oro; por lo demás, sus brazos, desnudos, tenían una gracia natural singular, y los completaban unas manos tan bellas y delicadas como las de un niño. Una de las manos, apoyada sobre el costado del vehículo, mostraba unos dedos largos y afilados, deslumbrantes de sortijas, y con las puntas pintadas de tal modo que tenían un rubor como el rosado de las madreperlas. En la cabeza llevaba una redecilla de ancha malla rociada de cuentas de coral y sujeta con unas monedas de oro llamadas «solecitos», algunas de las cuales cruzaban sobre su frente, mientras otras caían por su espalda medio escondidas por su cabello azul negro y liso, que ya por sí mismo constituía un adorno incomparable, no necesitando del velo que lo cubría sino como una protección contra el sol y el polvo. Desde su elevado asiento la mujer miraba sosegada y placenteramente a la concurrencia, y tan abstraída estaba al parecer estudiando a los demás que no se daba cuenta del interés que ella misma excitaba; además cosa insólita —no, más que insólita en violenta contradicción con lo que solían hacer las mujeres de alto rango en público—, les miraba con la cara descubierta.

Una cara que daba gusto mirar; hermosa; muy juvenil; oval de forma; de cutis no blanco como las griegas, ni moreno, matiz del sol en el Alto Nilo sobre una piel de una transparencia tal que la sangre enviaba a través de ella un asomo de la claridad sonrosada de una lámpara. Los ojos, muy grandes de natural, parecían mayores por el toque de negro del borde de los párpados, inmemorial en todo el Oriente. Los labios, ligeramente entreabiertos, eran como un lago escarlata en medio del cual se veían unos dientes de una blancura deslumbradora. A todos estos primores de su fisonomía hay que pedir al lector que sobreañada el aire que le daba el porte de la cabeza, pequeña, de líneas clásicas, asentada sobre un cuello largo, torneado y gracioso, y su aire podemos imaginar que quedaría descrito felizmente diciendo que era el de una reina.

Como satisfecha de la inspección de la asamblea y del lugar, la hermosa criatura dijo unas palabras al conductor —un etíope de poderoso músculo, y desnudo hasta la cintura—, el cual guió al camello hasta las proximidades de la fuente y lo hizo arrodillar. En seguida recibió una copa de mano de la mujer y la llenó en la pica.

En aquel instante la trepitación de unas ruedas y de los cascos de los caballos avanzando en rápida carrera rompió el silencio que la belleza de la recién llegada había impuesto, y los allí reunidos abrieron paso, prorrumpiendo en grandes gritos y corriendo hacia todas las direcciones ganosos de ponerse a salvo.

—El romano tiene intención de atropellarnos. ¡Mira! —le gritó Malluch a Ben-Hur, ofreciéndole al mismo tiempo el ejemplo de una precipitada fuga.

El joven volvió la cara hacia la parte de donde venía aquel estruendo y vio a Messala lanzando a la cuadriga en línea recta hacia la multitud. Esta vez la visión fue clara y distinta.

Al dividirse, el gentío dejó al descubierto el camello. Quizá estuviera dotado éste de una agilidad superior a la común en los animales de su especie; pero los cascos de los caballos estaban casi encima ya de su cuerpo, y él descansaba con los ojos cerrados, entregado a una rumía interminable con esa sensación de seguridad que puede suponerse le había infundido el haber sido por mucho tiempo el favorito de su dueño. El etíope se estrujaba las manos espantado. En el castillo, el anciano hizo un movimiento para escapar, pero la edad se lo impedía, además de que, ni aún en presencia del peligro, podía olvidar el aire de dignidad que se veía claramente que era en él como una segunda naturaleza. Era demasiado tarde para que la mujer se pusiera a salvo. Ben-Hur, que era el que estaba más cerca de ellos, le gritó a Messala:

—¡Para! ¡Mira adónde vas! ¡Atrás, atrás!

El patricio reía con excelente buen humor, y viendo Ben-Hur que no había sino una posibilidad de evitar el desastre, avanzó unos pasos y cogió los bocados del corcel de la izquierda del yugo y de su pareja.

—¡So perro romano! ¿Tan poco te importan las vidas humanas? —gritó, poniendo en juego toda su energía.

Los dos caballos se encabritaron, con lo cual los otros describieron un arco y se quedaron delante de ellos; la lanza, al levantarse en el aire, inclinó el suelo de la cuadriga. Messala se libró a duras penas de sufrir una caída, mientras su complaciente Myrtilo se desplomaba hacia atrás, rodando al suelo como un guiñapo. Viendo despejado el peligro, los presentes estallaron en carcajadas de mofa.

La audacia sin par del romano púsose entonces de relieve. Librándose de las riendas arrolladas a su cuerpo, las arrojó a un lado, desmontó, dio un rodeo junto al camello, miró a Ben-Hur y tomó la palabra, dirigiéndose en parte al anciano y en parte a la mujer.

—Perdonad, os lo ruego, perdonadme los dos. Soy Messala —dijo—, y por la vieja Madre del mundo os juro que no os había visto, y tampoco a vuestro camello. En cuanto a esa buena gente... quizá me fiaba demasiado de mi pericia. Quería reírme a su costa, y ahora son ellos los que se ríen. ¡Que les sirva para bien!

La mirada y el ademán, campechanos y despreocupados, que dirigió a los allí congregados concordaban bien con sus palabras. Con objeto de oír lo que siguiera diciendo, todos se quedaron callados. Seguro ya de la victoria sobre la masa de los ofendidos, Messala indicó con un gesto a su compañero que condujese la carroza a una distancia prudencial y se dirigió atrevidamente a la mujer.

—Tú te interesas por ese buen hombre, cuyo perdón, si no lo obtengo ahora, he de buscar desde este momento con la mayor diligencia. Diría que eres su hija.

Ella no respondió:

—¡Por Palas, eres hermosa! Procura que Apolo no te confunda con su perdido amor. Me gustaría saber qué país puede enorgullecerse de haberte dado el ser. No te vayas. ¡Una tregua, una tregua! El sol de la India brilla en tus ojos; en los ángulos de tu boca ha puesto Egipto sus signos amorosos. ¡Perpol! No te vuelvas hacia ese esclavo, hermosa dueña, antes de haberte mostrado misericordiosa con éste. Dime al menos que me has perdonado.

En este punto, la mujer le interrumpió.

—¿Quieres venir acá? —preguntó sonriendo e indicando a Ben-Hur con una graciosa inclinación de la cabeza—. Toma la copa y llénala, te lo ruego —le dijo al judío—. Mi padre tiene sed.

—¡Soy tu más rendido servidor!

Ben-Hur giró sobre sus talones para complacerla, y se vio cara a cara con Messala. Sus miradas se encontraron; la del judío, retadora; la del romano, centelleante de buen humor.

—¡Oh, extranjera, tan hermosa como cruel! —dijo saludándola con la mano—. Si Apolo no te reclama para sí, volverás a verme otra vez. No sabiendo de qué país eres, no puedo nombrar a un dios al cual encomendarte; de modo que, por todos los dioses, ¡te encomiendo a mí mismo!

Y viendo que Myrtilo tenía los cuatro caballos compuestos y a punto retornó a la carroza. La mujer le siguió con una mirada en la que no podía haber quizá otra cosa, pero, ciertamente, no había ninguna expresión de desagrado. Un momento después recibía el agua. Su padre bebió, en seguida llevóse ella también la copa a los labios, y, despueś, inclinándose, le dijo a Ben-Hur. ¡Jamás hubo otra acción más graciosa y espléndida!

—¡Guárdala, te lo rogamos! Está llena de bendiciones; ¡todas para ti!

Inmediatamente después hicieron levantar el camello, y cuando estaba en pie y a punto de partir, el anciano llamó:

—Ven acá.

Ben-Hur se le acercó respetuosamente.

—Hoy has prestado un buen servicio al extranjero. No hay sino un Dios. En su santo nombre te doy las gracias. Yo soy Baltasar, el egipcio. En el Gran Vergel de las Palmeras, más allá del poblado de Dafne, a la sombra de las palmas, vive en sus tiendas el Jeque Ilderim, el Magnánimo, y nosotros somos huéspedes suyos. Ve allá a vernos. Serás recibido con el dulce sabor del agradecimiento.

Ben-Hur se quedó maravillado de la clara voz del anciano y de sus reverentes modales. Mientras seguía con la mirada a la pareja que se iba, divisó a Messala marchándose como había venido, alegre, indiferente, soltando una carcajada burlona.

CAPÍTULO IX

LA CARRERA DE CUADRIGAS DISCUTIDA

Como regla general no hay manera más segura de ganarse el desafecto de los hombres que obrar bien allí donde ellos han obrado mal. Por fortuna, en el caso presente Malluch fue una excepción a la regla. El episodio que había presenciado elevó a Ben-Hur en su estimación, puesto que no podía dejar de reconocerle coraje y pericia. Si ahora podía averiguar algo de la historia del joven, el buen amo Simónides, no podría quejarse demasiado de la tarea del día.

Respecto a este último punto, de lo que había sabido hasta el momento se destacaban dos hechos concordantes con todo ello: el joven del cual se ocupaba era judío, al mismo tiempo que hijo adoptivo de un romano famoso. Otra conclusión que podía tener gran importancia estaba tomando cuerpo en la mente perspicaz del emisario: entre Messala y el hijo del duunviro existía una determinada relación. Pero, ¿de qué clase sería? ¿Y cómo convertía su suposición en seguridad? A pesar de todos los sondeos, no tenía en su mano los medios ni la forma de llegar a una solución. En medio de su perplejidad, el mismo Ben-Hur vino a socorrerle. Apoyando la mano en el brazo de Malluch, apartóle de la aglomeración de gentes que volvían a fijar su interés, lo mismo que antes, en el canoso y anciano sacerdote y en la fuente mística.

—Buen Malluch —le dijo entonces, parándose—, ¿puede un hombre olvidar a su madre?

La pregunta era brusca y no se le veía el objeto; era pues de ésas que dejan perpleja a la persona a quien han sido dirigidas. Malluch miró a Ben-Hur a la cara buscando en ella una indicación de lo que había querido significar, pero en vez de ello vio dos manchas de un encarnado vivo, una en cada mejilla, y en los ojos el rastro de lo que podían haber sido contenidas lágrimas. Luego contestó como un autómata:

—¡No! —añadiendo con fervor—: ¡Nunca! —Y todavía después, cuando empezaba a recobrarse—: ¡Si el hombre es israelita, nunca! —Continuando, cuando ya fue dueño de sí por completo—: La primera lección que estudié en la sinagoga fue el Shema; la segunda, la sentencia del hijo de Sirach: «Honra a tu padre con toda tu alma, y no olvides los pesares de tu madre».

Los puntos rojos de las mejillas de Ben-Hur tomaron un matiz más vivo.

—Estas palabras me traen la infancia de nuevo, y demuestran que tú, Malluch, eres un judío auténtico. Creo que puedo fiarme de ti.

Ben-Hur soltó el brazo que tenía cogido, y llevándose la mano a los pliegues de la túnica que cubría su propio pecho los oprimió contra sí como para ahogar una pena, o una emoción igualmente aguda y dolorosa.

—Mi padre —dijo—, ostentaba un ilustre nombre, y no se hallaba privado de honores en Jerusalén, donde vivía. Cuando él murió, mi madre se encontraba en lo mejor de su edad. No bastaría decir que era buena y hermosa: movía su lengua la ley del afecto; sus obras merecían los elogios de los que se reúnen en la puerta de la población, y miraba sonriendo los días que habían de venir. Yo tenía una hermanita; ella y yo constituíamos la familia de mi madre, y éramos tan felices que yo, al menos, jamás he visto irreverencia en la frase del viejo rabí: «Dios no podía estar en todas partes, y por esto hizo a las madres». Un día le ocurrió un accidente a un romano investido que pasaba a caballo delante de nuestra casa a la cabeza de una cohorte. Los legionarios reventaron la puerta, se precipitaron dentro del edificio y nos apresaron. Desde entonces no he visto más a mi madre ni a mi hermana. No puedo decir si han muerto o siguen viviendo. No sé qué ha sido de ellas. Pero, Malluch, el hombre que guiaba aquella carroza, estaba presente en el momento de nuestra separación, él nos entregó a nuestros secuestradores; él oyó a mi madre rogar por sus hijos, y cuando se la llevaron por la fuerza se puso a reír. Sería difícil asegurar qué es lo que se graba más profundamente en la memoria, el amor o el odio. Hoy le he reconocido de lejos... y, Malluch...

Ben-Hur cogió otra vez el brazo de su oyente.

—Y, Malluch, él conoce el secreto, y consigo se lo lleva ahora; un secreto que yo daría la vida por saberlo: él podría decir si vive y dónde está, y cuál es su situación. Si ha muerto (mejor dicho, si han muerto; pues a copia de sufrimientos las dos han pasado a ser para mí como una sola) él podría decir dónde murieron, y de qué, y dónde me esperan sus huesos para que vaya a recogerlos.

—¿Y no lo dirá?

—No.

—¿Por qué?

—Yo soy judío, y él es romano.

—Pero los romanos tienen lengua, y los judíos, por mucho que se les desprecie, conocen métodos para embaucarlos.

—¿A gente como él? No; por otra parte, se trata de un secreto de Estado. Todos los bienes de mi padre fueron confiscados, y se los repartieron.

Malluch movió la cabeza lentamente, como si aceptara la objeción. Luego preguntó de nuevo:

—¿Te ha reconocido?

—Era imposible. A mí me enviaron a una muerte en vida y desde hace mucho tiempo me cuentan en el número de los difuntos.

—Me maravilla que no le agredieses —dijo Malluch—, cediendo a un arrebato de pasión.

—Esto habría significado renunciar a que un día pueda servirme de ese hombre. Habría tenido que matarle y la muerte, como tú sabes, guarda los secretos mejor todavía que un romano culpable.

El hombre que teniendo tanto por vengar sabía desechar tan severamente una oportunidad parecida había de estar muy confiado en el futuro a tener preparado un designio mejor. Esta idea hizo que los sentimientos de Malluch cambiaran; dejó de ser un emisario atado por el deber a otra persona. Por méritos propios, Ben-Hur estaba adquiriendo unos derechos sobre él. En otras palabras, Malluch se disponía a servirle con la mejor voluntad, empujado por una franca admiración.

Después de una breve pausa, Ben-Hur reanudó su discurso.

—No quisiera quitarle la vida; contra esta medida extrema le sirve de salvaguarda, por el momento al menos, el hecho de estar en posesión del secreto que te decía. Sin embargo, es posible que quiera castigarle y si a ello me ayudas tú, lo intentaré.

—Él es romano —respondió Malluch sin vacilar—, y yo pertenezco a la tribu de Judá. Te ayudaré. Si lo prefieres, oblígame bajo juramento; bajo el juramento más solemne.

—Dame la mano, con esto bastará.

Cuando sus manos se separaron, Ben-Hur dijo con el corazón más ligero:

—La tarea que quiero encargarte, buen amigo, no es difícil y tampoco repugna la conciencia. Vayámonos de aquí.

Y emprendieron por el camino que llevaba hacia la derecha, cruzando el prado de que hemos hablado al describir la venida a la fuente. Ben-Hur fue el primero en romper el silencio.

—¿Conoces al Jeque Ilderim, el Magnánimo?

—Sí.

—¿Dónde está su Vergel de las Palmeras? O mejor, ¿a qué distancia se encuentra de la villa de Dafne?

A Malluch le asaltó una duda. Recordaba la delicada preferencia que había manifestado por Ben-Hur aquella mujer en la fuente, y se preguntaba si el que tenía presente en el pensamiento los sufrimientos de una madre estaba a punto de olvidarlos ante el sueño del amor. A pesar de todo respondió:

—El Vergel de las Palmeras está a dos horas de la población, montando un caballo y a una cabalgando sobre un camello ligero.

—Gracias a ti y a tus conocimientos una vez más. ¿Han sido anunciados profusamente los juegos de que me hablabas? ¿Cuando tendrán lugar?

Las preguntas eran muy significativas, y si no devolvieron la confianza a Malluc estimularon al menos su curiosidad.

—Ah, sí, tendrán gran esplendor. El prefecto es rico, no le perjudicaría mucho el perder el puesto. Sin embargo, como suele ocurrir con los hombres que han triunfado, su amor a las riquezas no ha disminuido; para ganarse un amigo en la corte, sino algo más, debe agasajar al Cońsul Majencio, quien vendrá aquí con objeto de ultimar los preparativos de una campaña contra los partos. Los ciudadanos de Antioquía saben por propia experiencia el dinero que se invierte en los preparativos, por lo cual se les ha dado permiso para que se unan al prefecto en los honores que se proyecta tributar al gran hombre. Hace un mes salieron heraldos hacia los cuatro vientos anunciando la apertura del Circo para los festejos. El nombre del prefecto sería ya de por sí buena garantía de variedad y magnificencia; particularmente en todo el Oriente; pero cuando a promesas añade Antioquía las de la ciudad, todas las islas y las ciudades dan por seguro que se tratará de una cosa extraordinaria, y estarán presentes en masa, o representados por sus profesionales más famosos. Ofrecen unos sueldos regios.

—Respecto al Circo he oído decir que sólo cede en importancia al Máximo.

—De Roma, dices tú. Pues bien, el nuestro proporciona asiento a doscientas mil personas, el vuestro admite setenta y cinco mil más; el vuestro es de mármol, y el nuestro también; en su disposición son exactamente iguales.

—¿Rigen en él las mismas normas?

Malluch sonrió.

—Hijo de Arrio, si Antioquía se atraviese a ser original, Roma no sería la dueña del mundo como lo es. Todas las reglas del Circo Máximo gobiernan aquí, menos una en particular: allá sólo pueden arrancar a la vez cuatro carrozas; aquí parten todas a un tiempo, independientemente del número de ellas.

—Así solían hacerlo los griegos —comentó Ben-Hur.

—Sí; Antioquia es más griega que romana.

—En tal caso, Malluch, ¿puedo escoger mi propia carroza?

—La carroza y los caballos. No existe restricción alguna en lo uno ni en lo otro.

Mientras respondía, Malluch observó que la expresión pensativa de la faz de Ben-Hur cedía el puesto a una de safisfacción.

—Otra cosa más todavía, oh, Malluch, ¿cuándo tendrán lugar esos festejos?

—¡Ah, perdona! —contestó el compañero—. Mañana..., pasado mañana... —dijo contando en voz alta—, luego si los dioses del mar se muestran propicios (para decirlo al estilo de los romanos) llegará el cónsul. Dentro de seis días a partir del de hoy tendremos los juegos.

—Poco tiempo nos queda, Malluch, pero bastará. —Estas últimas palabras las había pronunciado el joven con aire resuelto—. ¡Por los profetas de nuestro viejo Israel! Empuñaré las riendas de nuevo. ¡Oye! Con una condición. ¿Existe la seguridad de que Messala será uno de los contendientes?

Ahora Malluch comprendía el plan y todas las oportunidades que ofrecía para humillar al romano; y no habría sido un auténtico descendiente de Jacob si no se hubiese lanzado con vivo interés a considerar las contingencias que podían derivarse. Su voz temblaba realmente al contestar:

—¿Estás entrenado?

—No temas, amigo mío. Estos tres años últimos los vencedores del circo Máximo han conservado sus coronas porque yo he querido. Pregúntales, pregunta a los mejores, y te lo confesarán. En los últimos juegos mayores el mismo emperador me ofreció su patronazgo si quería tomar a mi cargo sus caballos y correr con ellos en competencia con los participantes en todo el mundo.

—¿Pero no lo hiciste?

Malluch hablaba formalmente.

—Yo..., yo soy judío... —Mientras pronunciaba estas palabras Ben-Hur parecía repiegarse adentro de sí mismo—, y aunque lleve un nombre romano, no me atrevía a practicar como profesional un cosa que pudiera ensuciar el nombre de mi padre en los claustros y patios del Templo. En la palestra podía permitirme unos ejercicios que, continuados en el Circo, habríanse convertido en una abominación. Y si ahora participo aquí en las carreras, te juro, Malluch, que no será por la recompensa ni por el dinero que den al vencedor.

—¡Espera; no lo jures! —gritó Malluch—. Al vencedor le darán diez mil sestercios, ¡una fortuna por toda la vida!

—No lo sería para mí aunque el prefecto la triplicase cincuenta veces. Mejor que esto, mejor que todas las rentas imperiales del primer año del primer César... yo competiré en esta carrera para humillar a mi enemigo. La venganza está permitida por la ley.

Malluch sonrió y movió la cabeza como diciendo: «Perfectamente... Ten por seguro que yo, un judío, he de comprender a otro judío».

—Messala guiará una cuadriga —dijo al instante—. Está comprometido en estas carreras de muchos modos: por haberlo anunciado en las calles, en los baños, en los teatros, en el palacio y en las barracas, y para que no pueda echarse atrás, su nombre figura en las tablillas de todos los jóvenes despilfarradores de Antioquía.

—¿En las apuestas, Malluch?

—Sí, en las apuestas. Todos los días, según has visto, viene con gran alarde a entrenarse.

—¡Ah! ¿Y aquélla es la carroza y aquéllos los caballos con los cuales quiere tomar parte en la competición? ¡Gracias, gracias, Malluch! Me has prestado ya un buen servicio. Me doy por satisfecho. Ahora actúa de guía llevándome al Vergel de las Palmeras, y preséntame al jeque Ilderim el Magnánimo.

—¿Cuándo?

—Hoy. Mañana, correríamos el riesgo de que ya hubiera entregado sus caballos a otro.

—¿De modo que te gustan?

Ben-Hur respondió con gran animación:

—Los he visto desde la tribuna un momento nada más, porque entonces ha llegado Messala y yo no podía mirar a ninguna otra parte; sin embargo, he comprendido que tienen la sangre que constituye a un tiempo la maravilla y la gloria de los desiertos. Jamás había visto otros de su estirpe, sino en los establos del César; pero en cuanto uno los ha visto una vez los reconoce siempre. Mañana, al encontrarnos, te conoceré, Malluch, aunque tú ni siquiera me saludes; te conoceré por tu cara, por tu figura, por tus gestos; pues por los mismos signos les conoceré a ellos y con la misma seguridad. Si todo lo que se dice de ellos es cierto, y si puedo conseguir que su espíritu se deje gobernar por el mío, seré capaz de...

—¡Ganar los sestercios! —le interrumpió Malluch riendo.

—No —replicó Ben-Hur con idéntica presteza—. Haré lo que mejor le sienta a un hombre nacido para la herencia de Jacob: humillaré a mi enemigo en el lugar más público. Pero —añadió con impaciencia—, estamos perdiendo tiempo. ¿Cómo podemos llegar antes a las tiendas del jeque?

Malluch se concedió unos momentos para meditar.

—Será mejor que nos vayamos directamente a la villa, que por fortuna está cerca. Si allí encontramos quién nos alquile dos camellos rápidos no pasaremos, sino una hora por el camino.

—A ello pues.

La villa era una reunión de palacios enclavados en medio de

bellos jardines entremezclados con *khanes* de la variedad principesca.

Por suerte pronto tuvieron un par de dromedarios, y sobre ellos emprendieron el viaje hacia el famoso Vergel de las Palmeras.

CAPÍTULO X

BEN-HUR OYE HABLAR DE CRISTO

Al otro lado de la villa la campiña aparecía ondulada y cultivada; era en realidad la tierra de huertas de Antioquía, en la que no quedaba sin trabajar ni un palmo de terreno. Las empinadas vertientes de las montañas formaban bancales escalonados; hasta los ribazos se veían alegrados por las trepadoras parras que, además del encanto de la sombra, ofrecían a los transeúntes la dulce promesa del vino que producirían, y la morada madurez de los abundantes racimos de uvas. Sobre los melonares y por entre las espesuras de albaricoques, higueras, naranjos y limoneros se veían las blanqueadas casas de los campesinos; por todas partes la Abundancia, hija sonriente de la Paz, daba noticia con las mil señales que posee de que se hallaba en sus dominios, alegrando el corazón del generoso viajero, hasta hacerle sentirse dispuesto incluso a reconocer los aspectos positivos de la dominación romana. De vez en cuando se divisaban también las perspectivas del Tauro y del Líbano, entre los cuales el Orontes —cinta divisora de plata—, seguía plácidamente su camino.

En el curso de su viaje los dos amigos llegaron al río, cuyas ondulaciones, reproducía fielmente el camino que seguían, ora trepando por escarpadas peñas, ora descendiendo al fondo de los valles, todos igualmente aprovechados para aposentos campestres. Y si el campo lucía todas sus galas ostentando el follaje de encinas, sicómoros y mirtos, de bayos y madroños y el de los olorosos jazmines, el río brillaba bajo los rayos oblicuos de sol, que se habría dormido sobre su superficie de no ser por la interminable procesión de barcos, deslizándose a favor de la corriente, o saltando al empuje de los remos, unos yendo, otros viniendo, trayendo todos el recuerdo del mar, de pueblos lejanos, de lugares famosos y de artículos codiciados a causa de su rareza. Nada hay tan subyugador para la fantasía como una vela hinchada en dirección al mar, si no es otro que nos lleve a la patria, terminada una travesía feliz.

Los dos amigos seguían continuamente la orilla del río hasta llegar a un lago alimentado por las aguas remansadas de aquél, claras, profundas y sin formar la menor corriente. Una vieja palmera dominaba el ángulo de la vía de acceso. Doblando hacia la izquierda, al pie del árbol, Malluch se puso a palmotear gritando:

—¡Mira, mira! ¡El Vergel de las Palmeras!

Era una escena que no se ve en ninguna otra parte, que no sea en los favorecidos oasis de Arabia, o en las haciendas de los Ptolomeos a lo largo del Nilo. Para dar mayor intensidad a una sensación tan nueva como deliciosa, Ben-Hur se internó por una extensión de terreno al parecer ilimitada, y llana como el suelo de una habitación. Por todas partes el pie se posaba sobre la hierba verde y fresca, que en Siria es el producto más raro y hermoso que da la tierra; si el joven levantaba la vista era para ver el pálido azul del cielo por entre las ramas entrecruzadas de los árboles productores de dátiles, verdaderos patriarcas de su especie, tan numerosos y viejos, de tan poderosos troncos, tan altos y apiñados, con tan largas ramas y cada una de éstas de frondes tan perfectos, rojizos, cerúleos y brillantes, que parecían encantadores encantados. Aquí la hierba daba color a la misma atmósfera; allá el lago, fresco y cristalino, cuyas aguas se rizaban sólo hasta pocos pies debajo de la superficie y ayudaban a los árboles a vivir hasta muy avanzada edad. ¿Acaso el Bosque de Dafne aventajaba a éste? Y, como si adivinaran los pensamientos de Ben-Hur y quisieran conquistar su ánimo según un estilo propio, parecía que cuando pasaba debajo de sus arcos moviesen las ramas y le rociasen de húmeda frescura.

El camino seguía todas las ondulaciones del lago en riguroso paralelismo, y si alguna vez conducía a los caminantes hasta el borde del agua era siempre con algún paraje donde la superficie brillante estaba limitada a no excesiva distancia por la orilla opuesta, en la cual, lo mismo que en la de esta parte, no se consentía otro árbol que la palmera.

—Mira —dijo Malluch, señalando un gigante del lugar—. Cada anillo del tronco indica un año de vida. Cuéntalos desde las raíces hasta las ramas, y si el jeque te dice que el bosque fue plantado antes de que en Antioquía se hubiera oído mentar a los seléucidas, no dudes de sus palabras.

No es posible contemplar una palmera perfecta sin que ella, con una sutileza especial y exclusiva, adquiera una personalidad propia y convierta en poeta a su admirador. Esto explica los primeros reyes, que no supieron hallar en toda la tierra ninguna forma que les sirviera tan bien para modelo de las columnas de sus palacios y templos. Y por la misma razón, Ben-Hur sintióse impulsado a exclamar:

—Buen Malluch, tal como le he visto hoy en la tribuna, el Jeque Ilderim me ha parecido un hombre vulgar y corriente. Me temo que los rabíes de Jerusalén le mirarían como a un hijo de un perro de Edom. ¿Cómo fue que entrara en posesión del Vergel de las Palmeras? ¿Y cómo ha contado con medios para defenderlo de la voracidad de los gobernantes romanos?

—Si el tiempo confiere excelencias a la sangre, oh, hijo de Arrio, entonces el viejo Ilderim es todo un hombre, por más que sea un edomita incircunciso.

Malluch siguió expresándose con vehemencia.

—Todos sus antepasados fueron jeques. Uno de ellos (no diré en que época vivió ni cuándo llevó a cabo la honrosa hazaña) ayudó en cierta ocasión a un rey al cual unos enemigos perseguían con desenvainadas espadas. Dice la historia que le facilitó un millar de jinetes que conocían los caminos y los escondites del desierto como los pastores conocen las escasas montañas que frecuentan con sus rebaños y aquellos hombres le condujeron de un lugar a otro hasta que se presentó el momento propicio, llegado el cual dieron muerte al enemigo con sus lanzas y devolvieron el trono al perseguido. Y se cuenta que el rey se acordó de tan señalado favor y trajo al hijo del desierto a este paraje, suplicando que plantara aquí sus tiendas y condujera a su familia y a sus rebaños, porque el lago y los árboles y todo el terreno limitado entre el río y los montes más próximos sería suyo y de sus hijos para siempre. Nadie ha turbado nunca el tranquilo disfrute de esta propiedad. Los gobernantes que vinieron después consideraron que era una medida de buena política mantener excelentes relaciones con la tribu a la cual el señor ha favorecido multiplicando sus hombres y sus caballos, sus camellos y sus bienes, haciéndoles dueños de muchas vías principales entre las ciudades; de modo que en su mano está decirle al comercio en cualquier momento que les plazca: «Ve en paz», o «Párate» y lo que ellos digan se hará. Hasta el prefecto apostado en la ciudadela que domina Antioquía considera dichoso para él el día que Ilderim, apodado el Magnánimo en atención a su generosidad con toda clase de hombres, se pone en marcha, lo mismo que hicieron nuestros padres Abraham y Jacob, con sus esposas y sus hijos, con el séquito de sus rebaños de camellos y caballos y con todas sus posesiones de jeque, y sube a trocar brevemente sus amargos manantiales por los encantos que ves aquí por todo nuestro alrededor.

—¿Cómo se explica pues? —preguntó Ben-Hur, que había escuchado sin parar mientes en la lentitud del paso de los dromedarios—. Yo he visto al jeque mesándose la barba y maldiciéndose a sí mismo por haberse fiado de un romano. Si César le hubiera oído habría dicho: «Amigos como éste no me gustan; echadle de aquí».

—Habría juzgado bien —replicó Malluch sonriendo—. Ilderim no le tiene ningún afecto a Roma; guarda un resentimiento contra ella. Hace tres años, los partos invadieron el camino de Broza a Damasco y cayeron sobre una caravana cargada, entre otras cosas, con el importe de los impuestos recaudados en un distrito de aquella parte, dando muerte a todo ser viviente que encontraron. Los censores de Roma habrían podido perdonar el atropello si los partos hubiesen respetado y entregado el tesoro imperial. Los campesinos que habían pagado los impuestos, obligados a reparar la pérdida, presentaron sus quejas al César, el cual reclamó el pago a Herodes, y éste, por su parte, se apoderó de algunos bienes de Ilderim, acusándole de haber descuidado traidoramente sus deberes. El jeque apeló al César, y el César le dio la respuesta que uno esperaría de la esfinge impasible. Desde entonces el anciano está con el corazón dolorido, alimentando su ira y complaciéndose en ver cómo crece cada día.

—No podrá hacer nada, Malluch.

—Bien —contestó el aludido—, esto exige otra explicación, que te daré si podemos acercarnos más. Pero, ¡mira!, la hospitalidad del jeque empieza pronto: sus hijos te están hablando.

Los dromedarios se pararon y Ben-Hur bajó la vista para contemplar a unas niñas del estamento campesino sirio que le ofrecían unos cestos llenos de dátiles. La fruta era recién cogida y no era posible rechazarla. Ben-Hur se inclinó aceptando, en cuyo momento un hombre que estaba sobre el árbol junto al cual se habían parado gritó:

—¡La paz te acompañe, y bienvenido seas!

Después de dar gracias a las niñas, los dos amigos siguieron adelante, dejando que los animales llevaran el paso que se les antojara.

—Debes saber —prosiguió Malluch, interrumpiéndose de vez en cuando para saborear un dátil—, que el mercader Simónides me honra con su confianza, y hasta a veces me halaga pidiéndome consejos. Frecuentando su casa he conocido a muchos amigos suyos, los cuales, enterados de las relaciones que nos unen, le hablan con toda libertad en mi presencia. De esta forma trabé cierta intimidad con el Jeque Ilderim.

La atención de Ben-Hur se desvió un momento. Ante los ojos de su mente se levantaba la imagen pura, dulce y atractiva de Ester, la hija del comerciante. Los ojos de la joven, iluminados por el brillo peculiar de los judíos, se encontraban con los suyos en una púdica mirada; oía sus pisadas lo mismo que el día que se le acercó ofreciéndole vino, y también su voz como cuando le presentaba la copa; y rememoraba de nuevo toda la simpatía que le había manifestado, expresándola con tal claridad que las palabras eran innecesarias y con tal dulzura que ninguna frase la hubiera igualado. Era una visión en extremo agradable; pero cuando él volvió la cabeza hacia Malluch, se desvaneció.

—Hace unas semanas —dijo su compañero continuando el relato—, el anciano árabe visitó a Simónides en un momento en que yo estaba presente. Creí verle muy emocionado por algo, y, en deferencia, ofrecí retirarme, pero él mismo me lo prohibió. «Como eres israelita —dijo—, quédate, porque tengo que contar una extraña historia». El énfasis con que pronunció la palabra «israelita» excitó mi curiosidad. Me quedé, y he ahí en sustancia el relato que nos hizo. Lo resumo porque nos estamos acercando a la tienda y dejo que los detalles los oigas de los propios labios del santo varón. Hace muchos años, tres hombres se presentaron a la tienda de Ilderim, allá en el desierto. Los tres eran extranjeros, un hindú, un griego y un egipcio, y los tres iban montados sobre camellos, los mayores que él había visto en su vida, y completamente blancos. El les recibió hospitalariamente y les proporcionó descanso. A la mañana siguiente los tres viajeros se levantaron y pronunciaron una oración nueva para el jeque; era una plegaria dirigida a Dios y a su Hijo, y la rezaron con mucho misterio. Después de desayunar en compañía del dueño de la tienda, el egipcio le dijo quiénes eran y de dónde venían. Cada uno de los tres había visto una estrella, y una voz saliendo de la misma le había ordenado que fuese a Jerusalén y preguntase: «¿Dónde está el que ha nacido Rey de los Judíos?» Y ellos obedecieron. Desde Jerusalén fueron guiados por una estrella a Belén, donde encontraron en una cueva a un niño recién nacido ante el cual se prosternaron para adorarle; y después de haberle adorado y haberle hecho valiosos regalos, pudiendo dar testimonio de quién era, montaron otra vez sobre sus camellos y huyeron, sin pararse hasta encontrar de nuevo al jeque, porque si Herodes —el que conocemos con el sobrenombre de el Grande— hubiese podido echarles mano les habría hecho morir, sin duda alguna. Fiel a sus tradiciones, el jeque les atendió y los tuvo escondidos por espacio de un año, al cabo del cual se marcharon dejándole regalos de gran valor y partiendo cada uno en una dirección distinta.

—Es ciertamente una historia maravillosa —exclamó Ben-Hur cuando hubo escuchado la conclusión—. ¿Qué has dicho que tenían que preguntar en Jerusalén?

—Habían de preguntar: «¿Dónde está el que ha nacido Rey de los Judíos?

—¿Y nada más?

—Algo más decía la pregunta, pero no sé recordarlo.

—¿Y encontraron al niño?

—Sí, y le adoraron.

—Es un milagro, Malluch.

—Aunque muy excitante, como todos los árabes, Ilderim es un hombre serio. En sus labios no hay lugar para las mentiras.

Malluch hablaba con acento convencido. Con todo ello, no se acordaban de los dromedarios, que, tan distraídos como sus jinetes, salieron del camino para solazarse con la lozana hierba.

—¿No ha sabido nada más Ilderim de aquellos tres hombres? —pregunto Ben-Hur—. ¿Qué ha sido de ellos?

—Ah, sí; he ahí el motivo de que fuera a ver a Simónides el día que te decía. La noche anterior se le había presentado de nuevo el egipcio.

—¿Dónde?

—Ahí, en la puerta de la tienda a la que estamos llegando.

—¿Cómo le conoció?

—Del mismo modo que tú has conocido hoy a los caballos: por su cara y su aire.

—¿Por nada más?

—Montaba el mismo camello, grande y blanco, y le dio el mismo nombre: Baltasar, el egipcio.

—¡Esto es una maravilla del Señor!

Ben-Hur se expresaba con vehemencia. Y Malluch, intrigado, preguntó:

—¿De dónde viene este tono?

—¿Baltasar, has dicho?

—Sí, Baltasar, el egipcio.

—Es el nombre que nos ha dado hoy aquel anciano en la fuente.

Ante este recuerdo, Malluch fue presa a su vez de una viva agitación.

—Es cierto —dijo— y el camello era el mismo... Y tú has salvado la vida del viejo.

—Y la mujer —dijo Ben-Hur como hablando consigo mismo—, la mujer era su hija.

Y se quedó absorto, pensando. Hasta el lector se imaginará que veía en la imaginación la figura de aquella joven, y que la veía con más agrado que la de Ester, aunque no sea sino porque la visión duró más rato, pero, no...

—Dime otra vez —pidió al cabo de un rato—. Habían de preguntar: «¿Dónde está el que ha nacido Rey de los Judíos?».

—No es así exactamente. Las palabras eran *nacido para ser Rey de los Judíos*. Sí, éstas eran las palabras tal como el *sheik* las recogió la primera vez en el desierto. Desde entonces está esperando la llegada de ese rey y nadie puede hacerle perder la fe en que llegará.

—¿De qué modo? ¿Como rey?

—Sí, y trayendo la ruina de Roma. Así lo dice el jeque.

Ben-Hur guardó silencio un rato; meditando y tratando de dominar su emoción.

—El anciano es uno más entre muchos millones —dijo pausadamente—, uno entre muchos millones, todos con algún atropello que vengar y esta extraña fe es el pan y el vino de su esperanza; pues, ¿quién si no Herodes puede ser Rey de los Judíos mientras Roma subsista? Pero continuando la historia, ¿oíste lo que dijo imónides?

—Si Ilderim es un hombre grave, Simónides es un hombre sabio —contestó Malluch—. Yo escuché su respuesta. Le dijo... Pero, ¡oye! Alguien viene y nos está alcanzando.

El ruido crecía. Un instante después percibían el ruido de unas ruedas mezclado con el batir de unos cascos. En seguida apareció el jeque Ilderim en persona, montado a caballo y seguido de una comitiva de la cual formaban parte los cuatro corceles árabes color rojo de vino arrastrando la cuadriga. La barbilla del jeque, escondida entre las hebras de su blanca barba, se apoyaba sobre el pecho. Nuestros amigos le habían precedido por la misma ruta; pero al verlos el anciano levantó la cabeza y les habló afablemente.

—¡La paz sea con vosotros! ¡Ah, mi amigo Malluch! ¡Bienvenidos! Y dime que no os marcháis, sino que acabáis de llegar y que me traéis algún encargo del buen Simónides. ¡Ojalá el Dios de sus padres le conserve la vida durante muchos años! Sí, empuñad las riendas de los camellos y seguidme. Tengo pan y vino, o, si lo preferís, raque y carne de cabrito joven. ¡Venid!

Siguieron tras él hasta la puerta de la tienda, en la que, cuando hubieron desmontado, aguardó para recibirles, sosteniendo en la mano una bandeja con tres copas llenas de un licor cremoso recién sacado de una gran bota manchada por el humo, colgada del poste central.

—Bebed —les dijo cordialmente—, bebed, porque esto es el «nada temas» de los que vivimos en las tiendas.

Cada uno cogió una copa y bebió hasta que no quedó sino la espuma en el fondo.

—Ahora entrad, en nombre de Dios.

Cuando hubieron entrado, Malluch se llevó al *sheik* aparte y le habló en privado; después de lo cual se acercó a Ben-Hur y se excusó.

—Le he hablado de ti, y mañana por la mañana te dejará probar los caballos. Considéralo un amigo tuyo. Y como hice por ti todo lo que estaba en mi mano, el resto corre de tu cuenta; permíteme que regrese a Antioquía. Hay allí un hombre a quien he prometido que nos veríamos esta noche. No puedo escoger; tengo que acudir a la cita. Mañana volveré, si todo marcha bien entretanto, dispuesto a continuar a tu lado hasta que hayan terminado los juegos.

Después de dar y recibir múltiples bendiciones, Malluch emprendió el camino de regreso.

CAPÍTULO XI

EL SIERVO PRUDENTE Y SU HIJA

A la hora en que el cuerno inferior de la luna creciente, tocaba las encastilladas columnas de Monte Sulpio, y los dos tercios de los moradores de Antioquía habían salido a las azoteas a reconfortarse con la brisa nocturna, cuando soplaba, y con los abanicos, cuando no venía, Simónides estaba sentado en el sillón que había pasado a formar parte de su persona y desde la terraza contemplaba el río y los barcos de su propiedad meciéndose sujetos a las amarras. La ancha sombra proyectada por el muro que tenía a su espalda se extendía sobre el agua llegando hasta la orilla opuesta. Arriba continuaban sonando las pisadas interminables de los que cruzaban el puente. Ester sostenía una bandeja que contenía la cena, muy frugal, del anciano; unas tortitas de trigo, delgadas como barquillos, miel y un tazón de leche, en la cual mojaba de vez en cuando las tortas después de haberlas hundido en la miel.

—Malluch anda rezagado esta noche —dijo, manifestando el curso que seguían sus pensamientos.

—¿Crees que vendrá? —preguntó Ester.

—A menos que se haya internado por el mar, o en el desierto, y continúe el viaje, vendrá sin duda.

Simónides hablaba con tranquila confianza.

—Acaso escriba —dijo la joven.

—No hará tal, Ester. Al ver que no podía regresar hubiera enviado una carta comunicándomelo. Como no he recibido tal misiva, sé que puede venir y vendrá.

—Así lo espero —dijo Ester muy dulcemente.

—Algo hubo en aquellas palabras que llamó la atención del padre; acaso fuera el tono, o quizá el deseo que manifestaban. El pájaro más diminuto no puede posarse en el más corpulento árbol sin trasmitir una vibración a la fibra más distante; todas las mentes poseen en determinados momentos una sensibilidad parecida y no menor para las palabras más insignificantes.

—¿Deseas que venga, Ester? —preguntó.

—Sí —contestó ella, levantando los ojos para fijarlos en los de su padre.

—¿Por qué? ¿Puedes decírmelo? —insistió él.

—Porque... —La joven titubeó y en seguida empezó de nuevo—. Porque aquel joven es... —Y se interrumpió definitivamente.

—Nuestro dueño. ¿No es esta la palabra?

—Sí.

—Y tú sigues creyendo que no debía consentir que se marchase sin decirle que volviera, si le parecía bien, y se hiciese cargo de nosotros... y de todo lo que tenemos... Todo, Ester... las mercancías, los siclos, los barcos, los esclavos y el inmenso crédito, que es un manto de oro y de la plata más fina tejido para mí por el más grande de los ángeles que protegen a los hombres: el Éxito.

La joven no respondió.

—¿No te impresiona esto nada en absoluto? ¿No? —insistió el padre con un levísimo deje de amargura—. Bueno, bueno, he descubierto, Ester, que la peor realidad no es insoportable cuando sale de detrás de las nubes de las cuales veíamos primero sus negras formas. No, ni siquiera el potro lo es. Supongo que lo mismo ocurrirá con la muerte. Y según esta filosofía la esclavitud en que vamos a caer ha de parecernos luego dulce. Ya en este mismo momento me complace pensar en cuán venturoso es nuestro dueño. La fortuna no le cuesta nada; ni una ansiedad, ni una gota de sudor, ni tanto así como un pensamiento; se le echa encima sin que la hubiera soñado, y en la juventud. Más aún, Ester (y deja que manifieste un poco la vanidad al hacerme esta reflexión), adquiere algo que no podría ir a comprar al mercado ni con todo el dinero que irá a parar a su bolsa: te adquiere a ti, mi hija, mi adorada, ¡a ti, flor de la tumba de mi difunta Raquel!

Y atrayéndola hacia sí la besó dos veces: una por ella misma, y otra por su madre.

—No digas eso —replicó la joven cuando las manos de su padre se apartaron de su cuello—. Formemos mejor opinión de él; sabe lo que es sufrir y nos dará la libertad.

—Ah, poseer un fino instinto, Ester, y ya sabes que me fío de tu penetración en los casos cuando hay que calificar en bien o en mal a la persona que ha estado delante de ti como estuvo él esta mañana. Pero..., pero... —la voz del anciano subió de tono y se endureció—, estas piernas sobre las cuales no puedo sostenerme..., este cuerpo vencido y maltratado hasta hacerle perder la figura humana, no son todo lo mío que le doy. ¡Oh, no, no! Le entrego un alma que ha triunfado de los tormentos y de la malicia romana, más aguda que la tortura; le entrego una inteligencia dotada de unos ojos capaces de ver el oro a una distancia mayor que la que recorrieron las naves de Salomón y de la facultad de traerlo a la mano. Sí, Ester, aquí dentro de mi palma para que los dedos se cierren sobre el metal y lo guarden; no sea que la palabra de otro hombre le hiciese nacer alas; sí, una inteligencia poderosa y fecunda... —El anciano se interrumpió y se puso a reír—. Ea, Ester, antes de que la luna nueva que en estos momentos está festejando en los patios del Templo del Monte Sagrado entre en su fase siguiente, yo podría estremecer al mundo de tal modo que hasta el mismo César se alarmase. Porque, entérate, hija mía, yo poseo esa facultad que vale más que ningún otro sentido, más que un cuerpo perfecto, más que el coraje y la decisión, más que la experiencia (que por lo común es el mejor fruto de las vidas más prolongadas), la facultad más divina del hombre pero a la cual —aquí se interrumpió y se puso a reír nuevamente, pero no con amargura sino con verdadero regocijo—, ni aún los grandes tienen en bastante estima, mientras, que para el rebaño es una cosa inexistente; la facultad de arrastrar a los hombres haciendo que se identifiquen con mis propósitos y no cejen hasta verlos realizados. Gracias a esta facultad, ante los objetivos que haya que lograr, me multiplico en centenares y en miles. Así los capitanes de mis barcos surcan los mares y me traen honradas ganancias; así Malluch sigue al joven, nuestro dueño, y llegará... —En aquel momento se oyó una pisada en la terraza—. ¡Ah, Ester!, ¿no te lo he dicho? Aquí está, y sabremos noticias. Por ti, dulce hija mía, libro recién abierto, ruego al Señor Dios, que no ha olvidado a Israel, su descarriada oveja, que sean buenas y reconfortantes. Ahora sabremos si está dispuesto a dejarnos libre a ti, con toda tu belleza, a mí a pesar de todas mis facultades.

Malluch vino hasta el sillón.

—La paz sea contigo, buen amo —dijo con una profunda reverencia—. Y contigo, Ester, la más excelente de las hijas.

Malluch se quedó de pie respetuosamente. La actitud y el saludo hacían difícil definir la relación que le unía con ellos. La primera era propia de un siervo, el segundo indicaba al familiar y al amigo. Por su parte, Simónides, según acostumbraba en materia de negocios, después de corresponder a la salutación, pasó sin rodeos a ocuparse del tema.

—¿Qué hay del joven, Malluch?

Malluch refirió los acontecimientos del día con las palabras más sencillas, y hasta que hubo terminado nadie le interrumpió. El oyente del sillón no movió ni una mano tan siquiera mientras duró el relato. A no ser por sus ojos, muy abiertos y brillantes, y por alguna que otra inspiración profunda, se le habría podido tomar por una efigie.

—Gracias, gracias, Malluch —dijo calurosamente cuando el otro hubo concluido—. Has actuado muy bien. Nadie habría podido hacerlo mejor. ¿Qué me dices ahora de la nacionalidad del joven?

—Es israelita, buen amo y de la tribu de Judá.

—¿Estas seguro?

—Muy seguro.

—Parece que te ha contado muy poco de su vida.

—En alguna parte le enseñaron a ser prudente. Yo le llamaría incluso desconfiado. Ha desbaratado todas mis tentativas por ganarme su confianza hasta que, estando en la fuente de Castalia, hemos emprendido la marcha hacia la villa de Dafne.

—Un lugar de abominación. ¿Por qué ha ido?

—Yo diría que por curiosidad, el móvil principal de todos los que van. Pero cosa rara, nada de lo que veía le interesaba. Del templo se ha limitado a preguntar si era griego. Buen amo, el joven tiene algún pesar que atormenta su espíritu y ha ido al bosque, creo yo, como nosotros vamos a las tumbas llevando a nuestros difuntos: ha ido a enterrarlo.

—Si fuera así no habría nada que objetar —dijo Simónides, en voz baja. Luego, con voz más fuerte, añadió—: La maldición de esta época es la prodigalidad, Malluch. Los pobres se empobrecen todavía más imitando como simios a los ricos y los meramente ricos llevan el tren de vida de los príncipes. ¿Has visto en el joven pruebas de este defecto? ¿Hacía alarde de dinero en monedas de Roma o de Israel?

—En ningún momento, buen amo.

—Sin duda, Malluch, hay tantas cosas que invitan a la locura, tantas cosas que comer y beber, quiero decir. Sin duda te ha hecho generosos ofrecimientos de alguna especie. Su edad, si no otros factores, lo da por descontado.

—En mi compañía no ha bebido ni comido.

—En lo que ha dicho y hecho, ¿no has hallado nada que te permitiera descubrir el propósito de quién le mande? Ya sabes que atisban por rendijas tan estrechas que ni el aire se filtra por ellas.

—Dímelo de modo que pueda comprenderte —solicitó Malluch, dubitativo.

—Bien, ya sabes que no hablamos ni actuamos, ni mucho menos decidimos los asuntos graves que nos afectan, sino cuando nos impulsa algún motivo. A este respecto, ¿qué conclusión has sacado tú?

—En cuanto a esto, mi amo Simónides, puedo responder con toda seguridad. El objetivo que persigue el joven es el de encontrar a su madre y a su hermana. Esto, en primer lugar. Por otra parte, guarda vivo rencor a Roma por alguna ofensa recibida, con la cual tiene algo que ver el Messala de quien te hablaba. De modo que el gran objetivo del momento consiste en humilarle. Cuando se encontraron en la fuente se le ofrecía una oportunidad para ello, pero la ha desechado por no ser suficientemente pública.

—Messala es un hombre influyente —dijo Simónides, pensativo.

—Sí, pero la próxima vez se encontrará en el Circo.

—¿Y... entonces?

—El hijo de Arrio vencerá.

—¿Cómo lo sabes?

Malluch sonrió.

—Juzgo por lo que ha dicho.

—¿Y nada más?

—Sí, hay un signo mucho mejor; su espíritu.

—¡Ah! Pero, Malluch, ¿qué alcance tiene su proyecto de venganza? ¿La limita a los pocos que le ofendieron, o la extienden a muchos? Y, además, ¿son sus sentimientos fantasías de un muchacho sensible o tienen la madurez propia del hombre que ha sufrido, esa madurez que les da consistencia? Ya sabes, Malluch no pasa de ser un sueño ocioso que un día claro disipará, mientras que la pasión de la venganza es una enfermedad del corazón que sube hasta el cerebro y se alimenta igualmente de ambos.

En las anteriores palabras manifestó Simónides por primera vez señales de emoción. Las pronunció con voz rápida, cerrados los puños y con la vehemencia de un hombre que sufre la enfermedad que describe.

—En efecto, mi amo —respondió Malluch—. Una de las razones que me hace creer que el joven es judío, es la intensidad de su odio. He visto claramente que no se fía de sí mismo, cosa natural dado el largo tiempo que ha vivido en la atmósfera de celos y rivalidades de Roma. Pero he observado en dos ocasiones que se enardecía. Una ha sido cuando quiso conocer los sentimientos del jeque Ilderim por Roma. La otra cuando le he contado la historia del jeque y el sabio, y le he repetido la pregunta: «¿Dónde está el que ha nacido Rey de los Judíos?»

—¡Ah, Malluch, sus palabras! ¡Repíteme sus mismas palabras! Déjame formar juicio de la impresión que el misterio le ha producido.

—Ha querido saber las palabras exactas. ¿Dijeron «*ha nacido rey*» o «*ha nacido para ser rey*»? Le he visto muy obsesionado por la diferencia de significado que al parecer encontraba entre las dos frases.

Simónides volvió a tomar la posesión del juez que está escuchando.

—Entonces —prosiguió Malluch—, le he explicado la interpretación que Ilderim da al misterio: o sea, que el rey traerá la condenación de Roma. Al joven, la sangre le ha teñido las mejillas y hasta la frente, y ha dicho con aire grave: «¿Quién si no Herodes puede ser rey mientras subsista Roma?».

—¿Qué quería significar?

—Que para instaurar otro gobierno, primero hay que destruir el imperio.

Simónides estuvo un rato mirando los barcos y las sombras de éstos meciéndose muy juntos sobre el río. Cuando levantó la vista fue para poner fin a la conversación.

—Basta, Malluch —dijo—. Vete a comer y prepárate para regresar al Vergel de las Palmeras. Debes ayudar al joven en la prueba que se avecina. Ven a verme por la mañana. Quiero enviar una carta a Ilderim. —Luego, en voz queda, como para sí mismo, añadió—: Hasta yo acudiré al Circo.

Cuando Malluch se hubo retirado, después de dar y recibir la bendición acostumbrada, Simónides bebió un buen sorbo de leche, pareciendo reanimado y con la mente mas despejada.

—Retira la comida, Ester. He terminado —dijo.

La joven obedeció.

—Ahora, ven acá.

Ester volvió a ocupar su puesto en el brazo del sillón, junto a su padre.

—Dios es bueno conmigo, muy bueno —dijo el mercader, con gran fervor—. Aunque suele envolverse en el misterio, algunas veces permite que podamos creer que le vemos y le comprendemos. Yo soy viejo, amor mío, y debo morir. Sin embargo, en esta hora undécima, cuando empezaba a perder las esperanzas, me envía una más junto con una promesa y me siento, reanimado. Veo abrirse un gran camino hacia una nueva vida por un medio tan grande, a su vez que será como un segundo nacimiento para la tierra toda. Y veo por qué me han concedido tan extraordinarias riquezas y el fin que les asignó. Verdaderamente, hija mía, me afinco en la vida de nuevo.

Ester se arrimó más a él, como para traer a un terreno más próximo los pensamientos del anciano, que volaban hacia lejanos confines.

—El rey ha nacido —prosiguió éste, imaginando que continuaba dirigiéndose a la joven—. Y debe de acercarse a la mitad del curso de la vida del común de los hombres. Baltasar dice que cuando él le vio, le adoró y le ofreció regalos, era un niño en el regazo de su madre. Ilderim asegura que el diciembre pasado hizo veintiséis años que Baltasar y sus compañeros se presentaron en su tienda pidiendo que les facilitara un escondite para librarse de la persecución de Herodes. Por tanto, el advenimiento del esperado no puede demorarse mucho. Puede producirse esta misma noche, acaso mañana. ¡Santos padres de Israel, qué dicha proporciona el pensarlo! Me parece oír el estrépito universal. Sí, y para que sea mayor todavía el regocijo de los hombres, la tierra se abre enterrando a Roma en su seno. Y los hombres levantan la vista y ríen y cantan, proclamando que Roma ya no existe, mientras que nosotros seguimos existiendo. —Aquí el mercader se rió de sí mismo— ¡Caramba, Ester! ¿Habías oído otra cosa igual? No cabe duda, tengo en el alma la inspiración de un poeta, y en la sangre el calor y la emoción de Miriam y David. Mis pensamientos, que deberían ser los de un hombre sencillo que trabaja con números y hechos concretos, retumban con una confusión de címbalos golpeados y de cuerdas de arpa pulsadas con fuerza, con los gritos de una multitud puesta en pie alrededor de un trono recién levantado. Dejaré de pensar en ello, por el momento. Sólo que, hija mía, cuando venga el rey necesitará dinero y hombres, porque, habiendo nacido de una mujer, será, al fin y al cabo un hombre, sujeto, lo mismo que tú y que yo, a todas las necesidades humanas. Y así, con respecto al dinero, necesitará quien lo reúna y lo guarde, y con referencia a los hombres, necesitará dirigentes. ¡Oye, oye! ¿No ves abrirse ante nosotros un ancho camino para que yo camine por él, y para que nuestro joven dueño se lance a la carrera? ¿No ves al final del mismo la venganza y la gloria como una recompensa para ambos? Y... y... —el anciano se interrumpió, dándose cuenta, de pronto, el egoísmo que representaba haber trazado un esquema en el que su hija no jugaba ningún papel ni tenía reservado provecho alguno—, y ¿no ves la felicidad que le espera a la hija de tu madre?

La joven permanecía inmóvil, sin decir nada. Simónides se acordó entonces de la diferencia de manera de ser que distingue a las personas, y de esa ley que no consiste que todos nos alborocemos siempre por la misma causa, ni que sintamos un miedo igual ante idéntico motivo. Y recordó que Ester no era más que una niña.

—¿En qué estás pensando? —le preguntó, ya con su estilo llano habitual—. Y si lo que piensas toma la forma de un deseo, manifiéstamelo, pequeña, mientras disfruto todavía de poder para satisfacerlo. Porque ya sabes que es una cosa terrible, y tiene siempre la alas extendidas y prontas para volar.

La joven respondió con una simplicidad casi infantil:

—Envía a buscarlo, padre. Envía a buscarlo esta misma noche. No dejes que vaya al Circo.

—¡Ah! —exclamó el mercader, alargando la sílaba.

Y volvió a fijar la mirada en el río, donde las sombras eran más oscuras que nunca, porque la luna se había hundido detrás del Sulpio, abandonando la ciudad a las ineficaces estrellas. ¿Hemos de decirlo, lector? Había sentido en la carne el zarpazo de los celos. ¿Y si Ester se hubiese enamorado de verdad de su amo? ¡Ah, no! Imposible. Era demasiado joven. Pero la idea había arraigado con fuerza en la mente de Simońides, dejándole instantáneamente frío, petrificado. Ester tenía dieciséis primaveras. Él lo sabía bien. En ocasión de su último cumpleaños habían ido juntos al astillero donde iban a botar al agua un navío, y la bandera amarilla que llevaba la galera para su desposorio con las olas ostentaba, el nombre del «Ester». Así celebraron el día padre e hija. Y sin embargo, esta realidad le trastornaba ahora con el impacto de la sorpresa. Hay cosas de las cuales nos damos cuenta con penas, sobre todo si nos afectan directamente. Una de ellas, por ejemplo, es el hecho de que vamos envejeciendo. Y otra más terrible todavía es la tremenda realidad de que tenemos que morir. Una realidad parecida se abrió paso en aquel instante hasta el corazón de Simónides, furtiva como las sombras, pero bastante consistente para arrancarle un suspiro que era casi un lamento. No era suficiente que cruzase el umbral de la juventud reducida a la condición de sierva, tenía que ofrecer a su amor el tesoro de sus afectos: la sinceridad, la ternura, la delicadeza que su padre conocía tan bien por haber sido hasta aquel momento el usufructuario único de tales prendas. El demonio encargado de atormentarnos con temores y pensamientos amargos, raras veces realiza su trabajo a medias. Abrumado por la aflicción del momento, el valeroso anciano se olvidó del proyecto recientemente concebido y del rey que constituia el centro del mismo. Sin embargo, haciendo un poderoso esfuerzo, logró domininarse, y preguntó sosegadamente:

—¿Que no vaya al Circo, Ester? ¿Por qué, niña?

—No es lugar para un hijo de Israel, padre.

—¡Muy de rabí, muy de rabí la respuesta, Ester! ¿Y no hay nada más?

La pregunta tenía un tono inquisitivo que llegó hasta el corazón de la muchacha, haciéndole latir furiosamente. Tan furiosamente que no pudo contestar. Una turbación nueva y extraña, singularmente agradable, la invadió.

—El joven entrará en posesión de la fortuna —dijo el padre, cogiendo la mano de su hija y hablando con más ternura—. Entrará en posesión de las barcos y la moneda... de todo, Ester, de todo. Y sin embargo, yo no me consideraba pobre, porque me quedabais tú y tu amor, tan parecidos al de mi difunta Raquel. Dime, ¿de esto también pasará a ser dueño él?

Ester se inclino y apoyó la mejilla sobre su cabeza.

—Habla, Ester. Sabiendo la verdad me sentiré más fuerte. El estar prevenido infunde fortaleza.

La joven se incorporó, y habló como si fuese la personificación de la sagrada Verdad.

—Tranquilízate, padre. Yo nunca te abandonaré. Aunque él se llevase mi amor, yo sería tu doncella como hasta ahora.

E inclinándose de nuevo, le besó.

—Más aún —prosiguió—. Mis ojos le ven agraciado, y el tono de súplica de su voz me atrajo hacia él, y me estremezco al pensar que le amenaza un peligro. Sí, padre, me alegraría en extremo volverle a ver. Sin embargo, el amor no correspondido no puede ser un amor perfecto. Por ello esperaré durante un tiempo, recordando siempre que soy hija tuya y de mi madre.

—¡Una verdadera bendición de Dios eres tú, Ester! Una bendición que me haría rico aunque perdiese todo lo demás. Y por su santo nombre y por la vida perdurable, juro que no sufrirás.

Un rato después, y a petición del anciano, vino el criado y empujo la silla hasta el cuarto, donde Simónides continuó sentado por un tiempo, pensando en la llegada del rey, mientras su hija se retiraba a su habitación a dormir con el sueño de la inocencia.

CAPÍTULO XII

UNA ORGÍA ROMANA

Se asegura que el palacio del otro lado del río, casi enfrente a la vivienda de Simónides, lo levantó el famoso Epifanes, y tenía todo lo que puede imaginarse en una morada tal. Aunque el gusto de su constructor se inclinase más hacia lo grandioso que hacia lo que ahora se ha dado en llamar clásico. En otras palabras, en arquitectura, Epifanes imitaba a los persas antes que a los griegos.

La muralla que circundaba toda la isla corriendo por la orilla del agua, y que fue levantada con la doble finalidad de que sirviera de baluarte contra el río y de defensa contra las turbas, se decía que había hecho al palacio inadecuado para servir de morada permanente, de tal modo que los legados lo abandonaron y se trasladaron a otra residencia erigida por ellos en la cresta occidental de Monte Sulpio, bajo el Templo de Júpiter. No faltaba, empero, quien rechazase llanamente la acusación dirigida contra la antigua residencia. Inspirados por la malicia, si por otra cosa no, aseguraban que el verdadero motivo del traslado no había sido el deseo de buscar un emplazamiento más salubre, sino la mayor seguridad que les proporcionaban los enormes barracones, a los que, según el estilo dominante, daban el nombre de ciudadela, situados encima mismo del camino de la estribación oriental de la montaña. Muy aceptables argumentos podían aducirse en pro de este parecer. Entre otros detalles pertinentes, se hacía notar que siempre conservaban el palacio en condiciones de ser ocupado, y que cuando llegaba a la ciudad un cónsul, un general del ejército, un rey o un visitante distinguido por la causa que fuere, lo alojaban invariablemente en la isla.

Como nosotros no hemos de ocuparnos sino de un solo apartamento de la vieja mole, el resto de la misma lo confiamos a la fantasía del lector, quien puede cruzar a su antojo jardines, baños, salones y el laberinto de cuartos, hasta llegar a los pabellones de la azotea, todos ellos amueblados como correspondía a una mansión famosa de la ciudad que se aproximaba más que ninguna otra en el mundo al «fastuoso Oriente» de Milton.

En aquellos tiempos, al apartamento aludido le habrían dado el nombre de salón. Era muy espacioso, estaba enlosado con baldosas de mármol y durante el día lo iluminaban unos tragaluces en los que la mica coloreada servía de cristales. Las paredes aparecían interrumpidas por atlantes, sin que hubiera dos con la misma figura, si bien todos ellos sostenían una cornisa que formaba arabescos de complicado dibujo y cuya elegancia realzaban los sobreañadidos de color: azul, verde, púrpura de Tyro y oro. Rodeaba la habitación un diván continuo de sedas indias y lana de Cachemira. El mobiliario consistía en mesas y taburetes de estilo egipcio grotescamente trabajados.

Hemos dejado a Simónides completando el plan que había concebido para correr en ayuda del milagroso rey, cuya llegada había calificado de muy inminente. Ester duerme...

Y ahora, habiendo cruzado el puente tendido sobre el río, así como la puerta guardada por los leones, cierto número de salas de gusto babilonio y otro número de patios, penetramos en el dorado salón.

Hay en él cinco lámparas sostenidas por cadenas de bronce que penden del techo, una en cada ángulo y otra en el centro, enormes pirámides de luces encendidas, iluminando desde los rostros demoníacos de los atlantes hasta las complicadas filigranas de la cornisa. Alrededor de las mesas, sentados o de pie, o yendo de ésta a la otra, hay probablemente un centenar de personas, a las que debemos estudiar al menos unos momentos.

Son todas jóvenes, algunas han salido hace poco de la adolescencia. Queda fuera de duda que todos son italianos, y la mayoría romanos. Todos hablan el latín con gran pureza, al paso que todos van ataviados con el traje usado en la gran capital del Tíber en la intimidad del hogar. Es decir, visten túnicas de mangas y faldas cortas, estilo de atavío muy indicado para el clima de Antioquía y especialmente cómodo en la atmósfera demasiado cargada del salón. Dispersas sobre el diván, se ven togas y *lacernae* [1], abandonadas donde sus respectivos dueños las han arrojado despreocupadamente. Y algunas están significativamente ribeteadas de púrpura. Se ven, asimismo, estirados sobre el diván, jóvenes que duermen. Pero si se trata de que les ha vencido la fatiga y el calor del bochornoso día, o si les ha vencido Baco, es cosa que no nos pararemos a inquirir.

El murmullo de voces es fuerte e incesante. A veces estalla una avalancha de carcajadas, otras se produce una explosión de

[1] Túnicas de abrigo y con capucha para la lluvia.

ira o de entusiasmo, pero sobre todo ello se impone un repiqueteo agudo y prolongado que al principio deja confundido al que no lo conoce. Sin embargo, si nos acercamos a las mesas, el misterio se aclara automáticamente. Los reunidos se entregan a sus juegos favoritos: las damas y dados, solos o combinados, y el repiqueteo proviene meramente de las *tesserre*, o cubitos de marfil, agitados ruidosamente y de los movimientos de los *hostes* en los escaqueados tableros.

—¿Quiénes son los reunidos?

—Buen Flavio —dice un jugador, dejando de mover la pieza, pero conservándola en la mano—, tú ves aquella *lacerna*, la que está enfrente de nosotros, en el diván. Acaba de salir de la tienda y tiene una hebilla en el hombro que es de oro y ancha como la palma de la mano.

—Bueno —contestó Flavio, puesta su atención en el juego—. He visto otras anteriormente, y por esto te digo que la tuya quizá no sea vieja, pero ¡por el cinturón de Venus, te aseguro que no es nueva! ¿Qué me dices a ello?

—Nada. Sólo que la daría por encontrar a un hombre que lo supiera todo.

—¡Ah, ah! A más bajo precio te encontraré aquí varios vistiendo de púrpura que aceptarán tu oferta. Pero, juega.

—Ahí va. Jaque.

—¡Caramba, por todos los Júpiteres! Y ahora, ¿qué dices? ¿Otra partida?

—Sea.

—¿Qué apostamos?

—Un sestercio.

Ambos sacaron las respectivas tablas y los estilos e hicieron una anotación para recordarlo. Mientras colocaban las fichas, Flavio volvio á ocuparse de la observación de su amigo.

—¡Un hombre que lo supiera todo! *¡Hercle!*[2]. Hasta los oráculos se morirían del susto. ¿Para qué querrías semejante monstruo?

—Para que me respondiese a una pregunta, Flavio mío. Después le cortaría la garganta.

—¿Cuál es la pregunta?

—Le pediría que me informase de la hora. ¿La hora he dicho? No, no, del minuto en que llegará mañana Majencio.

—¡Buen juego, buen juego! ¡Ya te tengo! ¿Y por qué del minuto?

—¿Has estado alguna vez con la cabeza descubierta bajo el sol de Siria en el muelle donde desembarcará? Los fuegos de Vesta no son más vivos. Y por el Stator[3] de nuestro padre

---

[2] Interjección equivalente a «¡Por Hércules!»
[3] Stator: esclavo público que hacía de ordenanza.

Rómulo, si morir debo, quisiera yo morir en Roma. Esto de aquí es el Averno. Allá en la plaza del Foro, yo podría estar de pie y con la mano levantada; así tocaría el suelo donde caminan los dioses. ¡Ah, por Venus, Flavio mío, me has engañado! Perdí. ¡Oh, Fortuna!

—¿Otra vez?

—Debo recuperar mi sestercio.

—Como quieras.

Y siguieron jugando ininterrumpidamente, y cuando el día, filtrándose sigilosamente por los tragaluces, empezó a barrer el brillo de las lámparas, los encontró a los dos en los mismos asientos de la misma mesa, todavía jugando. Como la mayor parte de los allí reunidos, eran agregados militares del cónsul que, mientras esperaban su llegada, se entregaban a las diversiones.

Durante esta conservación había entrado un grupo en la estancia, y pasando inadvertido al principio, fue a ocupar la mesa central. Sus componentes daban muestras de haber venido de una fiesta recién terminada. Algunos se sostenían en pie con bastante dificultad. Una corona rodeaba la frente del jefe del grupo señalándole como centro principal del banquete, si es que no era el que lo había dado. El vino no había dejado en él otra huella que la de realzar su belleza, que pertenecía al tipo romano más varonil: llevaba la cabeza muy erguida, sus ojos centelleaban y su modo de andar, envuelto en una toga de una blancura inmaculada y de holgados pliegues, resultaba casi demasiado imperial para uno que estuviera completamente sereno, y no fuera un César. Al acercarse a la mesa hizo sitio para sí y para sus acompañantes con pocas consideraciones y sin pedir excusas. Y cuando al fin se detuvo y miró por encima de la mesa a los jugadores, todos se volvieron hacia él, prorrumpiendo en un grito que más parecía una aclamación.

—¡Messala! ¡Messala! —decían a coro.

Los que se hallaban en puntos apartados, al oír el grito lo repitieron desde donde estaban. Los diversos grupos se disolvieron al instante, los que jugaban abandonaron las partidas y todo el mundo se precipitó hacia el centro de la estancia.

Messala acogía aquellas manifestaciones con suprema indiferencia. Un momento después, procedió a poner de relieve la base sobre la que se asentaba su popularidad.

—Salud a ti, Druso, amigo mío —le dijo al jugador que tenía más cerca a su derecha—. Salud... y déjame las tablas un momento.

Y levantó las tablas, dio una mirada a las anotaciones de apuestas y las arrojó otra vez.

—¡Denarios, sólo denarios, la moneda de los cocheros y los matarifes! —exclamó con una carcajada de desprecio—. ¡Por la borracha Semele! ¿Adónde irá a parar Roma cuando un César se pase las noches sentado esperando un capricho de la fortuna que no le traiga sino un denario de mendigo?

El retoño de los Drusos enrojeció hasta las cejas, pero los otros espectadores acogieron la reprimenda agolpándose más alrededor de la mesa y gritando:

—¡Messala! ¡Messala!

—Hombres del Tíber —prosiguió éste, arrebatando un cubilete con los dados de una mano vecina—, ¿quién es el más favorecido de los dioses? Un romano. ¿Quién dicta las leyes a las naciones? Un romano. ¿Quién es el dueño universal, por el derecho de la espada?

La asamblea era de las que se dejan arrastrar fácilmente, y la idea que se le inculcaba le era familiar desde la cuna. En un abrir y cerrar de ojos, todos le arrebataron la respuesta.

—¡Un romano! ¡Un romano! —gritaron.

—Sin embargo..., sin embargo —dijo prolongando la palabra para adueñarse de la atención de todos—, sin embargo, hay uno mejor que los mejores de Roma.

Y sacudiendo la patricia cabeza, hizo una pausa como para aguijonearlos con su sarcasmo.

—¿Me oís? —preguntó—. Existe alguien mejor que los mejores de Roma.

—¡Sí! ¡Hércules! —gritó uno.

—¡Baco! —aulló un satírico.

—¡Júpiter, Júpiter! —tronó la masa general.

—No —replicó Messala—. Quiero decir entre los hombres.

—¡Nómbrale, nómbrale!

—Le nombraré —dijo en seguida que se produjo una pausa—. El que a la perfección de Roma ha sumado la del Oriente, el que junto con las armas conquistadoras, que son occidentales, posee además el arte necesario para disfrutar del dominio, que es Oriental.

—¡Perpol! A pesar de todo, un romano le aventaja —gritó alguno.

En seguida se levantó un estallido de carcajadas y una prolongada salva de aplausos, reconociendo que Messala llevaba ventaja.

—En el Oriente —continuó él— no tenemos dioses, sino únicamente vino, mujeres y fortuna y el mayor de los tres es la fortuna. De ahí nuestro lema: «¿Quién es tan osado como yo?», adecuado para el Senado, adecuado para la batalla, y más adecuado para aquél que, buscando lo mejor, se expone a lo peor.

Su voz descenció a un tono llano y familiar, pero sin que renunciara al ascendiente conseguido.

—Allá en la ciudadela tengo en un gran cofre cinco talentos

en moneda aceptada por los mercados, y aquí están los recibos que los respaldan.

De debajo de la túnica sacó un rollo de papel, y arrojándolo sobre la mesa, continuó en medio de un silencio en el que no se oía ni la respiración de nadie, mientras todos los ojos estaban fijos en él y todos los oídos le escuchaban:

—Dicha suma pone aquí encima de la mesa la medida de lo que arriesgo. ¿Quién de vosotros arriesga otro tanto? Quedáis callados. ¿Es demasiado? Retiraré un talento. ¡Qué! ¿Todavía silenciosos? Vamos, disputadme, pues, tres talentos, dos, uno... Uno al menos, por el honor del río a cuya orilla nacisteis, por Roma. ¡El Este contra Roma, el Oeste! ¡Orontes, el bárbaro, contra Tíber, el sagrado!

Y mientras aguardaba hacía sonar los dados dentro del cubilete.

—¡El Orontes contra el Tíber! —repitió, acentuando la nota de enfático sarcasmo.

Nadie se movió. Él entonces arrojó el cubilete sobre la mesa, y riendo, cogió los resguardos.

—¡Ja, ja, ja! Por el Júpiter olímpico. Ahora sé que cada uno de vosotros ha de reunir o remendar su fortuna, y por ello habéis venido a Antioquía. ¡Eh, Cecilio!

—¡Aquí, Messala! —gritó un hombre detrás de él—. Aquí estoy, pereciendo entre la turba y pidiendo un dracma de limosna para aplacar al furioso barquero. Pero ¡que Plutón me lleve!, estos nuevos no traen ni siquiera un óbolo.

La ocurrencia provocó un estallido de risas que retumbó repetidamente por el salón. Sólo Messala conservaba su aire serio.

—Ve a la cámara donde estábamos y manda a los criados que traigan acá el ánfora, las tazas y las copas —le dijo a Cecilio—. Si estos compatriotas nuestros que van en pos de la fortuna no traen bolsas, ¡por el Baco Sirio que he de ver si no están mejor dotados de estómagos! ¡Date prisa!

Luego se volvió hacia Druso con una carcajada que se oyó por toda la habitación.

—¡Ja, ja, amigo mío! No te ofendas si he rebajado al César que hay en ti al nivel del denario. Ya ves que sólo me he limitado a utilizar el nombre para poner a prueba a esos jóvenes noveles de Roma. ¡Ven, Druso mío, ven! —Y volviendo a coger el cubilete, agitó los dados alegremente—. Vamos, por la suma que tú quieras, midamos nuestra suerte.

Se expresaba con un aire franco, cordial, subyugador. Druso se dejó convencer al momento.

—¡Sí, por las Ninfas! —contestó riendo—. Echaré los dados contigo, Messala, apostando un denario.

Un muchacho muy joven estaba contemplando la escena des-

de el otro lado de la mesa. De súbito, Messala se volvió hacia él.
—¿Quién eres? —le preguntó.
El chaval retrocedió unos pasos.
—¡No, por César, y también por su hermano! No quise ofenderte. Es norma entre los hombres y en asuntos muy distintos que los dados, llevar la cuenta con tanta mayor exactitud cuando menor sea el negocio. Necesito un ayudante. ¿Quieres servirme?
Sus maneras eran irresistibles. El muchacho sacó las tablillas, dispuesto a tomar nota de las jugadas.
—¡Alto, Messala, alto! —gritó Druso—. No sé si es de mal agüero detener los dados, preparados ya, para hacer una pregunta. Pero se me ocurre una, y debo hacerla aunque Venus me dé un azote con su cinturón.
—Nada de eso, Druso mío, Venus con el cinturón fuera es la Venus enamorada. En cuanto a tu pregunta, primero pondré el cubilete boca abajo y lo retendré para evitar la mala suerte. Así.
Y puso el botecito boca abajo sobre la mesa, apretándolo firmemente contra los dados.
Druso preguntó:
—¿Viste alguna vez a un tal Quinto Arrio?
—¿El duunviro?
—No, a su hijo.
—No sabía que tuviera ninguno.
—Ea, no tiene importancia —añadió Druso, con aire indiferente—. Lo único que hay, Messala mío, es que Polux no se parecía más a Castor que Arrio a ti.
La observación produjo el efecto de una señal. Veinte voces le hicieron coro.
—¡Es cierto, es cierto! Sus ojos..., su cara... —exclamaron.
—¡Qué! —respondió uno, con desagrado—. Messala es romano. Arrio es judío.
—Dices bien —exclamó un tercero—. O es judío o Momo se equivocó al prestar la máscara a su madre.
Viendo que iba a desatarse una discusión, Messala intervino.
—El vino no ha llegado, Druso mío, y como tú ves tengo al pecoso Pythias como los perros cuando están encadenados. En lo referente a Arrio, acepto la opinión que has formado de él. Dame, pues, más detalles.
—Pues, bien. Sea judío o sea romano (y por el gran dios Pan te aseguro que no lo digo para herir tus sentimientos, oh, mi Messala), ese Arrio es guapo, valiente y listo. El emperador le ofreció su favor y su patronazgo y él los rehusó. Ha salido del misterio, y guarda las distancias como si se tuviera por superior, o si se creyera inferior al resto de nosotros. En la palestra no tenía rival. Jugaba con los gigantes de ojos azules del Rhin y con los toros sin cuernos de Sarmacia como si fueran varitas de sauce. El duunviro le dejó inmensamente rico. Siente una tre-

menda pasión por las armas y no piensa en otra cosa que en la guerra. Majencio le admitió en su familia militar, y tenía que embarcar con nosotros. Pero en Ravena le perdimos de vista. No obstante, ha llegado sin novedad. Esta mañana hemos sabido noticias. ¡Perpol! En lugar de venir al palacio o de irse a la ciudadela, ha dejado el equipaje en el *khan* y ha desaparecido de nuevo.

Al principio del relato, Messala escuchaba con indiferencia cortés, pero a medida que el narrador iba dando nuevos datos, le prestó mayor atención. Al terminar, su mano soltó el cubilete de los dados.

—¡Eh, Cayo mío! ¿Lo has oído? —exclamó con voz sonora.

Un joven que estaba a su lado, el Myrtilo o camarada que le acompañaba aquel mismo día en la cuadriga respondió muy complacido por la atención.

—Si no lo hubiera oído, mi Messala, no sería un amigo tuyo.

—¿Recuerdas al hombre que hoy te ha hecho caer?

—Por los rizos de amor de Baco, ¿acaso no tengo una magulladura en el hombro que me ayuda a conservar su figura en la mente?

Y acentúo el significado de sus palabras con un encogimiento de hombros, elevando éstos hasta que le escondieron las orejas.

—Pues dales las gracias a los Hados, porque he descubierto a tu enemigo. Escucha bien.

Dicho lo cual, Messala se dirigió a Druso.

—Sigue hablándonos de él. ¡Perpol! Dinos algo más del que es a la vez judío y romano. ¡Una combinación capaz de hacer adorable a un Centauro! ¿Qué ropaje lleva, Druso mío?

—El de los judíos.

—¿Has oído, Cayo? —dijo Messala—. Uno, el sujeto en cuestión es joven; dos, tiene el aire de un romano; tres, prefiere el atuendo de los judíos; cuatro, en la palestra ha adquirido unos brazos capaces de tumbar un caballo o volcar una carroza, según ordene la necesidad. Druso, ilustra de nuevo a mi amigo. Sin duda, ese Arrio es un maestro del lenguaje, de otro modo no sabría engañarse a sí mismo siendo hoy judío y mañana romano. Pero, ¿también se expresa en el idioma de Atenas?

—Con tal pureza, Messala, que habría podido tomar parte en las competiciones ístmicas.

—¿Vas oyendo, Cayo? —dijo Messala—. El tal individuo está en condiciones de saludar a una mujer en griego, y de saludarla como si fuera el mismo Aristomaco en persona, y si seguimos llevando la cuenta, esto hace cinco. ¿Qué dices tú?

—Le has encontrado, Messala, o yo no soy hijo de mi madre —respondió Cayo.

—Perdona, Druso y perdonad todos que haya hablado así, en acertijos —dijo Messala, con aquel aire suyo tan atractivo—. Por todos los dioses honrados, no quisiera forzar tu cortesía hasta el punto de quebrarla, pero ayúdame. ¡Mira! —añadio, volviendo a poner la mano sobre el bote de los dados—. ¡Mira cuán encerrados mantengo a las Pythias y su secreto! Creo que has dicho que el hijo de Arrio ha aparecido de una manera misteriosa. Cuéntamela.

—No tiene importancia, Messala, ninguna importancia —respondió Druso—. Es un cuento de niños. Cuando Arrio, padre, se hizo a la mar para ir a perseguir a los piratas, no tenía esposa ni familia, pero regresó con un muchacho, del cual ya hablamos, y al día siguiente lo adoptó.

—¿Lo adoptó? —repitió Messala—. Por los dioses, Druso, te aseguro que empiezas a interesarme. ¿Dónde encontró el duunviro al muchacho? ¿Y quién era?

—¿Quién ha de contestar a su pregunta, Messala, sino el joven Arrio mismo? ¡Perpol! En el curso de la batalla, el duunviro, que entonces era solamente tribuno, perdió su galera. Un barco que regresó al lugar del combate los halló flotando sobre la misma tabla a él y al otro, únicos supervivientes de toda la dotación. Te estoy repitiendo la historia que contaron los que les rescataron. Una historia que tiene, cuando menos, este mérito: nadie la ha desmentido. Ellos dicen que el compañero que tenía el duunviro en aquella tabla era judío.

—¡Judío! —exclamo Messala, como un eco.

—Y esclavo.

—¿Cómo, Druso? ¿Un esclavo?

—Cuando los hubieron subido a los dos a cubierta, el duunviro llevaba su armadura, y el otro las ropas de un remero.

Messala, que estaba inclinado, apoyándose en la mesa, se irguió.

—Una galera —dijo comprobando el sonido de la degradante palabra, y miró a su alrededor no sabiendo, por una vez en su vida qué pensar.

En aquel preciso instante, una hilera de esclavos entraba en el salón. Unos traían grandes jarrones de vino, otros bandejas de frutas y dulces, otros todavía copas y botellas, la mayoría de plata. Era un cuadro que alegraba el ánimo. Messala subió al instante sobre un taburete.

—Hombres del Tíber —gritó con voz clara—, dejemos que estas horas de vela en espera de nuestros jefes se conviertan en una fiesta de Baco. ¿A quién elegís para anfitrión?

Druso se puso en pie.

—¿Quién ha de ser el maestre sino el que da la fiesta? —dijo—. Responded, romanos.

Los demás contestaron gritando todos a una.

Messala se quitó la corona de la cabeza y la dio a Druso, el cual subió encima de la mesa, y a la vista de todos, se la puso nuevamente, constituyéndose en señor de la noche.

—Han venido conmigo a esta sala unos amigos que se habían levantado de la mesa hacía un momento —dijo—. Para que nuestra fiesta cuente con la aprobación de las sagradas tradiciones, traed acá al que manifieste más claramente los efectos del vino.

Una algarabía de voces respondió:

—¡Aquí está, aquí está!

Y levantándolo del suelo, sobre el que estaba tumbado, condujeron hasta allí a un joven de una belleza afeminada tan singular que habría podido hacerse pasar por el mismo dios de los bebedores... sólo que la corona le habría caído de la cabeza, y su mano habría soltado el tirso.

—Subidlo encima de la mesa —ordenó el anfitrión.

Pero vieron que no podía sostenerse sentado.

—Ayúdale, Druso, como es posible que la bella Nyone tenga que ayudarte a ti.

Druso tomó en sus brazos al embriagado.

Luego, dirigiéndose a la fláccida figura, Messala dijo, en medio de un profundo silencio:

—¡Oh, Baco, el más grande de los dioses, muéstrate propicio esta noche! En mi nombre y en el de esos fieles tuyos prometo esta corona —y al mismo tiempo se la quitó de la cabeza y la levantó con gran respeto—, prometo esta corona a tu altar del Bosque de Dafne.

En seguida, hizo una reverencia, dejó descansar nuevamente la corona sobre su cabello y después se inclinó y puso los dados al descubierto, diciendo con una carcajada:

—Mira, Druso, por el asno de Sileno, ¿es mío el denario?

Estalló una gritería que hizo vibrar el suelo y danzar a los huraños atlantes. Y comenzó la orgía.

CAPÍTULO XIII

UN AURIGA PARA LOS CORCELES ÁRABES DE ILDERIM

El jeque Ilderim era un hombre demasiado importante para andar por el mundo con un establecimiento pequeño. Tenía que conservar la reputación ante su tribu como le correspondía a un príncipe y a uno de los patriarcas que contaba con más seguidores de todo el desierto oriental de Siria. Entre los pobladores de las ciudades gozaba de otra reputación: la de ser uno de los personajes que no tuvieron la jerarquía de reyes más ricos de todo el Este. Y como lo era en realidad, así en dinero como en sirvientes, camellos, caballos y rebaños de toda especie, le gustaba hacer alarde de cierta opulencia, la cual, además de enaltecer su dignidad a los ojos de los extranjeros, contribuía a satisfacer su orgullo personal y le proporcionaba comodidades. Así, pues, el lector no debe dejarse desorientar por las frecuentes referencias a su tienda del Vergel de las Palmeras. La realidad es que tenía allí un aduar respetable, es decir, tenía tres tiendas grandes (una para él personalmente, otra para los visitantes y otra para su esposa favorita y las criadas de ésta) y seis u ocho más pequeñas, ocupadas por los servidores y por los elementos más adictos de la tribu que había decidido traerse consigo como guardia personal, hombres robustos, de probado valor, excelentes jinetes y expertos en el manejo del arco y la lanza.

Puede darse por descontado que en el Vergel ninguno de sus bienes corría el menor peligro. Sin embargo, como los hábitos de un hombre le siguen lo mismo a la ciudad que al campo, y como jamás es prudente aflojar las correas de la disciplina, el interior del aduar estaba reservado para sus vacas, camellos, cabras y todas aquellas posesiones que podían tentar a un león o a los ladrones.

Para hacerle cumplida justicia, hay que reconocer que Ilderim conservaba celosamente todas las costumbres de sus mayores, sin abandonar ninguna, ni siquiera la más insignificante. En consecuencia, la vida que llevaba en el Vergel era una continuación de la del desierto. Y no era esto sólo sino que reproducía con toda fidelidad los usos patriarcales, la auténtica vida pastoril del antiguo Israel.

Formada de nuevo aquella mañana, la caravana llegó al Vergel.

—Aquí, plántalo aquí —dijo, parando el caballo y clavando una lanza en el suelo—. La puerta hacia el sur, de modo que el lago quede así, delante, y que estos hijos del desierto puedan descansar debajo cuando se pone el sol.

Al pronunciar estas palabras, se acercó a un grupo de grandes palmeras y dio unas palmaditas al tronco de una de ellas, del mismo modo que habría acariciado el cuello de su caballo o la mejilla del hijo más amado.

¿Quién si no el jeque podía con todo derecho ordenar a la caravana: «¡Alto!», o decir: «¡Plantad aquí la tienda!»?

Los hombres arrancaron la lanza y sobre la herida que había abierto en el suelo plantaron el primer pilar de la tienda, señalando el centro de la puerta. Luego plantaron los otros ocho, formando en total tres filas, de pilares, tres en cada fila. Después, a una orden, vinieron las mujeres y los niños, descargaron las lonas de los camellos y las extendieron. ¿Quién sino las mujeres había de encargarse de esta tarea? ¿No habían esquilado ellas el pelo de las pardas cabras y lo habían retorcido formando hilos, y habían tejido los hilos formando tela, y habían cosido las telas unas con otras, confeccionando las perfectas cubiertas de las tiendas, pardo oscuro en realidad, aunque a distancia se vieran negras como las de Kedar? Y finalmente, ¡con qué coros de risas y con cuántos tirones de toda la comitiva del jeque trabajando en equipo extendieron las lonas de un pilar a otro colocando al mismo tiempo las estacas y atando las sogas! Y cuando estuvieron en su sitio, las rojas esteras que servían de paredes —lo cual, según el estilo del desierto, era el último toque dado al edificio—, ¡con qué ansioso silencio esperaban la aprobación del buen anciano!

Luego él entraba y salía, inspeccionando el emplazamiento de la vivienda en relación al sol, a los árboles y al lago, y decía con calurosa cordialidad, frotándose las manos de contento:

—¡Muy bien! Ahora formad el aduar como sabéis hacerlo, y esta noche endulzaremos el pan con raque [4] y la leche con miel, y en cada fuego se asará un cabrito. ¡Que Dios esté con vosotros! Agua cristalina y pura no nos faltará, porque el lago es nuestro manantial. Y tampoco sufrirán hambre los animales que han traído la impedimenta, ni la sufrirá el más insignificante de

[4] Una clase de aguardiente.

nuestros rebaños, porque aquí tenemos hierba verde en abundancia. ¡Qué Dios esté con todo vosotros, hijos míos! Idos.

Y dando gritos de contento, los demás se iban dichosos a plantar sus propias viviendas. De entre los pocos que se quedaban a ordenar la morada del jeque, las sirvientas colgaban de la fila central de columnas una cortina que dividía la tienda en dos compartimentos: el de la derecha estaba destinado al mismo Ilderim; el otro destinado a sus caballos —las joyas de Salomón—, a los cuales conducían dentro, y después de mimarlos con besos y cariñosas palmaditas, los dejaban sueltos. Apoyado en la columna central, levantaban un armero y lo llenaban de jabalinas, lanzas, arcos, flechas y escudos, colgando delante de todo ello el sable del amo, que tenía la forma de la luna nueva, y el brillo de su hoja competía con el de las joyas incrustadas en su empuñadura. Sobre un extremo del armero colgaban los jaeces de los caballos, algunos de los cuales eran tan ricos como los de los corceles de un rey, mientras en el otro extendían las prendas del jeque: sus trajes de lana y los de lino, las túnicas, los calzones y los policromos pañuelos para la cabeza. Y nunca daban la tarea por terminada hasta que el gran hombre había manifestado su aprobación.

Entretanto, las mujeres sacaban y montaban el diván, para él más necesario que la barba, blanca como la de Aarón, que descendía sobre su pecho en largas guedejas. Para ello montaban un armazón cuadrado de tres caras, colocando su abertura en dirección a la puerta, y lo cubrían con cojines y cortinajes bajos, estando los cojines provistos de fundas cambiables a rayas pardas y amarillas. En los ángulos ponían almohadones y cabezales metidos dentro de fundas de tela azul y carmesí. Después extendían delante de los tres costados del diván alargadas alfombras, formando una franja, y el espacio central lo alfombraban también. Y cuando quedaba extendida la estela que iba desde la abertura del diván hasta la puerta de la tienda, su tarea había terminado, con lo cual aguardaban otra vez hasta que su dueño les decía que lo habían hecho bien. Ya nada faltaba entonces si no traer los jarrones y llenarlos de agua, y colgar las botas de raque al alcance de la mano. Mañana le tocaría el turno al vino que llamaban *leban*. ¡Ah! Ningún árabe habría visto razón alguna para que Ilderim no fuese, a la vez, feliz y magnánimo, acomodado en su tienda a la orilla del lago de frescas aguas, bajo el follaje del Vergel de las Palmeras.

Así era la tienda a cuya puerta habíamos dejado a Ben-Hur.

Los criados estaban ya esperando las indicaciones del dueño. Uno de ellos le quitó las sandalias al jeque, otro desató los zapatos romanos de Ben-Hur, luego ambos cambiaron las prendas de campo que llevaban, llenas de polvo, por otras nuevas de blanco lino.

—Entra, en nombre de Dios, entra y reposa —dijo el dueño de la casa en el dialecto de la plaza del mercado de Jerusalén, al mismo tiempo que abría la marcha hacia el diván—. Aquí me sentaré yo —anunció, señalando un sitio determinado—. Y ahí el extranjero.

Una mujer —una sierva la habrían llamado antiguamente— se acercó al momento y con mano experta apiló los cojines y almohadones de modo que ofrecieran apoyo a la espalda. Luego los dos hombre se sentaron en un costado del diván, mientras las sirvientas traían agua fresca del lago, les bañaban los pies y se los secaban con unas toallas.

—En el desierto solemos decir —empezó Ilderim, cogiéndose la barba y peinándosela con los largos dedos— que un buen apetito es garantía de una larga vida. ¿Tú lo tienes?

—Si eso es cierto, buen jeque, viviré un centenar de años. Soy un lobo hambriento que llama a tu puerta —respondió Ben-Hur.

—Pues no te expulsaremos como a un lobo. Yo te daré lo mejor de mis rebaños.

Diciendo esto, el anciano dio unas palmadas.

—Ve a buscar al extranjero a la tienda de los huéspedes y dile que yo, Ilderim, le envío mis votos suplicando que su paz transcurra incesante como el curso de las aguas de un río.

El hombre que aguardaba se inclinó.

—Dile también —continuó Ilderim— que he regresado con otro con quien compartir nuestro pan, y que si el sabio Baltasar quiere tomar de la misma hogaza, seremos tres a comerla, sin que la porción destinada a los pájaros disminuya por ello.

—El segundo sirviente partió.

—Ahora descansemos.

Ilderim se sentó en el diván al estilo que los mercaderes de hoy en día se sientan en las alfombrillas de sus bazares de Damasco, y cuando se sintió bien reposado dejó de peinarse la barba y dijo gravemente:

—El hecho de que seas mi huésped y hayas bebido mi vino y estés a punto de probar mi sal, no debe impedir que te haga una pregunta. ¿Quién eres?

—Jeque Ilderim —dijo Ben-Hur, sosteniendo tranquilamente su mirada—, te ruego no creas que quiero burlarme de tu justa demanda. Pero, ¿no te has encontrado en algún momento durante la vida en el que contestar esta pregunta habría sido un crimen contra ti mismo?

—¡Por el esplendor de Salomón, sí, es verdad! —respondió Ilderim—. El traicionarse a uno mismo es a veces tan ruin como el traicionar a la tribu.

—¡Gracias, gracias, jeque bueno! —exclamó Ben-Hur—. Jamás diste una respuesta más digna de ti. Ahora sé que sólo pides una base sobre la que fundar la confianza que yo solicito, y que te interesa más ver que merezco tu confianza que conocer los detalles de mi pobre vida.

El jeque se inclinó a su vez, y Ben-Hur se apresuró a sacar partido de la ventaja conseguida.

—Deseando que te agrade, te diré, pues, en primer lugar, que no soy romano como el nombre que te he dado parece implicar.

Ilderim se cogió la abundante barba que cubría casi todo su pecho y miró a su interlocutor con unos ojos que centelleaban por entre la sombra de las espesas y unidas cejas.

—En segundo lugar —continuó Ben-Hur—, soy un israelita de la tribu de Judá.

El jeque arqueó ligeramente las cejas.

—Y no es esto solamente. Buen jeque, yo soy un judío que guarda tal rencor contra Roma, que, comparado con el mío, el tuyo no es más que un disgusto de chiquillo.

El viejo se peinaba la barba con movimiento rápido y nervioso, y dejó bajar las cejas hasta que incluso el centelleo de los ojos quedó escondido.

—Todavía más: yo te juro, jeque Ilderim, yo te juro por los pactos que el Señor concluyó con mis padres que si me proporcionas la venganza que busco, el dinero y la gloria de la carrera serán para ti.

Las cejas de Ilderim dejaron de contraerse, su cabeza se levantó, la sonrisa empezó a propargarse por su cara, y se veía perfectamente que le invadía una viva satisfacción.

—¡Es bastante! —exclamó—. Si en la raiz de tu lengua se esconde enroscada una mentira, ni el mismo Salomón se habría librado de tus falacias. Creo sinceramente que no eres romano, que eres un judío que alimenta un resentimiento contra Roma, y que quieres tomarte un venganza. Pero hablemos de tu pericia. ¿Qué experiencia tienes en carreras de carrozas? ¿Y en lo tocante a los caballos? ¿Sabes convertirlos en criaturas dóciles a tu voluntad? ¿Logras que te conozcan, que vengan cuando les llamas, que corran, si tú lo ordenas, hasta el límite máximo que les permite su vigor y su aliento, y luego, en el momento crítico, sabes sacar de las profundidades de tu ser la vibración que les contagie haciéndoles realizar todavía otro esfuerzo, el más poderoso de todos? Este don, hijo mío, no lo posee todo el mundo. ¡Ah, por el esplendor de Dios! Yo conocí a un rey que gobernaba millones de hombres los cuales le miraban como a un soberano perfecto y no sabía hacerse respetar de un caballo. ¡Fíjate bien! Yo no hablo de eso brutos sin temple cuya misión consiste en trabajar como esclavos para otros esclavos. No hablo de los degradados, tanto en sangre como en figura, de los de espíritu muerto, sino de caballos como los que tengo aquí, reyes de su especie, descendientes de una casta que se remonta hasta el primer Faraón. Hablo de mis camaradas y amigos, acostumbrados a vivir en tiendas y elevados hasta mi mismo nivel por el largo tiempo pasado en mi compañía. Hablo de unos animales que a sus instintos han sobreañadido nuestras facultades y a sus sentidos han sumado nuestras almas, hasta el punto de sentir todo lo que nosotros sabemos de ambición, amor, odio y desprecio. Unos animales que en la guerra son héroes y en materia de adhesión a su dueño, fieles como mujeres. ¡Eh, aquí!

A su voz se presentó un criado.

—¡Deja entrar a mis árabes!

El sirviente descorrió en parte la cortina divisoria, dejando a la vista un grupo de caballos, los cuales permanecieron un momento indecisos, como si quisieran cerciorarse bien de la invitación.

—¡Venid! —les dijo Ilderim—. ¿Por qué os quedáis ahí? ¿Qué tengo yo que no sea vuestro? ¡Venid, digo!

Los animales se acercaron pausadamente.

—Hijo de Israel —dijo su dueño—. Tu Moisés era realmente un hombre extraordinario, pero, ¡ja, ja, ja!, tengo que reírme cuando pienso que autorizó a tus padres a servirse del cansino buey y del asno, lento y torpe, y les prohibió que poseyeran caballos. ¡Ja, ja, ja! ¿Crees que habría obrado del mismo modo si hubiese visto aquél, y ése y el de allá? —Al mismo tiempo que pronunciaba estas palabras, apoyó la mano sobre la cara del primero que llegó hasta él y le acarició con un orgullo y una ternura infinitos.

—Se trata de una mala interpretación, jeque, de una mala interpretación —dijo Ben-Hur, con vehemencia—. Además de un legislador predilecto de Dios, Moisés era un guerrero. Y hacer la guerra..., ¡ah!, ¿qué es sino amar a todas las criaturas que intervienen en ella, estas entre las demás?

Una cabeza exquisitamente formada, con unos ojos grandes, dulces como los de un venado, medio escondidos por el abundante copete, y unas orejas puntiagudas e inclinadas adelante, se acercaba en aquel momento hasta rozar su pecho, con las ventanas de la nariz muy abiertas y moviendo el labio superior.

—¿Quién eres? —preguntaba el caballo con su actitud, tan claramente como puede preguntarlo el hombre con su lengua.

Ben-Hur reconoció en él a uno de los cuatro corceles que había visto en las carreras y presentó la mano abierta al hermoso bruto.

—Sé que algunos te dirán (¡ah, los blasfemos! ¡Ojalá se acorten sus días en la misma medida que disminuye su número!) —el jeque hablaba con la pasión del hombre que rechaza una calumnia dirigida contra él personalmente—, te dirán, decía, que nuestros caballos de más pura sangre provienen de los pastos de Nesaea, en Persia. No es cierto. Dios dio al primer árabe una extensión de arena inmensa inconmensurable, con algunas montañas desnudas de árboles y un poco de agua amarga aquí de allá, y le dijo: «¡Mira tu patria!» Y cuando el pobre hombre se lamentó, el Todopoderoso apiadóse de él, le habló otra vez y le dijo: «¡Alégrate, porque voy a darte dos bendiciones que no poseen los demás hombres!». El árabe le oyó, le dio las gracias y se puso a buscar las dos bendiciones prometidas. Primero recorrió todas las fronteras y fracasó. Luego, abrió un camino hacia el interior del desierto, siguió adelante, siempre adelante y halló en el centro de la inmensidad una isla de un verdor hermosísimo para el ojo. Y en el corazón de aquella isla... ¡helo ahí! ¡Un rebaño de camellos y otro de caballos! Se los llevó gozoso y los cuidó esmeradamente por ser como eran los mejores dones de Dios. Y de aquella isla verde proceden todos los caballos de la Tierra. Sí, hasta los de los pastos de Nesaea proceden de allí, y también los que se hallan hacia el norte en los tristísimos valles azotados perpetuamente por las ráfagas del mar de los vientos glaciales. No pongas en duda esta historia. Si no la crees, ojalá ningún amuleto vuelva a tener poder sobre un árabe. No, te presentaré una prueba.

El anciano dio unas palmadas.

—Tráeme los registros de la tribu —ordenóle al criado que respondió.

Mientras aguardaban, el jeque jugaba con los caballos, dándoles palmaditas en las mejillas, peinándoles los copetes con los dedos, demostrando de algún modo a cada uno de los animales que le tenía presente en el pensamiento. Poco después, aparecieron seis hombres trayendo unos cofres reforzados con flejes de bronce y dotados de bisagras y cerraduras del mismo metal.

—No —dijo Ilderim cuando los hubieron depositado en el suelo al lado del diván—, no los pedía todos. Sólo el de allá, el de los registros de los caballos. Abridlo y llevaos los otros.

Los sirvientes obedecieron, poniendo a la vista un gran montón de tablillas de marfil enfiladas en aros de alambre de plata. Y como las tablillas tenían poco más grosor que un barquillo, cada aro contenía varios centenares.

—Yo sé —dijo Ilderim, tomando algunos de aquellos aros en la mano—, yo sé con qué cuidado, con qué celo, hijo mío, los escribas del Templo de la Ciudad Santa anotan los nombres de todos los recién nacidos, a fin de que todo hijo de Israel pueda seguir la línea de sus ascendientes hasta donde comenzó, aunque empezase en una época anterior a los patriarcas. Mis padres (¡ojalá su recuerdo permanezca siempre vivo!) no creyeron que fuera pecaminoso copiar la idea y aplicarla a sus sirvientes irracionales. ¡Mira estas tablillas!

Ben-Hur cogió los aros y separando las tablillas vio que éstas contenían unos toscos jeroglíficos en árabe, grabados al fuego en su superficie con la punta de un objeto de metal, afilado y calentado.

—¿Sabes leerlas, oh, hijo de Israel?

—No. Deberás decirme lo que significa.

—Entérate, pues, de que cada tablilla guarda el nombre de un potro de pura sangre, uno de los muchos que les nacieron a mis antepasados en el curso de centenares de años, y también los hombres del garañón y la yegua. Cógelas y observa cuán viejas son, y así me creerás más fácilmente.

Algunas de las tablillas estaban desgastadas por el roce. El tiempo las había pintado de amarillo a todas.

—En aquel cofre de allí, puedo decirte ahora, tengo la historia perfecta. Perfecta precisamente por poseer una certeza que la historia raras veces posee. En ella verías de qué progenitores han salido estos corceles... Aquél, ése que ahora te pide que le prestes atención y solicita tus caricias... Y del mismo modo que éstos se acercan aquí a nosotros, sus progenitores, aún los más alejados en el tiempo, se acercaron a los míos bajo el techo de una tienda como esta mía, para comer su medida de cebada de la palma de sus dueños, los cuales les hablaban como a hijos suyos, y como hijos expresan ellos el agradecimiento con besos que no pueden expresar de palabra. Y ahora, oh, hijo de Israel, puedes creer lo que voy a declarar: Si yo soy el señor del desierto, ¡ahí tienes a mis ministros! Arrebátame mis caballos y seré como el enfermo abandonado por la caravana para que muera. Gracias a ellos, la edad no ha disminuido el respeto que impongo en los caminos que unen las grandes ciudades, ni disminuirá mientras me queden fuerzas para montar en ellos. ¡Ja, ja, ja!. Podría contarte los portentos que hicieron sus antecesores. En una ocasión apropiada quizá te los cuente. Por el momento, bastará decir que en la retirada nadie les alcanzó jamás, ni, ¡por la espada de Salomón!, fracasaron jamás al perseguir a otros. Esto, fíjate bien, ha sido corriendo sobre la arena y ensillados. En cambio, ahora..., no sé..., tengo miedo, porque es la primera vez que les ponen el yugo, y son muchas las condiciones necesarias para triunfar. Brío, agilidad y resistencia, los poseen. Si encuentro quien sepa someterlos a su voluntad, vencerán. ¡Hijo de Israel! Si tú eres ese hombre, juro que podrás considerar feliz el día que te trajo aquí. Y ahora di tú lo que tengas que decir.

—Ahora veo —respondió Ben-Hur— la causa de que para el corazón de un árabe su caballo venga inmediatamente después de sus hijos, y comprendo también por qué los caballos árabes son los mejores del mundo. Pero, buen jeque, no quiero que me juzgues sólo por mis palabras. Porque, como tú ya sabes, las promesas de los hombres a veces fracasan. Pruébame primero en alguna llanura de estos alrededores, y para ello confía mañana los cuatro caballos a mis manos.

Ilderim sonrió de nuevo con cara alegre y se dispuso a tomar la palabra.

—¡Un momento, buen jeque, un momento! —atajóle Ben-Hur—. Permite que diga algo más. Muchas lecciones aprendí de mis maestros, en Roma, pero en una ocasión como esta, pocas ideas podrían darme. Yo te aseguro que estos hijos tuyos del desierto, aunque cada uno separadamente sea rápido como el águila y resistente como un león, si no se entrenan a correr juntos bajo el yugo, fracasarán. Porque ten presente, jeque, que en toda cuadriga hay uno que es el más lento y otro que es el más rápido, y mientras el más lento es siempre el que marca la velocidad de los cuatro, el más rápido es el que crea todos los conflictos. Así ha ocurrido hoy. El auriga no ha podido conseguir que el mejor corriese en armonía con el menos dotado. Acaso la prueba que yo haga no dé resultados mejores. Pero si fuese así, juro que te lo diría. Por lo cual, con el mismo ánimo te digo que si puedo enseñarles a correr juntos, dóciles a mi voluntad, los cuatro como uno solo, tú tendrás los sestercios y la corona, y yo la satisfacción de haberme vengado. ¿Qué dices tú?

Ilderim sonrió de nuevo con cara alegre. Al final estalló en una carcajada y respondió:

—He formado un gran concepto de ti, hijo de Israel. En el desierto tenemos un refrán que dice: «Si tú guisas la comida con palabras, yo te prometeré un océano de manteca». Mañana por la mañana tendrás los caballos a tu disposición.

En aquel momento, alguien se movió en la entrada posterior de la tienda.

—La cena... ¡ya está ahí! Y allá viene mi amigo Baltasar a quien vas a conocer. Te contará una historia que un israelita jamás se cansa de escuchar.

Y dirigiéndose a los criados, añadió:

—¡Llevaos los registros y conducid mis joyas a su departamento!

CAPÍTULO XIV

EL ADUAR DEL VERGEL DE LAS PALMERAS

Si el lector quiere retroceder ahora al refrigerio de los tres sabios en el desierto, comprenderá mejor los preparativos para la cena que tuvieron lugar en la tienda de Ilderim. Las diferencias que puedan observarse eran principalmente las que origina una mayor abundancia de medios y un servicio mejor.

Las esteras las extendieron en el espacio que el diván cerraba casi por completo. En el centro del mencionado espacio colocaron una mesa de no más de un pie de altura y cubierta con un mantel. A un lado instalaron un horno portátil, al cuidado de una mujer cuya misión consistía en abastecer a los comensales de pan, o, para ser más exactos, de unas tortas calientes hechas con la harina que salía de unos molinos movidos a mano que giraban con un rechinar constante en la tienda vecina.

Entretanto, Baltasar fue acompañado hasta el diván, donde Ilderim y Ben-Hur le recibieron de pie. Una bata negra y holgada cubría su persona. Su caminar era débil y todos sus movimientos pausados y cautos, teniendo que servirse mucho, por lo visto, del largo bastón que empuñaba y del brazo de un sirviente.

—La paz sea contigo, amigo mío —saludóle respetuosamente Ilderim—. Yo te doy la paz y la bienvenida.

El egipcio levantó la cabeza y respondió:

—Y contigo, buen jeque. Contigo y con los tuyos. La paz y la bendición del Dios único, del dios verdadero y amoroso.

Las maneras de aquel hombre eran dulces y piadosas, y suscitaron en el pecho de Ben-Hur un extraño sentimiento de temor. Por lo demás, la bendición con que el anciano había correspondido al saludo de su amigo le incluía también a él, y precisamente mientras la pronunciaba los ojos del anciano, hundidos pero luminosos, fijaron en la cara del joven una mirada suficientemente prolongada para despertar en él una emoción nueva y misteriosa, y tan poderosa al mismo tiempo que durante la cena, Ben-Hur no se cansaba de escudriñar con la vista la cara exangüe y en extremo arrugada del anciano, buscando en ella el significado de aquella mirada. Pero el rostro de Baltasar tenía en todo momento una expresión sosegada, plácida y confiada como la de un niño. Un rato después, notó que aquélla era la expresión habitual del egipcio.

—Este es Baltasar, que compartirá el pan con nosotros esta noche —dijo el jeque, apoyando la mano en el brazo de Ben-Hur.

El egipcio dirigió una mirada al joven, y luego volvió a mirarle sorprendido y dudando, en vista de lo cual el jeque prosiguió, dirigiendose ahora a su amigo:

—Le he prometido que mañana le dejaré probar mis caballos, y si todo va bien los guiará en el Circo.

Baltasar seguía mirando.

—Ha venido bien recomendado —continuó diciendo Ilderim, confundido en extremo—. Puedes conocerle por el hijo de Arrio, que era un noble marino romano, aunque —el jeque titubeó un momento; luego, reanudo la frase soltando una carcajada—, aunque declara que es un israelita de la tribu de Judá, y, ¡por la gloria de Dios!, yo creo que me dice la verdad.

Baltasar no pudo seguir demorando una explicación.

—Hoy, oh, el más generoso jeque, mi vida estaba en peligro, y la habría perdido irremisiblemente si un joven que parecía un hermano gemelo de éste (si no era precisamente este mismo), intervino cuando todos los demás huían y me ha salvado. —Entonces le preguntó—: ¿No eres tú aquel joven?

—Yo no puedo decir que sea cierto todo lo que me atribuyes —respondió Ben-Hur, con respetuosa deferencia—. Yo soy el que detuvo los caballos del insolente romano cuando se precipitaban sobre tu camello en la Fuente de Castalia. Tu hija me ha entregado una copa.

Del seno de la túnica sacó la copa y la dio a Baltasar.

Un destello iluminó el apagado semblante del egipcio.

—Hoy en la fuente has sido para mí un enviado de Dios, y ahora te envía otra vez —dijo con voz trémula, extendiendo una mano hacia Ben-Hur—. Yo le doy las gracias, y tú debes llenarlo de alabanzas, pues por sus bondades tengo con qué darte una elevada recompensa y te la daré. La copa es tuya; guárdala.

Ben-Hur volvió a quedarse el regalo, y, Baltasar viendo la interrogación pintada en el rostro de Ilderim le explicó lo ocurrido en la fuente.

—¿Qué? —exclamó el jeque, dirigiéndose a Ben-Hur—. No me habías dicho nada de esto, a pesar de que no podías presentarme ninguna recomendación mejor. ¿Acaso no soy un árabe y jefe de una tribu de decenas de miles de miembros? ¿Y no es él mi huésped? ¿Y no dice la Ley de la hospitalidad que todo lo bueno y todo lo malo que le hagas a mi huésped, a mí me lo haces? ¿Adónde debes ir a buscar la recompensa sino aquí? ¿Y qué mano ha de dártela sino la mía?

Al final del discurso la voz del jeque se había elevado con aguda estridencia.

—Buen jeque, no me sonrojes, te lo ruego. Yo no he venido a buscar ninguna recompensa, grande o pequeña; y para que veas que no se me había ocurrido esta idea te diré que del mismo modo que he ayudado a este hombre excelente habría socorrido al más humilde de tus servidores.

—Pero él es un amigo y un huésped, no un criado. ¿No ves en ello la distinta preferencia que ha mostrado la Fortuna? —En seguida el jeque añadió, dirigiéndose a Baltasar—: ¡Ah, por la gloria de Dios! Te digo otra vez que ese joven no es romano.

Con estas palabras se alejó para prestar atención a las sirvientas, que estaban terminando los preparativos para la cena.

El lector que recuerde la historia de Baltasar según la narró él mismo en la reunión del desierto, comprenderá el efecto que la desinteresada afirmación de Ben-Hur le causó al santo varón. Se recordará que su amor a los hombres no admitía distinciones, y que la redención que le habían prometido como recompensa —la redención que él estaba esperando— alcanzaría a todo el universo. Así, pues, para él esta afirmación sonaba algo así como un eco de su propio pensamiento. Acercándose un paso a Ben-Hur le habló con aquel aire infantil característico.

—¿Cómo ha dicho el jeque que debía llamarte? Era un nombre romano, creo.

—Arrio, el hijo de Arrio.

—¿Y sin embargo, no eres romano?

—Toda mi familia era judía.

—¿Has dicho era? ¿No siguen viviendo?

La pregunta era tan sutil como sencilla; pero Ilderim le ahorró a Ben-Hur el tener que contestar.

—Venid —les dijo—. Los manjares están preparados.

Ben-Hur ofreció el brazo a Baltasar y le acompañó hasta la mesa, donde poco después estaban todos sentados sobre sus respectivas alfombras, a la manera oriental. En seguida les trajeron los aguamaniles; se lavaron las manos, se las secaron y entonces el jeque hizo un signo, los criados se quedaron inmóviles y la voz del egipcio se elevó transida de una emoción sagrada.

—¡Oh, Dios, Padre de todo! Todo lo que tenemos, de ti procede; acepta nuestro agradecimiento y bendícenos para que podamos seguir cumpliendo tu voluntad.

Era la acción de gracias que el buen hombre había rezado simultáneamente con sus hermanos Gaspar el griego y Melchor el hindú, la oración pronunciada en diversas lenguas, milagro que había puesto de manifiesto la presencia de la Divina Providencia en el refrigerio del desierto años atrás.

Como puede suponerse, la mesa a la que se habían sentado estaba bien provista de los platos principales y las golosinas preferidas en el Este, de tortitas calientes salidas del horno, de hortalizas de los huertos, de platos de una sola clase de carne y de platos combinando las de animales distintos, de leche, de vaca, y de miel y manteca, siendo de notar que todo ello se comía sin ayuda de ninguno de los accesorios modernos: cuchillos, tenedores, cucharas y platos. Y durante esta parte de la comida poco se habló, porque los tres tenían hambre. Pero al llegar la hora de los postres sucedió de muy distinto modo. Volvieron a lavarse las manos, ordenaron que les sacudieran las servilletas con que se cubrían las piernas y con el cambio de aspecto de la mesa y satisfecho lo más vivo de su respectivo apetito se sintieron dispuestos a hablar y a escuchar.

En una reunión tal, formada por un árabe, un judío y un egipcio, todos creyeron en un solo Dios, no podía haber en aquella época sino un único tema de conversación; y de los tres, ¿quién había de hablar sino aquél a quien casi podría decirse que se le había aparecido personalmente la Divinidad, que la había visto en una estrella, había escuchado su voz que le dirigía y había sido guiado tan lejos y tan milagrosamente por su Espíritu? ¿Y de qué había de hablar sino de aquello para atestiguar lo cual había sido llamado?

CAPÍTULO XV

BALTASAR IMPRESIONA A BEN-HUR

Las sombras que proyectaban las montañas sobre el Vergel de las Palmeras al ponerse el sol no dejaban lugar para ese dulce y sosegado espacio de tiempo interpuesto entre el día y la noche durante el cual el cielo se tiñe de violeta y empieza a dormitar. Esta venía pronto y rápidamente. Para ahuyentar la oscuridad del interior de la tienda, las sirvientes trajeron cuatro candelabros de bronce y los colocaron en las cuatro puntas de la mesa. Cada candelabro tenía cuatro brazos, cada brazo una lámpara de plata encendida, y una taza de reserva de aceite de oliva. En medio de aquella luz sobrada, hasta casi brillante, el grupo que estaba consumiendo los postres seguía conversando, expresándose en el dialecto sirio, conocido de todos los pueblos de aquella parte del mundo.

El egipcio les explicó cómo se habían reunido los tres en el desierto y estuvo de acuerdo con el jeque en que había sido el mes de diciembre de veintisiete años atrás cuando él y sus compañeros vinieron a la tienda a pedir albergue, huyendo de Herodes. Todos escuchaban el relato con vivo interés; hasta las criadas se entretenían todo lo posible para enterarse de sus detalles. Ben-Hur lo acogía como corresponde a un hombre que está oyendo una revelación de gran trascendecia para toda la Humanidad, aunque para nadie tanto como para el pueblo de Israel. Como veremos luego, en su mente iba cristalizando una idea que había de cambiar el curso de su vida, suponiendo que no la absorbiera toda por completo.

A medida que adelantaba la narración acentuábase la impresión causada por Baltasar en el joven judío. Cuando terminó, la emoción que sentía era demasiado profunda para permitirle dudar de la veracidad de aquella historia. Ciertamente, con respecto a lo que acababa de or no deseaba pedir otras aclaraciones que las que se refiriesen —si era posible saberlas— exclusivamente a las consecuencias del pasmoso acontecimiento.

Y ahora se hace precisa una explicación que las personas muy sagaces quizá estuvieran reclamando hace rato, y, ciertamente, no es posible demorar más. Nuestro relato empieza en cuestión de fechas no menos que de hechos, casi coincidiendo con el comienzo de la vida pública del Hijo de María, al cual no hemos visto sino una sola vez desde que este mismo Baltasar le dejó reverentemente en el regazo de su Madre, en la cueva de Belén. Desde aquí hasta el final nos referiremos numerosas veces al misterioso Niño, y lenta, pero segura e inalterablemente el curso de los acontecimientos que nos ocupan nos llevará más cerca de Él, hasta que al final le veremos hecho un hombre. Y si las opiniones contrarias y beligerantes hubieran de permitirlo, nos gustaría añadir: *un hombre del cual no puede prescindir el mundo*. La mente sagaz e iluminada por la fe sacará muchas consecuencias, y todas esperanzadoras, de esta afirmación aparentemente tan simple. Antes y después de la venida de Jesús han existido hombres indispensables a todo el género humano y por todos los tiempos, por lo cual es único, solitario, divino.

La historia no era nueva para el jeque Ilderim. Habíala oído de labios de los tres sabios en circunstancias que no dejaban lugar para la duda, y por creerla habíase puesto en grave compromiso, porque ayudar a un fugirivo a librarse de las iras de Herodes era un juego peligroso. En estos momentos uno de aquellos tres sabios estaba sentado a su mesa en calidad de huésped bien amado y de reverenciado amigo. El jeque Ilderim creía sin sombra de duda en la veracidad de aquella historia; no obstante, por la naturaleza misma de las cosas y de las circunstancias, el hecho central de la misma no le producía una impresión tan viva, profunda y absorbente como a Ben-Hur. El era árabe, y como a tal, sólo le interesaban las consecuencias generales de aquel hecho; en cambio, Ben-Hur era israelita y judío, la verdad del hecho (si es que se nos permite este solecismo) le interesaba de una manera más que particular. Por tal causa examinaba la circunstancia antedicha con un criterio estrictamente judío.

Recordemos que desde la cuna oía hablar del Mesías; en los colegios se había familiarizado en seguida con todo lo que se sabía de aquel Ser, con la esperanza, el miedo y la gloria particular del pueblo elegido; los profetas, desde el primero al último de la heroica serie que formaban, se lo habían anunciado; y su llegada había sido y seguía siendo el tema de interminables disquisiciones de los rabíes; en las sinagogas, en las escuelas, en el Templo, en los días de hacienda y en los festivos, en público y en privado, los maestros públicos habían explicado y seguían explicando, hasta que todos los descendientes de Abraham, fuese donde fuere que los hubiera llevado la suerte, vivieron esperando al Mesías, regulando y modelando sus vidas con una severidad férrea según los dictados literales de tal esperanza.

De lo dicho se deducirá sin duda que entre los mismos judíos estallaban grandes discusiones acerca del Mesías, y así sucedían en efecto, pero todas las discusiones giraban alrededor de un punto solo y siempre el mismo, ¿cuánto llegaría el Mesías?

Las disquisiciones filosóficas quedan para los predicadores; en cambio el escritor se limita a narrar una historia y, para no perder su carácter, la aclaración a que se ha entregado no requiere sino que llame la atención sobre un punto relacionado con el Mesías acerca del cual la unanimidad manifestada por el pueblo elegido era motivo de asombrada admiración: cuando llegase había de ser el Rey de los judíos, el Rey político, su César. Utilizándolos a ellos como instrumentos, conquistaría con las armas toda la Tierra, y luego la conservaría bajo su dominio, perdurablemente para provecho de su pueblo, y en nombre de Dios. Sobre esta creencia, caro lector, los fariseos o separatistas —denominación esta última de carácter más bien político— habían levantado, en los claustros y alrededor de los altares del Templo, un edificio de esperanzas muchísimo más ambicioso que todos los sueños del macedonio. La meta de éste cubría toda la tierra; la de los primeros cubría toda la tierra y llenaba los cielos; es decir, en sus atrevidas e ilimitadas fantasías, inspiradas por un egoísmo blasfemo, el mismo Dios Todopoderoso consentiría que a fin de poder utilizarle a su antojo le clavasen a Él por la oreja a una puerta en señal de eterna servidumbre.

Volviendo a ocuparnos de Ben-Hur, hay que observar ahora que en su vida se combinaron dos circunstancias que dieron por resultado el mantenerle relativamente libre de las influencias y perniciosos efectos de la temeraria fe de sus compatriotas los separatistas.

En primer lugar, su padre seguía el credo de los saduceos, a los que podríamos llamar, en términos generales, los liberales de su tiempo. Tenían opiniones un poco heterodoxas; sobre todo con respecto a la existencia del alma. Interpretaban la Ley extrictamente y la observaban con todo rigor; pero tal como se encuentran en los libros de Moisés; toda la masa inmensa de adiciones de los rabíes a los libros del gran legislador la miraban con irónico desprecio. A pesar de que formaban, indiscutiblemente, una secta, sus creencias constituían más bien una filosofía que una religión; no se privaban de los placeres de la vida, y sabían sacar ventajas y provechos de las divisiones de raza, establecidas por los gentiles. En política formaban la oposición activa de los separatistas. Si las cosas hubiesen seguido su orden natural, esas circunstancias y condiciones, opiniones y peculiaridades habrían ido a parar al hijo con la misma seguridad y la misma consistencia real que si hubiesen formado parte de los bienes del padre y, como hemos visto, estaba a punto efectivamente de caer bajo su influencia cuando se produjo el segundo acontecimiento salvador.

El efecto que cinco años enteros de vivir en Roma podían producir en un joven de la mente y el carácter de Ben-Hur puede apreciarse mejor recordando que la gran ciudad era entonces, en realidad, el punto de cita de las naciones, el punto de reunión político y comercial, y también el punto adonde ir a gozar de placeres sin tasa. Rodeando incesantemente la dorada piedra miliaria que se levantaba delante del Foro —unas veces oscurecido por las tinieblas de un eclipse, otras inflamado en un irresistible fulgor—, fluían todas las corrientes activas de la humanidad. Si la pulcritud de los modales, el refinamiento de la sociedad, las conquistas del intelecto y la gloria de las grandes realizaciones no le hacían ninguna impresión, ¿cómo le habría sido posible pasar un día tras otro durante un período de tiempo tan largo de la hermosa villa cercana a Misenum a las recepciones del César, y conservarse perfectamente inmune a todo lo que veía allí de príncipes, reyes, embajadores, rehenes y delegados, peticionarios de todos los países conocidos aguardando humildemente el sí, o el no, que había de levantarles o arruinarles?

Por descontado, como meras asambleas no tenían comparación con el gentío reunido en Jerusalén para celebrar la Pascua; no obstante, cuando Ben-Hur se sentaba bajo la velaria color púrpura del Circo Máximo, como uno de los ciento cincuenta mil espectadores allí congregados, hubo de asaltarle la idea de que posiblemente haya ramas de la familia humana merecedoras de la consideración, si no también de la misericordia, divina, aunque perteneciesen a los incircuncisos. Por sus sufrimientos y, peor todavía, por el desamparo en que se hallaban en medio de sus pesares, algunos parecían indicados para participar como hermanos de las promesas hechas a sus compatriotas.

Era más que natural que bajo aquellas circunstancias se le ocurriese semejante idea, y creemos que el lector admitirá este aserto. Pero cuando se le ocurrió una reflexión y se entregó a examinarla detenidamente, no pudo cerrar los ojos a ciertas distinciones. La miseria de las masas y el desesperado estado en que se encontraban no tenían relación alguna con la religión; sus murmullos y sus lamentos no se dirigían contra los dioses, ni nacían de la falta de ellos. En los bosques de encinas de la Bretaña los druidas conservaban sus seguidores; Odín y Freya recibían culto en las Galias, en Germania y en las regiones hiperbóreas; Egipto se mostraba satisfecho con sus cocodrilos y con sus Anubis; los persas continuaban fieles a Ormuz y Arimán, rindiendo honores iguales a ambos; con la esperanza del nirvana, los hindúes caminaban pacientes como siempre por las sendas indefinidas de Brahm; los hermosos griegos, en los intervalos en que descansaban de la filosofía, seguían celebrando a los heroicos dioses de Homero; mientras que en Roma, dioses era lo más abundante y barato que se encontraba. Los dueños del mundo, por el solo hecho de serlo, trasladaban el culto y las ofrendas a su capricho, indiferentemente, de un altar a otro, embelesados con la indescriptible confusión que habían puesto en marcha. Si descontentos estaban, su disgusto venía del número de dioses; dado que, después de haberse apropiado todas las divinidades de la tierra, procedían a divinizar a sus Césares, erigiéndoles altares y tributándoles un culto. No, la desdicha de las gentes no nacía de la religión, sino del mal gobierno, de las usurpaciones y del sinfín de tiranos que iban surgiendo. Sí, los hombres habían caído a un Averno y suplicaban que los sacasen de sus grutas; era un Averno terrible, pero esencialmente político. En Loninium, en Alejandría, en Atenas, en Jerusalén, en todas partes se levantaban idénticas súplicas pidiendo un rey que los llevara a la victoria, no un dios al cual adorar.

Estudiando la situación a una distancia de dos mil años, podemos ver y afirmar que en el terreno religioso la confusión universal no tendrá remedio a menos que un Dios pudiese demostrar su autenticidad y su poder y viniera a redimir a los hombres; pero los pobladores del mundo de aquella época, ni siquiera los más sagaces y pensadores, no sabían ver ninguna esperanza sino mediante el previo aplastamiento de Roma, logrado lo cual el alivio tomaría la forma de restauraciones y reorganizaciones; y para esto rezaban, conspiraban, se rebelaban, luchaban y morían, pero siempre con el mismo resultado.

Hay que decir todavía que Ben-Hur compartía el parecer de la masa de hombres de su tiempo que no eran romanos. Los cinco años de residir en la capital le habían dado ocasión de ver y estudiar las miserias del mundo sojuzgado; y completamente convencido de que los males que afligían a la Humanidad eran de naturaleza política y sólo se curarían con la espada, ocupábase en prepararse adecuadamente para desempeñar un papel el día que recurriese al heroico remedio. Atendiendo al manejo de las armas, se le podía considerar un soldado perfecto; pero la guerra tenía campos más elevados, y el que quisiera moverse con éxito por ellos debía saber algo más que defenderse con el escudo y atacar con la lanza. Era en tales campos donde tenían los generales sus tareas, la mayor de las cuales consiste en reducir la multiplicidad a unidad y que esa unidad sea su misma persona; el capitán consumado es aquel que se arma con todo un ejército. Esta concepción de los hechos formaba parte del plan de vida a que le empujó luego el pensar que la venganza que había soñado para satisfacer sus agravios particulares la encontraría más fácilmente por alguno de los caminos de la guerra que en ninguna de las empresas de la paz.

Con esto se comprenden bien los sentimientos que le animaban mientras escuchaba a Baltasar. El relato del egipcio tocó y puso en vibración dos de los puntos más sensibles de su ser. Su corazón latía acelerado, y más todavía cuando, interrogándose a sí mismo, vio que no dudaba de la veracidad de ninguno de los detalles de la narración, ni de que el Niño tan milagrosamente hallado fuese el Mesías. Maravillándose en extremo de que Israel permaneciera tan impenetrable a semejante revelación, y de no haber tenido noticia él mismo de ella, hasta aquel día, dos preguntas surgieron en su mente; dos preguntas que resumían en sí mismas todo lo que en aquel momento faltaba y era conveniente saber:

¿Dónde estaba el Niño entonces? ¿Cuál era su misión?

Pidiendo excusas por las interrupciones, Ben-Hur se dedicó a descubrir el parecer de Baltasar, el cual no se mostraba en modo alguno avaro de sus palabras.

CAPÍTULO XVI

CRISTO VIENE-BALTASAR

—Si yo pudiera contestarte... —dijo Baltasar con la unción, la gravedad y la sencillez que le eran peculiares—, ¡ah, si supiera dónde está, cuán prestamente correría a Él! Ni los mares ni las montañas bastarían a detenerme.

—Entonces, ¿has probado de hallarle? —preguntó Ben-Hur.

Una sonrisa pasajera revoloteó por la faz del egipcio.

—La primera misión que me encomendé a mí mismo después de abandonar el abrigo que me proporcionaron en el desierto —y aquí Baltasar dirigió una mirada de agradecimiento a Ilderim—, fue la de saber qué había sido del Niño. Pero había pasado un año y yo no me atrevía a ir personalmente a Jerusalén, porque Herodes seguía conservando el trono con el ánimo sanguinario de siempre. De regreso a Egipto, hubo unos pocos amigos que creyeron las maravillosas cosas que les conté de lo que había visto y oído; unos pocos que se alegraron conmigo, de que hubiese nacido un Redentor; unos pocos que jamás se cansaban de escuchar la historia. Algunos salieron conmigo en busca del Niño. Fueron primero a Belén donde visitaron la posada y la cueva, pero el portero (el que estaba sentado a la entrada la noche del alumbramiento y la noche que llegamos nosotros siguiendo la estrella) había desaparecido. El rey se lo había llevado, y no le volvieron a ver.

—Pero sin duda encontrarían alguna prueba —dijo ansiosamente Ben-Hur.

—Sí, hallaron testimonios escritos con sangre: una población sumida en el dolor, unas madres que todavía lloraban a sus pequeñuelos. Debes saber que cuando Herodes se enteró de nuestra huida hizo degollar a los niños de corta edad de Belén. No se libró ni uno. Mis mensajeros se afianzaron en su fe; pero regresaron diciéndome que el Niño había muerto, degollado juntamente con los otros inocentes.

—¡Muerto! —exclamó, horrorizado, Ben-Hur—. ¿Muerto, has dicho?

—No, hijo mío, no he dicho esto. He dicho que mis mensajeros me contaron que el Niño había muerto. Pero yo no lo creí, ni lo creo ahora.

—Comprendo, tú estás enterado por algún conducto especial.

—No es eso, no es eso —respondió Baltasar, bajando los ojos—. El Espíritu no había de acompañarnos sino hasta donde estaba el Niño. Cuando salimos de la cueva lo primero que hicimos fue mirar en busca de la estrella; pero había desaparecido, y con ello comprendimos que estábamos abandonados a nuestros propios medios. La última inspiración del Ser Sagrado (la última que recuerdo) fue la que nos hizo recurrir a Ilderim para ponernos a salvo.

—Si —dijo el jeque, jugueteando nerviosamente con la barba—. Tú me dijiste que un Espíritu te había enviado a mí; lo recuerdo.

—No estoy en comunicación con ningún poder especial —prosiguió Baltasar, observando el desaliento que se había apoderado de Ben-Hur—, pero hijo mío, he meditando mucho sobre lo que pasó; he meditado continuamente durante muchos años, inspirado por una fe, que, te lo aseguro poniendo a Dios por testigo, tengo ahora tan viva como en la hora aquella en que oí al Espíritu llamándome a la orilla del lago. Si quieres escucharme te explicaré por qué creo que el Niño vive.

Tanto la actitud de Ilderim como la de Ben-Hur expresaban su conformidad y parecía que concentraban todas sus facultades a fin que además de oír pudiesen también comprender. Su interés se contagió a las sirvientes, las cuales se acercaron al diván y se quedaron escuchando. En toda la tienda se había hecho el silencio más profundo.

—Los tres creemos en Dios.

Baltasar tomó la palabra inclinando la cabeza.

—Y Él es la Verdad —dijo reanudando el discurso—. Su palabra es Dios. Las montañas pueden convertirse en polvo, y los vientos del sur pueden beberse el agua de los mares hasta dejarlos secos; pero su palabra permanecerá, porque es la Verdad.

Había sentado esta afirmación con una voz indescriptiblemente solemne.

—Aquella voz, la voz de Dios, al hablarme a la orilla del lago, me dijo: «Bendito eres tú, ¡oh, hijo de Mizraim! La Redención llega. Junto con otros dos venidos de lo más remoto del mundo, tú verás al Salvador». He visto al Salvador, ¡bendito sea su nombre!, pero la Redención, que constituía la segunda parte de la promesa, todavía no ha llegado. ¿Lo entiendes ahora? Si el

Niño hubiese muerto faltaría el instrumento que trajese la Redención y aquella palabra nada valdría, y Dios... ¡no, no me atrevo a decirlo!

Y levantó lo brazos al cielo horrorizado.

—La Redención era la obra para la cual nacía el Niño; así pues mientras la promesa no se cumpla ni siquiera la muerte puede apartarlo de su obra hasta que la deje terminada, o, por lo menos, en camino de completarse. Acepta lo que te digo como una razón que sostiene mi fe y sigue prestándome atención.

El buen hombre hizo una pausa.

—¿No quieres probar el vino? Lo tienes al alcance de la mano; mira —dijo respetuosamente Ilderim.

Baltasar bebió un sorbo y pareciendo más repuesto, siguió diciendo:

—El Salvador que contemplaron mis ojos había nacido de mujer con nuestra misma naturaleza y sujeto a todas la enfermedades, incluso a la muerte. Sentemos esto como primera proposición. Consideremos luego el trabajo que le estaba reservado. ¿No se trataba de una obra que sólo un hombre está en condiciones de llevar a cabo? Un hombre sabio, firme, discreto; un hombre, en fin, no un niño. Para llegar a serlo ha de crecer como crecemos los demás. Considerad ahora los peligros a que estaba sujeta su vida durante este intervalo; el largo intervalo entre la infancia y la madurez. Los poderes constituidos eran enemigos suyos; Herodes era un enemigo, ¿y no lo habría sido Roma? En cuanto a Israel... Si quisieron eliminarle fue por miedo a que Israel le aceptase. Considerad, pues. ¿Qué otro modo mejor de proteger su vida en el desamparado período del crecimiento que haciéndole pasar a la oscuridad? De ahí que me dijera a mí mismo y a esta mi fe, siempre atenta y que nunca responde sino por un afán de amor: «No ha muerto, solamente se ha eclipsado y como su obra está por hacer, reaparecerá de nuevo». Ahí tenéis los motivos de que siga creyendo. ¿No son suficientes?

En los diminutos ojos de árabe de Ilderim, brillaba la comprensión. Ben-Hur, curado del desaliento, exclamó apasionadamente.

—Yo por lo menos no sabría contradecirlos. ¿Qué más? Te lo ruego.

—¿No tienes bastante, hijo mío? Bien —empezó de nuevo en tono más sosegado—. Viendo que esas razones eran buenas, o más claramente, viendo que Dios no había de permitir que encontrasen al Niño, asenté mi fe en la roca de una paciencia inalterable, y me puse a esperar. —Baltasar levantó los ojos lleno de santa confianza y se interrumpió abstraído—. Y sigo esperando. El Niño vive, bien resguardado en su imponente secreto. ¿Qué importa que yo no pueda ir a donde está, ni nombrar la montaña o el valle en que mora? El vive; quizá sea como el fruto en flor; quizá sea como el fruto que empieza a madurar, pero por la certidumbre que encierran las promesas y los motivos de Dios, sé que vive.

Un estremeciemiento de pavor sacudió el cuerpo de Ben-Hur; un estremecimiento que no era, sino la agonía de la duda imprecisa que había sentido.

—¿Dónde crees que está? —preguntó bajando la voz y vacilando, como el que siente sobre los labios la presión de un silencio sagrado.

Baltasar, cuya mente no había salido del todo de su ensimismamiento, le contestó cariñosamente:

—En mi casa sobre el Nilo, tan próxima al río que los que pasan en barca ven a un tiempo el edificio y su imagen en el agua, en mi casa, decía estaba yo hace unas semanas sentado meditando. Un hombre de treinta años de edad, me decía, ha de tener los campos de su vida arados y la simiente echada; porque luego viene el verano, dejando un intervalo bastante corto para que crezca y madure lo que sembró. El Niño, pensé luego, tiene ahora veintisiete años; para él la época de la siembra está inminente. Y entonces, hijo mío, me hice la misma pregunta que ahora me has hecho tú, y me contesté viniendo acá como un buen lugar de descanso contiguo a las tierras que tus padres recibieron de manos de Dios. ¿En qué otra parte podría aparecer sino en Judea? ¿En qué otra ciudad podría dar comienzo a su obra, sino en Jerusalen? ¿Quiénes habrían de ser los primeros en recibir las bendiciones que ha de traernos, sino los hijos predilectos de Dios? Si me mandaran buscarle, yo revolvería bien las aldeas y los pueblos de las laderas de los montes de Judea y Galilea que miran al este, descendiendo hacia el valle del Jordán. Allí está en estos momentos. De pie en una puerta o sobre una cima esta misma tarde he visto ponerse el sol acercando en un día el momento en que él mismo se ha de convertir en la luz del mundo.

Baltasar calló. Había levantado la mano y extendido el índice como señalando en dirección a Judea. Contagiados de su fervor, todos los oyentes, incluso las obtusas criadas, se habían estremecido cual si estuvieran contemplando una majestuosa figura aparecida de súbito en el interior de la tienda. Y esa sensación no les abandonó en seguida: todos los que estaban a la mesa permanecieron un rato pensativos. Al final Ben-Hur rompió el importante silencio, diciendo:

—Veo, Baltasar, que has sido muy favorecido y de singular manera. Veo también que eres indudablemente un sabio. No tengo palabras para expresarte cuánto agradezco lo que me has explicado. Quedo advertido de que se acercan grandes acontecimientos y me contagio algo de tu fe. Completa el favor, te lo ruego, contándome más detalles de la misión de Aquel al que tú esperas, y al cual esperaré yo también desde esta noche en adelante, como corresponde a un hijo creyente de Judá. Él ha de ser el Salvador, has dicho, ¿no ha de ser el Rey de los judíos además?

—Hijo mío, —dijo Baltasar con su aire benévolo—, esa misión es todavía un propósito reservado en el seno de Dios. Todas las consecuencias que se me han ocurrido respecto a ella las extraigo de las palabras de la Voz que contestó a mis oraciones. ¿Hemos de comentarlas nuevamente?

—Tú eres el maestro.

—La causa de mi inquietud —empezó Baltasar sosegadamente—, lo que hizo de mí un predicador en Alejandría y en las poblaciones del Nilo; lo que me condujo al final a las soledades adonde fue a buscarme el Espíritu, era la mísera condición de los hombres, ocasionada, según creía yo, por haber caído en el desconocimiento de Dios. Yo sufría por los sufrimientos del género humano; no por una clase solamente, sino por todos. Tan completa era la caída, que me parecía imposible la Redención, a menos que el mismo Dios se la asignara como misión suya propia; y por ello le supliqué que viniera y que yo pudiese verle. «Tus buenas obras han triunfado. La Redención llega, y tú verás al Salvador». Así dijo la Voz. Y regocijado con esta respuesta me fui a Jerusalén. Ahora bien, ¿para quiénes será la Redención? Para el mundo entero. ¿Y qué forma tomará? ¡Fortalece tu fe, hijo mío! Sé que los hombres dicen que no existirá la dicha hasta que Roma sea arrasada y barrida de las colinas que la sostienen. Es decir, los males de la época no procedían, como yo pensaba, del desconocimiento de Dios, sino de la mala dirección de los gobernantes. ¿Necesitamos que nos digan que los gobiernos nunca piensan en el provecho de la religión? ¿De cuántos reyes habéis sabido que fueron mejores que sus súbditos? ¡Ah, no, no! La Redención no puede tener un objetivo político; no puede entregarse a derribar gobernantes e imperios, dejando vacantes sus puestos sólo para que otros disfruten de ellos. Si todo se redujera a esto, la sabiduría de Dios dejaría de ser infinita. Aunque yo no sea más que un ciego orientando a otro ciego, os aseguro que el que viene, viene a ser Salvador de almas, y la Redención significa que Dios vuelve una vez más a la tierra, y con Él la justicia, a fin de que le sea tolerable la estancia entre nosotros.

La desilusión se reflejó claramente en la faz de Ben-Hur. El joven bajó la cabeza. Pero si no estaba convencido, por lo menos se sentía incapaz en aquel momento de rebatir la opinión del egipcio. No así Ilderim, quien exclamó impulsivamente:

—¡Por el esplendor de Dios! Este criterio está en contradicción con todas las tradiciones. Los caminos del mundo ya están trazados y no es posible cambiarlos. En cada comunidad ha de haber un jefe investido del poder; de lo contrario no hay reforma.

Baltasar acogió gravemente el arranque de su amigo.

—Buen jeque, la sabiduría que te inspira, es una sabiduría mundana; y olvidas que es precisamente de los caminos del mundo de lo que hemos de ser redimidos. Reducir el hombre a vasallo, constituye la ambición de un rey; ocuparse del alma del hombre para salvarla es el deseo de un Dios.

Aunque reducido al silencio, Ilderim movió la cabeza negativamente, resistiéndose a dar crédito a lo que oía. Ben-Hur le relevó en la tarea de continuar la discusión.

—Padre (con tu permiso te doy este nombre) —replicó—, ¿por quién te mandaron que preguntases en las puertas de Jerusalén?

El jeque le dirigió una mirada de agradecimiento.

Baltasar respondió calmosamente:

—Había de preguntar a las gentes: «¿Dónde está el que ha nacido Rey de los judíos?»

—¿Y lo viste en la cueva cerca de Belén?

—Le vimos, le adoramos y le ofrecimos presentes: Melchor, oro; Gaspar, incienso, y yo, mirra.

—Cuando explicas hechos, oh, padre, oírte significa creerte —dijo Ben-Hur—, pero en materia de opiniones, no puedo comprender qué clase de rey querrías hacer del Niño. Yo no sé separar al gobernante de su poder y sus deberes.

—Hijo —dijo Baltasar—, tenemos la costumbre de estudiar detenidamente las cosas que están a nuestros pies, y no concedemos sino una fugitiva mirada a los objetos mayores situados a gran distancia. Ahora no ves sino el título de «Rey de los judíos»; levanta los ojos al misterio que encubren y el obstáculo en que tropiezas desaparecerá. Digamos una palabra sobre este título. Tu Israel ha visto días mejores; días en los que Dios, con cariño entrañable, llamaba su pueblo a tu pueblo y se comunicaba con él por medio de los profetas. Pues bien, si en aquellos días les prometió el Salvador que yo vi, si se lo prometió como *Rey de los judíos*, la llegada del Redentor ha de concordar con la promesa aquella, aunque sólo sea por no desmentir la expresión. ¡Con ello ves el porqué de mi pregunta en la puerta! Lo ves, y yo no quiero detenerme más en este punto, sino que seguiré adelante. Por otra parte, quizá tú pienses en la jerarquía y dignidad del Niño. Si es así, considera, atendiendo a la jerarquía de dignidades del mundo, ¿qué significa ser el sucesor de Herodes? ¿Qué vale? Para sus predilectos, ¿no es mejor ser Dios? Si eres capaz de imaginarte al Padre Todopoderoso necesitado de un título y descendiendo a servirse de lo que han inventado los hombres, ¿por qué no me ordenó que preguntara en seguida por un César? ¡Ah, por la esencia de lo que constituye el tema de nuestra conversación, mira más alto, yo te lo ruego; mejor será que preguntes sobre quiénes ha de reinar; porque yo te aseguro, hijo mío, que ahí está la llave de un misterio que sin ella nadie entenderá.

Baltasar levantó los ojos devotamente.

—Existe en el mundo un reino que no es de este mundo; un reino de fronteras más amplias que el orbe, más amplias que la tierra y los mares, aunque se amasara juntamente aquélla y éstos como el oro más fino, y se extendiera todo a martillazos formando una lámina. Su existencia es tan real como la de nuestros corazones, y por él caminamos desde la cuna a la sepultura, aunque sin verlo. Y nadie lo verá si primero no conoce su propia alma; porque dicho reino no es para el hombre, sino para su alma. Y en sus dominios impera una gloria que no cabe en los límites de la imaginación, una gloria singular, incomparable, suprema.

—Tus palabras, padre, son para mí un enigma —dijo Ben-Hur—. Jamás oí hablar de ese reino.

—Yo tampoco —corroboró Ilderim.

—Y quizá yo no pueda deciros más —añadió Baltasar, bajando humildemente los ojos—. En qué consiste, el fin que persiga, de qué modo podamos ganarlo, nadie podrá saberlo hasta que el Niño venga a tomar posesión de él como de una cosa que le pertenece. Él trae la llave de la puerta invisible, que abrirá para sus predilectos, entre los cuales se contarán todos los que le amen, pues únicamente ellos serán redimidos.

Después de estas últimas palabras se produjo un largo silencio, que Baltasar tomó como término de la conversación.

—Buen jeque —dijo luego con su acostumbrada placidez—, mañana o pasado me iré a la ciudad donde pesaré unos días. Mi hija desea ver los preparativos que hacen para los juegos. Más tarde te diré cuándo nos marchamos. A ti, hijo mío, volveré a verte. Os doy la paz y las buenas noches a los dos.

Todos se levantaron de la mesa. El jeque y Ben-Hur siguieron con la mirada al egipcio, hasta que los criados le hubieron acompañado fuera de la tienda.

—Jeque Ilderim —dijo entonces Ben-Hur—, esta noche he oído cosas extrañas. Te ruego que me autorices a pasear por la orilla del lago, a fin de que pueda reflexionar sobre ellas.

—Ve, que yo iré a buscarte.

Se lavaron las manos otra vez; después de lo cual, a una seña del dueño, un criado trajo los zapatos de Ben-Hur.

Y el joven salió inmediatamente.

CAPÍTULO XVII

EL REINO – ¿ESPIRITUAL O POLÍTICO?

Un poco más allá del aduar había un bosquecillo de palmeras que proyectaba su sombra mitad sobre el agua, mitad sobre la tierra. Desde sus ramas un ruiseñor dejaba oír un canto que era como una invitación. Ben-Hur se paró debajo a escuchar. En cualquier otra ocasión las notas del pájaro le habrían distraido de sus pensamientos; pero el joven llevaba sobre sí, como un fardo singular, el peso de las incógnitas de la historia narrada por el egipcio, y al igual que sucede a otros obreros, ni la más dulce música sería música para él hasta que el descanso no hubiese armonizado felizmente su cuerpo y su alma.

Era una noche tranquila. Ni la más leve ondulación del agua llegaba a la orilla. Habían salido todas las viejas estrellas del viejo Oriente, cada una en su sitio acostumbrado, y el verano imperaba en todas partes: en la tierra, en el lago, en el firmamento.

Ben-Hur tenía la imaginación caldeada, excitadas las emociones, y la voluntad irresoluta.

Las palmeras, el cielo, el aire, se le antojaba que no eran de allí sino de la lejana región meridional al que se había visto empujado Baltasar desesperando de los hombres. El lago, con su inmóvil superficie, le hacía pensar en la madre del Nilo a cuya orilla estaba rezando el santo varón cuando se le apareció, resplandeciente, el Espíritu. ¿Habían venido hasta Ben-Hur todas aquellas circunstancias del milagro? ¿O había sido trasladado él hasta ellas? ¿Y si el milagro se repitiese? ¿Y si se repitiese para él? Temía y deseaba a la vez, y esperaba incluso, que se reprodujese aquella visión. Cuando finalmente su ánimo febril se apaciguó y pudo volver a ser dueño de sí mismo, estuvo en condiciones de pensar.

Hemos explicado ya cuál era su plan de vida. Pero hasta este momento, siempre que lo había meditado había quedado un vacío que nunca fue capaz de salvar o rellenar; un vacío tan grande que no podía divisar sino vagamente la orilla opuesta. Cuando al final fuese tan apto para capitán como para soldado, ¿hacia qué objetivo debería dirigir sus esfuerzos? Pensaba, por supuesto, en la posibilidad de una revolución; pero el proceso de la revolución ha sido siempre el mismo, y para excitar a los hombres a lanzarse a ella siempre se ha precisado, en primer lugar, de una bandera o un pretexto para captar adeptos, y, en segundo lugar, de un fin que conseguir, de alguna conquista práctica y tangible que obtener. Por lo general, lucha con denuedo todo aquel que tiene agravios que reparar; pero combate todavía mucho mejor el que, espoleado por los agravios, tiene ante sí la perspectiva clara y firme de una gloriosa recompensa; de una recompensa en la que distingue bálsamo para las heridas, premios para el valor, y el recuerdo y el agradecimiento si en la lucha halla la muerte.

Para determinar el poder de atracción lo mismo de la bandera que del objetivo, era preciso que Ben-Hur estudiase los adeptos que quería buscar cuando todo estuviera dispuesto para la acción. Muy naturalmente, esos adeptos serían sus compatriotas. Los agravios de Israel los sentían como propios todos los descendientes de Abraham, y cada uno de por sí constituía una causa infinitamente sagrada, inmensamente capaz de inflamar a los hombres.

Sí, la causa estaba ahí, pero el objetivo, ¿cuál sería?

Imposible calcular las horas y días que había dedicado a este aspecto de su plan, habiendo llegado siempre al mismo resultado: a una idea vaga, incierta, genérica, de liberación nacional. ¿Sería suficiente? Ben-Hur no podía contestar que no, porque ello habría significado la muerte de sus esperanzas, y se resistía a responder que sí, porque un buen criterio le decía otra cosa. Ni siquiera podía afirmarse a sí mismo que Israel estuviera en condiciones de luchar solo, sin aliados, contra Roma. Conocía los recursos de la gran enemiga, y sabía que su destreza superaba todavía a sus recursos. Una coalición universal sí valdría, pero ¡ay!, esto era soñar en un imposible, salvo que —¡y cuán largamente y con cuánto afán se había parado a pensar en esta salvedad!—, salvo que de una de las naciones sufrientes surgiera un héroe y a copia de triunfos marciales conquistase una fama que se extendiera por toda la tierra. ¡Qué gloria para Judea si lograba ser la Macedonia del nuevo Alejandro! Pero otra vez ¡ay! Bajo la dirección de los rabíes era posible el valor, pero no la disciplina. Y luego quedaba la mofa de Messala en el jardín de Herodes: «Todo lo que conquistáis en seis días, lo perdéis el séptimo».

Así sucedía que jamás se acercaba a la hendidura creyendo remontarla que no tuviera que retroceder derrotado; y tan constantemente había fracasado en este punto que acabó por renunciar a resolverlo, si es que el azar no traía una solución. Era posible que, en su día, se descubriera al héroe, o acaso no lo descubrieran nunca. Sólo Dios lo sabía. Teniendo en cuenta esta situación anímica, no es preciso que nos detengamos en el efecto que le causó la esquemática exposición que Malluch le hizo de la historia de Baltasar. Ben-Hur la escuchó deslumbrado por el entusiasmo, convencido de que había aparecido la solución del problema. Ahí estaba por fin el héroe que hacía falta, ¡un héroe nacido de la tribu del León, y Rey de los judíos! Y detrás del héroe, ¡mirad!, el mundo en armas.

La existencia del rey implicaba la de un reino. El sería un guerrero magnífico como David, un gobernante sabio como Salomón, y el reino poseería una fortaleza contra la cual se precipitaría Roma para caer destrozada. Habría una guerra colosal, vendría las agonías de la muerte y del alumbramiento..., y luego la paz. Una paz que, naturalmente, instauraría la hegemonía perdurable de Judea.

El corazón de Ben-Hur latía con fuerza, como si por un instante hubiese visto a Jerusalén convertida en la capital del mundo, y a Sión sirviendo de asiento al trono del Amo Universal.

Al entusiasmado Ben-Hur se le antojaba una rara fortuna que el hombre que había visto al rey estuviera en la tienda hacia la cual se dirigía él ahora. Allí podía verle, oírle y escuchar de sus labios todo lo que él sabía del cambio que había de producirse, y en especial del momento en que se produciría. Si era inminente, abandonaría la campaña de Majencio y se dedicaría a organizar y armar las tribus, a fin de que Israel estuviera preparado cuando el gran día de la restauración empezase a despuntar.

Ahora, como hemos visto, Ben-Hur había escuchado la maravillosa historia de boca del mismo Baltasar. ¿Estaba satisfecho?

Sobre su espíritu había descendido una sombra más densa que la del bosquecillo de palmeras; la sombra de una gran incertidumbre, que —¡toma nota, oh, lector!— se refería más al reino que al rey.

—¿Qué hay de ese reino? ¿Y qué ha de ser? —se preguntaba ensimismado Ben-Hur.

Tan temprano surgieron, pues, los interrogantes que habían de acompañar al Niño hasta su muerte y le habían de sobrevivir en la tierra; interrogantes insolubles en su tiempo, manantiales de discusiones en éste, y que son un enigma para todo el que no comprende o no sabe comprender que en todo hombre hay dos en uno: un alma inmortal y un cuerpo perecedero.

—¿Qué será su reino? —se preguntaba.

A nosotros, oh, lector, nos ha contestado el mismo Niño; pero para Ben-Hur no había sino las palabras de Baltasar: «En el mundo, aunque no de este mundo; no para los hombres sino para sus almas; un imperio, no obstante, de inimaginable esplendor».

¿Es raro que el desamparado joven no hallara en estas frases sino la oscuridad de un acertijo?

—¡La mano del hombre no entra aquí! —exclamó con desesperación—. Y el rey de semejante reino no necesita para nada a los hombres; no necesita ni operarios, ni consejeros, ni soldados. La tierra debe perecer o ser formada de nuevo; hay que descubir nuevos principios de gobierno, algo que no sea precisamente manos armadas, algo que substituya a la fuerza. Pero, ¿qué?

¡Oh, lector!, volvemos a exclamar.

Lo que nosotros no queremos ver, él no podía verlo. A ningún hombre se le había ocurrido todavía el poder que tiene el amor, ni mucho menos había venido nadie diciendo claramente que para gobernar y conseguir los dos objetivos del gobierno (la paz y el orden) es mejor y más poderoso el amor que la fuerza.

En medio de sus divagaciones una mano vino a posarse sobre su hombro.

—Tengo que decirte una palabra, oh, hijo de Arrio —le dijo Ilderim, parándose a su lado—. Una palabra nada más, y luego debo volverme, porque la noche se va.

—Te doy mi venia, jeque.

—De cuanto has oído hace unos momentos —le dijo Ilderim casi sin pausa—, créelo todo menos lo referente a la clase de reino que el Niño ha de instaurar cuando llegue. Sobre este particular conserva la mente virgen hasta que oigas a Simónides, el mercader, un buen hombre de Antioquía al cual te presentaré. El egipcio te paga con la moneda de sus sueños, que son demasiado puros para la tierra; Simónides es más sensato; él te repetirá los dichos de los profetas, citando el libro y la página, para que no puedas rebatir que el Niño será de verdad Rey de los judíos. ¡Sí, por el esplendor de Dios! Será rey como lo es Herodes, aunque mucho mejor y muchísimo más magnificente. Y entonces, ¿comprendes? Nosotros probaremos las dulzuras de la venganza. Y no te digo más. ¡La paz sea contigo!

—¡Quédate, jeque!

Si Ilderim oyó su llamada, no la obedeció.

—Otra vez Simónides —se dijo Ben-Hur, amargamente—. ¡Simónides aquí, Simónides allá; Simónides de boca de éste; Simónides de labios de aquél! Es muy probable que me libre de una vez del siervo de mi padre, de un hombre que, cuando menos, sabe retener bien asido lo que es mío, y de este modo es más rico, suponiendo que no sea en realidad más sabio, que el egipcio. ¡Por la santa alianza! No es a los que no han sido fieles a sus obligaciones a quienes debe acudir un hombre en busca de una fe que les guíe; y no seré yo quien vaya. Pero, ¡oye!, alguien canta... y es la voz de una mujer..., ¿o la de un ángel? Viene para acá.

Por el lago una mujer venía cantando hacia el aduar. Su voz

flotaba por encima de las calladas aguas del lago, y cobraba potencia a cada instante. En seguida se oyó el ruido de unos remos moviéndose lenta y acompasadamente; un poco después fue posible distinguir las palabras, pronunciadas en el griego más puro, que era la lengua más rica de todas las de la época para expresar apasionadas querellas.

Suspiro y canto a la tierra querida
que el mar de la Siria esconde de mí.
Besaba el viento la arena amarilla,
trayendo la vida que ahora perdí.

¡Cómo susurra la dulce palmera!
Mas, ¡ay!, para mí ya no gime el Nilo
a la plácida luz de la luna bella,
de la antigua Menfis rozando el limo.

Oh, Nilo, dios de mi alma que muere;
oh, río que en sueños vienes hasta aquí,
deja que en sueños con el loto juegue
cantando antiguas canciones por ti.

¡Ay, cómo te añoro, amado Simbel!
¡Distantes quedáis, trinos de Menón!
Mis labios invade el sabor de la piel
en cuanto intento deciros: ¡Adiós!

Al final de la canción la cantora estaba más allá del bosquecillo de palmeras. La última palabra —adiós— cruzó flotando por el aire impregnada con toda la dulce melancolía de la separación. El paso de la barca era el paso de una sombra más oscura en la más profunda noche.

Ben-Hur inspiró profundamente, y el aire, al salir por entre sus labios, se asemejaba mucho a un suspiro.

—La conozco por su canto, es la hija de Baltasar. ¡Qué hermosa la canción! ¡Qué bella la que canta!

Y recordaba sus ojos grandes levemente velados por las caídas pestañas, las mejillas ovales y deliciosamente rosadas, los labios carnosos y gruesos con unos risueños hoyuelos a cada lado, y toda la gracia de su figura alta y esbelta.

—¡Qué hermosa es! —exclamó de nuevo.

Y su corazón respondió acelerando los latidos.

Entonces, casi en el mismo instante, otra faz, más joven e igualmente bella —si no tan apasionada, más tierna e infantil— se apareció ante él como emergiendo del lago.

—¡Ester! —dijo sonriendo—. Me han enviado una estrella, como yo deseaba.

Entonces se volvió, regresando despacio hacia la tienda.

Los agravios y los preparativos de venganza habían llenado su vida; habíanla llenado demasiado para dejar lugar al amor. ¿Era éste el comienzo de un cambio dichoso?

Y si esa inspiración le acompañaba hasta la tienda, ¿de quién procedía?

Ester le había dado una copa.

Lo mismo había hecho la egipcia.

Y las dos se le habían aparecido a un mismo tiempo bajo las palmeras.

¿Cuál de las dos?

LIBRO V

Sólo las acciones del justo, huelen bien y fructifican.

SHIRLEY

Y en el calor del combate, observa la ley que se dictó con calma y comprueba lo que previó.

WORDSWORT

CAPÍTULO PRIMERO

MESSALA SE QUITA EL PENACHO

En el salón del palacio, en la mañana siguiente a la bacanal, el diván estaba lleno de jóvenes patricios que dormían aún. Debía llegar Majencio, y la ciudad entera se agolpaba en las calles para recibirle; la legión había de bajar de Monte Sulpius completamente armada y vestida de gala, desde Ninfeón hasta el Onfalos habrían de celebrarse fiestas y ceremonias que harían palidecer todo lo que hasta entonces se pudo ver u oír en el fastuoso Oriente relegándolo al olvido; pero los jóvenes romanos seguían desplomados sobre los divanes en que habían sido arrojados por los esclavos como masa inerte.

Cuando por las claraboyas del salón comenzó a mostrarse el día, incorporóse Messala y, desprendiéndose de la guirnalda de la cabeza, lo cual indicaba que se trataba ya de cosas serias; puso en orden su traje, miró a su alrededor y, en silencio, desapareció. No pudo retirarse Cicerón con más gravedad después de haber pasado la noche en un debate en el Senado.

Dos correos recibían de su mano tres horas más tarde un despacho sellado que contenía una carta dirigida a Valerio Grato, el procurador residente en Cesárea. Atribuía grandísima importancia a que llegara a manos de su destinatario esta carta con la máxima prontitud, adoptando para ello las mayores precauciones.

Uno de los correos iría por tierra y el otro por mar. Con la mayor celeridad posible ambos debían cumplir su encargo.

El mensaje decía así:

«Antioquía, XII Kal. Jul.

»Messala a Grato.

»¡Oh, Midas mío! Te ruego ante todo que no te ofendas del apelativo, pues te lo aplico por gratitud y cariño, convencido de que eres tú el más afortunado de los mortales. Por lo demás, tus orejas no han de crecer por eso, guardarán su moderada proporción con la que tu madre te trajo al mundo.

»¡Oh, Midas de mi vida!

»He de relatarte un asombroso acontecimiento que, aunque envuelto entre los velos de la conjetura, atraerá con justo motivo tu atención.

»Comenzaré en primer lugar por refrescar tu memoria. Recordarás, aunque han transcurrido ya muchos años, a la familia de un príncipe de Jerusalén que se llamaba Ben-Hur, inmensamente rica y extraordinariamente antigua. Quedará en tu cabeza, aun en el supuesto de que tu memoria sea débil, una cicatriz que te ayudará a recordarla y a despertar tu interés por ella.

»En castigo por haber atentado contra tu vida —¡los dioses no permitan que aparezca como simple accidente, para tranquilidad de tu conciencia!— fue presa la familia, juzgada sumariamente y todas sus propiedades confiscadas.

»Este hecho, ¡oh, Midas amado!, puesto que obtuvo la aprobación del César, que era tan sabio como justo, ¡ojalá sobre su altar haya siempre flores!, es conveniente y no debe ser una vergüenza recordar las cantidades que nos correspondieron respectivamente.

»Según recuerdo, dispusiste de la familia Hur tal como convinimos entonces, de modo que quedase oculta la muerte y que ésta apareciera como natural, cortando de raíz toda complicación futura. Tendrás presente en tu recuerdo lo que hiciste con la madre y la hermana del malhechor; pues, bien, y éste es sólo uno de los motivos de mi carta, deseo saber si han muerto o viven aún y como conozco tu benevolencia, ¡oh, Grato querido!, espero que perdonarás esta curiosidad de quien se precia de no ser menos amable que tú.

»En este asunto, como algo especial, debo recordarte que el criminal fue enviado a las galeras por toda su vida; por lo menos así lo disponía el mandato que yo mismo vi y leí, como leí el recibo firmado por e l tribuno que mandaba una galera y que se había hecho cargo del criminal. Por todo esto no vuelvo de mi sorpresa ante el hecho que voy a referirte.

»Ahora, ¡oh, el más excelente de los Frigios!, es cuando debes prestarme toda tu atención.

»Según el tiempo necesario para que deje de existir, calculando bien el límite de la vida de un galeote para que alguna de las tres mil oceánidas cargue con él, debían haber pasado ya cinco años por lo menos. Te ruego tengas a bien excusar mi debilidad, ¡oh, tú, el más tierno y virtuoso de los hombres!, pues contando con lo mucho que yo lo quería en mi infancia, y también a causa de su belleza por lo cual, lo llamaba mi Ganímedes, suplicaba a los dioses que hubiera caído entre los brazos de la más hermosa de la familia de las oceánidas.

»En la certeza de que estaba muerto, he vivido gozando de la fortuna cinco años tranquilo y feliz, lo que, en parte, tengo que agradecerte.

»Y ahora llego al punto más importante.

»Precisamente anoche, cuando iba a ser nombrado anfitrión de un banquete que di a unos amigos llegados recientemente de Roma —su extrema juventud y su falta de experiencia exigían mis luces—, me relataron una singular historia. Vendrá hoy Majencio a encargarse de la campaña contra los partos, y entre los ambiciosos que han de acompañarlo en su aventura hay uno que dice llamarse hijo del difunto duunviro Quinto Arrio. He tenido ocasión de informarme particularmente sobre este joven, y he aquí lo que he sabido:

»Cuando emprendió Arrio su campaña contra los piratas cuya derrota le hizo merecedor de muchos honores y el duunvirato, no tenía familia; pues, bien, de regreso de su expedición, trajo consigo un heredero. Y prepárate ahora a recibir, con la dignidad y compostura que corresponden a quien posee tantos talentos en buenos sestercios, el golpe: el hijo y heredero de quien te hablo es nada menos que el mismo a quien tú mandaste a las galeras, Ben-Hur en persona. Reaparece con un elevado rango y una gran fortuna, como ciudadano romano sin lugar a dudas, lo cual le pone fuera de nuestros ataques... Tú estás demasiado alto para sentir zozobra, pero yo, ¡oh, Midas mío!, estoy en peligro; no he de decirte por qué lado, y quién sabe si también lo estés tú. Es posible que me digas: «¿Que me importa a mí?» Pero presta atención.

»Cuando Arrio —el padre adoptivo de este Gamínedes a quien creía esposo de la más bella de las oceánidas— acometió con su galera a los piratas, ésta se fue a pique y sólo se salvaron del naufragio dos personas: Arrio y este otro, su heredero. Los que los recogieron en la tabla que flotaba en el mar, dijeron que el salvador del afortunado tribuno era un joven vestido de galeote.

»Esto es ya bastante convincente, mas para que no digas nuevamente: «Y ¿qué me importa a mí?», te diré, ¡oh, Midas mío!, que me cupo en suerte —aún debo una ofrenda a la Fortuna por la promesa que hice— encontrarme con él famoso hijo de Arrio y, aunque no le reconocí en el primer momento, te aseguro que es el mismo Ben-Hur, amigo mío querido de la infancia; ese mismo Ben-Hur que, aunque de baja estofa, si es hombre, debe estar madurando su venganza, como así lo haría yo si estuviera en su lugar. Y esta venganza, no por su vida solamente, sino por su patria, por su madre y su hermana, por su futura seguridad y en último lugar, aunque tú seguramente juzgarías que debiera ser el primero, por su perdida fortuna.

»¡Oh, mi bienhechor y amigo!, teniendo en cuenta el peligro que corren tus sestercios, cuya pérdida sería lo peor que podría ocurrir a una persona de alcurnia tan alta como la tuya, espero que una vez leída esta carta estarás dispuesto a pensar lo que conviene hacer en estas circunstancias.

»El sol está ya bastante alto y mis mensajeros partirán dentro de una hora, cada uno con un original de esta carta. Uno irá por mar y otro por tierra. ¡Ya ves el interés que tengo por informarte pronto y bien de la aparición por estos lugares de nuestro amigo!

»La permanencia de Ben-Hur aquí será tan larga como la de su amo el cónsul, quien por mucho que active los preparativos, y aunque no descanse ni de día ni de noche, no podrá despacharse antes de un mes. Ya sabes el ímprobo trabajo que representa reunir un ejército y abastecerlo, sobre todo cuando hay que ir a operar a un desolado país sin población.

»Ayer vi al judío en el bosque de Dafne, y si ahora no se encuentra allí, de seguro no se hallará muy lejos, lo que permite una fácil vigilancia. Si me preguntas dónde se encuentra, podría con seguridad decirte que en el Vergel de las Palmeras, bajo la tienda del traidor jeque Ilderim, a quien nuestra mano poderosa llegará a dar alcance. No te sorprendas, pues, si cualquier día llega a tus oídos que Majencio, como medida provisional, embarca al árabe rumbo a Roma.

»Mis detalles son tan minuciosos porque, ¡oh, hombre ilustre!, este asunto es muy importante para ti y cuanto antes debes tomar una resolución sobre lo que debe hacerse respecto al judío, y sabiendo como sé que en todo proyecto que implique una acción humana hay que considerar tres elementos, a saber: el tiempo, el lugar y el agente, confío que si juzgas que es éste el lugar de la acción, no dudarás en confiar este importante asunto en manos de tu más afectuoso amigo, que al mismo tiempo es tu más aprovechado discípulo.

»MESSALA.»

CAPÍTULO II

LOS ÁRABES DE ILDERIM BAJO EL YUGO

A la misma hora aproximadamente —primera de la mañana— en que los dos correos partieron con los despachos de Messala, entraba Ben-Hur en la tienda de Ilderim. Después de bañarse en el lago y tomar un frugal almuerzo, aparecía con una túnica ligera, sin mangas y que le llegaba apenas a las rodillas.

El jeque le saludó desde su diván.

—La paz sea contigo, ¡oh, hijo de Arrio! —dijo con admiración, pues jamás había visto un tipo de belleza tan perfecta y tan varonil, de fuerza y de viril confianza—. Están ya los caballos dispuestos y también yo. ¿Y tú?

—Mi buen jeque, la paz que me deseas te la deseo yo igualmente. También yo estoy dispuesto.

Ilderim llamó con un palmada.

—Siéntate. Ahora traerán los caballos.

—¿Están bajo el yugo?

—No.

—Déjame, pues, que yo mismo los enjaece —dijo Ben-Hur—. Es indispensable que ellos me conozcan y los llame por sus nombres, a fin de imponerme a su temperamento, pues a los caballos como a los hombres, es necesario reñirlos si se propasan y animarlos y acariciarlos si son tímidos. Ordena a tus criados que me traigan los arneses.

—¿Y el carro?

—Dejaremos el carro hoy. Dispón otro caballo, si lo tienes, y lo montaré sin silla; que sea tan veloz como los demás.

Subió de punto el asombro de Ilderim y llamó nuevamente a los criados.

—Traed la brida sólo para «Sirio» —dijo al criado que se presentó—, y arneses para los cuatro.

Ilderim se levantó.

—«Sirio» es mi amor y yo el suyo. Veinte años hemos sido camaradas inseparables en la batalla, en el campo y en la tienda, ¡oh, hijo de Arrio!. Te lo voy a mostrar.

Levantó la cortina que dividía la tienda e hizo que Ben-Hur pasase al otro departamento. Se acercaron los caballos en grupo a su amo. Uno tenía una cabeza pequeña, ojos brillantes, robusto el pecho y el cuello muy gracioso en segmentos de arco. Largas crines, firmes y suaves como el cabello de una doncella, y acercándose se puso a relinchar alegremente.

—Hermoso caballo —dijo el jeque, acariciando la mejilla oscura del favorito—. ¡Buenos días! —y volviéndose a Ben-Hur dijo—: Este es «Sirio», padre de los cuatro que ves. Su madre, «Mira», está esperando en el desierto vuestra vuelta; su posesión es demasiado preciosa para traerla aquí, donde hay manos más poderosas que la mía. Y tengo mis dudas —y reía al decirlo—; dudo, ¡oh, hijo de Arrio!, que mi tribu consintiera en que yo la trajase. «Mira» es su culto y su gloria y si los pisoteara galopando sobre sus cuerpos, no por ello se quejarían. Diez mil jinetes, hijos del desierto, preguntan cada día: «¿Cómo está "Mira"?», y cuando les responden que está bien, dicen todos: «¡Bendito sea Dios! ¡Dios es bueno!»

—«Sirio», «Mira»; nombre de estrellas, ¿no es así, jeque? —preguntó Ben-Hur, acariciando al padre de todos y contemplando a los otros cuatro.

—¿Y por qué no? —dijo Ilderim—. ¿Has pasado alguna vez la noche en el desierto?

—No.

—No puedes comprender entonces cuánta confianza tenemos nosotros, los árabes, en las estrellas. Damos sus nombres a nuestros bienhechores en prueba de gratitud y en prueba de amor a nuestros protegidos. Mis antepasados tuvieron todos sus favoritos, como yo tengo a «Mira». Sus hijos cada uno un nombre de estrella. Ese es «Rigel»; este otro, «Altaré»; aquél, «Altair», y ese a quien te diriges ahora, «Aldebarán», el más joven de la yeguada, aunque no el peor. Te aseguro, ¡por mi fe!, que te llevaría a su lomo más ligero que el aire hasta que el viento rugiera en tus oídos como un huracán. Te llevará a donde quieras, ¡oh, hijo de Arrio! Y, ¡por la gloria de Salomón!, que te arrancaría de las propias garras de los leones.

Trajeron a Ben-Hur los arneses y él equipó los caballos, sacólos de las tiendas y les puso las bridas.

—Traedme a «Sirio» —dijo.

Ben-Hur saltó sobre su corcel de forma que no hubiera sido aventajado por el mejor jinete árabe.

—Dadme las riendas —dijo, tomándolas y separando cuidadosamente las de cada uno—. Buen jeque, estoy dispuesto. Deja que un guía vaya delante de mí hasta el campo y mándame después con agua alguno de tus hombres.

Al principio de las pruebas no hubo dificultad alguna. Los caballos estaban tranquilos. Entre ellos y su conductor se estableció pronto un tácito acuerdo. Ben-Hur realizaba sus ejercicios con esa tranquila seguridad que acaba por inspirar fe y confianza en los animales. Los dispuso en el mismo orden que habría de conservar en la carrera, con excepción de Ben-Hur, que, en vez de ir en carro, montaba a «Sirio». Se inflamó de esperanza el espíritu de Ilderim. Sonreía con satisfacción y se acariciaba la barba, murmurando:

—¡Por el esplendor de Dios!; no es un romano, no.

A pie le siguió hasta el campo de carreras, como todos los del aduar, hombres, mujeres y niños, aunque ninguno de ellos tuviera su fe ciega y su confianza.

Al llegar al campo, que era ancho y apropiado para estas pruebas, Ben-Hur comenzó por hacer correr en línea recta y despacio a los cuatro animales; describiendo grandes círculos, los obligó a pasar al trote después, que avivó cada vez más hasta convertirlo en galope; a continuación fue estrechando los círculos que describían y, por fin, los impulsó de un modo arbitrario, aquí o allí, a izquierda o a derecha, sin interrupción. Empleó en este trabajo una hora entera y luego retardó la andadura, hasta convertirla en un paso natural.

Dirigiéndose a Ilderim, dijo:

—Está hecho lo que debía hacerse. Ahora no falta más que práctica. Enhorabuena por tener servidores tan magníficos. Mira —continuó, desmontando y aproximándose a los caballos— ¡qué piel más tersa! Ni la más ligera gota de sudor los ha empañado. Su respiración es tan sosegada como al empezar. Mal tendrían que ir las cosas para que la victoria no sea nuestra...

Se detuvo enrojeciendo y se inclinó. Baltasar, al lado del jeque, se apoyaba sobre su báculo, acompañado de dos mujeres cubiertas con sendos velos. Su corazón apresuró su ritmo al reconocer a una de ellas.

«Ésta es, sí, ésta es la egipcia».

Entretanto, Ilderim terminó la frase que él dejara en el aire:

—¡La victoria y nuestra venganza! Eres el hombre que me hacía falta y ya no tengo miedo. Que el fin sea igual que el principio y verás de qué paño está forrada la mano de un árabe.

Modestamente, Ben-Hur dio las gracias al jeque.

—Haz que tus gentes traigan agua para los caballos.

Y les dio de beber con sus propias manos.

A continuación, cabalgando nuevamente sobre «Sirio», reanudó sus pruebas. Del paso de andadura al trote y de éste al galope; finalmente impulsó a los corceles a una carrera vivaz, que llevó hasta la velocidad máxima. Su forma de conducirlos encendió el entusiasmo en todos, manifestado con aplausos dedicados tanto a su habilidad en manejar las riendas como a la docilidad con que condujera sus propios caballos. Como poseídos de un resorte, corrían en línea recta, ya en círculo, separados o juntos, potencia y gracia, todo sin el menor esfuerzo.

Malluch llegó sin ser notado a la mitad de los ejercicios, pues la atención de todos estaba concentrada en Ben-Hur.

—Traigo —dijo, aprovechando un momento favorable— un mensaje para ti, ¡oh, jeque! Es de Simónides, el comerciante.

—Simónides —murmuró el árabe—. ¡Ah, está muy bien! ¡Que Abadón se lleve a todos sus enemigos!

—Descienda según sus deseos la paz del Cielo sobre ti —continuó Malluch—. Me ha rogado que pusiera en tus manos este mensaje con la súplica de que lo leas tan pronto como esté en tus manos.

Rompió Ilderim inmediatamente el sello del pliego que le entregaban y sacó de un envoltorio de fino lino dos cartas, que se puso a leer.

NUMERO 1

De Simónides al jeque Ilderim

«¡Oh, amigo mío! Ten la seguridad de que ocupas un puesto en lo más íntimo de mi corazón.

»Hay en tu aduar un joven que se llama hijo de Arrio, aunque sólo es por adopción y que me es muy querido.

»Su vida es una maravillosa aventura. Cuando vengas por aquí te la contaré y, además, te pediré un consejo.

»Entretanto, yo salgo fiador: atiende sus peticiones, que no dudo serán razonables.

»Mantén secreto mi interés por él y saluda en mi nombre a tu otro huésped y a su hija. Tanto ellos como tú y el séquito que tú elijas deberán estar en disposición de acompañarme al circo el día de los juegos. Tengo ya los asientos comprometidos.

»La paz, para ti y los tuyos.

»¿Qué sería de mí, ¡amigo mío!, si no fuera por tu amistad?

SIMÓNIDES.»

NÚMERO 2

De Simónides al jeque Ilderim

«¡Oh, amigo mío! Las palabras que te mando son hijas de la experiencia. Un signo que aceptan como aviso todas las personas no romanas, con fortuna o bienes que perder, es la llegada de algún alto dignatario romano. El cónsul Majencio llega hoy. ¡Alerta!

»Otra advertencia.

»Se conspira contra ti, ¡oh, amigo mío!, y en la conspiración entran los Herodes; teniendo grandes propiedades en tus dominios, procura estar en guardia.

»Envía urgentemente fieles servidores tuyos hacia el sur de Antioquía y haz que detengan a todo correo que vaya o venga por este lado; si encuentras algún mensaje que te concierna a ti o a tus negocios, es preciso que lo veas.

»Esta carta debieras haberla recibido ayer, aunque si no pierdes tiempo no será demasiado tarde.

»Si los mejores salieron esta mañana, tus servidores pueden adelantarse a ellos, porque conocen los caminos mejor que nadie.

»No vaciles, ¡oh, amigo mío! Destruye esta carta.

»Tu amigo,

»SIMÓNIDES.»

Ilderim leyó por segunda vez las cartas; dobladas después y envolviéndolas de nuevo en su lienzo se metió el paquete bajo el cinturón.

Continuaron los ejercicios durante algún rato aún; en total dos horas. Cuando concluyeron, Ben-Hur puso los caballos al paso y se dirigió hacia Ilderim.

—Si me lo permites, ¡oh, jeque! —dijo—, quiero volver tus caballos a la tienda y esta tarde sacarlos de nuevo.

Ilderim se acercó, montado sobre «Sirio» y le dijo:

—Haz con ellos lo que te plazca hasta después de los juegos, hijo de Arrio. Has alcanzado en dos horas más de lo que el romano, ¡así los chacales roan sus entrañas!, hubiera alcanzado en muchas semanas. Ganaremos. ¡Por el esplendor de Dios!, será nuestra la victoria.

Ben-Hur permaneció al lado de los corceles mientras los criados los cuidaban en la tienda; luego se dirigió al lago y se bañó de nuevo, bebió una copa de raqué y se puso sus vestiduras judías. El jeque estaba exuberante de alegría. Malluch y el joven judío fueron a pasear por el vergel. Tenían muchas cosas que decirse, y no todas de esencial importancia. Sin embargo, hay algo que debemos transcribir:

—Tengo un encargo que hacerte —dijo Ben-Hur—. Deseo que traigas mi equipaje. Se encuentra en el *khan* que hay junto al puente de Seleucia, a este lado del río; si te es posible, me lo traerás mañana, buen Malluch, y si no tuviera temor de darte demasiado trabajo...

Cordialmente protestó Malluch, ofreciéndole sus servicios incondicionalmente.

—Gracias, Malluch, amigo mío. Tomo tu palabra, somos hermanos de la antigua tribu y es el romano nuestro enemigo común. Ante todo, como eres hombre de negocios, dudo mucho que lo sea Ilderim...

—Los árabes lo son raramente —dijo Malluch, con gravedad.

—Pues bien, Malluch, no puedo acusarlos yo de torpeza, pero será bueno no perderlos de vista un solo momento. Para evitar toda dificultad o estorbo que pudiera surgir en contra mía en las carreras, me harías un gran servicio y mi inquietud sería calmada si fueras a la oficina del circo y te enteraras si mi adversario ha cumplido con todas las formalidades preliminares. Me harás un señalado favor si me obtienes una copia del reglamento. Desearía saber los colores que debo lucir y, en particular, el número de cripta que debo ocupar en el momento de la salida; sería lo mejor que estuviera cerca de Messala a la derecha o a la izquierda. Procura arreglarlo de manera que me halle junto al romano. Malluch, ¿tienes buena memoria?

—No he fallado nunca cuando el corazón participa en el asunto como ahora, hijo de Arrio.

—Me tomo la libertad de encargarte otro servicio. Ayer vi que Messala estaba muy orgulloso de su carro, como si sólo un emperador fuera digno de montarlo. ¿Puedes decirme cuáles son sus dimensiones con exactitud y peso aproximado? Finalmente, si esto no lo puedes conseguir, tráeme un dato que me es indispensable: la altura exacta de su eje sobre la superficie del suelo. Malluch, ¿me has comprendido? No quiero que tenga ventaja alguna sobre mí, ni servir a su gloria. Si logro la victoria, he de procurar que su derrota sea dura y que mi triunfo no ofrezca lugar a dudas. Si realmente hay ventajas, quiero tenerlas también yo.

—Comprendo, comprendo —dijo Malluch—; lo que te es imprescindible es saber, sobre todo, cuánto mide la línea vertical desde el cubo hasta el suelo. Tornemos al aduar.

Encontraron en la puerta de la tienda a un criado ocupado en llenar los viejos odres de un vino de palma recién hecho, y se detuvieron para refrescarse.

Malluch regresó a la ciudad poco después.

Mientras estuvieron ausentes, un mensajero, bien equipado, montado en un ligero corcel, salió hacia el sur de Antioquía con órdenes de Simónides. Era un árabe y no portaba ningún mensaje escrito.

CAPÍTULO III

LAS ARTES DE CLEOPATRA

—Iras, hija de Baltasar, me envía a ti con un mensaje y un saludo —dijo a Ben-Hur un siervo, cuando se hallaba descansado en su tienda.

—Dame el mensaje.

—Desea que la acompañes a dar un paseo por el lago.

—Dile que yo mismo le llevaré la contestación.

Trajéronle al punto las sandalias y, en pocos minutos, se encontró dispuesto para ir en busca de la bella egipcia. La sombra de las montañas que precede a las tinieblas de la noche se extendía sobre el Vergel de las Palmeras. Se oían a lo lejos, por entre el follaje de los árboles, el tintineo de las esquilas, las voces de los pastores y el mugido de las vacas y de los rebaños que eran llevados a los apriscos. En el vergel la vida era en todos conceptos idéntica a la pastoril de las praderas, no tan rica ni tan verde, del desierto.

Ilderim presenció los ejercicios de la tarde, que fueron una réplica exacta de los de la mañana. Luego partió hacia la ciudad a entrevistarse con Simónides y no debería volver hasta la noche; pero teniendo en cuenta lo mucho que tenían que hablar, no era probable que regresara.

Forzado a la soledad, Ben-Hur dedicó su tiempo al escrupuloso cuidado de sus caballos; refrescado y purificado en el lago, trocó la sencilla túnica de los ejercicios por un albo traje, cual conviene a un seduceo de pura estirpe, cenó temprano y, gracias a su naturaleza robusta, pronto se encontró descansando del violento ejercicio realizado por la tarde.

No sería sensato negar a la belleza su poder sobre el hombre, porque no existe un espíritu sensible capaz de sustraerse a su influencia. La historia de Pigmalión y de su estatua es tan poética como natural, y en sí misma, la belleza es una potencia. En aquel momento, ella era la que arrastraba a Ben-Hur.

La egipcia era una mujer verdaderamente hermosa, bella de cara y perfecta de cuerpo. En su mente estaba grabada tal como la vio en la fuente y sentía el influjo de su voz tan dulce y tan llena de gratitud hacia él. Sus grandes ojos negros, dulces y rasgados en forma de almendra, eran signo, el más característico de su raza, ojos que revelaban multitud de cosas imposibles de expresar por medio de la palabra. Alta, graciosamente esbelta, envuelta en su rico y flotante manto, sólo le restaba saber si su espíritu estaba tan dotado de inteligencia como el de la Sulamita, que pudiera hacerla tan terrible para él como un ejército en batalla, según el Cantar de los Cantares. En fin, cuando ella se imponía en su imaginación, el canto de Salomón vibraba en lo más íntimo de su ser inspirado por aquella idílica imagen.

Arrastrado por este sentimiento y esta esperanza, iba ahora a convencerse de si merecía su entusiasmo. No le impulsaba el amor, sino la curiosidad y admiración, dos cosas que encaminaban al amor.

Consistía el embarcadero en unas sencillas gradas y una plataforma. Al llegar a él, Ben-Hur se detuvo ante el cuadro que se ofrecía a su vista.

Sobre el agua, transparente como el cristal, una barquichuela se mecía, tan ligera como una cáscara de huevo. Manejaba los remos el mismo etíope que conducía el camello junto a la fuente Castalia. El bote estaba alfombrado, cubierto de almohadones y ricas telas de brillantes colores de la púrpura de Tiro. La egipcia, sentada al timón, se envolvía en chales de la India y en una nube de vaporosos encajes. Sus desnudos brazos no eran perfectos sólo en su forma, sino llenos de gracia en sus movimientos, de la cual estaban asimismo dotadas sus manos y dedos. El cuello y los hombros se protegían de la brisa de la noche por un finísimo chal que apenas los velaba.

En la ojeada que Ben-Hur echó sobre ella, no pudo observar todos los detalles, mas sintió una impresión tan sólo comparable a una luz intensa, cegadora al mismo tiempo: «Tus labios son como un hilo de grana, tus sienes como cachos de granada bajo tus cabellos. ¡Oh, amiga mía, hermosa mía, levántate y ven! Porque el invierno ha pasado, la lluvia se fue, se han mostrado las flores en la tierra, ha vuelto el tiempo de la canción y se ha oído ya la voz de la tórtola». Tal fue traducida en palabras la impresión que la egipcia ejerció sobre él.

—Ven —dijo ella, al observar que él titubeaba— o voy a pensar que eres un marino miedoso.

Las mejillas de Ben-Hur enrojecieron. ¿Sabía ella algo de su vida de galeote? Bajó al fin hasta la plataforma.

—Temía echar a pique el bote —dijo, al sentarse frente a ella.

—Por lo menos espera a que estemos en aguas más profundas —replicó Iras, al tiempo que hacía una señal al etíope, que, dejando caer los remos, comenzó a apartarse de la orilla.

Si hasta entonces el amor y Ben-Hur se hallaban desunidos, había llegado al fin la hora en que éste implorase gracia. La bella egipcia estaba sentada de manera que él no podía dejar de contemplarla y su fantasía se igualaba con Sulamita. Podían lucir las estrellas sin que él las viera y envolverle la oscuridad de la noche sin asustarle, pues sus ojos estaban deslumbrados ante la luz que irradiaban los ojos de ella.

Encontrarse en una noche serena de estío, en un lago tranquilo y en compañía de semejante mujer era para complacer la fantasía del joven más exigente. ¡Es tan fácil en esta edad pasar insensiblemente de la vida vulgar a lo ideal!...

—Dame el timón —dijo Ben-Hur.

—Eso sería invertir los papeles —dijo ella—; fui yo quien te invitó a pasear conmigo. Estoy en deuda contigo y quiero pagarte. Puedes hablar y yo te escucharé o hablaré yo y me escucharás tú, según desees, pero yo escogeré adónde debemos ir y el camino que hemos de tomar.

—¿Y adónde vas a llevarme?

—¿Te has alarmado de nuevo?

—¡Oh, hermosa egipcia! ¡Te pregunto solamente lo que en primer lugar pregunta un esclavo!

—Llámame Egipto.

—Más bien te llamaré Iras.

—Con ese nombre puedes pensar en mí, pero llámame Egipto.

—Egipto es un país y representa a mucha gente.

—Efectivamente. ¡Y qué país!

Acompañó estas palabras con un ardiente suspiro.

—Entonces te olvidarías de mí.

—¡Ay! Veo que no has estado allí nunca.

—¿Nos dirigimos hacia él?

—¡Cuán feliz sería yo si pudiera ir!

—Jamás.

—¡Oh! Es el país deseado por todo el resto de la tierra en el cual no puede haber ser alguno desgraciado. Es la patria de todos los dioses y el más bendecido. El que es allí feliz lo es doblemente, y el desafortunado, cuando prueba las aguas del río sagrado, canta, juega y ríe como un niño.

—¿Debo creer que no hay allí pobres como en otras partes?

—Los pobres en Egipto son los muy sobrios en sus necesidades —replicó la joven—. Fuera de lo indispensable no tienen deseo alguno. ¡Y con qué poco se contentan! Nunca podría sospecharlo un griego o un latino.

—Pero yo no soy ni lo uno ni lo otro.

Rióse ella.

—Mi jardín está lleno de rosales magníficos. Tengo uno sobre todo maravilloso. ¿De dónde crees que procede?

—¿No es Persia la patria del rosal?

—No de allí.

—¿Quizá de la India?

—Tampoco.

—Será entonces de alguna de las islas griegas.

—No. Un viajero en la llanura de Refain lo halló al borde de un camino; lo vio marchito y lo recogió.

—¡Oh! ¡En Judea!

—Lo planté en la tierra que el Nilo había dejado al descubierto y la blanda brisa del sur lo acarició y tuvo lástima de él. Así creció y floreció. Con su sombra, ahora, me demuestra su gratitud, y su aroma me envuelve. Es lo mismo que ocurre con los hijos de Israel. ¿En dónde llegarían a más alta perfección que en Egipto?

—Moisés es entre muchos miles un claro ejemplo.

—Y al interpretador de sueños, ¿lo has olvidado quizá?

—Han muerto los faraones buenos y humanos.

—¡Ah, sí! Sin embargo, el mismo sol templa hoy la misma atmósfera que respira el mismo pueblo, y el río a cuyas orillas duermen los arrulla en sus tumbas.

—Es cierto, pero Alejandría no es más que una ciudad romana.

—No ha hecho más que cambiar de cetro. César le arrancó el de la espada, pero en su lugar le dejó el de la sabiduría. Ven al Bruqueio conmigo y te enseñaré la escuela de las naciones; ven al Sarapeo, y contemplarás su perfecta arquitectura; leerás en su biblioteca los libros de todos los inmortales; en el teatro oirás las heroicas hazañas de los griegos y de los indios; encontrarás en sus muelles los triunfos del comercio. Recorrer conmigo las calles, ¡oh, hijo de Arrio!, y cuando se hayan marchado los filósofos llevando tras sí los maestros de todo arte y los dioses hayan atraído a todos los devotos a sus templos y no quede otra cosa que sus placeres, escucharás historias que desde los orígenes del mundo han causado el placer de los hombres y cánticos que no morirán jamás.

Al escucharla recordó Ben-Hur la noche en que, en su casa de verano en Jerusalén, cantaba su madre con el mismo acento poético y patriótico entusiasmo las glorias de Israel.

—Ahora comprendo por qué deseas que te llame Egipto. Si te llamo por ese nombre, ¿cantarás para mí una canción? Te oí cantar anoche.

—Era el canto del Nilo —dijo la Egipcia—; era mi canto un lamento, pues cuando me encuentro en el desierto, me parece oír el murmullo de las olas de mi amado río. Te cantaré mejor un canto hindú. Cuando podamos ir a Alejandría, te llevaré a la esquina de una calle en donde oirás a la hija del Ganges que me lo enseñó. Kapila, héroe de la canción, es, como debes saber, uno de sus sabios más venerados.

Y entonces comenzó a cantar sencillamente, como si fuera ésa su manera normal de expresarse.

KAPILA

I

¡Oh, Kapila, Kapila, tan joven y sincero,
yo anhelo una gloria semejante a la tuya!
Al regresar del combate te pregunto de nuevo:
«¿Cómo podré emular mi valor con el tuyo?»

Cabalgaba Kapila en su pardo corcel;
era su porte tan grave como majestuoso.
Nada le infunde miedo a quien lo ama todo,
es el amor quien arma mi bravura.

Una mujer me dio un día su alma entera,
y su alma fue el alma de mi alma a partir de entonces.
A ella le debo el valor que me anima.
Haz la prueba, haz la prueba y ya verás.

II

¡Oh, Kapila, Kapila, tan canoso y tan viejo,
la reina pregunta por mí.
Pero antes de partir deseo que me digas
cómo lograstes llegar a la sabiduría.

Kapila permanece a la puerta del templo,
cubierto con tosco sayal de eremita.
«No me vino el saber como a los demás mortales:
de la fe me proviene.

Una mujer me dio su corazón
y su corazón fue el corazón del mío.
De este modo aprendí la ciencia de la vida.
Haz la prueba, haz la prueba y verás.»

Apenas tuvo tiempo de dar Ben-Hur las gracias a la cantora, cuando rozó la quilla del bote el fondo y seguidamente la proa se hundió en la arena de la orilla.

—¡Qué viaje tan corto, oh, Egipto! —exclamó.

—¡Más corta es la parada! —dijo ella al tiempo que un vigoroso empuje del etíope los tornó nuevamente al lago.

—Dame ahora el timón.

—¡Oh, no! —exclamó la egipcia sonriendo—. Para ti la cuadriga y para mí el bote. Estamos aún en el extremo opuesto del lago, lo cual quiere decir que si debemos avanzar no debo cantar mucho. Habiendo estado en Egipto, dirijámonos ahora al bosque de Dafne.

—¿Sin una canción por el camino? —suplicó él.

—Dime algo sobre el romano de quien nos salvaste hoy —suplicó Iras.

Esta petición no fue del agrado de Ben-Hur.

—Ojalá que fuese éste el Nilo —dijo, evadiendo la pregunta—. Saldrían de sus tumbas reyes y reinas y bogarían junto a nosotros.

—Harían zozobrar nuestro bote. Todos eran celosos. Son preferibles los pigmeos. Dime algo del romano. Es muy malo, ¿verdad?

—No debo hablarte de él.

—¿Es de familia rica y noble?

—No puedo hablarte de sus riquezas.

—¡Qué caballos tan hermosos! ¡Era de oro la caja de su carro, y la ruedas, de marfil! ¡Qué audaz! ¡Hasta los que habían estado a punto de ser aplastados bajo sus ruedas reían cuando marchó!

Al evocar este recuerdo, rió también la egipcia.

—¡Eran la hez! —dijo Ben-Hur, con acritud.

—Debe de ser uno de esos monstruos que ahora produce Roma, según dicen —y esperó con ansia su contestación—. Voraces Apolos y codiciosos como Cerberos. ¿Reside en Antioquía?

—Tiene mucho de oriental.

—Egipto sería para él más conveniente que Siria.

—No creo —exclamó Ben-Hur—. Ha muerto Cleopatra.

Divisaron unas lámparas ardiendo ante las puertas de la tienda.

—¡El aduar! —señaló Iras.

—No hemos estado, pues, en Egipto. Ni he visto Karnak, ni Abidos, ni File. No es éste el Nilo. Sólo he oído un canto de la India y sólo he bogado en alas de mi fantasía.

—¡File, Karnak...! Laméntate más bien de no haber contemplado el templo de Ramsés en Abu Simbel. Al verlo se hace pensar en Dios, que hizo tierra y cielo. Mas ¿a qué viene lamentarte? Deja que nos acerquemos a la orilla, y si no voy a cantar —ya te he dicho que no quiero— podré contarte algunas historias de Egipto.

—¡Comienza ya y sigue hasta que llegue la mañana y luego la noche y el día siguiente! —exclamó con vehemencia Ben-Hur.

—¿Cuál ha de ser el tema de mis historias? ¿De matemáticas?

—¡No, no!

—¿Sobre filósofos?

—¡Oh, no!

—¿Sobres genios y magos?

—Si quieres...

—¿De guerra?

—Si es tu deseo.

—¿De amor?

—Sí.

—Te contaré una que habla de un remedio para curar el amor. Es la historia de una reina. Escúchala con respeto y veneración. El papiro que la relataba fue arrancado por los sacerdotes de manos de la propia reina. Es correcto su contenido y debe ser verdadera.

NE-NE-HOFRA

1

Ne-Ne-Hofra moraba en una casa cercana a Asuán, muy próxima a la primera catarata, de tal manera que el estruendo de la eterna batalla entre las rocas y el río se oía constantemente desde su casa.

Decían de ella, porque crecía tanto en belleza como las amapolas del jardín de su padre: «¿Qué no sería estando en plena floración?»

Su vida era cada año como el comenzar de un cántico nuevo más delicioso que los precedentes.

Hija de la coyunda entre el norte, limitado por el mar y el sur, cuyo límite era el desierto que se ensancha más allá de los montes de la Luna, si el uno le concedió su genio el otro le dio su pasión. Así, cuando ambos la contemplaban, reían dulcemente diciendo: «Es mía»; pero añadían con generosidad: «¡Es nuestra!»

Contribuían a su perfección todos los dones de la Naturaleza que se regocijaban en su presencia. Cuando paseaba por el jardín, los pajarillos la saludaban agitando sus alas; los vientos enviaban sus brisas refrescantes y acariciadoras; salían del agua los blancos lotos para contemplarla; retardaba el río su curso para que ella se mirara en su cristal; las palmeras se inclinaban y sacudían alegres sus palmas.

Flores, aves y agua parecían decirla: «Yo te di mi fragancia, yo mi gracia y yo mi transparencia». Y así cada cosa le dio la virtud de que estaba dotada.

Ne-Ne-Hofra era a los doce años la delicia de Asuán: a los dieciséis era universal la fama de su belleza, y a los veinte aparecían los príncipes del desierto montados sobre rápidos camellos o los señores de Egipto en sus doradas barcas. Y todos partían entristecidos y por doquier iban diciendo: «La he visto y no es una mujer, sino la misma diosa Athor».

2

De los trescientos sucesores del buen rey Menes, dieciocho fueron etíopes. Oretes, uno de ellos, contaba entonces ciento diez años de edad. Su reinado duró setenta y seis años y bajo su gobierno el pueblo prosperó y el campo gimió de hartura en la plenitud de su fertilidad. Había visto y oído muchas cosas, conociéndolas profundamente y practicando su sabiduría... Moraba en Menfis, donde tenía su palacio principal, sus arsenales y sus tesoros, pero venía a Butos para conversar con Latona.

Murió la esposa del buen rey. Era demasiado anciana para un perfecto embalsamiento. Como la quería entrañablemente, se vistió de luto y no había consuelo para él, en vista de lo cual un habitante de Cólquida osó hablarle un día...

—Me asombra, ¡oh, Oretes!, que un rey tan sabio y grande no se cure de una pena como ésta.

—Tú me dirás cómo —dijo el rey.

El hombre besó tres veces el suelo antes de darle su respuesta, y sin temor a que la muerte lo oyese dijo:

—En Asuán, bella como la hermosa Athor, vive Ne-Ne-Hofra. Ve a buscarla. Muchos príncipes, reyes y grandes señores han ido a verla; pero ¿quién dice que rehusará a Oretes?

3

En una barca magnífica, como nunca se había visto otra, bajaba Ne-Ne-Hofra por el Nilo; no menos bellas que la suya, una flota de barcas le servía de escolta. La Nubia y Egipto, una hueste de trogloditas y no pocos macrobios de más allá de los Montes de la Luna se agolpaban en las márgenes, llenas de tiendas, para contemplar el cortejo que avanzaba impulsado, por los dorados remos en alas del perfumado viento.

A través de una avenida de esfinges y alados leones fue llevada ante Oretes, que en un alto trono esculpido estaba sentado en el pórtico del palacio. La joven se postró. Él la hizo levantarse y la sentó a su lado. Abrochó el *ureus* en su brazo, la besó y Ne-Ne-Hofra pasó a ser la reina de las reinas.

Pero no bastaba esto al viejo Oretes; necesitaba amor. La

trató con ternura y le mostró sus palacios, todas sus posesiones, ciudades y pueblos; luego sus ejércitos desfilaron ante ella; le mostró sus flotas, y tomando su mano la llevó a las cuevas donde guardaba sus tesoros. «¡Bésame, oh, Ne-Ne-Hofra, con un beso de amor y todo será tuyo», le dijo.

Creyendo que podría ser feliz, si no lo era aún, ella le besó hasta tres veces... ¡Tres veces, a pesar de sus ciento diez años!

El primer año fue muy feliz, pero corto; el tercer año fue desgraciada, pero fue muy largo. Diose cuenta entonces de que no era amor lo que sentía por Oretes, sino que estaba deslumbrada por su poderío. ¡Ojalá su error hubiera durado siempre! Su espíritu la abandonó y sus lágrimas fueron amargas. Sus mujeres llegaron a olvidar su risa. Las rosas de sus mejillas perdieron el color.

La reina iba marchitándose y pereciendo poco a poco.

Algunos dijeron que la perseguían las Erinias por su crueldad hacia un amante; otros, que había sido herida de muerte por algún dios envidioso de Oretes. Sea cual fuere la causa de su languidez, los encantamientos de los magos fueron nulos para curarla e ineficaces las prescripciones de los médicos.

Ne-Ne-Hofra estaba condenada a morir.

En la tumba de las reinas escogió Oretes una cripta para ella y llamando a los artistas del pincel y la escultura de Menfis, guiados por diseños maravillosos, los hizo ponerse a la obra.

—¡Oh, reina mía! ¡Bella como la misma Athor! —clamaba el rey, cuyos ciento trece años no habían aminorado sus ardores amorosos—. Dime, te suplico, ¿qué enfermedad es la que te hace languidecer lenta e irresistiblemente?

—¡Dejarías de amarme si te lo dijese! —respondió ella presa de pánico e incertidumbre.

—¡Te amaré más aún! ¡Te lo juro! Lo juro por los genios de Amentor y por el ojo de Osiris. ¡Habla! —le gritó con la autoridad de un rey y con el ardor de un amante.

—Escúchame, pues —respondió ella—. Hay un anacoreta, el más viejo y el más santo de todos, que habita en una cueva cerca de Asuán. Su nombre es Menofa. Fue mi guardián y maestro. Hazle venir, ¡oh, Orestes!, y él te dirá lo que deseas saber; él te ayudará a buscar remedio a mi pena.

Oretes saltó feliz y se marchó; su espíritu se sentía cien años más joven.

4

—¡Habla! —dijo Oretes a Menofa en el palacio de Menfis.

Y Menofa replicó:

—¡Oh, poderoso señor! Si fuerais joven no me atrevería a hablaros, porque estoy todavía satisfecho de la vida; así pues, te diré que la reina, como cualquier simple mortal, está pagando la pena de su crimen.

—¿Un crimen? —dijo airado Oretes.

Menofa inclinóse profundamente.

—Sí, un crimen contra ella misma.

—No estoy para descifrar enigmas —dijo el rey.

—No te parecerá un enigma cuando te lo explique. Ne-Ne-Hofra crecio bajo mi dirección y hasta sus más pequeños secretos me los explicaba. De esta forma llegué a saber que amaba al hijo de un jardinero de su padre, de nombre Barbec.

Desarrugóse el ceño de Oretes, cosa que parecía extraña.

—Ella fue a ti, ¡oh, rey!, con este amor en su corazón.

—¿En dónde está el hijo del jardinero? —inquirió Oretes.

—En Asuán.

Salió el rey y dio dos órdenes. A un siervo le dijo:

—Ve a Asuán y tráeme a un hombre llamado Barbec. Le hallarás en el jardín del padre de la reina.

Al otro siervo le ordenó:

—Reúne trabajadores, máquinas y animales y haz construir en el lago Chemmis una isla que, aunque lleve encima un palacio, un templo y un jardín con toda clase de árboles frutales, flote al capricho de los vientos. Esa isla debe estar terminada y completamente provista hacia la época en que la luna comienza a menguar.

Dijo después a la reina:

—Alégrate. He sido informado y he mandado a buscar a Barbec.

Ne-Ne-Hofra besó sus manos.

—Le tendrás para ti sola y él te tendrá a ti, y nadie turbará vuestros amores por espacio de un año.

Ne-Ne-Hofra besó sus pies. Oretes la levantó y a su vez la besó y volvieron las rosas a sus mejillas, el escarlata a sus labios y la risa a su corazón.

5

Ne-Ne-Hofra y el jardinero Barbec vivieron por espacio de un año en su isla, que a impulsos del viento flotaba sobre la superficie del lago. Era la isla de Chemmis una de las maravillas del mundo; jamás fue más delicioso ningún retiro de amor; y así transcurrió un año durante el cual vivieron el uno para el otro sin ver a nadie.

Al finalizar el año, Ne-Ne-Hofra tornó como reina al palacio de Menfis.

—¿A quién amas más ahora? —preguntó Oretes.

Ella, besándole, le dijo:

—Tómame de nuevo contigo porque ya estoy curada, ¡oh rey!

Rió Oretes.

—Entonces, ¿es verdad lo que dijo Menofa? ¡Ja, ja, ja! ¿Es verdad que el amor es el remedio contra el amor?

—Así es —contestó ella.

Mas, al pronto, cambiaron las facciones del rey y su expresión fue terrible.

—Pues yo no encuentro que sea así —replicó.

Ella, asustada, retrocedió.

—Oretes puede perdonarte como hombre tu criminal ofensa —continuó—, pero debe ser castigada la que inferiste a Oretes como rey.

Ella se arrojó a sus pies.

—¡Calla! —gritó—. ¡Has muerto ya!

Y dando una palmada empezó a llenarse la estancia de una terrible procesión de embalsamadores, equipados con los instrumentos e ingredientes de su repugnante arte.

El rey señaló a Ne-Ne-Hofra.

—Cumplid con vuestro deber. ¡Ésta es la muerta!

6

Transcurridos setenta y dos días, Ne-Ne-Hofra fue conducida a la cripta que para ella había sido escogida con anterioridad y depositada al lado de sus antecesoras.

Ningún funeral se celebró en su honor en el lago sagrado.

A los pies de la egipcia sentábase Ben-Hur, cuando Iras terminó su relato. Sobre la frágil mano que gobernaba el timón, descansaba la de Ben-Hur.

—Menofa no tenía razón —díjole.

—¿Por qué?

—El amor vive amando.

—¿No existe, pues, remedio contra él?

—Sí.

—¿Cuál?

—Oretes encontró el remedio. ¡La muerte!

—Sabes escuchar bien, ¡oh, hijo de Arrio!

Las horas pasaron sin sentir, entre historias e interesantes coloquios. Cuando atracaron a la orilla, ella le dijo:

—Mañana iremos a la ciudad.

—¿Asistirás a los juegos? —preguntó Ben-Hur.

—¡Decididamente!

—Te enviaré mis colores.

Y se separaron.

CAPÍTULO IV

MESSALA EN GUARDIA

Cerca de la hora tercia del día siguiente volvió Ilderim a su aduar.

Al verle llegar se le acercó un hombre, al que reconoció como a uno de su tribu, y le dijo:

—Me ordenan te entregue este papiro, ¡oh, jeque!, con el ruego de que lo leas en seguida. Si hay contestación esperaré el tiempo que necesites.

Apeóse Ilderim y se puso a leer inmediatamente su contenido; el sello estaba ya roto. «A Valerio Graco, en Cesárea», decía la dirección.

—¡Que Abadón cargue con él! —gruñó Ilderim al ver que la carta estaba escrita en latín.

Pudiera haberla leído si hubiera estado redactada en griego o en árabe. No siendo así, sólo pudo saber que la firmaba «Messala», a cuya sola vista sus ojos echaron fuego.

—¿Dónde está Ben-Hur? —preguntó.

—En el campo con los caballos —replicó un siervo.

Colocando la carta en su envoltura, la metió en su cinturón y montó de nuevo su caballo.

En aquel momento apareció un extranjero que parecía llegar de la ciudad.

—Busco al jeque Ilderim, llamado el Magnánimo —dijo.

Sus atavíos y su lenguaje denotaban que era un romano.

Aunque no podía leer el latín, sin embargo, lo hablaba; así, pues, el viejo árabe respondió con dignidad:

—Yo soy el jeque Ilderim.

La mirada del extranjero bajó a tierra, pero alzándola en seguida dijo con gravedad fingida:

—Me han dicho que necesitabas un conductor para tus caballos en los juegos próximos.

El labio del jeque se levantó con desdén bajo su blanco bigote.

—Ya tengo un conductor, sigue tu camino.

Se disponía ya el extranjero a irse, cuando habló de nuevo:

—Jeque, me gustan tus caballos; dicen que son los mejores del mundo.

Ablandóse el anciano; torció la rienda, como si accediera a la lisonja y exclamó:

—¡En otra ocasión te lo enseñaré, pero hoy no! Ahora estoy muy ocupado.

Mientras el extranjero regresaba a la ciudad, el se dirigió al campo. Aquél iba risueño. Había cumplido su misión.

A partir de este día, hasta el señalado para los juegos, cada mañana llegaba un hombre, a veces dos o más, al Vergel de las Palmeras, preguntando por Ilderim y tratando de ser admitidos como conductores de su cuadriga.

En esta forma, Messala procuraba vigilar a Ben-Hur.

CAPÍTULO V

ILDERIM Y BEN-HUR DELIBERAN

Ilderim esperó a que Ben-Hur retirara los caballos del campo y volviese a la tienda. Estaba satisfecho, porque el joven había ejercitado a sus caballos en todos los pasos; los vio galopar con tal velocidad que no podría decirse cuál era el más rápido. Corrían los cuatro como un solo animal.

—Esta tarde te devolveré a «Sirio».

Y Ben-Hur, al decirlo, acariciaba el cuello del viejo caballo.

—Te lo devolveré y engancharé el carro.

—¿Tan aprisa? —dijo Ilderim.

—Con unos caballos como los tuyos, bastaría un día, buen jeque. Nada les asusta, tienen la inteligencia de un hombre y les gusta el ejercicio. Este —y sacudió la rienda sobre el lomo del más joven de los cuatro—, éste al que tú llama «Aldebarán», es el más ligero; en una sola vuelta al estadio sacará al menos tres cuerpos de ventaja sobre los otros.

Ilderim, con ojos chispeantes, se estiraba la barba.

—Sí, «Aldebarán», es el más rápido. Pero, ¿qué me dices del más tardo?

—Éste —y Ben-Hur señaló con las riendas a «Antarés»—. Mas él será el que gane, porque, ¡oh, jeque!, éste estaría corriendo todo el día sin descanso y, cuando el sol se pusiera, alcanzaría al caballo más veloz.

—Tienes de nuevo razón —dijo Ilderim.

—¡Oh, jeque! Sólo tengo un temor.

Ilderim se puso serio.

—En su codicia por triunfar, un romano usa de infinitos ardides. Obsérvalo bien; en las carreras de cuadrigas no se atienen a las leyes del honor y sus bribonadas no perdonan ni al caballo, ni al conductor, ni al dueño. Por tanto vigila bien tus caballos a partir de hoy hasta la prueba final, no dejes que los vea ningún extranjero. Si deseas estar bien seguro, pon vigilancia armada día y noche. Que estén siempre alerta. Entonces sí que podré asegurarte el triunfo.

Se dirigieron a la puerta de la tienda y desmontaron.

—Será ejecutado tu consejo. ¡Por el esplendor de Dios! Ninguna mano que no sea la de mis más fieles servidores los ha de tocar. Por la noche serán vigilados. Pero ahora, ¡oh, hijo de Arrio! —e Ilderim sacó el mensaje, lo abrió lentamente y después de sentarse en el diván, dijo—: Mira, ayúdame a descifrar este latín —y puso el pergamino en manos de Ben-Hur—. Léemelo en voz alta, tradúceme en la lengua de tus padres lo que ahí encuentres. El latín es abominable.

Ben-Hur tomó muy animado el papiro y comenzó a leer: «Messala a Graco».

Cambió el color. El presentimiento hizo afluir la sangre a su corazón. Se detuvo e Ilderim observó su agitación.

—Estoy esperando.

Ben-Hur rogó que le dispensara y volvió a empezar la lectura del mensaje que, como adivinará el lector, era una de las cartas remitidas con tantas precauciones por Messala a Graco al día siguiente de la orgía en el palacio.

Los primeros párrafos denotaban que el escritor no había olvidado sus antiguos hábitos satíricos. Más al llegar a los destinados a refrescar la memoria de Graco, su voz temblaba por la emoción que no lograba dominar. Haciendo un esfuerzo de voluntad continuó: «Según recuerdo dispusiste de la familia Hur tal como convinimos entonces, de modo que quedase oculta la muerte y ésta apareciese como natural —hizo una pausa el lector respirando con angustia—, cortando de raíz toda complicación futura».

El joven interrumpió la lectura. El pergamino resbaló de sus manos y con ellas se cubrió la cara...

—Han muerto, ¡muerto!... ¡Sólo yo he quedado con vida!

Ilderim había sido mucho testigo del sufrimiento del joven, a quien compadecía en el fondo de su corazón.

—Debo pedirte perdón —dijo, levantándose—. Lee ese papiro para ti solo, y cuando seas dueño de tu corazón hijo de Arrio, me dirás lo que resta; llámame y volveré.

Apenas salió de la tienda, Ben-Hur arrojóse sobre el divan y dio rienda suelta a sus lágrimas.

Cuando pudo sobreponerse a su dolor, recordó que aún no había terminado su lectura, recogió el papiro y se dispuso a leerlo.

«Tendrás presente en tu recuerdo lo que hiciste con la madre y la hermana del malhechor; pues bien, y éste es sólo uno de los motivos de mi carta, deseo saber si han muerto o viven aún».

Ben-Hur no daba crédito a sus ojos y leyendo nuevamente el párrafo, exclamó:

—No sabe si están muertas. ¡Dios sea bendito! Todavía hay esperanza.

Al fin, sintiéndose más confortado pudo leer con más ánimo hasta el fin.

—¡Viven! —dijo después de reflexionar—. No han muerto, pues de lo contrario habría llegado la noticia a sus oídos.

Volvió a leer el mensaje con más seguridad y confirmó esta opinión. Entonces envió a buscar al jeque.

—Al venir bajo tu hospitalario techo —dijo, ya sereno, cuando Ilderim se hubo sentado, y ambos quedaron solos—, no tenía intención de hablarte de mí, sino mostrarte mi habilidad para conducir tus caballos y que pudieras confiármelos. No te conté entonces mi historia, pero el azar ha puesto en mis manos esta carta y me impulsa a confiarme a ti. Y lo hago con tanto mayor motivo cuanto según se deduce estamos los dos amenzados por el mismo peligro, contra el cual debemos luchar juntos. Te leeré la carta y te daré las oportunas explicaciones; no te extrañarás entonces que su lectura me haya trastornado de tal modo. Si me crees débil o pueril, te ruego me disculpes.

El jeque escuchó en silencio la lectura hasta que Ben-Hur llegó al párrafo en que se le nombraba especialmente:

«Ayer vi al judío en el bosque de Dafne, y si ahora no se encuentra allí, de seguro que no andará muy lejos, lo que permite una fácil vigilancia. Si me preguntas dónde se encuentra, podría decirte con seguridad que en el Vergel de las Palmeras...»

—¡Ah! —exclamó Ilderim y su tono de voz no podría decirse si era de cólera o sorpresa, al tiempo que se tiraba de las barbas.

—«... en el Vergel de las Palmeras —volvió a leer Ben-Hur—, bajo la tienda del traidor Ilderim...»

—¡Traidor yo!... —gritó el anciano, mientras la cólera estremecía su barba e hinchaba las venas en su cuello y frente como si éstas estuvieran a punto de estallar.

—Espera un momento, jeque —dijo Ben-Hur suplicante—. Esa es la opinión que tiene de ti Messala. Atiende ahora a su amenaza.

—«... bajo la tienda del traidor Ilderim, a quien nuestra mano poderosa llegará a dar alcance. No te sorprendas, pues, si cualquier día llega a tus oídos que Majencio, como medida provisional, embarca al árabe con dirección a Roma.»

—¡Mandarme a mí a Roma! ¡A mí, jeque de diez mil jinetes con lanza! ¡A mí! ¡A Roma!

Saltó sobre sus pies, e incorporándose extendió sus brazos curvando sus dedos como garras. Sus ojos tenían el brillo de los de las serpientes.

—¡Oh, Dios! Sí... ¡por todos los dioses excepto los de Roma! ¿Cuándo tendrán fin estas insolencias? ¡Un hombre libre como yo! ¡Libre como es mi pueblo! ¿Debemos morir como esclavos? O acaso, ¿he de vivir como un perro que se arrastra a los pies de su amo? ¿Debo lamer sus manos para eludir el castigo? ¡Lo que es mío es mío! ¿No soy el amo de mí mismo? ¡Debo dar gracias porque aún me dejan vivir! ¡Oh, si aún fuera joven! ¡Oh, si pudiera quitarme el peso de veinte..., diez o cinco años.

Sus dientes crujían y sus brazos se agitaban por encima de la cabeza; mas de pronto se dirigió a Ben-Hur bajo el impuso de una idea, y asiéndolo de un brazo le dio un apretón.

—Hijo de Arrio, si yo fuera como tú, joven, fuerte y tan experimentado en las armas; si tuviera como tú un motivo poderoso que me impulsara a la venganza, a una santa venganza... ¡Ea! Fuera disimulos. ¡Hijo de Hur, hijo de Hur! Yo te digo...

Al oírse llamar por ese nombre la sangre pareció paralizarse en sus venas. Miraba sorprendido al árabe, preso en el hechizo de su fiera mirada, y sus ojos brillaban como los suyos.

—¡Hijo de Hur! Si yo estuviese en tu lugar con sólo la mitad de los agravios recibidos, soportando recuerdos angustiosos, no podría permanecer quieto.

Como un torrente, atropellándose unas palabras a las otras, sin interrupción continuó el viejo:

—Me consagraría a la venganza, añadiendo a mis ofensas las que han inferido al mundo entero. Avivaría la llama del odio de país en país. En ninguna guerra de libertad dejaría de estar comprometido; en cada una de las batallas contra Roma tomaría parte. Me declararía parto si no pudiera hacerme cosa mejor. Aunque me faltaran los hombres, intentaría cuanto estuviese en mis manos... ¡Ja, ja, ja! ¡Por el dios esplendoroso! ¡Haría causa común con las mismas fieras en la esperanza de levantarlas contra Roma, el enemigo común! Usaría toda clase de armas con tal de que mis víctimas fueran romanos y me gozaría en su matanza. Sería para mí una guerra sin cuartel... ¡Les haría perecer en las llamas!... ¡Al hierro todo el que hubiera nacido en Roma!... Rogaría a los dioses buenos y a los malos igualmente, que me prestasen sus terribles armas: tempestad, diluvios, frío y calor y cuantas plagas y epidemias nos llegan por aire, tierra y mar. ¡Oh, no podría tener un instante de reposo! Yo... Yo...

Falto de aliento, se detuvo Ilderim, vibrante y retorciéndose las manos. Sus ojos lanzaban rayos de ira y su voz era penetrante como un grito en la noche. Ben-Hur no retuvo de esta apasionada explosión más que la vaga impresión de un torrente que todo lo arrollara.

Por primera vez, en muchos años, el desafortunado joven se oía llamar por su nombre. Un hombre por lo menos le aceptaba y reconocía sin hacerle demostrar su identidad.

¿Cómo sabía Ilderim su secreto? ¿Por la carta? No. La carta hablaba de las crueldades infligidas a su familia, refería la historia de sus propios infortunios, pero no decía que fuera la víctima él, escapado milagrosamente a la suerte que le había sido reservada. Se sentía satisfecho y la esperanza anidaba nuevamente en su espíritu, pero conservaba un aire de dignidad.

—Buen jeque, respóndeme. ¿Cómo te llegó este mensaje?

—Mis gentes vigilan los caminos que unen las ciudades importantes —respondió sin disimulo—. Le ha sido arrebatado a un correo.

—¿Saben que son gente de tu tribu?

—No. Para todo el mundo, son ladrones a los que tengo obligación de dar caza y exterminar; pero...

—Me has lamado hijo de Hur, y en efecto ése es el nombre de mi padre. Yo creía que era un desconocido en la tierra. ¿Cómo me has reconocido tú?

Ilderim vaciló, pero al cabo de unos instantes contesto:

—Te conozco, mas no puedo decirte otra cosa.

—¿Hay alguien que te obligue a callar?

El jeque guardó silencio y se marchó, pero al observar el entristecido gesto de Ben-Hur, volvióse y le dijo:

—Hablaremos de esto en otro momento. Voy a la ciudad; cuando vuelva, es posible que pueda hablarte abiertamente. Dame la carta.

El jeque arrolló el pergamino, cubriólo con su envoltura, y con redoblada energía, dijo:

—¿Qué me respondes a lo que te he dicho que haría yo en tu lugar? Nada me has dicho.

—Tenía intención de contestarte, jeque, y lo haré.

La voz de Ben-Hur era firme y en sus ojos brillaba la misma pasión que había demostrado el árabe.

—Haré todo cuanto un hombre puede hacer. Mucho tiempo hace que consagré mi vida a la venganza. De los cinco años que viví en Roma, hora tras hora esa idea ocupaba mi mente. Deseaba su educación sólo para mi futura venganza. Busqué los mejores maestros y profesores, pero no los de retórica y filosofía. No tenía tiempo que perder con ellos. Las artes esenciales de la guerra eran mi pasión. Traté con gladiadores y luchadores del circo y ellos fueron mis instructores. En los campamentos aprendí disciplina y táctica, y aquellos instructores estaban orgullosos de mí y me aceptaron como su discípulo. ¡Oh, jeque! Soy soldado, pero las cosas que anhelo exigen que sea capitán. Esta idea me indujo a tomar parte en la campaña contra los partos. Al fin de ella, si Dios me conserva la vida y la fortaleza... entonces... —levantando sus puños al aire, dijo con ardor—: ¡Seré un eterno enemigo de Roma y pagará con la sangre de sus hijos todas sus iniquidades. Esta es mi respuesta, jeque.

Puso su mano Ilderim sobre el hombro del joven y, dándole un ósculo, exclamó:

—Si tu Dios no te apoya, hijo de Hur, es porque está muerto.

Toma cuanto tengo; si es tu deseo, me comprometeré por medio de un juramento. Mis hombres, mis brazos, mis caballos y mis camellos están en tus manos. El desierto es el mejor campo de instrucción. ¡Te lo juro! Basta por ahora. Antes de la noche oirás hablar de mí.

CAPÍTULO VI

ENTRENANDO A LOS CUATRO

El mensaje interceptado era una revelación completa. Ponía al descubierto los propósitos homicidas para aniquilar la familia Hur. Para el joven era una confesión del crimen cometido y un aviso de los peligros que le amenazaban. Así, cuando el jeque abandonó la tienda, Ben-Hur comprendió que debía madurar mucho su plan de acción y proceder de una forma enérgica e inmediata.

Eran sus enemigos los más poderosos y sutiles que podía tener en todo Oriente. Si ellos sentían miedo, él tenía también razón de sentirse temeroso. Concentrándose, se puso a reflexionar fríamente sobre la situación, cosa difícil, porque le dominaban los sentimientos al recordar a su familia. Experimentaba una satisfacción enorme al saber que su madre y su hermana vivían, sin detenerse a pensar que su seguridad era muy incierta y poco firme.

Sólo una persona podría decirle dónde estaban; esto significaba para él un gran descubrimiento y, en su esperanza tanto tiempo diferida, creyó haber llegado al término de sus investigaciones. Todo se reducía a una cuestión de sentimiento. Ahondando más, debió confesarse que se fundaba en la esperanza de que Dios había de ayudarle de una manera particular y esta fe le aconsejaba que permaneciera tranquilo.

Le asombraba, por otra parte, que Ilderim supiera su origen. ¿Quién le había informado? ¿Malluch? Con seguridad que no. ¿Simónides? Menos aún, pues tenía gran interés en que su secreto se mantuviera oculto. ¿Quizá Messala? Hubiera sido muy peligroso para él correr semejante albur.

Cuantas conjeturas hacía eran vanas, de forma que Ben-Hur se sentía desalentado al no encontrar solución al enigma. Quienquiera que fuese el que había revelado su secreto, tenía la seguridad de que se trataba de una persona amiga y que en el momento oportuno se mostraría a él. De momento era necesario esperar y tener paciencia. Era posible que el jeque hubiera ido a ver a dicha persona y la carta precipitase la revelación.

Para huir de las acusaciones de su conciencia por algunas negligencias con referencia a Tirzah y a su madre, decidió dar un paseo por el Vergel de las Palmeras. Detúvose junto al lago. Sus centelleantes ondulaciones traían a su pensamiento la bella egipcia, en su perfecta belleza, el paseo que habían dado, el hechizo de sus historias y cantos, que habían hecho inolvidable aquella noche. No podría olvidar la armonía de sus movimientos, la dulzura de su sonrisa, la atención de que le hacia objeto y el suave calor de su mano cuando él la tomó entre las suyas sobre la caña del timón. De ella a Baltasar había un corto camino accesible en su espíritu que Ben-hur sin darse cuenta había franqueado, pensando en las extrañas cosas de que aquél había sido testigo; de ahí pasó al Rey de los judíos, que el buen hombre esperaba con devoción paciente. ¡Un reinado de almas! Era esta una idea no compatible con su fe de saduceo; le parecía una abstracción sacada de las profundas oscuridades de una devoción tierna y soñadora en demasía. Un reino de Judea era algo claro y comprensible; así había sido, y era natural que así debía ser. Su orgullo se avenía perfectamente a la idea de un nuevo reino más extenso, más poderoso y rico y de mayor esplendor que el antiguo. Si el nuevo rey era más poderoso y sabio que Salomón, él podría encontrar forma de desarrollar su actividad y satisfacer su venganza. En este estado de ánimo regresó al aduar.

Tras la comida del mediodía, encontró Ben-Hur una importante ocupación revisando minuciosamente su cuadriga, lo que llevó a cabo a plena luz y con escrupuloso cuidado. Nada escapó a su examen. Con gran placer, que comprenderemos mejor después, vio que el modelo era griego; a su juicio y para su propósito, mejor que el romano en todos conceptos; más espacio entre ambas ruedas, más fuerte y más bajo; también más pesado, pero esta desventaja la suplía la mayor resistencia de sus cuatro caballos árabes. En general, los constructores de estos vehículos sólo tenían en cuenta que se destinaban a las carreras, sacrificando la belleza y la gracia a la resistencia y duración, mientras que los carros griegos, destinados a la guerra, y sus similares, seguían siendo los modelos preferidos por los que ansiaban conquistar una corona en los juegos ístmicos u olímpicos.

Al terminar aquel examen, sacó los caballos y, enganchándolos en el carro, se encaminó hacia el campo de los ejercicios, donde hora tras horas, los enseñó a correr bajo el yugo.

Cuando volvió por la noche, su espíritu estaba robustecido y abrigaba el propósito firme de retardar el asunto de Messala hasta después de las carreras. Tanto si era suya la victoria o el fracaso, sería consumada su venganza. No podía menos de saborear la idea de enfrentarse con su mayor adversario a la vista de todo Oriente. Que hubiese otros competidores no le preocupaba lo más mínimo. Confiaba absolutamente en la victoria; no dudaba que era hábil; en cuanto a los corceles, eran fieles compañeros que compartirían su triunfo.

—¡Ya lo verá, ya lo verá! ¡Mi «Antarés»!... ¡Ah, «Aldebarán»! ¿Abandonaremos la victoria, «Rigel»? Y tú, «Altair», rey de los corredores, ¿dejarás que nos derroten? ¡Ah, mis buenos amigos!

En los ratos de descanso iba de uno a otro caballo, hablándoles en particular a cada uno, no como un amo, sino como hablaría el primogénito a sus hermanos más pequeños.

Hacia el atardecer, estaba Ben-Hur sentado a la puerta de la tienda esperando a Ilderim que aún no había regresado de la ciudad. No se sentía impaciente, ni triste ni indeciso. Sabía que al fin había de oír al jeque. Quizá fuera la satisfacción por los resultados de los ejercicios, sea porque sintiera ese bienestar que produce después del continuado y rudo trabajo corporal sumergirse en un baño de agua fresca, o el que se siente al satisfacer con un alimento sano y abundante su fuerte apetito, o en fin, esa reacción moral con que la naturaleza nos hace superar una depresión de ánimo demasiado prolongada, no analizaba el motivo; quizá todo en junto le hacía sentirse seguro y exultante de alegría. Se confiaba en manos de la Providencia, que al fin se le mostraba amiga.

Al cabo de unos momentos oyó el galope de un caballo y segundos más tarde apareció Malluch.

—¡Hijo de Arrio! —le llamó alegremente—, te saludo en nombre del jeque Ilderim. Te ruega montes a caballo y me sigas a la ciudad. Te está esperando.

Ben-Hur no hizo preguntas; entró en la tienda donde los caballos comían su cebada. «Aldebarán» se adelantó hacia él como ofreciéndole sus servicios. Ben-Hur lo acarició con cariño, pero no eligió ninguno de los cuatro destinados a las carreras. Más tarde, los dos amigos cabalgaban rápida y silenciosamente hacia la ciudad.

A poca distancia del puente de Seleucia, algo más abajo, cruzaron el río en barca y, después de haber seguido la orilla derecha bastante trecho, cruzaron de nuevo el río en otro transporte y entraron en la ciudad por el oeste. Daban un gran rodeo, pero Ben-Hur comprendió estas precauciones y sabía los motivos que obligaban a adoptarlas. Cuando llegaron a la casa de Simónides, bajo el puente, Malluch soltó las riendas.

—Apéate. Ya hemos llegado.

Ben-Hur reconoció el lugar en seguida.

—Y el jeque, ¿dónde está? —preguntó.

—Yo te guiaré. Ven conmigo.

Un servidor se hizo cargo de los caballos, pero antes de que se los llevara se encontraba Ben-Hur en el piso superior ante la puerta y oía que le decían:

—Entra, en el nombre de Dios.

CAPÍTULO VII

SIMÓNIDES RINDE CUENTAS

Malluch no pasó la puerta y Ben-Hur entró solo.

Era la misma estancia en que había conferenciado con Simónides tiempo atrás, apenas había cambiado, pero ahora, al lado de la gran poltrona, se veía un vástago de bronce bruñido sobre pedestal de madera, que se elevaba algo más alto que la talla de un hombre de buena estatura. Sobre sus brazos móviles, sostenía seis lámparas de plata encendidas. La claridad que desprendían permitía distinguir los paneles y complicados dibujos de la cornisa y de la claraboya, cubierta de cristales de micra color violeta.

Ben-Hur adelantóse unos pasos y se detuvo.

Tres personas le miraban atentamente: Simónides, Ilderim y Ester.

La muda mirada del joven pasó de uno a otro, como buscando respuesta a la pregunta que formulaba a medias: «¿Qué querrán de mí?». Sin embargo, pronto se tranquilizó, pues por un segundo se había preguntado si eran amigos o enemigos.

Sus ojos se detuvieron en Ester.

Los dos hombres le miraban con simpatía; sus rostros reflejaban algo más que afabilidad, algo demasiado espiritual para póder definirlo y que percibió Ben-Hur en su conciencia sin análisis ni reflexiones.

¿Habrá que decirlo? La contemplación de Ester hizo levantar en el fondo de sus recuerdos la imagen de la egipcia, que no pudo por menos de comparar con la hebrea; pero fue una visión fugaz y, como suele suceder, la imagen se desvaneció antes de que el joven llegara a una conclusión.

—¡Hijo de Hur!

Se volvió el joven hacia quien le dirigía la palabra.

—Hijo de Hur —exclamó Simónides, repitiendo lentamente

su nombre con distinto énfasis, remarcando toda su importancia ante aquél que debía mostrarse interesado en comprenderla—. ¡La paz del Señor sea contigo! La paz te dé el Dios de nuestros padres y recíbela también de mi parte...

Hizo una pausa y añadió:

—De mi parte y de parte de los míos.

Simónides, recostado en su silla, pálido, con la cabeza digna de un monarca, su aire dominante, a cuyo aspecto los visitantes olvidaban la fatiga de sus miembros y el destrozado cuerpo del anciano israelita. Sus ojos vivos y negros miraban bajo sus blancas cejas con gravedad, pero no severos. Momentos después cruzaba sus manos sobre el pecho. Esta acción, juntamente con el saludo, tenía un significado bien sencillo y Ben-Hur no tardó en interpretarlo.

—Simónides —dijo el joven conmovido—, acepto la santa paz que me ofreces. Como un hijo a su padre, te la deseo igualmente. Sólo te ruego que haya entre nosotros perfecto acuerdo e igualdad.

De esta forma apartó con delicadeza la sumisión del comerciante y, en vez de la relación de amo a criado, estableció otra más alta y más santa.

Simónides dejó caer sus manos y dirigiéndose a Ester, dijo:

—Hija mía. Trae un asiento para el amo.

Ella se apresuró a traer un taburete y se mantuvo en pie con el rostro lleno de rubor, mirando de Simónides a Ben-Hur y de éste a su padre. Cuando una pausa tan prolongada resultó embarazosa, Ben-Hur se adelantó y tomando el escabel de manos de Ester se dirigió al comerciante y colocándolo a sus pies, dijo:

—Quiero sentarme aquí.

Encontráronse sus ojos con los de Ester, aunque sólo un instante y ambos tuvieron una gratísima impresión. Ella leyó en ellos la gratitud y la magnanimidad del joven.

Como dando las gracias, se inclinó Simónides.

—Tráeme los documentos, hija mía —exclamó, exhalando un suspiro de alivio.

Dirigióse Ester a uno de los paneles, lo abrió y sacó un rollo de pergaminos que entregó a su padre.

—Dices bien, hijo de Hur —comenzó Simónides, en tanto observaba el rollo—, empecemos por aclarar la situación. Anticipándome a la cuestión de dinero, que yo habría provocado aunque tú la hubieras querido pasar por alto, tengo aquí el estado de cuentas que te dará una idea de la actual situación de tu fortuna. Hay dos puntos importantes. Primero: el capital principal del que me hice cargo; y segundo: las ganancias realizadas durante el tiempo de mi administración. Encontrarás aquí todos los datos que debes conocer. ¿Quieres leerlos ahora?

Ben-Hur recibió el rollo y miró a Ilderim.

—El jeque —dijo Simónides— no te impedirá que leas delante de él. La cuenta requiere un testigo; verás el nombre de Ilderim en la firma. El está al corriente de todo. Además es tu amigo. Todo lo que ha sido para mí lo ha de ser para ti.

Simónides miró al árabe y le hizo un saludo amistoso con la cabeza; aquél se lo devolvió con gravedad, diciendo:

—Tú lo has dicho.

Ben-Hur replicó:

—Ya conozco el valor de su amistad; por mi parte le daré pruebas de que soy merecedor de ella. En cuanto a los documentos, ¡oh, Simónides!, los leeré más tarde con detenimiento. Guárdalos tú ahora, y, si no estás cansado, dime sólo el resumen.

Simónides cogió el rollo.

—Ponte a mi lado, hija mía, y cuida de que no se desordenen los pliegos a medida que te los vaya dando.

Púsose ella junto al sillón de su padre y echóle cariñosamente el brazo derecho sobre su hombro.

—Ester —dijo Simónides, tomando el primer documento—, muestra el dinero del príncipe Hur que obraba en mi poder y que logré salvar de la rapacidad de los romanos. Del resto de las propiedades nada pudo escapar sino este dinero, que los ladrones hubieran arrancado también a no ser por nuestra costumbre judía de extender letras de cambio. La cantidad salvada consiste en sumas que retiré después y que tenía en Roma, Alejandría, Damasco, Cartago, Valencia, etc., y era de ciento veinte talentos, en nuestra moneda.

Pasó el documento a Ester y cogió otro.

—Estos ciento veinte talentos son lo que quedó a mi cargo. Atiende ahora al inventario de los créditos y ten presente que sólo me refiero a las ganancias, dejando el capital de lado.

Fue leyendo los totales de diferentes hojas que, omitiendo las fracciones, formaron el siguiente total:

ACTIVO

En barcos	60	talentos
Mercaderías en almacén	110	»
Mercaderías en circulación	75	»
Camellos, caballos, etc.	20	»
Valor en almacén	10	»
Efectos a cobrar en cartera	54	»
Efectivo en caja y en poder de corresponsales	224	»
Total	553	»

—Si agregas a estos quinientos cincuenta y tres talentos el

capital primitivo de tu padre, obtendrás un total de seiscientos setenta y tres talentos. Todo es tuyo, y con ellos, ¡oh, hijo de Hur!, eres el hombre más rico del mundo.

Cogió a continuación todos los pliegos de manos de Ester y, reservándose uno solo, los arrolló con cuidado y se los dio a Ben-Hur. Todo él irradiaba orgullo que nada tenía de ofensivo; nacía del sentimiento del deber cumplido. ¿Podía, quizá, sentir orgullo por Ben-Hur, sin acordarse de sí mismo?

—Ahora —añadió, disminuyendo la voz y clavando su penetrante mirada en Ben-Hur— no hay nada que no puedas ordenar si lo deseas.

Este era uno de los momentos solemnes y de interés supremo para todos. Simónides cruzó nuevamente sus manos sobre el pecho. Ester se mostraba anhelante, Ilderim, inquieto. Jamás hombre alguno se sintió sometido a una prueba semejante, bajo el peso de una fortuna colosal.

Al recoger el rollo, Ben-Hur se levantó, presa de una emoción intensa.

—Todo esto es para mí como una luz del cielo y disipa la oscuridad de un anoche que parecía no tener fin —dijo con voz opaca—. Ante todo, agradezco al Señor que no me ha abandonado, y después a ti, ¡oh, Simónides! Tu fidelidad supera la crueldad de los otros; eres tú la única persona que me reconcilia con el mundo entero. En el momento que adquiero esta fortuna, y con ella un poderoso privilegio, ¿quién podrá sentirse más generoso que yo? Sírveme de testigo, ¡oh, jeque Ilderim! Oye mis palabras tal como yo las pronuncie; oye y recuerda. Y tú, Ester, ¡ángel bueno de este hombre honrado!, escucha también.

Extendió su mano con el rollo hacia Simónides y exclamó:

—Las cosas de que estos documentos dan fe, todas ellas, sin excepción: buques, casas, mercaderías, camellos, caballos y dinero, desde lo más insignificante hasta lo más grande, te lo devuelvo, ¡oh, Simónides!, y lo declaro propiedad tuya.

Sonrió Ester en medio de sus lágrimas; estiraba su barba Ilderim con rápidos movimientos nerviosos, y sus ojos brillaban como el azabache. Sólo Simónides permanecía inalterable.

—Lo dejo para ti y tus sucesores —añadió Ben-Hur, más seguro de sí mismo—, con una sola excepción y una sola condición.

Todos retuvieron la respiración para escuchar mejor.

—Me devolverás únicamente los ciento veinte talentos de mi padre.

Resplandeció de alegría el rostro de Ilderim.

—Y deberás ayudarme a encontrar a mi madre y hermana, empleando a todos tus servidores, a expensas tuyas, como emplearé yo los míos.

Conmovióse Simónides, y extendiendo sus manos, dijo:

—Adivino tu intención, ¡oh, hijo de Hur!, y bendigo al Señor porque te ha devuelto a mí tal como eres. Serví bien a tu padre durante su vida, y después de muerto a su memoria; no te faltaré jamás a ti. Debo decirte ahora que no puede haber esa excepción.

Entregándole entonces el pliego que tenía reservado, añadió:

—No has recibido aún toda la liquidación. Toma esto y lee en voz alta.

Cogió Ben-Hur el suplemento y leyó lo siguiente:

«Estado de los siervos de Ben-Hur que le presenta Simónides, su administrador:

Primero: Amrá, que guarda el palacio de Jerusalén.

«Segundo: Simónides, su administrador en Antioquía.

Tercero: Ester, hija de Simónides.»

En todos los pensamientos que había tenido el joven respecto a Simónides, ni una sola vez pasó por su imaginación que, según la Ley, la hija debía seguir la condición del padre. En su mente la bella Ester, la doncella del dulce rostro, se había representado como la rival de la bella egipcia y el posible objeto de su amor. Estremecióse ante esta revelación, que de improviso se levantaba ante él y miró a la doncella, ruborizado, cuando ella, ruborizada también, bajó la frente. Dijo entonces:

—Un hombre que posee seiscientos talentos es en verdad rico, y puede hacer cuanto le plazca, pero el espíritu que acumuló esas riquezas y el corazón que el oro no pudo empañar es más rico todavía. ¡Oh, Simónides! ¡Oh, bella Ester! No tengáis temor. Ilderim, aquí presente, es testigo que en el instante mismo en que os declaráis mis siervos, yo os declaro libres. Y lo que declaro de palabra lo haré por escrito. ¿Puedo hacer algo más?

—Hijo de Hur —dijo Simónides—, en verdad que tu servidumbre es ligera. De todas maneras, hay cosas que no puedes hacer, aun poseyendo todas las riquezas, y es declararnos libres. Soy tu siervo hasta el fin, porque fui un día a la puerta de tu padre y el agujero de la lezna aún existe en mi oreja.

—¿Eso hizo mi padre?

—¡No le juzgues! —gritó Simónides, vivamente—. Él me admitió como siervo de esta clase, a ruegos míos. Jamás me arrepentí de ello. Ese fue el precio que pagué por Raquel, la madre de Ester; por ella, que no quería ser mi esposa a menos que yo fuera de su condición.

—¿Para siempre esclava?

—Para siempre.

Presa de desaliento se paseaba Ben-Hur por la habitación.

—Yo era rico antes de esto —dijo, interrumpiendo su paseo—. Era rico con la fortuna de Arrio; ahora viene a mí una fortuna mayor y, sobre todo, el espíritu que la reunió. Ayúdame a ser digno de mi nombre, a hacer el bien y a ser lo que tú eres para mí por la ley, serlo yo de hecho para ti. Deseo ser para siempre tu servidor.

El rostro de Simónides brillaba de felicidad.

—¡Oh, hijo de mi difunto amo! Voy a hacer algo más que ayudarte; te serviré en todo; lo que valgo, lo pongo a tu disposición con toda mi inteligencia y todo mi corazón. Mi cuerpo nada vale; lo perdí en tu servicio; pero mi voluntad e inteligencia, son tuyas. Con ellas te he servido y te serviré. ¡Hago juramento ante el altar de nuestro Dios y por las ofrendas que hay ante él! Deseo solamente que me confirmes en el cargo que me he atribuido arbitrariamente.

—¿Qué quieres decir? —dijo el joven, con vehemencia.

—Concédeme el cuidado de tus propiedades como administrador tuyo.

—Considérate como tal desde ahora y, si es tu deseo, lo confirmare por escrito.

—Me basta tu palabra; así era con tu padre y no quiero más de su hijo. Y si ahora nuestro acuerdo es perfecto...

—Por mi parte lo es.

—Habla tú ahora, hija de Raquel —siguió Simónides, levantando el brazo de su hija, que caía sobre su hombro.

Abandonada, por decirlo así, de su padre, la muchacha se mantuvo como avergonzada; variaba su color, ora pálido, ora encendido. Adelantóse al fin hacia Ben-Hur y en tono femenil, sumamente dulce, le dijo:

—Yo no soy más que mi madre; pero como ella no existe, te suplico, ¡oh, amo mío!, que me permitas cuidar a mi padre.

Estrechóle Ben-Hur la mano, y llevándola hasta el sillón de su padre replicó:

—Eres una buena hija. Hágase como deseas.

CAPÍTULO VIII

¿ESPIRITUAL O POLÍTICO? - SIMÓNIDES DISCUTE

Simónides alzó la cabeza con un gesto que no había perdido nada de su imperio.

—¡Hija mía! —dijo con calma—, la noche está ya muy avanzada y como nos sentimos algo fatigados y nos queda aún mucho trabajo que hacer, dispón que nos traigan un refrigerio.

Ester hizo sonar una campanilla. Un sirviente les llevó pan y vino, que fue ofreciendo a los presentes.

—El acuerdo, buen amo mío —continuó Simónides, cuando todos se hubieron servido—, no es perfecto aún a mi modo de ver. A partir de ahora nuestras vidas irán unidas como dos ríos que habiéndose encontrado mezclan sus aguas. Yo creo que correrían mejor si miramos de alejar toda nube capaz de oscurecer su corriente. El otro día saliste de mi casa con una negativa mía, en opinión tuya, a reconocer los derechos que acabo de atribuirte sin restricciones. Pero no era así, ciertamente. Mi hija es testigo de que te reconocí y de que ya no te abandoné; Malluch te lo dirá.

—¡Malluch! —exclamó Ben-Hur.

—Una persona que, como yo, se ve sujeto a un sillón, tiene que contar con manos que lleguen a todas partes si pretende remover el mundo de que se ve separado con tanta crueldad. Malluch es uno de los que mejor me sirven. Y algunas veces —dijo, dirigiendo una mirada de agradecimiento al jeque—, acudo a otros hombres que tienen buen corazón, como el jeque Ilderim el Magnánimo, que es valiente y leal. Que él diga si te he negado u olvidado alguna vez.

Ben-Hur miró al árabe.

—¿Esta es, mi buen jeque, la persona de quien me hablabas?

Los ojos de Ilderim brillaban al hacer un gesto afirmativo.

—¡Oh, amo mío! —dijo Simónides—. ¿Cómo se puede decir

lo que es un hombre sin someterle a prueba? Yo te reconocí; creí ver a tu padre, pero ignoraba cómo eras. Hay gentes para quienes la fortuna es una maldición disfrazada. ¿Eras tú uno de ésos? A este fin mandé a Malluch, y él era en este asunto mis ojos y mis oídos. Sus informes sobre ti aseguraban que eras bueno. No le censures.

—En modo alguno —dijo Ben-Hur, cordialmente—. Hay mucha sabiduría en tu bondad.

—Esas palabras son muy agradables a mis oídos —dijo conmovido el comerciante—, muy agradables. Pasó ya el temor de que no pudiéramos comprendernos. Deja que ahora corran nuestras vidas como los ríos de que te hablé, y que Dios les dé su dirección y objetivo.

Tras una pausa, continuó:

—La verdad me impulsa ahora a hablarte en nombre del Señor. El tejedor sentado a su telar va tejiendo, y a medida que su lanzadera vuela de uno al otro lado, sueña él sus proyectos. De la misma manera floreció en mis manos la fortuna; yo mismo me asombraba de su aumento y me preguntaba frecuentemente la causa. Era evidente que alguien mejor que yo velaba sobre mí y llevaba a término feliz cuanto emprendía. El simún que destruía las otras caravanas pasaba por encima de las mías sin perjudicarlas. Las tempestades sólo servían para impulsar mis buques a puerto seguro con mayor rapidez. Y lo más raro de todo es que yo, que tanto dependo de los demás, fijo a un sillón como cosa inerte, nunca he tenido que lamentarme de un agente mío, jamás. Los elementos se prestaban a mis planes y mis servidores me han sido siempre fieles.

—¡Es muy extraño! —dijo Ben-Hur.

—Eso he pensado y pensaré siempre. Por fin, ¡amo mío!, por fin viniste a mí como yo te deseaba. La mano de Dios ha intervenido en todo esto; como tú, me pregunto, ¿cuál es su propósito? La inteligencia de Dios no se mueve jamás sin ningún motivo. Esta pregunta me la he hecho en mi corazón hace muchos años, y esperaba una respuesta. Ahora creo que ya la tenemos.

Ben-Hur le oía con extraordinaria atención.

—Hace largo tiempo, cuando toda la familia se hallaba aún reunida, y tu madre, ¡oh, Ester!, se hallaba conmigo, bella como la aurora sobre el viejo Monte de los Olivos, me encontraba yo, cierto día, en camino hacia Jerusalén, sentado junto a la tumba de los reyes, cuando pasaron tres hombres montados en camellos, tan grandes y blancos como jamás se vieron en la Ciudad Santa. Eran extranjeros y venían de tierras lejanas. El que iba en cabeza se detuvo ante mí y preguntó: «¿En dónde se halla el que ha nacido Rey de los judíos? —Y añadió sin interrupción—: Hemos visto su estrella y venimos a adorarle». Yo no podía comprenderles, pero les seguí hasta la puerta de Damasco, y a toda persona que encontraban en su camino interrogaban igualmente. Cuantos escuchaban se asombraban lo mismo que yo. Olvidé este hecho al cabo de poco tiempo, aunque ocasionó mucho ruido y se habló de él como de un presagio del Mesías. ¡Ay! ¡Qué niños somos aun los más sabios! ¿Has visto a Baltasar?

—Le he oído contar su historia —replicó Ben-Hur.

—¡Un prodigio, un verdadero prodigio! —gritó Simónides—. Cuando me la narraba, buen amo mío, parecía oír la respuesta que hacía tanto tiempo esperaba del cielo; el propósito de Dios era patente a mis ojos. Pobre quiere aparecer el Rey del Mundo, pobre y sin amigos, sin servidores ni ejército, sin ciudades y sin fortalezas. Quiere fundar su propio reino y su propósito es derribar y destruir el poder de Roma. Escucha, ¡oh, amo mío! Tú, tan lleno de vigor y fuerza, tan diestro en las armas, tan cargado de riquezas, considera qué gran oportunidad te envía el Señor. ¿No han de ser sus propósitos los tuyos también? ¡Una gloria a la que nunca pudo aspirar hombre alguno!

Simónides puso toda su energía en esta ferviente pregunta.

—¡Pero el reino, el reino! —preguntó Ben-Hur con ansiedad—. Dice Baltasar que será un reino de almas.

—Baltasar fue testigo de cosas prodigiosas, de verdaderos milagros, ¡oh, amo mío!, y cuando hablo de ello me inclino a creerle, porque los ha visto y oído. Pero es hijo de Mizraim, y ni siquiera prosélito. Ni remotamente podemos suponer que tenga un especial conocimiento en virtud del cual debamos inclinarnos ante un asunto exclusivo entre Dios e Israel. Los profetas percibieron su luz directamente del cielo, como él la suya. De todas maneras, son muchos contra uno, pero Jehová siempre el mismo. Yo debo creer a los profetas. Tráeme el Tora, hija mía.

Y, sin aguardar el regreso de su hija, continuó:

—¿Puede despreciarse el testimonio de todo un pueblo, oh, amo mío? Aunque vayas desde Tiro, que está a orillas del mar por el norte, hasta la capital de Edon, que se halla al sur, en el desierto, no encontrarás ni un lector del Shema, ni un limosnero del Templo, ni uno que haya comido el cordero pascual, que diga que el reino que ha de fundar para los hijos de la Santa Alianza, el Rey que ha de venir, no es de este mundo, como lo fue el de nuestro padre David. «¿De dónde has sacado esta creencia?», me preguntarás. Vamos a verlo ahora.

Había regresado ya Ester, cargada con muchos rollos de pergamino delicadamente envueltos en lienzos de color oscuro, con preciosos rótulos dorados.

—Sostenlos, hija mía, y ve dándomelos a medida que te los vaya pidiendo —le dijo el padre con aquel tierno acento con que siempre se dirigía a ella—. Sería muy largo para mí, ¡oh, amo mío!, decirte los nombres de todos los santos que han sucedido a los profetas, los de los videntes, los de los predicadores que enseñaron desde la cautividad, o los de los mismos sabios que recibieron luces de la antorcha de Malaquías, el último de su linaje. ¿Quién es el Señor del rebaño en el libro de Enoch? ¿Quién sino el Rey del que hablamos? Un trono se alza para Él; conmueve la tierra y caen los demás reyes de su trono; y las calamidades que afligían a Israel huían a una caverna de fuego cuyas columnas son de llamas que arden eternamente. Lo mismo dicen los cánticos de Salomón: «Mira, ¡oh, Dios!, y haz que surja un Rey, en el momento que Tú creas oportuno, ¡oh, Señor!, un hijo de David que gobierne a Israel, a tus hijos. Y traerá a los pueblos de los paganos para que le sirvan y los uncirá a su yugo. Y será un Rey justo y criado en el santo temor..., y que gobierne para siempre la tierra entera con las palabras de su boca». Escucha a Ezrá, el segundo Moisés, en sus visiones de la noche; pregúntale quién es el León con voz de hombre que dice al Águila (que es Roma): «Amaste a los mentirosos y has destruido las ciudades de los trabajadores y derribado sus murallas, aunque no te hicieron daño. Por tanto, huye lejos, que la tierra puede alegrarse y reponerse, y esperar en la justicia y en la piedad de Aquel que la creó. Y a partir de entonces no se volvió a ver el Águila». Seguramente, ¡oh, amo mío!, estos testimonios serán suficientes. Un poco de vino, Ester; luego me darás el Tora.

»¿Crees en los profetas, hijo de Hur? —preguntó, después de haber tomado el vino—. Crees en ellos porque ésa es la fe de tus progenitores. Dame ahora, hija mía, el libro que contiene las visiones de Isaías.

Cogió uno de los rollos que ella sostenía y leyó:

—«El pueblo que estaba sumergido en las tinieblas vio gran luz; los que vivían en la sombría tierra de la muerte, resplandeció sobre ellos la luz. Porque un niño nos es nacido, nos es dado un hijo, y el gobierno pesará sobre sus hombros. La amplitud de su imperio y de su paz no tendrá fin sobre el trono de David, y sobre su reino disponiéndolo y confirmándolo en juicio y en justicia desde ahora y para siempre». ¿Crees tú en los profetas, oh, amo mío? Dame ahora, Ester, las palabras del Señor a Miqueas.

Ester le dio lo que pedía.

—«Pero tú —comenzó leyendo Simónides—, Belén Efrata, la más pequeña en los miles de Judá, de ti saldrá el que será Señor de Israel». Este es, sin duda, el infante que vio Baltasar y que adoró en la cueva. ¿Crees tú en los profetas, amo mío? Dame, hija mía, las palabras de Jeremías.

Al tomar el rollo, leyó:

—«Considera los días que han de venir, dijo el Señor. Saldrá de David una rama justa, y de ella surgirá un Rey cuyo reinado y prosperidad hará justicia en la tierra. Judá se salvará en sus días, e Israel morará seguro; como un rey reinará». ¡Como un rey, amo mío! ¿Crees tú en los profetas? Pues dame, Ester, el rollo de los dichos de aquel hijo de Judá en quien nunca hubo mancha alguna.

Le dio Ester el libro de Daniel.

—Oíd —leyó—. «Yo vi visiones en la noche, y vi a uno semejante al Hijo del Hombre que venía sobre las nubes del cielo... Y le fue dado el poder y la gloria y el Reino para que todo pueblo y nación y lenguaje le sirvieran. Su poder será eterno, no acabará jamás, y su reino no tendrá fin». ¿Crees en los profetas, oh, amo mío?

—Es bastante. Creo —exclamó Ben-Hur.

—Y bien —siguió Simónides—, si el rey viene pobre, ¿no le dará mi amo de lo que le sobra, no le prestará su apoyo?

—¿Apoyo? Hasta el último siclo, hasta mi último aliento. Mas, ¿qué te hace suponer que vendrá pobre?

—Dame, Ester, la palabra que el Señor dijo a Zacarías.

Ella le dio uno de los rollos.

—Escuchad cómo entrará el Rey en Jerusalén —prosiguió—: «¡Regocíjate mucho, hija de Sión! ¡Da voces de júbilo, hija de Jerusalén! ¡Mira que tu Rey vendrá a ti, justo, salvador y humilde, montado sobre un asno, sobre un pollino hijo de asna!»

El joven se quedó con la mirada perdida en el vacío.

—¿Qué ves, oh, amo mío?

—¡Roma! —contestó el joven con tristeza—. Roma y sus legiones. He vivido con ellas en sus campamentos. Las conozco bien.

—¡Ah! —dijo Simónides—. Serás el amo de las legiones del Rey y tendrás muchos millones para poder elegirlas.

—¡Millones! —exclamó Ben-Hur.

Simónides reflexionó unos instantes.

—La cuestión del poder no debe turbarte —dijo al fin.

Ben-Hur le miró, como preguntando.

—Contemplabas mentalmente al Rey en su sencillez y en el acto de venir a buscar lo suyo —añadió Simónides—. Y al verle tan solo y al recordar luego las legiones armadas del César, te preguntabas: «¿Qué podrá hacer?»

—En eso pensaba.

—¡Oh, amo mío! —continuó Simónides—. No sabes cuán fuerte es nuestro Israel. Lo crees un viejo afligido, llorando junto a los ríos de Babilonia; pero en la Pascua próxima ve a Jerusalén y ponte en el Xistos o en la calle del Comercio y verás lo que es. La promesa del Señor a Jacob, cuando éste salía de Pandaram, es una ley bajo la cual nuestro pueblo no ha cesado jamás de incrementarse, ni aun en el cautiverio. Crecieron bajo el yugo egipcio. La opresión romana fue para ellos un régimen saludable. Son todavía, ahora, una nación y un conjunto de pueblos. Pero no es sólo esto, ¡oh, mi amo!, para medir la fortaleza de Israel, que es como medir lo que el Rey podrá hacer, no debes tener sólo en cuenta el desarrollo natural, sino añadir el otro, el crecimiento de la fe, que te llevará a los confines de la tierra conocida. Ya sé que es costumbre hablar de Jerusalén como si se tratara de todo Israel, ya que es lo mismo que si nos encontráramos un trozo de púrpura bordada y lo consideráramos como un manto imperial. Jerusalén es sólo una piedra del templo, o como el alma en un cuerpo. No valores en más de lo que son aquellas huestes por poderosas que sean. Cuenta las huestes de los fieles que anhelan oír la antigua voz de alarma: «A tus tiendas, ¡oh, Israel!» Cuenta a los muchachos que hay en Persia, descendientes de aquellos que no quisieron volver; a los hermanos que hormiguean en Egipto y en el Africa lejana; a los obreros colonos de Occidente, Lodinum y las ciudades comerciales de España. Cuenta los que en Grecia guardan aún pura su sangre y los prosélitos hechos allí, en las islas del Egeo, y en el Ponto, y los de aquí, que en Antioquía gimen a la sombra de las impuras murallas romanas; los adoradores del Señor que viven en tiendas en los desiertos que nos rodean, en los que se extienden más allá del Nilo, en los del Cáucaso, en las antiguas regiones de Gog y de Magog. Aparta y pon en lugar preferente a los que cada año envían sus dones al Templo Santo, en reconocimiento a su Dios. Y cuando hayas sumado todo, ¡oh, amo mío!, cuando hayas hecho el recuento de los brazos útiles para la espada, que te esperan para empuñarla y levantar el reino de quien ha de hacer «juicio y justicia en todo el mundo», en Roma no menos que en Sión, tendrás la respuesta de lo que es, de lo que Israel puede hacer, y de lo que puede llegar a ser el Rey.

El discurso era ferviente y entusiasta.

En Ilderim produjo el mismo efecto que un toque de clarín.

—¡Oh, si yo fuese joven! —gritó, poniéndose en pie de un salto.

Ben-Hur siguió sentado. Comprendió que el discurso iba encaminado a que consagrase su vida y su fortuna al Ser misterioso que había llegado a ser el centro de todas las esperanzas para Simónides y para el devoto egipcio. La idea no era nueva, pues muchas veces se había abierto camino hasta él: la primera vez a través de Malluch, en el bosque de Dafne; más tarde, con mayor claridad, cuando Baltasar explicó su concepto de lo que sería el Reino, más aún, en su paseo por el antiguo Vergel de las Palmeras. En estas tres ocasiones vino a él como una idea caldeada por sentimientos más o menos fervientes. Ahora no era lo mismo. Un sabio maestro la había tomado a su cargo, realzándola como una brillante, infinitamente santa, pródiga en resultados gloriosos. Esta alocución fue para Ben-Hur como si una puerta hasta entonces invisible se hubiera abierto de repente, anegándole en su luz deslumbrante y ofreciéndole lo que hasta entonces fue el sueño ideal de su vida, la tarea que abrazaba su porvenir, con la promesa del deber cumplido y las recompensas que endulzarían y sacarían todas sus ambiciones. Faltaba sólo un leve toque para persuadirle.

—Admitamos lo que afirmas, ¡oh Simónides! —dijo el joven—. Demos por cierto que el rey vendrá y que su reino será como el de Salomón. Por mi parte, dispuesto estoy a inmolar a esta causa cuanto tengo y cuanto soy; más aún, aceptemos que yo debo acatar la voluntad del Señor, puesta de manifiesto en el curso de mi vida y en tu rápida y admirable acumulación de riquezas. Pasemos por todo esto. ¿Empezaremos ahora como ciegos a edificar? ¿Debemos esperar que venga el Rey o que mande en mi busca? Tu experiencia y edad, ¿qué me responden?

Simónides contestó al punto:

—No podemos eligir. Este mensaje —y sacó la carta de Messala a Grato— es el punto de partida de las hostilidades. La alianza propuesta entre Messala y Grato, no somos lo suficientemente fuertes para contrarrestarla. No tenemos infuencia en Roma y aquí no contamos con poder suficiente contra ellos. Te matarán si esparamos con los brazos cruzados. Respecto a los sentimientos humanos de nuestros enemigos, el estado de mi pobre cuerpo da fe.

Se estremeció Simónides al terrible recuerdo de su tortura.

—¡Oh, mi buen amo! —continuó, recobrándose—. Anhelo saber si estás firme en tus propósitos.

—Ben-Hur no le comprendió.

—Recuerdo —dijo Simónides— cuán agradable era para mí el mundo cuando tenía tu edad.

—A pesar de ello —dijo Ben-Hur—, fuiste capaz de un gran sacrificio.

—Por amor.

—Y la vida, ¿tiene algún otro motivo tan poderoso para la acción?

—¡La ambición!

—La ambición está vedada a un hijo de Israel.

—Entonces, ¿qué? ¿La venganza?

Esta palabra fue como la chispa caída sobre un montón de materia inflamable; brillaron los ojos del viejo, sus puños se cerraron y replicó vivamente:

—¡La venganza es el derecho de! judío! Esa es su ley.

—Un camello y hasta un perro no olvidan una injusticia —gritó Ilderim.

—Queda un tarea que emprender por el Rey y que podría hacerse antes de su venida. No ponemos en duda que Israel será su brazo derecho, pero, ¡ay!, es un brazo torpe y sin habilidad guerrera. La condición de los israelitas es la que Roma desea; su política ha dado los frutos que esperaba recoger la tiranía. Pero es llegado el tiempo de una transformación y, cuando el pastor se ponga la armadura y empuñe lanza y espada, y en vez de criar corderos salga contra las alimañas, ¿a quién se les reservará el asiento a la derecha del Rey, sino a aquel que haya realizado esta tarea?

El rostro de Ben-Hur enrojeció vivamente; no obstante, en tono de duda, dijo:

—Comprendo, pero habla más claro. La tarea que hay que realizar es un cosa; pero deseo saber cómo ha de realizarse.

Simónides bebió un poco de vino que le ofrecía Ester y replicó:

—El jeque y tú, amo mío, seréis dos brazos principales en este movimiento, cada uno por su parte. Yo seguiré cuidando como hasta ahora, que el manantial de la riqueza no se agote. tú te dirigirás a Jerusalén y desde allí al desierto; principiarás a numerar los hombres de armas de Israel, llamándoles por decurias o por centurias, eligiendo capitanes, ejercitándoles en las armas que te vaya remitiendo. Comenzarás por arriba, por la Perea, después irás a Galilea y desde allí, queda ya sólo un paso hasta Jerusalén. En la Perea el desierto estará a tu espalda e Ilderim al alcance de tu amo. Él es el dueño de los caminos, de suerte que no pasará nada por ellos sin que tú lo sepas. Te podrá servir de muchos modos. Mi parte es sólo la de un subalterno. ¿Qué respondes?

—Todos tienen —dijo Ben-Hur, tristemente—, todos tienen su copa de placer que saborean más pronto o más tarde, hasta las heces; todos..., menos yo. Veo a lo que tienden vuestras proposiciones. Si las acepto y entro en la corriente, adiós la paz y sus risueñas esperanzas. Las puertas por donde entré al abandonar la vida tranquila del hogar, se cerrarán tras de mí para siempre, porque Roma está alerta y me perseguirá con sus proscripciones. Sólo las tumbas y las cuevas en las cercanas ciudades o en los montes lejanos me darán cobijo.

Un sollozo vino a interrumpir estas palabras. Todos se volvieron hacia Ester, que ocultó su cara en el hombro de su padre.

—Me olvidaba ya de ti —dijo Simónides, hondamente conmovido.

—Déjala, Simónides —dijo Ben-Hur—. Un hombre quizá soporte más fácilmente su suerte si sabe que hay quien tiene piedad de él. Dejadme concluir.

Todos le prestaron atención.

—Decía —continuó— que no hay opción para mí que es necesario aceptar el papel que me habéis asignado, y que como el permanecer aquí es correr a una muerte cierta, prefiero ponerme a la obra inmediatamente.

—¿Hay necesidad de comprometernos por escrito? —preguntó Simónides, llevado de su hábitos comerciales.

—Yo fío en vuestra palabra —dijo el joven.

—Y yo —repuso Ilderim.

Y así, sencillamente, se cerró el pacto que iba a dar nuevo rumbo a la vida de Ben-Hur.

—Lo dicho, dicho está —dijo éste por conclusión.

—¡Qué el Dios de Abraham nos ayude! —exclamó Simónides.

—Una ultima palabra, amigos míos —dijo Ben-Hur algo más alegre—. Si me permitís, desearía permanecer libre hasta pasados los juegos. No creo que Messala ose atentar contra mí hasta que Grato haya tenido tiempo de darle su respuesta y ésta no llegará por lo menos antes de siete días. Por otra parte, encontrarlo en el circo significa un placer para mí, del que no quisiera privarme aun a riesgo de mi vida.

Ilderim asintió satisfecho a esta petición, y Simónides, que no perdía de vista nunca los negocios, añadió:

—Sea así; este plazo me servirá para hacerte un buen servicio. Seguń me has dicho, tienes una herencia que te legó Arrio. ¿Está en bienes inmuebles?

—Una casa de campo cerca de Missenum y varias en Roma.

—Mi proposición es que las vendas, y yo colocaré el producto en sitio seguro. Necesito una relación detallada de todo; me proveeré de los documentos legales y despacharé un agente con esta misión. En esta ocasión al menos, nos anticiparemos a los ladrones imperiales.

—Mañana tendrás la relación.

—Entonces, si no hay nada más, hemos concluido por esta noche —dijo Simónides.

Ilderim acariciόse satisfecho la barba y dijo:

—¡Está bien!

—Tráenos de nuevo el pan y el vino, hija mía. Ilderim permanecerá con nosotros hasta mañana o hasta que quiera. Y en cuanto a ti, amo mío...

—Es necesario que saque los caballos —dijo Ben-Hur—. Regresaré al Vergel de la Palmeras. El enemigo no me descubrirá si me voy ahora y —miró a Ilderim— los cuatro se alegrarán de verme.

Amanecía apenas cuando Ben-Hur y Malluch se apeaban a la puerta de la tienda.

CAPÍTULO IX

ESTER Y BEN-HUR

A la noche siguiente, Ben-Hur, en pie y cruzados los brazos, hacia la hora cuarta, contemplaba desde la azotea del gran almacén cómo levaba anclas un navío, en el cual iba un pasajero con autorización para disponer libremente de las propiedades del duunviro Arrio, legadas a Ben-Hur. Al lado de él se hallaba Ester. Ambos permanecían silenciosos, como hechizados por el espectáculo que veían, a la chisporroteante luz de las humosas antorchas que alumbraban a los cargadores de la galera y recordaban, en sus escenas fantásticas, a los genios de los cuentos orientales.

Es posible que el pensamiento del judío no estuviera allí donde dirigía su mirada, sino que deliberase consigo mismo. Joven, bello, rico, pudiendo frecuentar los círculos patricios de la sociedad romana, no es difícil imaginar la seducción que ésta significaba para él y los argumentos con que se persuadía a sí mismo: la lucha contra el César; la incertidumbre de cuanto concernía al Rey y a su venida; la posición, los honores y dignidades a que podría aspirar en aquella época en que todo tenía un precio y, especialmente, la atracción poderosa que empezaba a ejercer sobre él un vida de hogar de la que tan poco había gozado en su juventud. Aquella noche la voz del mundo parecía susurar en su oído: «Desentiéndete, busta tu comodidad, tu interés»; y el mundo estaba representado por la dulce Ester.

—¿Has estado alguna vez en Roma? —le preguntó Ben-Hur.

—No —contestó ella—. Y no creo que me gustara ir.

—¿Por qué?

—Roma me asusta —respondió con un temblor apenas perceptible en la voz.

La miró él, o mejor dicho, bajó los ojos para mirarla, pues a su lado era poco más alta que una niña. A la escasa luz del crepúsculo no podía distinguir bien sus facciones; la forma de su cuerpo desaparecía en la oscuridad. Y recordando a Tirzah, una súbita ternura se apoderó de él. Precisamente, así se encontraba su perdida hermana aquella fatal mañana del accidente de Grato.

¡Pobre Tirzah! ¿Qué sería de ella ahora? Ester era la causa del sentimiento evocado. Si bien no podía considerarla como hermana, jamás se atrevería a tratarla como sierva, y por eso precisamente, porque era, en efecto, su sierva, se esforzaba en ser más cariñoso y afectuoso con ella.

—No puedo pensar en Roma —siguió Ester—, sino como en un monstruo que devora los más bellos países y atrae y seduce a los hombres para llevarlos a la destrucción y la muerte. Por que...

Extinguióse su voz, bajó la vista y se detuvo.

—Sigue —dijo Ben-Hur, tranquilizándola.

—¿Por qué quieres hacerte enemigo de ella? ¿Por qué no estar en paz y vivir tranquilamente? ¿No has soportado ya bastantes penas y trabajos? Puesto que has sobrevivido a todos los lazos que te han tendido y a las pesadumbres que han afligido tu juventud, ¿está bien que cargues ahora con más pesares?

Su aniñado rostro y sus ojos suplicantes parecían unirla más a él a medida que defendía su causa; inclinóse Ben-Hur y le preguntó con dulzura:

—¿Qué quieres que haga, Ester?

Ester dudó un momento; luego, a su vez, preguntó:

—¿La propiedad que tienes en Roma es alguna residencia?

—Sí. Muy hermosa. Es un palacio entre frondosos jardines y cuidadas alamedas. Fuentes por doquier; colinas a su alrededor, cubiertas de viñas, desde las cuales se contempla el mar, de un azul profundo, poblado de velas que pasan sin cesar. César tiene cerca una villa, pero según dicen, la villa de Arrio es más hermosa.

—¿Y es tranquila la luna allí?

—Nunca hubo día de verano más apacible, ni noche de luna más dulce y serena, a no ser que lleguen huéspedes. Ahora que su antiguo dueño falleció y yo me encuentro aquí, no habrá nada que quiebre el silencio de aquellas soledades, excepto el murmullo de las conversaciones de los sirvientes, el canto de los pájaros y el susurro de las fuentes. Si no es que muere alguna flor, mientras se abre otra, o que alguna nubecilla vela la radiante luz del sol, todo permanece sin cambio alguno. Allí habría sido muy tranquila la vida para mí, pero me inquietaba un sentimiento hondo, y era que yo, que tantas cosas deseo hacer, iba cayendo en hábitos de ocio, ligándome con cadenas de seda.

Ella dejó correr su mirada por el río.

—¿Por qué me has hecho esa pregunta? —dijo él.

—¡Oh, amo mío!

—No, Ester, no me llames así. Llámame amigo, hermano, si quieres, pero yo no puedo ser tu amo; no lo quiero ser. Llámame hermano.

Ben-Hur no pudo ver el encendido color que el placer extendía sobre las mejillas de la joven ni el brillo de sus ojos que vagaron en dulce contemplación de la ribera del río.

—No acierto a comprender —siguió Ester— cómo se puede preferir a esa vida que podrías llevar, otra de...

—De luchas, de sangre y exterminio —dijo él, acabando la frase.

—Sí —añadió Ester—; no comprendo esa vida, pudiendo morar tranquilamente en una villa tan hermosa.

—Te engañas, Ester. Para mí no hay elección. Los romanos no son benignos conmigo. La necesidad me obliga a obrar así. Si fuese a Roma moriría por medio de una copa envenenada, el puñal de un asesino o una sentencia obtenida por perjurio. Messala y Grato se enriquecieron con el expolio de las riquezas de mi padre, y es indispensable para ellos conservar su riqueza, ahora que la consiguieron sin pensar cómo. Entre nosotros no podría haber pacto alguno, pues implicaría una confesión que no pueden hacer. Además, ¡oh, Ester!, aunque pudiera comprarlos, no lo quiero. La paz no es posible para mí, no, ni aun la apacible vida del campo, en un ambiente saturado de aromas y armonías, refrescado por las brisas del Mediterráneo, bajo los pórticos de mármol de mi mansión. No hay nada allí que me estimule soportar la carga de la vida, ni amor alguno que me la endulce. No existirá la paz para mí mientras mi familia esté aún perdida, pues debo seguir buscando sin descanso hasta encontrarla. Si al fin la encuentro, y ha sufrido injusticias, ¿cómo hallar reposo hasta que la maldad no sea castigada? Y si mi hermana y mi madre han muerto violentamente, ¿deberán escapar impunemente sus asesinos? ¡Ay! No puedo dormir porque mi sueño está perturbado por tristes pesadillas. No podría dejarme arrullar por el amor más santo sin que mi conciencia me emponzoñase toda dicha.

—¿Tan terrible es tu situación? —dijo ella, trémula de pena—. ¿No se puede hacer nada por ti?

Ben-Hur estrechó su mano.

—¿Tanto te preocupas?

—Sí —contestó sencillamente Ester.

Su pequeña mano ardía entre las del joven. Ben-Hur sintió que temblaba y, sin querer, recordó a la egipcia, tan diferente de aquella niña: la egipcia, alta, audaz, con sus insinuantes lisonjas, de espíritu vivaz, de belleza radiante y de maneras seductoras.

Se llevó la mano a los labios y después la soltó.

—Ester, tú serás para mí una segunda Tirzah.

—¿Quién es Tirzah?

—La hermana que me robaron los romanos y que debo encontrar si quiero hallar paz en este mundo.

En aquel momento, un resplandor súbito iluminó la terraza; al volverse vieron que un criado entraba empujando a Simónides en su sillón. Ambos se acercaron hasta el comerciante para saludarle.

La galera iba a partir, y entre el llamear de las antorchas y el alegre murmullo de los marineros que se despedían de tierra se puso al fin en marcha en busca del mar abierto.

Y Ben-Hur se sintió, a partir de aquel momento, ligado para siempre a la causa del rey que había de venir.

CAPÍTULO X

PREPARADO PARA LA CARRERA

Los caballos de Ilderim salieron del Vergel de las Palmeras y fueron llevados y encerrados en un *khan* cercano al circo. Tras los caballos se llevaba, además, cuanto poseía en el Vergel de las Palmeras: sirvientes, hombres de armas montados y armados, rebaños, camellos cargados con tiendas y equipajes... Su salida del Vergel era una verdadera emigración. Al día siguiente de los juegos la comitiva estaría ya muy lejos, camino del desierto. Iba a su verdadera patria, el desierto; el aduar habría desaparecido; antes de doce horas estaría fuera del alcance de sus enemigos, por poderosos que fueran.

Ni él ni Ben-Hur apreciaban en más de lo que valía la influencia de Messala. Estaban seguros de que éste no empezaría a perseguirles sino después de la carrera del circo. Si era derrotado por Ben-Hur, debían esperar lo peor, pues el rencor del romano no aguardaría la ayuda de Grato. Ante esta perspectiva se aprestaron a ponerse fuera del alcance de su enemigo.

Por el camino encontraron a Malluch que los esperaba. El fiel criado no dio señal alguna por la cual pudiesen creer que conocía todo lo sucedido las noches anteriores en casa de Simónides. Cambió con ellos su habitual saludo, y sacó un pergamino, que dio a Ilderim, diciendo:

—Esta es la proclama del organizador de los juegos; por ella verás que tus caballos han sido admitidos en las carreras. Verás también el orden en que ha de efectuarse la misma.

Le entregó el programa y, mientras el jeque lo descifraba, volvióse hacia Ben-Hur.

—Ahora, hijo de Arrio, no hay nada que se oponga a tu lucha con Messala. Éste ha llenado las condiciones exigidas como tú, y todo está en regla. Tengo esta seguridad por el empresario mismo.

—Te doy mil gracias, Malluch —respondió Ben-Hur.

Prosiguió Malluch:

—Tu color es blanco y el de Messala oro y escarlata. En este momento cientos de muchachos pregonan por las calles la venta de cintas blancas y mañana todo árabe o judío de Antioquía las llevará como distintivo. Ya verás cómo el blanco compite y disputa las galerías gallardamente con el escarlata y otro.

—Las galerías sí, pero no la tribuna de la Porta Pompae.

—No, allí seguramente dominará el escarlata y oro. Pero si ganamos, ¡cómo tenblarán los altos dignatarios. Es seguro que apostarán conforme al gran concepto que se han formado de sí mismos y el desdén que les inspira todo lo que no es romano; apostarán dos, tres y hasta cinco contra uno a favor de Messala, porque éste es romano.

Y bajando más aún la voz dijo:

—No sería conveniente a un judío que asiste puntualmente al templo poner su dinero a un azar semejante, pero en confianza os digo que tendré un amigo muy cerca del cónsul; detrás de su silla aceptará todas las ofertas a tres por uno, a cinco, a diez... El fanatismo romano no se detendrá ante nada. He puesto a su disposición seis mil siclos con este fin.

—Muy bien, Malluch —dijo Ben-Hur—; pero un romano sólo apostará en moneda romana. Procura verle esta noche y pon a su disposición sestercios por la cantidad que te parezca. Y procura, Malluch, darle instrucciones para que busque apuestas con Messala y sus secuaces, de manera que los cuatro de Ilderim aparezcan contra los de Messala.

Malluch reflexionó un momento.

—El objetivo será atraer sobre vosotros dos el interés principal de la lucha.

—Es precisamente eso lo que busco, Malluch.

—Ya lo advierto.

—Sí, Malluch; si quieres complacerme, procura que el público se dé cuenta de la opinión entre Messala y yo.

Malluch dijo vivamente:

—Puede hacerse con facilidad.

—Pues no dejes de ponerlo en práctica.

—Se harán apuestas enormes y, si son aceptadas, mucho mejor.

—¿No debo ya buscar —dijo Ben-Hur, apasionadamente— el equivalente de lo que me ha sido arrebatado? ¡Si pudiera quebrantarle en su fortuna como trato de herirle en su orgullo!... Nuestro padre Jacob no se ofenderá, sin duda.

Sus facciones expresaban una resuelta voluntad.

—Óyeme, Malluch. No limites tús ofertas a sestercios. Hazlas también en talentos..., cincuenta, si la apuesta es con Messala.

—Es una suma enorme —respondió Malluch—. Debo tener garantías.

—Las tendrás. Ve a ver a Simónides y dile que así lo quiero, que mi corazón se complace en arruinar a mi enemigo y que la oportunidad tiene tantas promesas para mí que quiero aprovecharla. A nuestro lado está el Dios de nuestros padres. Ve, pues, Malluch, no pierdas tiempo.

Y Malluch, muy satisfecho, le saludó para marchar, pero un recuerdo repentino le hizo volverse hacia Ben-Hur.

—Discúlpame —le dijo—. Se me olvidaba una cosa. No pude acercarme en persona al carro de Messala, pero alquien ha tomado las medidas y, según ellas, el eje es un palmo más alto sobre el suelo que el de tu propio carro.

—¿Tanto? ¡Un palmo! —exclamó Ben-Hur en una explosión de alegría; e inclinándose hacia Malluch le dijo con misterio—: Como sé que eres un hijo de Judá, y fiel a tu raza, te lo diré: procúrate un asiento en la galería, sobre la Puerta del Triunfo, lo más cerca del balcón que hay frente a los pilares, y mira bien cuando vayamos a dar la vuelta alrededor de éstos; el Señor me protege en todo y quiero... No, Malluch, déjame que calle. Te digo sólo que te coloques allí y tengas tu mirada atenta.

En aquel momento, Ilderim lanzó una exclamación:

—¡Ah, por la gloria de Dios! ¿Qué es esto? —Y se acercó a Ben-Hur, señalando las últimas líneas del programa.

—Lee —dijo Ben-Hur.

—No, hazlo tú mismo.

Ben-Hur tomó el pergamino que, firmado por el prefecto de la provincia, como director de los juegos, contenía el programa de la función. Informaba al público que, ante todo, se celebraría un desfile de inigualado esplendor; después se rendirían los honores habituales al dios Conso, con principio indispensable de esta clase de juegos; habría competición de corredores, concurso de saltos, de atletas, de pugilato; se daban los nombres de los contendientes en cada uno, indicando la nacionalidad de los que tomaban parte en las mismas, la escuela atlética a que pertenecían, los juegos en que habían participado y los galardones obtenidos. Por último, el programa indicaba las recompensas otorgadas a los vencedores; los premios en dinero se destacaban en grandes letras. ¡Cuán lejos estaban ya los romanos de aquellos días en que una simple corona de olivo o laurel es suficiente para la gloria del que luchaba!

La mirada de Ben-Hur detúvose de pronto en la parte referente a las cuadrigas. El organizador de los juegos ofrecía el espectáculo en honor del cónsul. Los premios se elevaban a cien mil sestercios y una corona de laurel. Seis eran los competidores.

Sólo se permitían cuadrigas, esto es, carros de cuatro caballos, y para dar más encono a la lucha, los competidores deberían correr todos a la vez. Después venía la descripción de las cuadrigas con todos los detalles.

I. Cuadriga de Lisipo, el corintio, dos tordos, un bayo y un negro. Corrió el año pasado en Alejandría y más tarde en Corinto, en donde fueron vencedores. Conductor: Lisipo. Color: amarillo.

II. Cuadriga de Messala, de Roma: dos blancos y dos negros. Vencedores en los juegos circenses en el Circo Máximo el año pasado. Conductor: Messala. Colores: escarlata y oro.

III. Cuadriga de Cleanto, el ateniense; tres tordillos y un bayo. Ganaron este año en Bizancio. Conductor: Diceo. Color: negro.

IV. Cuadriga de Admeto, de Sidonia; los cuatro tordos. Han corrido durante tres años en Cesárea, ganaron siempre el premio. Conductor: Admeto. Color: azul.

V. Cuadriga de Ilderim, jeque del desierto. Todos bayos. Corren por vez primera. Conductor: Ben-Hur, judío. Color: blanco.

Conductor: Ben-Hur, judío. ¿Por qué este nombre en vez de Arrio?

Ben-Hur dirigió la mirada hacia Ilderim. Ésta era la causa de la exclamación del jeque. Ambos llegaron a la misma conclusión:

Todo había sido obra de Messala.

CAPÍTULO XI

HACIENDO APUESTAS

Apenas cerró la noche sobre Antioquía, cuando el Onfalo, situado casi en el corazón de la ciudad, se convirtió en turbado manantial, del que salía en todas direcciones, pero en especial hacia el Ninfeo y en dirección este y oeste a lo largo de la columnata de Herodes, mucha gente que se entregaba al culto de Baco y Apolo.

Aquella noche se notaba una particularidad entre todas las razas que discurrían por las grandes vías techeras. Casi todo el mundo llevaba los colores de las cuadrigas que tomarían parte en las carreras del día siguiente. Uno lo llevaba en forma de banda, otros como simple distintivo que consistía en una cinta y en una pluma. Cualquiera que fuese su forma, mostraba simplemente la parcialidad del que lo usaba. Esta tradición se remontaba, quizá, a los días de Orestes; costumbre, dicha sea de paso, digna de tenerla en cuenta como curiosidad histórica que muestra los absurdos y a veces las locuras, que arrastran frecuentemente a los hombres.

Entre los colores había tres que sobresalían: el verde, el blanco y el mezcla de escarlata y oro. Pero dejemos las calles y penetremos en el palacio de la isla.

La gente que lo llena es la misma, casi, que ya vimos en otra ocasión, es decir, la juventud patricia y oficial romana. El diván está nuevamente lleno de indolentes y borrachos y montones de togas, y resuena en las mesas el mismo clamoreo de los jugadores, promovido por el resultado del azar. En aquel momento, muchos de los asistentes se pasean de arriba abajo, bostezando, o se paran al pasar uno junto al otro para cambiar observaciones insulsas: «¿Hará buen tiempo mañana?» «¿Están concluidos los preparativos para los juegos?» «¿Son las mismas reglas en Antioquía que las del circo de Roma?»

Dicho sea, en honor a la verdad, que la juventud romana sentía un tedio mortal. El trabajo serio que habían de hacer estaba cumplido; tendríamos la seguridad de esto si miráramos las tablillas cubiertas de notas de las apuestas cruzadas especialmente sobre las carreras pedestres, sobre las atléticas, sobre los pugilatos, sobre cada cosa, en fin, menos sobre las carreras de cuadrigas. ¿Y por qué no sobre éstas?

La razón por la cual no se han cruzado apuestas es que nadie quiere arriesgar un denario en contra de Messala.

No hay en el salón otros colores que los suyos. Ni por asomo cuentan con la posibilidad de una derrota.

—¿No es por ventura perfecto en su educación deportiva y gimnástica? —dicen sus admiradores—. ¿No han sido sus caballos vencedores en los juegos circenses del Máximo? ¡Pues entonces! ¡Ah! ¿Y no es un romano, sobre todo?

Sentado cómodamente en un diván, es decir, tendido en él, se halla Messala. En torno suyo, en pie o sentados, están sus admiradores y secuaces, que le agobian a preguntas.

Desde luego, las conversaciones no tienen otro tema que los juegos.

En este momento entran Cecilio y Druso.

—¡Ah! —dice el joven príncipe, echándose sobre el diván a los pies de Messala—. ¡Ah! ¡Por Baco, que me encuentro fatigado!

—¿De dónde vienes? —pregunta Messala.

—De las calles; del Onfalo y de más allá. ¿Quién podría decir de dónde? Hay una multitud de gente en todas partes; nunca se ha visto tanta en la ciudad. Dicen que mañana el mundo entero estará reunido en el circo.

Messala rió irónico.

—¡Imbéciles! Nunca han visto unos circenses del Máximo con un César por director. ¿Y qué has encontrado por ahí fuera, Druso?

—Nada.

—¿Olvidaste ya la procesión de los blancos? —dijo Cecilio.

—¡Admirable! —exclamó Druso, incorporándose en el divan—. Imaginad que nos encontramos con un grupo de blancos con su bandera y todo, pero, ¡ja, ja, ja! —y se dejó caer de espaldas, riendo.

—Cruel Druso, ¿por qué no prosigues tu relato? —dijo Messala.

—Eran la hez del desierto, Messala mío, y los comedores de calabaza que proceden del Templo de Jacob en Jerusalén. ¿Qué tengo que ver con ellos?

—Está visto; Druso no tiene ganas de divertirse, pero yo sí —exclamó Cecilio.

—Habla, pues.

—Bueno, detuvimos el grupo y...

—Les hicimos una apuesta —interrumpió Druso, con sorna—. ¡Ja, ja, ja! Un compadre que no tenía suficiente carne en su cara para cebar una carpa, adelantóse y..., ¡ja, ja, ja!, dijo que sí. Ya saqué mis tabletas y le pregunté: «¿Por quién quieres apostar?» «Por Ben-Hur, el judío», respondió. «Bien; ¿cuánto?» Y él me dice..., ¡ja, ja, ja! Dispénsame, Messala. ¡Por los truenos de Júpiter, no puedo acabar a causa de la risa!

Los que escuchaban mostráronse impacientes, y Messala miró a Cecilio.

—Un siclo —dijo éste.

—¡Un siclo, un siclo!

Las risas estallaron burlonas y sarcásticas, corriendo en todos los tonos por la asamblea.

—¿Y qué hizo Druso? —preguntó Messala.

En aquel momento se oyó una gran agitación en la puerta de entrada y vieron a cuantos se hallaban cerca agolparse en ella. Como el clamoreo subía en intensidad, Cecilio dirigióse también hacia aquella puerta, pero, antes de volver la espalda, dijo a Messala:

—El noble Druso, Messala mío, guardó sus tablillas sin contestar y perdió el siclo.

—¡Un blanco! ¡Un blanco! —oyeron que gritaban en el grupo.

—¡Que entre! ¡Que venga! ¡Dejad pasar! ¡Por aquí!

Estas exclamaciones y otras parecidas llenaban el salón. Cesaron todas las conversaciones. Los jugadores de dados abandonaron la mesa. Los dormilones se desperezaron y frotaron los ojos, sacaron sus tabletas y se apresuraron a lanzarse en medio del salón.

—Yo te ofrezco...

—Y yo...

—Y yo...

—Y yo...

La persona tan calurosamente acogida era el respetable judío, compañero de viaje de Ben-Hur desde Chipre. Entró en el salón con calma y gravedad. Su túnica y turbante eran de una blancura inmaculada. Inclinándose y sonriendo de uno a otro, dirigióse lentamente hacia la mesa central. Se recogió el manto en un ademán magnífico, tomó asiento y agitó la mano para pedir silencio. El resplandor de una costosa joya, que brillaba en su dedo, contribuyó no poco a imponer aquél.

—¡Romanos, mis muy nobles romanos, yo os saludo! —dijo.

—¡Qué desparpajo! ¡Por Júpiter! ¿Quién es ése? —preguntó Druso.

—Un perro de Israel llamado Sanbalat; vive en Roma y su fortuna es fabulosa. Fue contratista de provisiones para el ejército, que no aparecen por ninguna parte. Se ocupa en tejer malicias y son sus redes más sutiles que las de la araña. ¡Ven, por el cinturón de Venus! ¡A ver si le podemos atrapar!

Levantóse Messala y, con Drusso, se mezcló entre los jóvenes que se agolpaban en torno al judío.

—Me he enterado en la calle —dijo, sacando las tabletas y dejándolas abiertas sobre la mesa, con aire de gran negociante— que estaban en palacio disgustados porque las ofertas que hacéis sobre Messala no encuentran apostadores. Pues bien, los dioses exigen sus sacrificios y aquí estoy yo dispuesto a sacrificarme. Ya veis mi color. Vamos al grano. Primero quiero saber las condiciones que me ofrecéis; después iremos al importe de la apuesta. ¿Con qué ventaja cuento?

Su audacia hizo enmudecer a los presentes.

—¡Daos prisa! —les dijo—. Tengo un compromiso con el cónsul.

Este aguijonazo surtió efecto.

—Dos por uno —gritaron varios a la vez.

—¿Cómo? —replicó el antiguo contratista, simulando asombro—. ¡Sólo dos por uno y el vuestro es un romano!

—Anota, pues, a tres.

—¡Tres, decís, tan sólo tres y él es sólo un perro judío! Dadme cuatro.

—Sea cuatro —dijo un adolescente, mortificado por el tono burlón.

—Cinco, dadme cinco —gritó Sanbalat, haciendo caso omiso.

Reinó un profundo silencio.

—El cónsul, vuestro amo y mío, me está esperando. Decidíos.

La situación se hacía violenta para todos.

—¡Vaya por los cinco! ¡En honor de Roma! ¡Cinco nada más!

—Vaya por los cinco —dijo uno.

Sanbalat sonrió y se dispuso a escribir.

Se produjo una alegre exclamación y Messala, abriéndose paso entre los grupos, aproximóse a Sanbalat.

—Si el César muere mañana —exclamó éste—, Roma no lo perderá todo. Hay uno por lo menos con espíritu suficiente para ocupar su puesto. ¡Sean seis para ti!

—Son seis —asintió Messala—. Seis por uno, que representa la diferencia que existe entre un judío y un romano, y en vista de que ya la hemos encontrado entre los dos, ¡oh, redentor de la carne de cerdo!, vayamos a lo esencial. El importe de la apuesta..., ¡en seguida! El cónsul puede llamarme de un momento a otro y primero quiero que este asunto esté concluido.

Sanbalat aceptó el insulto con gran frialdad y se puso a escribir, ofreciéndole el escrito a Messala, después de unos instantes.

—Lee, lee —gritaron por todas partes a éste. Y leyó Messala:

—«Memorándum. Carrera de cuadrigas. Messala, de Roma,

en apuesta con Sanbalat, también de Roma, afirma que vencerá a Ben-Hur, el judío. Importe de la apuesta: veinte talentos. Ventajas para Sanbalat: seis por uno.

»Testigos. SANBALAT.»

Se produjo un silencio de muerte; todos contuvieron la respiración, no se hizo un solo movimiento. Permanecían inmóviles como estatuas, tal como estaban al terminar la lectura. Messala, muy abiertos los ojos, miró el memorándum, dudando de lo que veía, y los que le rodeaban le miraban, pendientes de sus labios.

Messala sintió todos los ojos fijos sobre sí y resolvió rápidamente. Si se negaba a firmar, toda su superioridad se venía a tierra; no obstante, no podía firmar, porque toda su fortuna no llegaba no ya a losciento veinte talentos, sino a la quinta parte. de esta suma. Por un momento, el asombro paralizó su pensamiento y el color huyó de su rostro; pero su audacia le había sugerido ya una idea.

—¡Tú, judío! —gritó—. ¿En dónde tienes veinte talentos? Pruébamelo.

A los labios de Sanbalat asomó una sonrisa de sorna.

—¡Ahí tienes la prueba! —contestó, enseñando a Messala un pergamino.

—Lee, lee —gritaron todos a la vez.

Messala leyó de nuevo:

—«En Antioquía, Tammuz, 16. El portador, Sanbalat, de Roma, tiene a su orden en mi poder la cantidad de cincuenta talentos, moneda del Ceśar. SIMÓNIDES.»

—¡Cincuenta talentos, cincuenta talentos! —repitió como un eco la concurrencia, en el colmo del asombro.

Druso, entonces, quiso dar un golpe para contrarrestar el efecto que había producido la riqueza del judío.

—¡Por Hércules! —dijo, con el mayor descaro—. Ese pergamino miente; ese judío es un embustero. ¿Quién, aparte del César, puede tener un fondo de cincuenta talentos a su orden? ¡Fuera ese cerdo insolente!

Este grito de rabia incontenida fue respaldado por otros gritos tan furiosos como el de Druso. No obstante, Sanbalat estaba tranquilo y les enfurecía tanto más su sonrisa cuanto más tiempo pasaba.

Al fin habló Messala:

—¡Silencio! Uno contra uno, compatriotas, uno contra uno para el honor de nuestro pueblo romano.

Estas palabras le reconquistaron su ascendiente.

—Y tú, perro circuncidado —prosiguió, dirigiéndose a Sanbalat—, te ofrecía seis por uno, ¿no es así?

—Sí —respondió el judío, tranquilo.

—Bueno. Seré quien fije el importe de la apuesta.

—A condición de que si el importe es suficiente yo quede en libertad de aceptar o no.

—Escribe cinco talentos en vez de veinte.

—¿Tendrás bastante con que responder?

—¡Por la madre de los dioses! Te enseñaré los justificantes.

—Bien, bastará la palabra de un romano. Cinco talentos ajustando bien la cuenta, jugados a la proporción de seis por uno. Voy a escribirlo.

Y acto seguido cambiaron las apuestas.

Levantóse entonces Sanbalat, mirando a su alrededor con una sonrisa mezcla de desdén e ironía. Nadie mejor que él conocía a aquellos con quienes trataba.

—¡Romanos —dijo—, otra apuesta si os atrevéis! Cinco talentos contra otros cinco a que el blanco sale vencedor. Os desafío colectivamente.

La sorpresa se adueñó de ellos de nuevo.

—¡Qué! —gritó aún más alto—. ¿Tendrán que decir mañana en el circo que un perro de Israel vino al salón del palacio, lleno de nobles romanos, entre ellos un retoño del César, y les ofreció una apuesta de cinco talentos que ellos no tuvieron valor de aceptar?

Lo punzante del sarcasmo les hirió de nuevo.

—¡Termina ya, insolente! —chilló Druso—. Escribe esa apuesta y déjala sobre la mesa; mañana me informaré si tienes en verdad tanto dinero como para arriesgarlo en esta aventura; yo, Druso, prometo que tu apuesta será aceptada.

Sanbalat escribió de nuevo y, levantándose, dijo tan calmoso como siempre:

—Mira, Druso, ahí tienes mi oferta. Cuando esté firmada envíamela, con tal que sea antes de empezar la carrera. Estaré al lado del cónsul, en un asiento sobre la Puerta Pompae. La paz sea con vosotros.

Hizo una inclinación y se marchó, sin hacer caso de la rechifla con que fue despedido hasta la puerta por los despechados romanos.

Durante la noche circuló la historia de las prodigiosas apuestas, y Ben-Hur, con sus cuatro caballos, se atrajo todo el interés de su lucha encarnizada contra Messala, pues se sabía que jugaban a este azar toda su fortuna.

A pesar de todo, Ben-Hur no durmió nunca un sueño más profundo.

CAPÍTULO XII

EL CIRCO

El circo de Antioquía estaba en la margen meridional del río, enfrente, precisamente, de la isla, y ofrecía la disposición que generalmente presenta el plano de estos edificios.

Según la costumbre imperial, los ejercicios eran una concesión al pueblo y, por tanto, todo el mundo podía asistir. Por ello, aunque la capacidad era muy vasta en semejantes edificios, el pueblo siempre temía no encontrar sitio y desde mucho antes de anochecer del día anterior a los juegos llenaba los alrededores y daba la sensación de un ejército acampado.

Se abrían las puertas a medianoche y el pueblo entraba como un torrente y ocupaba el sitio que se había asignado; para desalojarlo habrían sido precisos, un terremoto o un ejército armado de lanzas. Dormían un poco, si les era posible, sobre los bancos, hasta que llegaba el día, y almorzaban allí. Cuando empezaba el espectáculo, se encontraban tan ávidos de ver y oír como si hubieran reposado en su lecho.

Las familias pudientes tenían sus asientos fijos e iban al circo a primeras horas de la mañana; los nobles o muy ricos procuraban sobresalir entre los demás por sus literas y por el séquito de servidores de los cuales se hacían acompañar. A la segunda hora se establecía una corriente continua que desembocaba en el circo, y que era absorbida por él en inacabable y apretujada procesión.

En el mismo momento en que el nomon del reloj de sol de la ciudadela señalaba las dos y media, la legión, con completa armadura y desplegando sus águilas y estandartes, descendía del Monte Sulpius y, cuando la cola de la última cohorte se perdía en el puente, se podía decir que Antioquía quedaba completamente abandonada, no porque la amplitud del circo cobijase a toda la población, sino porque ésta la había abandonado para presenciar, en lo posible, el espectáculo que ofrecían los alrededores.

En la orilla del río, una gran multitud presenciaba el momento en que el cónsul abandonaba la isla, en una barca del Estado, y era recibido por la legión, cuyo espectáculo atraía por algún tiempo las miradas de todos.

A la hora tercia, el circo estaba abarrotado y los clarines imponían silencio anunciando que el espectáculo iba a comenzar. Doscientos mil espectadores dirigían sus miradas hacia un cuerpo del edificio que formaba el costado oriental.

Había allí un basamento que se abría en amplia puerta hacia la mitad; era la Porta Pompae, sobre la que, bastante alta, se hallaba la tribuna de honor, decorada con magnificencia con las insignias y estandartes de la legión, en cuyo lugar preferente tomaba asiento el cónsul. A ambos lados de la Porta, aquel basamento contenía a nivel del suelo las llamadas cuadras o *carceres* con macizas verjas de hierro soldadas a los pilares. Sobre ellas había una cornisa rematada por una fuerte balaustrada, tras la cual comenzaba una gradería que iba elevándose en anfiteatro, en la que los dignatarios con magníficos atavíos se aposentaban. Esta parte del edificio ocupaba toda la anchura del circo y estaba franqueada de torres que, dándole gracia, se utilizaban para mantener los *velaria,* esto es, los doseles de púrpura que protegían del sol y daban fresca sombra a toda esta parte, resultando agradable en lo más caluroso del día.

A ambos lados de la tribuna del cónsul se hallaban las entradas principales, amplias, protegidas por enrejadas puertas que se abrían en las torres de los lados de la tribuna.

La palestra era una superficie llana, de gran extensión, cubierta de blanca y fina arena, donde se realizaban todos los juegos, con excepción de las carreras pedestres.

No lejos de la tribuna levantábase en la arena un pedestal de mármol que sostenía tres pilares bajos y cónicos, de piedra gris, finamente esculpidos. Hacia este pedestal se dirigían todas las miradas, porque era la primera meta que señalaba el principio y final de la carrera. Tras de aquél, pero con bastante espacio para un altar y un pasaje pequeño, empieza una especie de muralla o malecón de diez o doce pies de ancho por cinco o seis de altura, que se extiende hacia el oeste, y en el sentido del eje mayor del circo, un estadio olímpico, es decir, unos ciento ochenta metros: es la pista. Hay otro pedestal a su extremo formado exactamente por pilares que señalan la segunda meta.

Limitan la arena unas paredes lisas que forman un muro de quince a veinte pies de alto con balaustrada encima, análoga a la que corona las *carceres*. Este balcón que da la vuelta al circo sólo está cortado en tres sitios, que permiten la entrada o la salida: dos al norte y una al oeste, llamada la Puerta del Triunfo, porque una vez terminado el espectáculo, da paso a los vencedores, coronados y con una escolta triunfal.

Al otro extremo de la tribuna de honor, tanto el balcón como la muralla forman un semicírculo, y sobre ella se levantan dos grandes galerías.

Detrás de la balaustrada, a un lado del circo, se halla la primera fila de asientos; desde ella van levantándose los siguientes formando el anfiteatro... Las galerías del oeste son ocupadas por el pueblo.

Al sonar las trompetas, guarda un profundo silencio la multitud, anhelante de interés y emoción.

Juntándose las voces y la música, por la Porta Pompae aparece el coro de la procesión con que se inician los juegos; el director y las autoridades cívicas de la ciudad abren la marcha, luciendo sus cabezas guirnaldas de flores y revestidos de largas túnicas; les siguen los dioses, en andas algunos, otros en carros de cuatro ruedas ricamente adornados; detrás van los campeones luciendo los colores con que han de tomar parte en el espectáculo.

Resulta imponente y hermosa la procesión. Los vítores y aplausos de la multitud agitada ensordecen el ámbito del circo y el director y sus ayudantes saludan al público entusiasta.

Los atletas son recibidos aun de manera más significativa y calurosa, porque apenas hay entre los concurrentes quien no haya apostado, aunque sólo sea un óbolo.

La magnificencia de los carros, la belleza de sus caballos ricamente enjaezados, se unen al porte y elegancia de los conductores con sus túnicas cortas, sin mangas, de la lana más fina, luciendo los colores señalados en el programa. Todos van acompañados de un jinete, con excepción de Ben-Hur, que, no fiándose, prefirió ir solo; además, todos llevan yelmo, menos él.

Al pasar por delante de los graderíos, los espectadores se levantan de sus bancos y se eleva un inmenso clamoreo, sobresaliendo la entonación aguda de las mujeres y los niños; una verdadera lluvia de rosas desciende sobre los campeones, amenazando llenar las cuadrigas. Hasta los caballos participan en la ovación, y puede decirse que no tienen mejor conciencia que sus amos de los honores de que son objeto.

Pronto se echó de ver el favor que gozaban del público algunos de los conductores. Se veía en los graderíos que casi todos los espectadores lucían un color, generalmente una cinta, que llevaban sobre el pecho o se ponían en la cabeza. Había muchas verdes, amarillas y azules, pero los colores predominantes eran el blanco y el escarlata con oro.

Si el bizantino y el sidonio tenían pocos seguidores, era porque sus ciudades respectivas tenían escasos representantes en los bancos. Los griegos, por su parte, aunque numerosos, se dividían entre corintios y atenienses, y ésta era la causa por la que abundaban poco el verde y el amarillo.

No habría predominado tanto el escarlata y oro de Messala si los habitantes de Antioquía, serviles y cortesanos, no hubiesen adoptado el color de sus amos. Los sirios, judios, árabes y campesinos, sostenidos por la fe que les inspiraban los caballos del jeque Ilderim y ante todo su odio a los romanos, deseaban con todo ardor que los romanos fueran vencidos y humillados, lo que determinaba que el partido blanco fuera mucho más numeroso y, de seguro, el que más ruido hacía.

El entusiasmo e interés llegaron a su cenit en la segunda meta, en donde, especialmente en los graderíos, dominaba el color blanco, atronando el aire con sus gritos y arrojando todas sus flores.

—¡Messala! ¡Messala!

Tales eran las exclamaciones.

—¡Ben-Hur! ¡Ben-Hur!

Cuando el desfile hubo terminado, los partidarios volvieron a sentarse y siguieron en sus conversaciones.

—¡Ah, por Baco! ¡Qué hombre más bello! —exclamó una mujer que por los colores que flotaban en sus cabellos denotaba que era romana.

—¡Y qué magnífico carro! —replicó un vecino del mismo color.

—Todo de oro y marfil. ¡Júpiter le conceda la victoria!

La nota dominante en el banco de detrás era muy diferente.

—¡Cien siclos por el judío! —exclamó alguien con aguda voz.

—No te dejes impresionar —le dijo un amigo, calmándole—. Los hijos de Jacob son poco partidarios de los espectáculos paganos, que a menudo son reprobados por el Señor.

—Es cierto. Pero ¿viste jamás un hombre más frío y sereno?

—¡Y qué brazo!

—¡Y qué caballos! —añadió otro.

—Y afirman también —dijo un cuarto— que conoce perfectamente las astucias y estratagemas de los romanos.

Completó el elogio una mujer:

—Sí, y es aún más hermoso que el romano.

Incitado por los comentarios, el entusiasta gritó de nuevo:

—¡Cien siclos por el judío!

—¡Cállate, idiota! —le censuró uno de Antioquía, desde un banco más separado y delantero—. ¿Ignoras que han apostado cincuenta talentos contra él, a seis por uno, en favor de Messala?

—Guárdate tus siclos, no sea que venga Abraham y cargue con ellos.

—Cesa ya de rebuznar, ¡oh, asno de Antioquía! ¿No sabes que es el mismo Messala quien ha hecho la apuesta?

Las disputas se enzarzaban por todas partes y las controversias no siempre acababan bien.

Cuando por fin terminó la procesión y ésta desapareció por la Porta Pompae, comprendió Ben-Hur que había logrado su más ferviente deseo.

A causa de su rivalidad con Messala, todo Oriente tenía fijos los ojos en él.

CAPÍTULO XIII

LA PARTIDA

A eso de las tres de la tarde, hablando en nuestra hora actual, sólo quedaba por realizar la carrera de cuadrigas.

Entre la primera y segunda parte del espectáculo hubo un descanso. A una señal del director de los juegos, abriéronse los vomitorios y cuantos pudieron salieron presurosos a los pórticos, en donde se habían establecido toda clase de vendedores de comestibles. Los que permanecían sentados, charlaban, bostezaban, consultaban sus tablillas y, dejadas de lado las discusiones, no quedaban más que dos clases: la de los que ganaban y se mostraban alegres y satisfechos y la de los que perdían y estaban malhumorados.

No obstante, había una tercera clase de espectadores que sólo deseaban presenciar la carrera de cuadrigas y se aprovechaban del intervalo para ocupar sus asientos sin molestar a nadie. Entre éstos podía contarse a Simónides y su séquito, cuyos asientos se encontraban cerca de la entrada principal del lado norte, enfrente del cónsul.

Cuando el comerciante, en su sillón llevado por cuatro robustos criados, hizo su entrada, hubo un general movimiento de curiosidad. Quienes le conocían pronunciaban su nombre. Los que se hallaban cerca lo oyeron y fueron transmitiéndolo a lo largo de los asientos, hacia el oeste, y la gente iban levantándose para ver a un hombre sobre el cual corrían versiones de una historia como no se había conocido otra en Antioquía.

El jeque Ilderim fue también reconocido y aclamado, pero nadie sabía quién era Baltasar, ni tampoco las dos mujeres cubiertas con velos.

Respetuosamente, el pueblo iba abriéndose paso y los acomodadores los colocaron en primera fila, tras la balaustrada, donde tomaron asiento y apoyaron los pies en taburetes.

Las dos mujeres eran Iras y Ester.

Una vez acomodadas, la segunda miró con miedo la pista y las galerías y cerró más aún el velo que le cubría la cara, mientras que la egipcia, haciendo resbalar su velo sobre los hombros, se dejó contemplar y miraba la escena con esa indiferencia aparente con que las mujeres habituadas al trato social acogen la admiración que atraen, como si no lo advirtieran.

Mientras tanto, unos criados del circo empezaron a tender una cuerda blanqueada a través de la arena, de balcón a balcón, frente a los pilares que señalaban la meta de partida, y otros seis, saliendo de la Porta Pompae, colocándose delante de cada una de las *carceres* ocupadas por las cuadrigas. En todas las galerías se levantaba un gran vocerío.

—¡Mirad, mirad! ¡Allá están los atenienses! Ocupa el número cuatro el verde.

—El número dos lo ocupa Messala.

—El corintio...

—¡Mirad el blanco! Cruza ahora por delante de todos, se detiene; el número uno; el último a la izquierda.

—No, es el negro quien se detiene allí; el blanco es el número dos.

—Es verdad.

Como fácilmente puede suponerse, estos seis porteros lucían el color que correspondía al conductor a quien debían abrir la puerta, y de esta manera, cuando cada cual estuvo colocado en su puesto, todo el mundo pudo ver en qué célula estaba encerrado cada competidor.

—¿Has visto alguna vez a Messala? —preguntó a Ester la egipcia.

La judía dijo que no, estremeciéndose. Si el romano no era enemigo de su padre, no le cabía duda de que lo era de Ben-Hur.

—¡Es tan hermoso como Apolo! —exclamó Iras, y sus ojos lanzaron destellos al sacudir su abanico incrustado de piedras preciosas.

Ester pensaba: «¿Será acaso tan bello como Ben-Hur?»

En aquel instante oyó a Ilderim que decía a su padre:

—Sí, su célula debe ser la número dos de la Porta Pompae —e imaginándose que hablaban de Ben-Hur volvió sus miradas hacia allí.

Murmuró una corta oración mientras lanzaba una temerosa mirada sobre la enrejada puerta, y se cerró más el velo.

En aquel momento se acercaba al grupo Sanbalat.

—Vengo precisamente de las *carceres*, ¡oh, jeque! —dijo, saludando con gravedad a Ilderim, que comenzaba a estirarse la barba mientras sus ojos brillaban con avidez curiosa—. Los caballos están en perfecta forma.

Ilderim replicó pensativamente:

—Ruego a Dios, si son derrotados, no lo sean al menos por Messala.

Entonces, volviéndose hacia Simónides, Sanbalat sacó una tablilla y dijo:

—Aquí tienes algo interesante. Tendrás presente, supongo, la apuesta cruzada con Messala anoche, que si era aceptada, me sería entregada firmada ya antes de empezar la carrera. Aquí la tienes.

Simónides tomó la tablilla y leyó cuidadosamente el memorándum.

—Sí —asintió—. Su emisario vino a informarse si tenía tanto dinero tuyo en mi casa. Conserva bien esta tablilla. Si pierdes, ya sabes lo que tienes que hacer. Si ganas —su cara tomó una expresión grave—, si ganas, ¡oh, amigo!, ten más cuidado aún. ¡El firmante querrá huir! No le abandones hasta que suelte el último siclo. Es lo mismo que harían ellos contigo.

—Confía en mí —contestó el viejo contratista.

—¿Quieres tomar asiento con nosotros? —le preguntó Simónides.

—¡Gracias! —replicó—. Mas si abandono al cónsul, la joven Roma que le acompaña no lo tomará a bien. La paz sea con vosotros.

Finalizó el descanso. Tocaron los clarines y, al oírlos, volvieron los que habían abandonado sus asientos a fin de ocuparlos de nuevo. Algunos criados del circo treparon el muro divisional y, dirigiéndose al extremo occidental, cerca de la segunda meta, pusieron siete bolas de madera sobre un tablado, mientras que otros criados colocaban en otro tablado análogo siete piezas de madera, representando delfines.

—¿Qué van a hacer con esas bolas y esos peces, jeque? —preguntó Baltasar.

—¿No has visto ninguna otra carrera?

—Hasta ahora no, y me pregunto por qué estoy aquí.

—Son para llevar la cuenta. Al fin de cada vuelta verás cómo echan abajo una bola y un delfín.

Los preparativos estaban listos; un trompeta, en traje de gran gala, a una señal del director, dio la partida. La muchedumbre cesó en sus conversaciones al instante. Todas las miradas convergieron hacia el este y se clavaron en las seis puertas que cerraban las seis células de los campeones.

Las mejillas de Simónides se colorearon dando prueba con ello de que también participaba en la excitación general. El jeque, rápida y nerviosamente, se acariciaba la barba.

—Mira ahora cuando salga el romano —dijo Iras a Ester, que ni tan siquiera la oyó, porque su velo cerrado sobre la cara y sus manos oprimidas sobre el corazón que latía agitado sólo esperaba la aparición de Ben-Hur.

El toque del clarín fue corto y penetrante, y al escucharlo los encargados de salida, uno por cada cuadriga, saltaron detrás del pilar de partida, prestos a dar auxilio si alguno de los carros parecía mal dirigido.

Nuevamente sonó el clarín y, al mismo tiempo, los porteros abrieron las seis verjas.

Aparecieron en primer término los cinco ayudantes de los conductores, montados. Ben-Hur había rechazado este servicio. La blanca cuerda fue echada a tierra para que pasaran, pero la subieron de nuevo a la altura de un hombre; los porteros esperaban la señal del palco consular para transmitirla a los conductores respectivos; de pronto, los acomodadores de la galería hicieron una señal con la mano y los porteros, con todas sus fuerzas gritaron: «¡Fuera!, ¡fuera!».

Como proyectiles lanzados de otros tantos cañones; como un huracán, salieron las cuadrigas, y al instante el circo entero se puso en pie, electrizado, y los espectadores llenaron el espacio con un inmenso clamor.

Era éste el momento tan pacientemente esperado y que había originado tantas controversias.

—¡Allí está! ¡Mira! —exclamó Iras, señalando a Messala.

—Yo lo veo —contestó Ester, que no tenía ojos más que para Ben-Hur.

El velo había resbalado sobre sus hombros. Por un momento la pequeña Ester fue valiente. La idea del gozo que debe experimentarse al ejecutar un acto heroico én presencia de tantos espectadores vino a su cerebro, y entonces diose cuenta cómo en tales ocasiones es posible que el alma del hombre, en el ansia de conseguir la victoria, se burle de la muerte.

Los seis contrincantes se hallaban a la vista de todos, pero la carrera propiamente dicha no había comenzado, pues tenían que tocar la cuerda tendida en primer lugar, con el propósito de igualar el tiempo de partida. Si hubiera sido arrojada sobre los caballos, habría podido producirse una confusión entre los hombres y los animales; por otra parte, si las cuadrigas se acercaban a ella con timidez, corrían el peligro de quedarse rezagados desde el principio de la carrera y, además, perdían la ventaja, siempre disputada, de correr junto al muro, es decir, en la línea interior de la pista.

Esta prueba, con todas sus consecuencias y peligros era bien conocida del público. La oponión del viejo Nestor, manifestada en el interes en que entregaba a su hijo las riendas de la cuadriga, era verdadera: «No es la fuerza, sino el arte quien gana el galardón; y el ser veloz vale menos que ser cuerdo.» Todos esperaban con ansia el resultado de la prueba, que era como un indicio sobre quién resultaría vencedor.

La arena cegaba con un deslumbramiento de luz; al salir

cada conductor miró primero la cuerda y, después, la codiciada posición junto al muro; así, dirigiéndose los seis con furiosa velocidad, parecía inevitable una colisión. Pero esto no era todo. ¿Qué sucedería si, en el último instante, el director de los juegos no daba la señal de bajar la cuerda?

La pista medía unos doscientos cincuenta pies de largo. Se requería ojo rápido, mano firme y juicio pronto. ¡Ah, si se distraía uno echando una mirada! ¡Si su mente vagaba por otra parte! ¡Si se soltaba una rienda!

Intente el lector imaginarse aquellos juegos con toda su viveza, en la arena cegadora, entre peredones de oscuro granito; imagine los carros de ruedas ligeras, graciosos de forma y decorados con todos los recursos que la pintura y la escultura pueden prestarle; represéntese a los conductores inmóviles a pesar del movimiento violento, erguidos como estatuas, desnudos los miembros, la piel tersa y de viva encarnación producida por el régimen de baños. En su diestra llevan largos aguijones, que sugieren las torturas con que hostigarán a sus caballos; en la siniestra, separadas cuidadosamente y manteniéndolas en alto, las cuatro riendas que, desde el extremo de la lanza, van a cada uno de los bocados para reunirse nuevamente en la mano del conductor; la cabeza erguida, midiendo con mirada despreciativa al adversario, vibrantes las ventanas de la nariz, contraídos los músculos del cuerpo lleno de vida gloriosa, justificando la confianza que el mundo ha puesto en ellos tomándolos como modelos de gracia y de vigor.

Habiendo partido los competidores hacia la línea más corta para ocupar la posición junto a la muralla, ceder hubiera sido como renunciar a la carrera. ¿Y quién osaba ceder? Variar de propósito en mitad del impulso era imposible casi y, además, los gritos de los espectadores que desde las gradas incitaban a su campeón respectivo no se pueden describir y, como un rugido debían ejercer el mismo efecto sobre todos los conductores.

Las cuadrigas se acercaban juntas hacia la cuerda. En un momento dado, el trompeta que se encontraba al lado del director dio un vigoroso toque y, aunque los jueces no pudieron oírlo, por el inmenso griterío de la multitud, vieron la acción y aflojaron la cuerda en el preciso momento en que el casco de uno de los caballos de Messala pisó el primero.

El romano, alentado, blandió su largo látigo, aflojó las riendas y con un grito de triunfo tomó el puesto contiguo a la muralla.

—¡Júpiter está con nosotros! —gritaron a una voz los del partido romano, en el frenesí del primer triunfo.

Al mismo tiempo, la cabeza de león de bronce con que terminaba el eje del carro del romano alcanzó un remo delantero de uno de los caballos del ateniense y lo arrojó sobre los caballos de lanza. Éstos vacilaron, tropezaron y perdieron la ventaja que habían adquirido. Millares de espectadores, horrorizados, quedaron mudos; sólo aplaudieron los que se sentaban alrededor del cónsul.

—¡Júpiter está a nuestro lado! —decían sus amigos, al ver a Messala dueño de la posición preferente.

—¡Ganará! ¡Júpiter está con nosotros! —gritó frenéticamente Druso.

Con sus tablillas en la mano, Sanbalat se volvió hacia ellos, cuando un crujido que venía de la pista le cortó la palabra. Volvióse al punto a mirar.

Después de haber pasado Messala, el único que disputaba al ateniense el derecho de pasar primero era el corintio, y éste procuraba mantener al galope su quebrantada cuadriga. Era fatal que el incidente desgraciado habría de eliminarlo de la carrera; la rueda del bizantino, que se hallaba muy cerca a la izquierda, chocó con la pieza posterior de su carro, la destrozó y magulló los pies del ateniense. Se produjo un crujido, un grito de rabia y dolor resonó y el desafortunado Cleanto cayó bajo los pies de sus propios caballos; fue un espectáculo terrible ante el cual Ester se cubrió los ojos. El corintio, el bizantino y el sidonio pasaron sobre él; Sanbalat miró a Ben-Hur y volvióse nuevamente a Druso y a su facción.

—¡Cien sestercios por el judío! —les dijo.

—¡Aceptados! —replicó Druso.

—¡Otros cien sestercios por el judío! —gritó nuevamente Sanbalat.

Nadie pareció oírle. Gritó de nuevo, pero en la pista la situación era tan absorbente que no pensaban más que en gritar:

—¡Messala! ¡Messala! ¡Júpiter está con nosotros!

Cuando Ester se aventuró a mirar de nuevo, ya los criados se ocupaban en arrastrar apresuradamente los caballos y el carro destrozado; Cleanto, privado de sentido, era llevado por otros; en cada lugar donde había un griego resonaban gritos de execración y venganza. De pronto vio a Ben-Hur que corría al lado del romano; tras ellos, formando un grupo, seguían el sidonio, el corintio y el bizantino.

Ardientemente disputada había empezado la carrera; los corredores ponían en ella su alma; millares y millares de personas estaban pendientes del más leve de sus movimientos.

CAPÍTULO XIV

LA CARRERA

Como hemos visto, Ben-Hur se hallaba en el extremo izquierdo de los seis al ocurrir el accidente por el puesto privilegiado. Como los otros, quedó un momento cegado por la reverberación de la arena; no obstante, procuró no perder de vista a sus adversarios y adivinar sus propósitos. Echó una escrutadora mirada sobre Messala, que significaba para él algo más que un competidor, y le vio impasible; la altanería característica del noble patricio se reflejaba, como siempre, en su cara, más bella quizá entonces a causa del yelmo que ponía de relieve su hermosura varonil; pero a Ben-Hur, guiaddo quizá por una imaginación celosa, o quizá por efecto de la sombra que sobre el rostro de Messala extendía su casco, pareciόle ver reflejada en las facciones de su rival, como en un espejo, negra, despiadada, falaz, un alma decidida a todo en su tensión desesperada.

El joven judío sintió afirmarse su resolución de aniquilar a toda costa a su enemigo; aunque tuviera que arriesgar su vida, le húmillaría. Premio, apuestas, honores, amigos, todo aquello que excitaba a los otros no tenía para él interés alguno; todo dejaba de existir ante su implacable propósito de venganza. Y, sin embargo, no había pasión por su parte, por lo menos esa pasión que ciega, perturba la cabeza, acelera el corazón y enturbia los ojos; no, en él no había impulso alguno de lucha contra la fortuna, no creía en la suerte. Había madurado su plan fríamente y confiado en sí mismo, se había puesto a la obra con la mayor minuciosidad. Jamás se había sentido más dueño de sí ni nunca se encontró menos alterado por pasión alguna.

Imaginando que, en la salida, Messala había de ocupar el puesto privilegiado, por una especie de infalible y rápida intuición, comprendio que aquél sabía que la cueda caería con el fin de darle preferencia. ¿Qué otra cosa más natural, conociendo el carácter romano, que el elemento oficial mirase de favorecer a su compatriota, en primer lugar por el honor nacional, y en segundo, porque toda su fortuna estaba en juego?

A ninguna otra cosa podía atribuirse la seguridad con que el romano impulsaba a sus caballos contra el obstáculo, ante el que sus compañeros moderaban con prudencia los suyos. Sólo una locura podía disculparlo, pero Messala sabía bien lo que se hacía en esta ocasión.

Ben-Hur, prudentemente, no quiso luchar en tales condiciones y cedio ál punto el puesto a su rival. Cayó la cuerda, como hemos dicho, y al instante todas las cuadrigas, excepto la suya, saltaron a la carrera, restallando el látigo sobre los caballos. Inclinóse a la derecha y, con toda la velocidad que le ofrecían sus árabes, lanzóse a través de las huellas de sus contrincantes, formando un ángulo minuciosamente calculado para perder el menor tiempo posible y ganar un mayor espacio. Así, en tanto que los espectadores lamentaban la desgracia del ateniense, y el sidonio, el bizantino y el corintio se esforzaban diestramente en evitar un choque, Ben-Hur les dio alcance, torció después en otro ángulo, tan hábil como el primero y se colocó, por fin, al lado de Messala. La destreza maravillosa que demostraba esta evolución, para pasar de la extrema izquierda a colocarse al segundo lugar de la extrema derecha, denotaba, ante los ojos de los espectadores, la pericia del conductor. La misma hebrea, imitando a los demás, palmoteó con alegre sorpresa. Sanbalat, sonriente, ofrecía nuevamente sus sestercios, sin encontrar quien aceptase el envite. Los romanos comenzaron a sospechar que Messala había encontrado un rival de su talla tan experto como él, si no maestro. ¡Y era éste un judío!

Corriendo juntos, separándoles un pequeño espacio entre los carros, se acercaron a la segunda meta.

El pedestal de los tres pilares, visto desde poniente, aparecía como una muralla formando un semicírculo en paralelismo exacto con las paredes del circo y la pista. Dar esa vuelta era considerado, bajo todos los aspectos, como la prueba más evidente de la habilidad de un conductor de cuadriga; en una vuelta semejante fue donde cayó Orestes. Acrecentó el interés y se produjo un silencio. Por vez primera pudo oírse el rodar de las cuadrigas vigorosamente arrastradas por los caballos que apenas rozaban la arena.

Messala, en aquel momento, pareció percatarse de la presencia de Ben-Hur y su audacia se puso de relieve de un modo imprevisto.

—¡Muera Eros y viva Marte! —gritó y, restallando el látigo con mano diestra, la dejó caer sobre los cuatro caballos de Ben-Hur, envolviéndolos en un latigazo como nunca lo habían sufrido los generosos animales—. ¡Muera Eros y viva Marte! —repitió, triunfante.

El latigazo fue contemplado por la mayoría de los espectadores y el asombro se hizo general. El silencio aumentó. Detrás del cónsul, los más osados, temiendo algo inusitado, contuvieron el aliento.

No se hizo esperar el resultado mucho tiempo. Como una repentina explosión, estalló la indignación popular en un inmenso clamoreo prolongado. Lo que había hecho Messala era una infamia y una deslealtad jamás vista en los fastos del circo.

Los cuatro caballos árabes saltaron espantados. Nunca hasta ese momento nadie les había sometido a semejante castigo, ni había puesto sus manos sobre ellos sino para acariciarlos; fueron criados por el cariño de su amo y, al crecer, su confianza en la bondad del hombre era absoluta, dando a éste su más admirable lección. ¿Qué habían de hacer seres tan mimados ante un trato tan indigno sino saltar como si la muerte los acosara?

De un solo impulso precipitáronse, arrastrando consigo el carro como si fuera una pluma. Llegada la ocasión, toda experiencia es útil. ¿En qué lugar pudo adquirir Ben-Hur aquella mano, aquella fuerza poderosa, aquel puño de hierro que le sirvieron en esta ocasión de manera tan cumplida? ¿En dónde sino manejando el remo en constante lucha contra el mar? ¿Y qué significó para él este brusco salto del piso de su cuadriga, salto que hubiera derribado a cuaquier otro, que no hubiera sufrido en otro tiempo los inaguantables tambaleos de la galera, juguete de las olas?

Se mantuvo, pues, en su puesto; dio libre rienda a la cuadriga y, con voz llena de caricias, intentó calmar a los caballos, tratando sólo de guiarlos en la peligrosa vuelta y antes de que empezase a decrecer la fiebre popular, había conseguido de nuevo adueñarse de ellos. Y no esto solamente, sino que al acercarse a la meta de partida, había recobrado Ben-Hur su posición al lado de Messala y atraído hacia sí toda la admiración y simpatía de todo aquel que no era romano.

Messala, a pesar de su atrevimiento, no creyó oportuno ni seguro burlarse por segunda vez del público, que había de manera tan clara mostrado su simpatía por Ben-Hur.

Ester pudo contemplar nuevamente a éste cuando las cuadrigas daban la vuelta a la meta y vio de lleno su rostro, un poco pálido, erguido con nobleza, pero sereno y hasta plácido.

Acabada esta primera vuelta, un criado echó abajo una de las bolas de madera, mientras que en el otro extremo quitaban uno de los delfines.

De la misma manera, en la segunda vuelta, dejaron caer la segunda bola y el segundo delfín, y de la misma manera procedieron en la tercera vuelta.

A la cuarta, Messala seguía teniendo aún el lado interior y Ben-Hur se mantenía paralelamente a su flanco, mientras los otros tres competidores les seguían igual que antes. La lucha tenía el aspecto de una de aquellas dobles carreras tan populares en Roma durante el último César.

El sidonio consiguió ponerse al lado de Ben-Hur en la quinta vuelta, pero pronto quedó rezagado. La sexta comenzó sin ningún cambio en la posición de los contendientes.

No obstante, gradualmente la velocidad de los corceles había ido aumentando, encendiendo y exaltando la sangre de sus conductores, que sentían acercarse el momento decisivo. Hombres y bestias se daban cuenta que era necesario desplegar en la etapa final un supremo esfuerzo.

El interés, que casi desde un principio habían acaparado el romano y el judío, con profunda y general simpatía por este último, parecía cambiarse ahora en inquietud y desaliento. Los espectadores inclinábanse hacia delante, inmóviles, siguiendo ansiosa y penosamente a los conductores. Ilderim se olvidaba de acariciarse la barba y Ester dejó de lado sus temores.

—¡Cien sestercios por el judío! —gritó Sanbalat a los romanos que se cobijaban bajo el dosel consular.

No respondió nadie.

—Un talento... Cinco... Diez... Los que queráis...

Y sacudía hacia ellos sus tablillas en son de reto.

—Acepto tus sestercios —contestó un joven romano disponiéndose a escribir.

—No lo hagas —le aconsejó un amigo.

—¿Por qué?

—Messala ha llegado ya al máximo de velocidad. ¿No le ves apoyarse en el borde de su carro y aflojar las riendas? Contempla ahora el judío

Observó el primero a Ben-Hur y dijo:

—¡Por Hércules! Ese perro parece que tira con todas sus fuerzas de las bridas. ¡Lo veo! Si los dioses no protegen a nuestro amigo, el judío se le adelantará en el momento que lo desee... Pero, ¡no! Mira, Jupiter está con nosotros. ¡Júpiter nos protege!

Este grito, que brotó espontáneamente de todos los pechos romanos, agitó como una ráfaga el *velaria* sobre la cabeza del cónsul.

Era verdad, Messala había alcanzado su velocidad máxima. Su esfuerzo no le había reportado ninguna ventaja; lenta, pero seguramente, había empezado a aflojar. Sus caballos empezaban a agachar la cabeza. Vistos desde arriba, parecía que sus cuerpos tendidos en la carrera, rozaban la pista; las ventanas de la nariz dilatadas, mostraban la sangre de sus membranas inyectadas; los ojos parecían saltárseles de las órbitas. Seguramente que los pobres animales hacían todo lo que podían. ¿Pero cuánto tiempo lograrían sostener este paso? ¡Estaban sólo al principio de la sexta vuelta!

Y he aquí que al aproximarse a la segunda meta, Ben-Hur

quedó rezagado tras el carro del romano. Esto levantó los ánimos de sus compatriotas.

La alegría de Messala y su facción llegó al paroxismo; gritaban, aullaban y agitaban en el aire sus colores y Sanbalat llenó sus tabletas con las apuestas que hacía y que en su optimismo eran aceptadas.

A Malluch, que se encontraba en la galería inferior, sobre la Puerta del Triunfo, se le hacía duro manifestar su alegría. Sin duda, tenía la vaga indicación que le hiciera Ben-Hur de algo que sucedería al bordear la meta occidental; pero habían dado cinco vueltas sin que nada ocurriese. Pensaba ya, consolado, que la sexta sería la señal del éxito, pero he aquí que Ben-Hur perdía su puesto y apenas conseguía mantenerse a la zaga de su adversario.

Simónides y sus amigos estaban a la expectativa, serenos y silenciosos. El comerciante, inclinado sobre la balaustrada, seguía con la mirada toda la contienda. El jeque Ilderim estiraba nerviosamente su barba y fruncía las cejas de tal manera que apenas dejaba perceptible el punto brillante de sus ojos, como chispas de fuego. Ester no se atrevía a respirar. Sólo Iras estaba alegre.

Y así terminó la sexta vuelta; Messala delante e inmediatamente detrás de él, Ben-Hur, pero tan cerca que recordaba la antigua epopeya: «Volaba delante Enmelo sobre sus caballos feréceos; con los de Troya viene detrás el atrevido Diomedes; junto a la espada de Eumelo, dejan oír su resoplido, como si fueran montados tras él en su propio carro. En la nuca sintió el ardiente hálito y vio sobre él las sombras flotantes de los caballos».

Así llegaron a la meta de partida y dieron la vuelta. Temeroso Messala de perder su puesto, pasaba casi rozando el muro con gran riesgo; un pie a la izquierda y su carro saltaría hecho astillas.

Al finalizar la sexta vuelta, nadie, al mirar las huellas de los carros, hubiera podido decir: «Esta es la de Messala y aquélla la de Ben-Hur». Se confundían en una sola.

Ester vio el rostro de Ben-Hur de nuevo, al doblar la primera meta, más pálido que al principio y Simónides más perspicaz que su hija, dijo al jeque, en el instante en que pasaban delante de ellos:

—Yo no soy buen juez, pero juraría que Ben-Hur intenta dar un golpe decisivo. Basta ver su expresión.

A lo cual contestó Ilderim:

—¡Que frescos y vigorosos están sus caballos! ¡Por el esplendor de Dios parece que no han empezado a correr aún! ¡Mira, mira ahora!

Sobre los dos tablados quedaban solamente una bola y un delfín; en todas las graderías hubo como un rugido, y el pueblo aspiró ampliamente el aire, porque ya se acercaba el princio del fin. El sidonio castigó furiosamente sus caballos, que, precipitados por el dolor y el miedo, desesperados, se lanzaron, prometiendo por breves instantes colocarse al frente, pero este esfuerzo sólo quedó en promesas. Después el bizantino y el corintio hicieron el esfuerzo supremo, con el mismo negativo resultado. Prácticamente habían perdido la carrera. Comprendiéronlo así todos los espectadores y, con un acuerdo maravilloso y perfectamente explicable, todas las facciones, con excepción de los romanos, pusieron sus esperanzas en Ben-Hur, a quien mostraban abiertamente sus simpatías.

—¡Ben-Hur! ¡Ben-Hur —gritaban; y el poderoso clamoreo dominaba los que se alzaban a favor de Messala en la tribuna del Cónsul. De las graderías, bajo las cuales pasaba en su carrera, descendía sobre él la simpatía en forma de imperativos y ardientes votos.

—¡Rápido, judío! ¡Vuela!

—¡Suelta los caballos! ¡Afloja las riendas! ¡Pégales!

—No dejes que se te adelante en la vuelta. ¡Ahora o nunca!

Sobre la balaustrada, con peligro de caer en la arena, se inclinaban, extendiendo los brazos hacia él, pidiendo, amenazando, implorándole el triunfo.

El judío no oía nada, nada pudo hacer mejor en todo el trayecto hasta la segunda meta. Continuaba detrás sin variación.

El romano comenzó a tirar de sus caballos de la izquierda al dar la vuelta, lo que necesariamente hizo aminorar su velocidad. Estaba muy animado; en su mente, más de un altar iba a enriquecerse con sus votos y ofrendas; el genio romano debía quedar satisfecho. Desde los tres pilares sólo quedaban seiscientos pasos para alcanzar la fama y aumentar su fortuna, sus honores y un triunfo inefable sobre la persona a quien odiaba.

Desde la galería, Malluch vio a Ben-Hur inclinarse hacia sus cuatro caballos y soltarles toda la rienda. Su vigorosa mano agitó el látigo, que silbó como una serpiente sobre las cabezas de sus corceles, y silbó de nuevo y se agitó amenazadoramente sobre ellos, aunque sin tocarlos; pero aunque no cayó sobre sus lomos, sintieron la amenaza y el aguijón, y se lanzaron como una tromba. El rostro arrebolado y los ojos llameantes de Ben-Hur parecían querer infundir en sus corceles una irresistible voluntad; y los cuatro, como uno solo, respondieron saltando por detrás del carro del romano.

Entonces, cerca de la meta ya a tiempo de dar la peligrosa curva, Messala oyó pero no se atrevió a mirar. Dominando los ruidos de la pista sobresalía una voz, la de Ben-Hur. Utilizando el antiguo dialecto arameo, excitaba a los caballos como lo hubiera hecho el propio Ilderim.

—¡Oh, «Altair»! ¡Oh, «Rigel»! ¿Qué te sucede, «Antarés»? ¿Vas a flaquear? ¡Buenos caballos!... ¡Ánimo, «Aldebarán»!... Ya oigo cantar en las tiendas. Las mujeres y los niños cantan a las estrellas. «Altair», «Antarés», «Rigel», «Aldebarán». ¡Victoria!... ¡Bien hecho!... Mañana a vuestra tienda... a casa... ¡Oh, «Antarés»! ¡La tribu os está esperando y el amo os desea!... ¡Ya está! ¡Ya está! ¡Esto es! ¡Hip! ¡Hip! ¡Hip!... ¡Valor!... ¡Hemos derribado al orgulloso! ¡Yace en el polvo la mano que nos hirió!... ¡La gloria es nuestra!... ¡Valor!... La obra está cumplida... Soo... ¡Basta! ¡Quietos!

Lo ocurrido no pudo ser más sencillo, pero tampoco más instantáneo.

Era el momento escogido por Messala para girar y dar la vuelta hacia la meta. Para avanzarle, Ben-Hur había de inclinarse a la izquierda y la buena estrategia exigía que este movimiento fuese lo más estrictamente preciso para no quedar rezagado. Todos entre el público lo entendieron así, y vieron la señal dada a los caballos y la soberbia salida de éstos. Vieron girar el carro de Ben-Hur, casi rozando la rueda exterior del de Messala, en tanto que la rueda interna de Ben-Hur tocaba casi la parte posterior del carro del romano. Esto lo vieron todos; pero, oyóse de pronto un gran estallido y, más rápido que el pensamiento, volaron sobre la pista cien astillas brillantes, blancas y doradas, y vióse el carro romano inclinarse sobre el costado derecho. Arrastrado en la carrera, saltó una vez, y otra y luego otra y, por fin, se le vio caer destrozado; Messala, trabado por los riñones, cayó de cabeza hacia delante.

Para aumentar el horror de la escena y hacer cierta su muerte, el sidonio, que rasaba el muro detrás de él, no pudo frenar ni desviarse. A toda velocidad, su carro pasó sobre los restos del de Messala, y sobre los restos del mismo.

Como movido por un resorte, el pueblo entero saltó sobre las gradas y aplaudió y gritó con frenesí.

Algunos dirigieron sus ojos hacia Messala, bien cuando cayó debajo de sus caballos, bien cuando quedó tendido en la arena.

Estaba inmóvil y le creyeron muerto. La mayor parte siguió la triunfal carrera de Ben-Hur. No pudieron ver el diestro tirón de las bridas por el cual, haciendo inclinar su cuadriga hacia la izquierda, había rozado la rueda de Messala con la extremidad ferrada del eje de su carro, convirtiéndola en astillas.

Vieron sólo la súbita transformación del judío y sintieron el fuego que lo enardecía, como una llamarada de su espíritu, en la heroica resolución y la frenética energía que con los ojos, la palabra y los ademanes, infundía a sus caballos árabes su furia invencible. ¡Y qué carrera! ¡Parecían leones saltando sobre su presa! De no haber sido por el carro, se hubiera dicho que volaban. Cuando el bizantino y el corinto estaban en la mitad de este lado de la pista, Ben-Hur daba la vuelta a la meta de partida.

¡Y la carrera estaba ganada!

Levantóse el cónsul, enronqueció el público de tanto gritar; bajó de su asiento el director de los juegos y coronó a los vencedores.

Entre los pugilistas y boxeadores, el afortunado vencedor era un sajón de rubios cabellos, cejas muy bajas y una cara tan brutal que atrajo una segunda mirada de Ben-Hur, que reconoció en él a un maestro del que llegó a ser favorito en Roma. Volvióse después y vio a Simónides y a sus compañeros que le miraban. Le saludaron con la mano. Ester no dejó su asiento, pero Iras, en pie, le dirigió una sonrisa y un saludo con su abanico, favores embriagadores para él, aunque desde luego, habrían recaído sobre Messala de haber resultado éste vencedor.

Se organizó el cortejo y, en medio de los vítores de la multitud, que había logrado sus deseos, cruzaron la Puerta del Triunfo.

Y la fiesta terminó.

CAPÍTULO XV

LA INVITACIÓN DE IRAS

Ben-Hur e Ilderim paseaban a la orilla del río, esperando que llegase la media noche; con anticipación habían determinado que a esta hora se pondrían en camino en seguimiento de la caravana, que les llevaba ahora treinta horas de ventaja.

El jeque se sentía feliz; en su generosidad habría querido colmar a Ben-Hur de sus regios presentes, pero éste lo había rehusado todo, insistiendo en que estaba satisfecho con haber humillado a su enemigo. La generosa disputa continuaba todavía.

—Piensa —le decía aquél— en todo lo que has hecho por mí. En adelante, en toda negra tienda, desde el Akaba hasta el océano, a través del Eufrates y más lejos del mar de los escitas, la fama de «Mira» y de sus hijos aumentará; y los que ahora le cantan me ensalzarán a mí y echarán en el olvido quizá que ya me encuentro en el declive de mi vida. Las lanzas del desierto que hoy no tienen amo vendrán a mí y sus hombres de espada se multiplicarán. No tienes idea de lo que es tener el imperio del desierto, como ahora lo tendré yo. Me traerá consigo considerables tributos del comercio y amplia inmunidad de los reyes. ¡Por la espada de Salomón! Si mis emisarios buscan para mí el favor del César, esto será lo que lo traiga... Pero, ¿no quieres aceptar nada?

—En absoluto, buen jeque. ¿No tengo ya tu corazón y tu mano? Deja que el aumento de tu poder e influencia pueda servir al rey que viene. ¿Quién podrá saber que no te lo ha permitido Dios para que lo emplees en su favor? En la obra que voy a emprender puedo en un futuro necesitar de ti; no aceptando ahora, quedo en libertad para pedirte algo mañana.

Estando en esta conversación, llegaron dos mensajeros: Malluch y un desconocido. Malluch fue recibido al instante.

No podía ocultar el buen hombre su alegría por la victoria del día anterior.

—Vayamos al grano —dijo—. El amo Simónides me envía para que te diga que, en la reunión de los jugadores en palacio, algunos de la facción romana protestan del pago de la prima.

Ilderim dio un salto y gritó con voz penetrante:

—¡Por el esplendor de Dios! Oriente decidirá si la carrera fue ganada en toda la ley.

—Con seguridad, buen jeque —dijo Malluch—; el director ha pagado ya.

—Está bien.

—Cuando le informaron que Ben-Hur chocó con la rueda de Messala, el director se rió y les recordó el latigazo dado por aquél a sus caballos al dar la vuelta a la meta.

—¿Y cómo está el ateniense?

—¡Ha fallecido!

—¡Muerto! —gritó Ben-Hur.

—¡Muerto! —repitió el jeque—. ¡Qué suerte tienen esos monstruos romanos! ¿Escapó Messala con vida?

—Sí, vive, buen jeque; pero la vida será siempre una carga para él. Los médicos dicen que vivirá, pero no volverá a caminar nunca.

Ben-Hur elevó sus ojos al cielo silenciosamente. Tuvo como una visión de lo que sería la vida de Messala, ligado como Simónides a un sillón y como él llevado en hombros de sus criados cuando deseara salir. El mercader había resistido bien la prueba, mas, ¿cómo la soportaría el romano, con todo su orgullo y ambición?

—Simónides me encargó también que os informara que Sanbalat ha tropezado con algunas dificultades. Druso y los que con él se comprometieron al pago de cinco talentos, han expuesto el caso al cónsul Majencio, quien ha llevado el asunto al César. Messala también se niega a pagar, y Sanbalat, siguiendo el ejemplo del Druso, fue a ver al cónsul, y el asunto está pendiente de revolución. Los romanos honrados dicen que a los que quieren evadir el pago no se les debe dispensar, y todos los partidarios de todas las facciones son de la misma opinión. La ciudad está escandalizada y anda revuelta.

—¿Qué opina Simónides? —preguntó Ben-Hur.

—El amo ríe y se muestra satisfecho. Dice: «Si Messala paga, se arruina, pero si se niega a pagar queda deshonrado. La política imperial decidirá. No será muy buena táctica comenzar la guerra con los partos infiriendo una ofensa al Oriente. Si disgustan al jeque Ilderim, atraerán con ella la enemistad del desierto, en el cual tiene el cónsul Majencio que establecer su línea de operaciones». Por tanto, Simónides me encarga que no os inquietéis. El romano pagará.

El jeque recobró su buen humor.

—En marcha ya —dijo, frotándose las manos—. El negocio terminará bien quedando a cargo de Simónides. La gloria es nuestra. Voy a dar la orden de que nos preparen los caballos.

—Espera —dijo Malluch—. Hay un mensajero. ¿No quieres verle?

—¡Por el esplendor de Dios! Se me había olvidado.

Retiróse Malluch y acto seguido entró un apuesto mancebo de delicadas maneras y gentil apariencia.

—Iras, hija de Baltasar, que también conoce al buen jeque, me encomienda que felicite a Ilderim por el triunfo de sus caballos.

—La hija de mi amigo es muy amable —dijo éste, brillantes los ojos de alegría—. Entrégale este anillo en prueba del placer que su mensaje me proporciona.

Y sacándose de un dedo un valiosísimo anillo, lo entregó al mensajero.

—Lo haré tal como dices, ¡oh, jeque! —replicó el joven, y continuó—. La hija del egipcio me encarga, además, que hagas saber al joven Ben-Hur que su padre ha ido a habitar por algún tiempo en el palacio de Iderneo, en donde será recibido después de la hora cuarta de la mañana. Y si el jeque Ilderim le transmite este mensaje, ella le quedará muy agradecida.

El jeque miró a Ben-Hur, cuyo semblante estaba rojo de placer.

—¿Qué piensas hacer? —le preguntó.

—Con tu permiso, ¡oh, jeque!, iré a ver a Iras.

Ilderim se echó a reír. Luego dijo:

—¿No es lícito a un hombre gozar de su juventud?

Ben-Hur respondió al mensajero:

—Dile a quien te envía que yo, Ben-Hur, me complaceré en verla mañana al mediodía en el palacio de Iderneo.

Levantóse el adolescente, hizo una reverencia y partió.

El jeque emprendió la marcha a media noche, después de haber convenido con Ben-Hur en dejarle un caballo y un guía que le indicara el camino para reunirse de nuevo con él después de la cita del día siguiente.

CAPÍTULO XVI

EN EL PALACIO DE IDERNEO

Ben-Hur se dirigió desde el Onfalo, que era como el corazón de la ciudad, al punto en que la bella egipcia le dio cita, y por la columnata de Herodes pronto llegó al palacio de Iderneo.

Entró en un vestíbulo de escalinatas laterales, cubierto y flanqueado de leones alados, que le condujo a un pórtico. La arquitectura, los leones, los muros, el pavimento y el ibis que en el centro de la escalinata esparcía una fina lluvia, denotaba el arte egipcio.

En el pórtico de graciosas y finas columnas de mármol blanco, se adivinaba, en cambio, la concepción griega.

Ben-Hur detúvose a la sombra del pórtico y admiró su delicada belleza y, después, pasó al interior del palacio. Ante él se abrió una gran puerta de doble hoja y se halló en un pasaje de alto techo, pero angosto; el pavimento y las paredes, de un color rojizo, eran, sin embargo, en su propia sencillez, como un aviso de las bellezas que le esperaban.

Avanzaba poco a poco, paladeando anticipadamente el encuentro con Iras. Como siempre, le encantaría con sus historias, con su maravilloso canto, su tono alegre, con su brillante talento, caprichoso y poblado de fantasía, con su sonrisa y sus miradas, que sugerían todas las voluptuosidades de Oriente. Era dichoso y su alma se cernía en la región de los sueños.

El pasaje le llevó ante una puerta cerrada, que se abrió por sí sola apenas llegó a ella, sin rechinamiento ni ruido de cerrojos, en un maravilloso silencio. La extrañeza que le produjo este hecho quedó relegada en seguida ante el espectáculo que se ofreció a sus ojos.

Desde la sombra del silencioso pasaje, y bajo el dintel de la puerta, sus ojos vieron el atrio de una casa romana, amplio y suntuoso en sumo grado. No podría describirse con certeza la magnitud de la estancia, que se prolongaba hasta dar la ilusión de una perspectiva infinita, como un maravilloso escenario; jamás había visto un interior que pudiera compararsele.

Al detenerse y mirar en derredor, vio el pavimento de mosaico; precisamente en aquel instante ponía los pies sobre el pecho de una Leda que acariciaba un cisne; más lejos vio que todo el pavimento era igualmente un mosaico de pinturas de temas mitológicos. Sillas, sillones, esculpidas mesas y lechos de reposo, todo de gran riqueza y variedad de dibujo, que se reflejaban en la tersa superficie del pavimento como en un lago de cristalina agua. Incluso los paneles de las paredes, con sus pinturas al fresco y sus bajorrelieves, eran reflejados por el suelo, como un límpido espejo. El impluvio, bajo el techo abierto en un espacio cuadrado por donde entraba la luz del sol, estaba rodeado de una verja de bronce. Los pilares eran dorados y sostenían los cuatro ángulos del lucernario brillando a la luz del sol, y su reflexión por el suelo parecía hundirlos a infinita profundidad. Profusión de bellísimos candelabros, maravillosas estatuas y jarrones magníficos; el conjunto era digno de la célebre mansión que Cicerón compró a Creso sobre el palatino, o de aquella otra, aún más famosa por su lujo escandaloso, denominada la villa Tusculana de Escauro.

Ben-Hur vagó por la estancia silenciosamente, perdido en sus fantasías y esperando, como encantado por lo que se ofrecía a sus ojos, algo delicioso en grado sumo. No le causó extrañeza la soledad de la estancia. En toda casa romana de importancia, el atrio era la sala de recepción de los visitantes. Pensó que cuando Iras estuviese arreglada, vendría en persona o le mandaría una esclava. Varias veces dio la vuelta a la estancia. Pasaba el tiempo y nadie acudía. Iras tardaba demasiado. Para entretener el tiempo púsose a interpretar las historias mitológicas representadas en los mosaicos, y los efectos de luz y sombras que ofrecían los objetos. En su espíritu comenzaba a nacer una ligera inquietud que iba acrecentándose en su impaciencia hasta borrar todo el encanto de sus ensueños. Miró con más cuidado a su alrededor, extrañándole sobremanera el impresionante silencio que reinaba en la casa; sin saber por qué se sintió inquieto y desconfiado. No obstante, desechó este sentimiento con una sonrisa, esperando todavía las delicias prometidas.

—¡Oh! Iras debe estar ante su tocador, dándose las últimas pinceladas a sus bellos ojos, o tejiendo quizá una bella guirnalda para mí. No se hará esperar ya, y se me aparecerá tanto más bella, cuanto más esperada.

Se sentó y se puso a admirar la delicada feligrana de un candelabro de bronce. En su base, sobre un plinto, una sacerdotisa celebraba ante un altar. Nada. Continuaba el silencio absoluto, llenándole de inquietud, estaba atento al menor ruido, sin dejar de contemplar el candelabro. El palacio seguía como una tumba.

¿Habría habido algún error? No era posible. El mensajero enviado por Iras concretaba en el palacio de Iderneo, y allí se hallaba él. Recordó entonces la forma misteriosa en que le fue abierta la puerta y con qué silencio volvióse a cerrar por sí misma.

—¡Voy a ver! —se dijo.

Aunque caminaba ligeramente, sus pisadas resonaban muy alto en el atrio, y se alarmó. Estaba nervioso. Todos sus intentos por abrir la puerta fueron nulos. Empleó todo su vigor en ello, pero el resultado fue el mismo: la puerta ni se movió. Entonces le sobrecogió el presentimiento de un peligro, y se preguntó qué debía hacer. ¿Quién tenía motivo en Antioquía para causarle daño? ¡Messala! ¿Y este palacio de Iderneo? Había contemplado Egipto en el vestíbulo; Atenas en el blanco pórtico; pero allí en el atrio, estaba Roma; todo hacía suponer un propietario romano. En verdad que el palacio, situado en la gran arteria de la población, resultaba un sitio demasiado público para cometer una violencia, pero esta misma razón concordaba con la audacia de su enemigo. Vio el atrio con nuevos ojos; toda su belleza y elegancia no era sino una trampa en la que se hallaba aprisionado. Nuestros temores pintan siempre las cosas de sombríos colores.

Estos pensamientos irritaron a Ben-Hur. Vio puertas a derecha e izquierda del atrio, que debían conducir a los dormitorios e intentó abrir alguna. Todas estaban cerradas herméticamente. Pensó hacer ruido, llamar, atraer a alguien, pero sintió vergüenza de sus temores. Se dirigió a un lecho, se acostó e intentó reflexionar.

Según todas las apariencias, se hallaba prisionero. Pero, ¿qué se proponían? ¿Y quién? ¿Sería obra de Messala? Miró a su alrededor y una sonrisa de desafío se dibujaba en sus labios. Había un arma en cada mesa, mortífera en su mano. Pero muchos pájaros han muerto de hambre en su dorada jaula... ¿Harían así con él? Las mesas y las camas le servían de arietes y se sentía bastante fuerte, sin contar con las fuerzas que la desesperación presta en los casos extremos.

Messala en persona no podría ir. Jamás podría sostenerse sobre sus piernas; era tan inválido como Simónides. Podía, sin embargo, impulsar a otros. ¿No encontraría acaso quién admitiese el precio de su sangre?

Se levantó e intentó de nuevo abrir las puertas. Después llamó, gritó, y el eco que devolvió el salón le hizo estremecer. Sobreponiéndose intentó calmarse y se propuso esperar todavía, antes de forzar una de las puertas.

La inquietud y la expectación fluctuaban en su espíritu. Después de un largo rato, cuya duración no pudo precisar, llegó a la conclusión de que se trataba sólo de un accidente o de un descuido. El palacio pertenecía sin lugar a duda a alguien; cuidaría alguien de él y este alguien no tardaría en venir. ¡Calma! Consolándose de este modo, decidió esperar...

Habría pasado media hora, cuando la puerta por la que él había entrado se abrió, y tan silenciosamente como antes y sin atrer su atención, volvió a cerrarse. En aquel momento se hallaba sentado en la parte extrema de la habitación.

El ruido de unos pasos le sorprendió.

—¡Por fin viene ella! —se dijo, estremeciéndose de placer, y se puso en pie.

En andar era pesado, como de unos pies calzados con groseras sandalias. Las columnas doradas que se hallaban entre él y la puerta no le dejaban ver; en el silencio se adelantó y se apoyó en una de ellas.

Oía ahora voces masculinas, una de ellas bronca y gutural. No podía entender lo que hablaban, porque su lenguaje no era ninguno de los de Oriente ni del sur de Europa.

Al desviarse los extranjeros hacia la izquierda se mostraron a sus ojos. Eran dos, uno singularmente robusto, ambos altos y vestidos con cortas túnicas. No tenían aspecto de amos ni de sirvientes. Se extasiaban ante lo que veían; se detenían ante cada objeto para examinarlo y tocarlo. Eran dos seres vulgares y groseros. Su presencia parecía profanar el atrio. Al mismo tiempo, la tranquilidad y seguridad con que avanzaban denotaban que estaban allí con algún fin determinado. ¿Cuál era éste?

A cada momento se aproximaban más a la columna en que Ben-Hur se apoyaba. Una estatua que resplandecía bañada por un rayo de sol, llamó su atención; acercáronse a ella y les dio plenamente la luz.

Entonces, Ben-Hur sintió correr por su espalda un escalofrío al darse cuenta del peligro que le amenazaba, pues reconoció en el hombre más alto y robusto de los dos que habían entrado, de cara abultada, desnudos miembros cubiertos de cicatrices y hombros hercúleos, al normando a quien el día anterior se coronó como vencedor del pugilato.

El instinto le advirtió que era demasiado buena, para ser meramente casual, la oportunidad de cometer un asesinato. Allí estaban los verdugos y la víctima no podía ser otra que él mismo. Dirigió una ansiosa mirada al compañero del normando, un joven de ojos y cabellos negrísimos, judío en apariencia, y observó que, como el coloso, llevaba las cortas túnicas que solían llevar los púgiles para sus combates en la arena. .Reuniendo, pues, todas las conjeturas, Ben-Hur no podía tener ya duda alguna; había sido atraído al palacio con un plan bien definido;

sin que nadie pudiera prestarle auxilio, en aquel lugar espléndido, estaba condenado a morir.

Sus ojos iban del uno al otro, y en su interior se verificaba ese fenómeno moral en que la vida entera pasa ante los ojos de nuestra conciencia y la contemplamos como si se tratara de la vida de otra persona. Desde el fondo de esa oscura profundidad, y como si una mano invisible fuera sacando las cosas a la luz, se le ofrecía una visión de la nueva vida en la que apenas acababa de entrar, que se diferenciaba de la antigua en que, si hasta entonces él había sido la víctima, sería en adelante el victimario. ¿El día anterior no había inmolado su primera víctima? A un alma sinceramente cristiana, este recuerdo le habría producido remordimiento. Mas el espíritu de Ben-Hur había sido alimentado en las enseñanzas del primer legislador judío, y éste no era ni el último ni el más grande. Había castigado duramente a Messala, pero no cometido con él injusticia. Con permiso del Señor, había triunfado, y tenía una gran fe, de la cual dimanaba su fuerza, especialmente cuando se hallaba ante un peligro inminente.

La nueva vida en la que ahora estaba aparecía ante sus ojos como una misión tan santa como la del Santo Rey que todos esperaban; una misión en la que el uso de la fuerza aparecía como perfectamente legal, aunque no fuera sino por ser absolutamente inevitable. ¿Por qué tener miedo en el umbral de su carrera? Adelante, pues.

En un momento desabrochó la faja de su cintura, destocó su cabeza y se quitó todos sus distintivos judíos, quedando únicamente vestido con una túnica semejante a la de sus enemigos. Estaba ya dispuesto en cuerpo y alma. Cruzándose de brazos, apoyó la espalda contra la columna y esperó.

El examen de la estatua duró breves instantes. El normando se volvió y dijo unas frases en aquel desconocido idioma; ambos vieron a Ben-Hur; cruzaron unas palabras y se adelantaron hacia él.

—¿Quiénes sois? —preguntó en latín Ben-Hur.

El normando esbozó una sonrisa que no suavizó en su rostro nada de su brutal grosería.

—Dos bárbaros —contestó.

—Este es el palacio de Iderneo. Deteneos y contestad. ¿A quién buscáis?

Los extranjeros se detuvieron y a su vez preguntó el normando:

—Y tú, ¿quién eres?

—Un romano.

Echó la cabeza atrás el normando.

—¡Ja! ¡Ja! ¡Ja! He oído decir cómo vino Dios al mundo en cierta ocasión, por haber lamido una vaca una piedra de sal; pero ni Dios puede hacer romano a un judío.

Cuando cesó en su risa, dirigió nuevamente la palabra a su compañero y ambos avanzaron.

—¡Quietos! —dijo Ben-Hur, abandonando su pilar—. Oídme una palabra.

Los dos se pararon de nuevo.

—¡Una palabra! —replicó el coloso, cruzándose de brazos, mientras una expresión amenazadora oscurecía su rostro—. ¡Una palabra! Di.

Tú eres Thord, el normando.

Abrió sus ojos azules el gigante.

—En Roma eras lanista.

Thord hizo una señal de afirmación.

—Yo fui uno de tus discípulos.

—No —replicó Thord, moviendo la cabeza—. Por las barbas de Herminio, jamás he tenido judío alguno para convertirlo en gladiador.

—Yo probaré lo que te digo.

—¿Cómo?

—Vosotros venís a matarme.

—Es cierto.

—Entonces, deja que tu compañero luche conmigo y te demostraré con hechos lo que te he dicho.

Una chispa de buen humor brilló en la ancha cara del normando.

Habló con su compañero; éste le contestó en la misma extraña lengua y, con la misma alegría de un niño que quiere divertirse, Thord exclamó:

—Estad atentos a que yo os dé la señal de empezar.

Arrastró un lecho de reposo hasta el lugar que le pareció más conveniente, se acostó en él extendiendo su corpachón y, cuando estuvo cómodo, dijo sencillamente:

—¡Empezad!

Avanzó Ben-Hur hasta su antagonista y le dijo:

—¡Defiéndete!

El hombre puso en guardia sus brazos sin hacérselo repetir.

Así, plantado el uno frente al otro en la posición académica del pugilista ante adversario, no parecía existir gran diferencia entre los dos; por el contrario, parecían hermanos gemelos. A la confiada sonrisa del extranjero oponía el judío una seriedad que el otro no podía prever de qué destreza era anuncio. Los dos sabían que el combate era mortal.

Ben-Hur amagó un golpe con su derecha; el extranjero paró; se guardó naturalmente con la izquierda, avanzando ligeramente el brazo. Pero ocurrió algo sorprendente. Antes de que pudiera retirarlo a su posición, Ben-Hur, con la velocidad del rayo, lo asió por la muñeca con aquel terrible puño que tres años de remo habían hecho de acero, irresistible y experto. La sorpresa fue tan completa como fulminante la acción. Lanzarse hacia delante, impulsar este brazo hacia la garganta y hombro derecho del contrincante, haciéndole así ejecutar una media vuelta que dejó al descubierto su costado izquierdo; golpear con su puño derecho, hiriéndole en la nuca, detrás de la oreja, fueron movimientos rápidos y diversos de una sola acción terrible. No hubo necesidad de un nuevo golpe. El púgil cayó pesadamente sin lanzar un grito y quedó con la inmovilidad de un cadáver.

Volvióse entonces Ben-Hur a Thord.

—¡Ah! ¿Qué? ¡Por las barbas de Herminio! —gritó éste, asombrado, incorporándose en el lecho y rompiendo a reír a carcajadas—. ¡No lo hubiera hecho yo mejor!

Contempló a Ben-Hur fríamente, de pies a cabeza y, levantándose, se acercó sin disimular su admiración.

—Es mi truco, el que he practicado durante años en las escuelas de Roma. Tú no eres judío. ¿Quién eres?

—¿Recuerdas a Arrio, el duunviro?

—¡Quinto Arrio! Sí, era mi patrono.

—Tenía un hijo.

—Sí —replicó Thord, y sus abotargadas facciones se animaron con una expresión de inteligencia—. Conocí al hijo; hubiera llegado a ser un magnífico gladiador. El mismo César se ofreció a patrocinarle. Yo le enseñé el golpe que tú has empleado; una treta imposible de ejecutar a no tener un brazo como el mío, y que me ha hecho ganar más de una corona.

—Yo soy el hijo de Arrio.

Thord se aproximó a él y le examinó atentamente, brillaron sus ojos con un placer ingenuo y, riendo, le tendió la mano.

—¡Ja! ¡Ja! ¡Ja! ¡Y él me había dicho que encontraría un perro judío, cuya muerte sería el mejor presente hecho a los dioses!

—¿Quién te lo dijo? —preguntó Ben-Hur, estrechando su mano.

—¡Messala! —rió.

—¿Cuándo, Thord?

—Ayer noche.

—Yo creí que estaba malherido.

—Jamás volverá a caminar. En su lecho estaba cuando entre lamentos me lo dijo.

Una vívida imagen del odio había sido expresada en esas palabras. Ben-Hur diose cuenta que mientras viviera el romano sería siempre peligroso y que le perseguiría sin descanso. No quedaba otra cosa que le endulzara la vida sino la venganza; él le había arrebatado la gloria y convertido en un inválido, y Sanbalat la fortuna. Ben-Hur revisó en su imaginación con toda claridad los distintos modos en que su enemigo llegaría a ser un estorbo peligroso en la tarea que iba a emprender por el rey que debía llegar. ¿Por qué no recurrir a los medios que el romano empleaba? El hombre que había empleado para matarle podía, a su vez, alquilarlo para deshacerse de aquella bestia feroz. Sólo era cuestión de ofrecer un salario mayor. Casi cedió a la tentación, tan fuerte era ésta. Pero al mirar a su enemigo tendido boca arriba, forjó en seguida un plan y preguntó a Thord:

—Dime, ¿cuánto te ha dado Messala por matarme?

—Mil sestercios.

—Podrás cobrarlos aún, si haces lo que te digo, y añadiré por mi parte tres mil más.

El coloso reflexionó en voz alta:

—Ayer gané cinco mil; más mil del romano hacen seis mil. Dame cuatro mil, buen Arrio, sólo cuatro mil y me tendrás a tu disposición, aunque el viejo Thord, mi tocayo, me aniquile con su martillo. Dame los cuatro mil y mato al patricio si lo deseas. Sólo tendría que cubrirle la boca con mi mano... así...

Ilustrando la acción con un ademán, puso su mano sobre su propia boca.

—Entendido —dijo Ben-Hur—; diez mil sestercios son una fortuna. Con ellos podrás volver a Roma y abrir una tienda de vinos cerca del circo Máximo y vivir cual conviene al primero de los lanistas.

Hasta las cicatrices de la cara del gigante enrojecieron de placer al oír la pintura del porvenir soñado.

—Tendrás los cuatro mil —le dijo Ben-Hur—, y por ese dinero no tendrás que manchar tus manos en sangre. Oyeme bien, Thord. ¿No es cierto que tu compañero se parece a mí?

—Hubiera dicho que es una manzana del mismo árbol.

—Bien; si le visto con mi traje y me pongo su túnica, y tú y yo nos marchamos juntos, dejándole aquí, ¿no cobrarás tus sestercios de Messala igualmente? No te costará trabajo convencerle de que ya estoy muerto.

Thord se reía hasta saltársele las lágrimas.

—¡Diez mil sestercios! ¡Ja, ja, ja! Jamás gané tal suma con tanta facilidad. ¡Y una tienda de vinos junto al Máximo! ¡Todo por un embuste y sin una pizca de sangre! —rió nuevamente—. Dame tu mano, hijo de Arrio. Vete descuidado ahora... Si vuelves a Roma, no olvides de preguntar por la tienda de vinos de Thord, el normando. ¡Por las barbas de Herminio! ¡Tendrás el mejor vino aunque deba quitárselo al César!

De nuevo se estrecharon las manos y procedieron al cambio de vestidos. Acordaron que, por la noche, un mensajero iría a la casa de Thord con los cuatro mil sestercios. Cuando terminaron, el coloso llamó a la puerta de entrada, la cual se abrió en seguida. Salieron ambos al atrio y dirigiéndose a una habitación contigua donde Ben-Hur completó su atavío con los bastos trajes del pugilista muerto. Se separaron en el Onfalo.

—No faltes, ¡oh, hijo de Arrio! ¡No faltes a mi tienda de

Herminio, jamás pensé ganar una fortuna con tanta facilidad. ¡Que los dioses te protejan!

Ben-Hur, antes de abandonar el atrio, echó una ojeada sobre el púgil tendido en el suelo, y quedó satisfecho al verlo en su traje judío, pues el parecido con él era notable. Si Thord cumplía su palabra, el engaño quedaría secreto para siempre.

Por la noche, en casa de Simónides, Ben-Hur relató lo que le había ocurrido en el palacio de Iderneo y convinieron en que pasados unos días, se haría una deposición ante la autoridad para que procediese a la búsqueda del hijo de Arrio. Si fuera necesario acudirían al propio Majencio y, si no se descubría el misterio, dejarían tranquilo a Messala y a Graco, que se considerarían libres de su enemigo y felices. Ben-Hur podría con libertad ir a Jerusalén y hacer toda suerte de investigaciones sobre la muerte y el paradero de su familia.

Al despedirse los dos, Simónides estaba sentado en su sillón, en la azotea, contemplando el río; le deseó un buen viaje y la paz del Señor con la ternura de un padre. Ester fue a despedirle hasta la escalera.

—Si encuentro a mi madre, Ester, vendrás con ella a Jerusalén para que seas la hermana de Tirzah.

Y al pronunciar estas palabras, la besó.

¿Fue sólo un beso de paz?

Cruzó el río cerca del último campamento de Ilderim, donde encontró al árabe que debía servirle de guía.

Tomaron los caballos.

—Este es el tuyo.

Ben-Hur lo reconoció. ¡Era «Aldebarán». El más veloz y magnífico hijo de «Mira», al que más quería Ilderim después de «Sirio», y se dio cuenta que tras este don habría quedado sangrando el corazón del buen jeque.

El cadáver hallado en el patio del palacio Iderneo, fue recogido y enterrado de noche, y como parte del plan de Messala le envió éste a Graco un correo anunciándole la muerte de Ben-Hur, para que quedara satisfecho.

Poco tiempo después, cerca del Máximo de Roma, se veía una tienda de vinos con esta muestra sobre su puerta:

THORD, EL NORMANDO

LIBRO VI

¿Es esta la muerte, o acaso hay dos? ¿Es la muerte compañera de esta mujer?

. . . .

La piel era blanca, como de lepra, pesadilla de la muerte en vida, que hiela la sangre en las venas.

COLERIDGE

CAPÍTULO PRIMERO

LA TORRE ANTONIA - CELDA NUMERO VI

Nuestra historia da un salto de treinta días a partir de la noche en que Ben-Hur salió de Antioquía, para reunirse en el desierto con el jeque Ilderim.

En este espacio de tiempo ha ocurrido un gran cambio en lo que afecta a la suerte de nuestro héroe. ¡Valerio Graco ha sido substituido por Poncio Pilatos!

Este cambio le costó a Simónides la cifra exacta de cinco talentos, en moneda romana, puesta en la mano de Sayano, por aquel entonces en el apogeo de su poder como favorito imperial. Su objeto era ayudar a Ben-Hur, mermando sus riesgos mientras se dedicaba en Jerusalén a la búsqueda de su familia.

Dedicó a este piadoso empleo el fiel servidor de Ben-Hur las ganancias que obtuvo de Druso y sus compañeros, los cuales, habiendo pagado sus apuestas, se hicieron, como suele suceder, enemigos acérrimos de Messala, cuyo descrédito en Roma llegó a ser completo.

En tan corto tiempo ya habían tenido ocasión los judíos de persuadirse de que no habían ganado en el cambio.

La cohorte enviada para el relevo de la guarnición de Torre Antonia entró en la ciudad por la noche y fijó las insignias militares en las murallas. Al día siguiente, un sinnúmero de personas, a quienes la vista de aquellos bustos del emperador mezclados con las águilas y los globos había exasperado, se dirigió a Cesárea en donde tenía su residencia Pilatos y le rogó que retirara aquellos detestados símbolos del poder romano. Cinco días con sus noches asedió las puertas de su palacio sin conseguir que aquél les recibiera; al fin les indicó el circo como lugar de reunión. Cuando supo que estaban allí, los rodeó de soldados, y ellos, en vez de defenderse se humillaron y le ofrecieron sus vidas. Pilatos, por fin, mandó llevar a Cesárea aquellas imágenes o insignias que Graco, con más miramiento había tenido cuidado de no exhibir en los once años de su gobierno.

El más depravado de los hombres puede ocultar su maldad bajo buenas aciones; esto fue lo que sucedió con Pilatos.

Comenzó por disponer una inspección de todas las prisiones de Judea, y que se hiciese una relación de todas las personas recluidas, indicando sus delitos. Sin lugar a duda, el móvil era el que suele guiar a las personas recién nombradas para un cargo; el temor de asumir las responsabilidades que corresponden a su antecesor. El pueblo, no obstante, viendo que esta disposición podría redundar en bien de la justicia, les da crédito y de momento les atribuye buena fe.

Las revelaciones fueron asombrosas. Cientos de personas, contra las que no había inculpación alguna, fueron puestas en libertad y muchos a quienes hacía largo tiempo se les daba por muertos, tornaron a la luz del día. Pero lo más sorprendente fue que cuando se abrieron algunos torreones, aparecieron prisioneros desconocidos entonces por el pueblo y hasta olvidados por las mismas autoridades. Una de estas circunstacias fue la que se dio en Jerusalén, en la Torre Antonia.

La Torre Antonia ocupaba las dos terceras partes del monte Moria y fue en su origen una ciudadela construida por los macedonios. Después Juan Hircano convirtió el castillo en fortaleza para la defensa del Templo y en aquel tiempo era considerada como inexpugnable; pero Herodes, con su genio atrevido, quiso reforzarla más prolongando sus murallas. En su recinto había instaladas oficinas, cuarteles, arsenales, enormes almacenes de provisiones, cisternas y finalmente prisiones para todas las clases sociales.

Los romanos encontraron la Torre en estas condiciones y se dieron cuenta de su importancia y de las ventajas que les reportaría.

Durante el tiempo que duró la administración de Graco fue una ciudadela romana y una formidable prisión para quienes eran acusados de revolucionarios. ¡Ay de aquellos que en un día de insurrección eran apresados por la cohorte, convictos de rebelión! El judío que entraba allí no volvía a ver la luz del sol.

Con esta aclaración previa, reanudemos nuestra historia.

El mandato del nuevo gobernador, que reclamaba un estado circunstanciado de todas las personas encarceladas, fue recibido en la Torre Antonia y ejecutado inmediatamente. El expediente, dispuesto para ser enviado, estaba sobre la mesa del tribuno comandante de la Torre. Dentro de unos minutos debía ser enviado a Pilatos, que habitaba en el palacio de monte Sión, y el gobernador esperaba, hastiado, pues era casi la hora séptima.

Los subordinados y escribas estaban también impacientes.

En el tedio de la espera, apareció por fin un guardián cargado con un manojo de llaves enorme, cuyo ruido atrajo la atención del jefe.

—¡Ah, Gesio! Pasa —dijo el tribuno.

Al acercarse el recién llegado todos le miraron y al notar cierta expresión de alarma y de contrariedad en su cara, quedaron en silencio.

—¡Oh, Tribuno! —dijo, haciendo una profunda inclinación—. Me da temor decirte lo que me trae a tu presencia.

—Otro error. ¿Es eso, Gesio?

—Si estuviera seguro de que es sólo eso no temería tanto.

—Un crimen, entonces; o algo peor aún, una traición. Cualquiera puede burlarse del César o renegar de los dioses y escapar al castigo, pero si la ofensa es contra las aguilas... ¡Ah! Ya sabes, Gesio... Dime...

—Hace alrededor de ocho años que Valerio Graco me nombró carcelero de las prisiones de la Torre —dijo el hombre, cautamente—. Aún recuerdo el día en que me hice cargo de mi nombramiento. La víspera había habido un disturbio y la sangre corrió por las calles. Matamos a varios judíos y nosotros tuvimos algún herido. Se corrió la voz de que habían querido asesinar a Graco, a quien de una pedrada en la cabeza, lanzada desde una azotea, derribaron del caballo. Yo le encontré sentado en donde ahora te sientas tú, ¡oh, tribuno!, con la cabeza vendada. Me notificó que había sido nombrado para este cargo y me hizo entrega de las llaves, cada una de las cuales lleva el número del calabozo a que pertenece: son las insignias de mi oficio y Graco me recomendó que no me separase nunca de ellas. Sobre la mesa había un rollo de pergamino y, dándomelo, dijo: «Este es el plano de los calabozos del piso bajo, del primero y del segundo. Te los doy para que los guardes». Los recibí de su mano, y entonces añadió: «Ahora tienes las llaves y los planos; ve en seguida y entérate por ti mismo de la disposición en que se encuentran; visita celda por celda y observa sus condiciones. Si se te ocurre alguna idea que creas necesaria para la seguridad de un prisionero, puedes disponer según tu criterio; a nadie más que a mí me tienes que dar cuenta de lo que hagas». Saludé y me dispuse a marcharme. Cuando ya estaba en la puerta, me llamó de nuevo: «¡Ah! Se me olvidaba —añadió—. Dame el plano del piso bajo». Se lo entregué y extendiéndolo sobre la mesa, me advirtió: «Mira este calabozo, Gesio —y señaló el que estaba marcado con el número V—. En esta celda están encerrados tres hombres muy peligrosos, que no sé de qué medios se han valido para hacerse dueños de un secreto de Estado. Ahora sufren el castigo a su curiosidad, que —añadió, mirándome con severidad—, en ciertos casos, es el peor de los delitos. Así pues, han quedado ciegos y mudos y están confinados allí para toda la vida. No deben recibir otra cosa que la comida y agua que se les entregará por un agujero que hallarás en la pared, donde se abre un ventanuco. ¿Comprendido, Gesio?» Yo asentí y él continuó, con tono amenazador: «Tengo que encargarte algo más; espero que no lo olvidarás jamás si no quieres tener que lamentarlo. La puerta de su calabozo, la del número V del mismo piso, que es ésta —y señaló la marcada con dicho número en el plano—, no debe abrirse en ningún caso y por motivo alguno». «Pero, ¿y si muere alguno de ellos?», dije. «Si muere —respondió—, el calabozo será su tumba. Se les ha metido allí para que mueran y queden olvidados del mundo. Es el calabozo de los leprosos. ¿Me has entendido?» Y sin añadir más palabras me despidió en el acto.

Se detuvo Gesio y de su túnica sacó tres pergaminos que guardaba en el pecho, amarillos y sucios por el uso y el tiempo. Escogió uno. Extendiéndolo sobre la mesa ante Pilatos, dijo con naturalidad:

—Este es el piso bajo.

Todos miraron el siguiente plano:

<table>
<tr><td colspan="5" align="center">PASILLO</td></tr>
<tr><td>V</td><td>IV</td><td>III</td><td>II</td><td>I</td></tr>
</table>

—Yo desearía ahora, ¡oh tribuno!, preguntarte algo —observó con humildad el carcelero.

Asintió el tribuno.

—¿No era mi deber, en dichas cincustancias, mirar si era exacto el plano que veis?

—No podías hacer otra cosa.

El jefe le miró sorprendido.

—No lo es —repitió Gesio—, porque en él no figuran mas que cinco calabozos y son seis.

—¿Seis dices?

—Ahora voy a demostrarte el piso tal como es en realidad, o tal como yo me lo figuro.

Sobre una página de sus tablillas, el carcelero dibujó el siguiente diagrama y se lo entregó al tribuno:

<table>
<tr><td colspan="5" align="center">PASILLO</td></tr>
<tr><td>V</td><td>IV</td><td>III</td><td>II</td><td>I</td></tr>
<tr><td colspan="5" align="center">VI</td></tr>
</table>

—Está bien trazado —dijo el tribuno, examinando el plano y

creyendo que aquí terminaba la historia—. Haremos uno nuevo, corregido, y te lo entregaré. Vuelve mañana y me lo recuerdas.

Y, dicho esto se levantó.

—Escuchamé aún.

—Mañana, Gesio, mañana.

—Lo que tengo que comunicarte es de tal naturaleza que no puede diferirse.

El tribuno lo tomó a broma y se sentó pacientemente.

—No te entretendré mucho —siguió el carcelero, humildemente—; permíteme sólo otra pregunta. ¿No era mi deber creer a Graco en lo que me dijo sobre los tres prisioneros de la celda V?

—Sí, y tu deber era creer que había tres presos, prisioneros del Estado, ciegos y mudos.

—Bien —siguió el carcelero—, pues tampoco es cierto.

—¿No? —exclamó el tribuno con indudable interés.

—Escúchame y juzga tú mismo, ¡oh, tribuno! Como me habían encargado revisé todos los calabozos, comenzando por los del piso superior y terminando por el piso bajo. Respeté, como era mi deber, la orden de no abrir el calabozo número V y durante ocho años se ha pasado diariamente, a través del ventanillo, comida y bebida para tres individuos. Ayer, por vez primera, me acerqué a la puerta con la curiosidad de ver a los miserables que, contra lo que era de suponer, continuaban viviendo. La cerradura no permitía el paso de la llave. Echamos la puerta abajo, que cayó al primer empuje, porque los goznes estaban carcomidos por la oxidación y, al entrar, encontré solamente a un hombre ciego, sin lengua y desnudo. Sus cabellos, largos y sucios, le caían por la espalda. Su piel parecía pergamino. Las uñas de los dedos, que habían crecido, retorcidas como garras de ave de rapiña. Preguntéle sobre sus compañeros, denegó con la cabeza. Al examinar el calabozo, el piso estaba seco y liso, e igualmente las paredes. Si había habido allí tres hombres y dos habían fallecido, ¿en dónde estaban al menos sus huesos?

—Por tanto, crees tú...

—Creo que en el calabozo número V nunca hubo más que un solo prisionero durante estos ocho años.

El jefe, mirando con severidad al carcelero, dijo:

—Ten cuidado con lo que dices; según crees, Valerio Graco te mintió a sabiendas.

Gesio hizo una inclinación.

—Pudo haber sido engañado —replicó.

—No, tenía razón —contestó con calor el tribuno—. Por tu mismo relato se comprende que tenía razón. ¿No me has dicho que durante estos años se ha provisto de comida y bebida a tres personas?

Los que se hallaban presentes aprobaron la penetración de su jefe, pero Gesio de ninguna manera parecía desconcertado.

—Aún no te he contado, ¡oh, tribuno!, más que la mitad del relato. Cuando te hayas enterado de todo, me darás la razón. Ya sabes qué es lo que hice con aquel desdichado, lo mandé bañar, cortar el cabello y vestir, y poniéndolo en la puerta de la Torre, le dejé en libertad. Pero ha vuelto hoy y ha intentado verme a toda costa. Con signos y lágrimas me hizo entender que deseaba volver al calabozo. Cuando accedí, se echó a mis pies y me los besó de tal modo que me inspiró profunda lástima, parecía quererme arrastrar a la celda, y yo me dejé conducir. El misterio de los tres hombres despertaba mi curiosidad, y me alegro de haber cedido a ella.

Todos estaban en silencio, pendientes de sus palabras.

—Cuando entramos en el calabozo, el antiguo prisionero me cogió de la mano conduciéndome a un agujero semejante a aquel por el cual le pasábamos el alimento. Aun cuando era bastante ancho para permitir el paso de un yelmo como el tuyo, yo no me había fijado en él hasta aquel momento. El pobre prisionero me llevó, pues, hasta ese agujero y acercando su boca a él, lanzó un grito inarticulado; como el de una fiera. En respuesta oí un débil gemido del otro lado. Estaba sorprendido. Le aparté y llamé yo mismo, pero al principio no obtuve respuesta. Volví a llamar y, agudizando el oído, percibí estas palabras: «¡Alabado seas, Señor!». En el colmo de mi asombro, ¡oh, tribuno!, reconocí la voz de una mujer. Le pregunté: «¿Quién eres?» Y ella contestó: «Una mujer de Israel, enterrada aquí con su hija. Ayúdanos pronto o moriremos». Las animé asegurándolas que se las socorrería, y ahora vengo a preguntarte qué debo hacer.

El tribuno se puso en pie apresuradamente.

—En verdad, Gesio, tenías razón —le dijo—. Ahora me doy cuenta de ello. El plano era falso, así como la historia de los tres prisioneros. De seguro que hay romanos mejores que Valerio Graco.

—En efecto —dijo el carcelero—. El prisionero me dio a entender que siempre había entregado a las dos mujeres el alimento y el agua que se le daba diariamente.

—Hay que hacer constar todo esto —replicó, mirando a los que le rodeaban, y pensando que lo mejor era tener testigos sobre este feo asunto, añadió—: Vamos a ver a esas dos mujeres. Venid todos.

Gesio se mostró satisfecho.

—Habrá que abrir una brecha en el muro —dijo—. Hallé el sitio en el cual había una puerta, pero está sólidamente tapiado con piedra y cemento.

El tribuno se detuvo y encargó a un escriba que hiciese venir hombres con instrumentos.

CAPÍTULO II

LAS LEPROSAS

«Una mujer de Israel que está aquí con su hija. Socorrednos o moriremos.»

Esa fue la contestación que obtuvo Gesio, el carcelero, del interior de la celda señalada con el número VI en el plano.

Al oír la respuesta, habrá adivinado el lector quiénes eran estas dos desgraciadas: la madre de Ben-Hur y Tirzah, su hermana.

Y así era.

La misma mañana en que fueron detenidas, ocho años ante, Graco ordenó que fueran conducidas a la Torre, que estaba bajo su cuidado y que, por tanto, podía vigilar mejor. Escogió la celda VI porque era inaccesible y, además, porque estaba infestada de lepra. Su propósito no consistía únicamente en guardar a las prisioneras en secreto, sino de tenerlas en un calabozo en donde murieran pronto.

Con este objeto fueron llevadas al calabozo de noche, cuando no hubiera testigos, por unos esclavos. Estos tapiaron la puerta y, después de esta horrible operación, fueron despedidos y alejados de Jerusalén. Para no tener acusaciones, en el incierto caso de que llegase a descubrirse el hecho, y para poder justificar que él solo había pretendido infligir un castigo y no cometer un doble asesinato, Graco prefería que las pobres mujeres fueran víctimas de una muerte natural, aunque lenta. Con este objeto escogió a un condenado y lo hizo encerrar en la única celda inmediata a la ocupada por las dos prisioneras, a fin de que les pasase el alimento, habiéndose antes asegurado su silencio, a cuyo efecto lo eligió ciego y le cortó la lengua.

En ninguna ocasión podría el desgraciado contar la historia, ni volverse contra su juez. Con este ardid, en parte sugerido por Messala, y con el pretexto de castigar a una familia de asesinos, confiscó toda la fortuna de los Hur, de la cual ni la parte más mínima llegó a las arcas del Imperio. Como última pincelada a su obra, Graco separó de las prisioneras al antiguo carcelero, aunque éste nada sabía, pues todo se había llevado a cabo sin su conocimiento, sino con el fin de evitar que lo descubriese algún día, porque era el único que conocía en qué forma estaban dispuestos los calabozos del piso bajo. Después de separarle de sus funciones, mandó Graco hacer otros planos, y éstos fueron los que entregó a Gesio, en los que se omitía la celda número VI.

No podríamos formarnos ni una idea aproximada de los sufrimientos que durante estos ocho años soportaron madre e hija, teniendo en cuenta su posición anterior, la delicadeza de sentimientos y la superioridad moral e intelectual que poseían.

Los sufrimientos que se nos infligen son más o menos intensos según la sensibilidad de cada uno. Si hubiera una súbita ascensión de todos los hombres al cielo, tal como se lo imaginaba una mente cristiana, probablemente no sería tal paraíso para la mayoría, cuando menos en el mismo grado; y a la inversa, todos no sufrirían de igual manera en el infierno. La cultura tiene su fiel. Cuando el espíritu se depura, la capacidad para gozar aumenta en la misma proporción. ¡Dichoso entonces si se salva! Si se condena, ¡ay de su capacidad para el sufrimiento! La contrición, por tanto, debe ser algo más que el remordimiento de conciencia; implica un cambio de naturaleza que nos prepara a la vida celestial. Dense cuenta, pues, los corazones sensibles y compasivos, la terrible, la desesperada situación de aquellos dos inocentes seres.

El calabozo número VI era tal como lo había trazado Gesio. En lo tocante a sus dimensiones, era muy espacioso según se vio después, aunque sus paredes, de roca viva, estaban sin labrar lo mismo que el suelo.

La fortaleza macedónica estuvo en un principio separada del templo por la angosta pero profunda roca, cuya forma podía ser comparada a una cuña. Los obreros, pretendieron excavar una serie de estancias, penetraron en la roca por la parte norte y trabajaron en ella, dejando un techo natural de piedra; ahondando más, construyeron las celdas V, IV, III, II y I, sin que tuvieran conexión con la número VI, únicamente por la número V. De la misma manera excavaron el paso y escalera para subir al piso superior. Emplearon el mismo procedimiento que aparece en las excavaciones de las tumbas de los reyes, que aún hoy pueden verse a poca distancia del norte de Jerusalén. Cuando estuvo terminada la excavación, el calabozo número VI quedó limitado, en su lado exterior, por una muralla de grandiosos sillares, en los cuales dejaron estrechas aberturas para la ventilación. Herodes intervino en el Templo y en la Torre y quiso reforzar más aún esta muralla exterior; tapió todas las aberturas, con excepción de una que dejaba penetrar un poco de aire puro y un débil rayo de luz, apenas suficiente para disipar las profundas tinieblas.

Así era la cueva número VI.

Este relato que nos ofrece la Historia debemos aceptarlo si queremos reconciliarnos con la humana naturaleza, que nos infundiría un invencible horror si nuestros ojos no se fijaran más que en la escena que nos disponemos a describir.

Las dos mujeres estaban juntas en la boca del agujero; sentada la una, y la otra apoyada en la primera; nada hay entre ellas y la desnudez de la roca; ni sillas, ni lecho, ni colchón, ni tan siquiera un montón de paja. Entra transversal un tenue rayo de luz, que les da la apariencia de fantasmas. Nada tienen con qué cubrirse, nada en absoluto; sólo les queda el amor recíproco que las arroja la una en brazos de la otra. Se disipan las riquezas, las comodidades se pierden, han perdido también las esperanzas, pero el amor no nos abandona jamás. El amor es Dios mismo.

Cuando a través de aquel agujero aparecía la luz, sabían que era de día; cuando empezaba a disiparse, comprendían que en el mundo iba a reinar la noche, para nadie tan profundamente oscura y larga como para ellas.

¡El mundo! A través de aquella angosta abertura, volaba su fantasía, en tanto que sus cuerpos pasaban el interminable espacio del día, durante ocho años, en vagar por aquella cueva como espectros, preguntando la una por el hijo y la otra por el hermano querido. Un día se lo imaginaban en el mar, o sobre alguna isla; hoy en esta ciudad, mañana en la otra, y estuviera en un sitio u otro, siempre como un viajero fugitivo, porque, así como ellas vivían esperándole, él viviría buscándolas. ¡Cuántas veces sus pensamientos se habrían cruzado en el espacio infinito, el suyo que venía y el de ellas que iba a buscarlo! ¡Sentían tal dulzura y encanto al decirse la una a la otra: «En tanto que él viva no nos olvidará, y mientras se acuerde de nosotras todavía hay esperanza»!

La madre había sido una mujer de singular hermosura y la hija linda como una niña; ni el más ciego amor podría hoy decir lo mismo. Su largo cabello, enmarañado y extrañamente blanco, produce un estremecimiento de repulsión inevitable. Quizá en ese momento les tortura el hambre y la sed, pues nada han podido comer desde que el prisionero dejó su calabozo, esto es, hace un día.

Tirzah gime tristemente reclinada en su madre y medio abrazada a ella.

—Calla, Tirzah. Ya vendrán. Dios es bueno. Nunca le hemos olvidado ni dejado de orar a cada toque de trompeta en el Templo. La luz dura aún. El sol todavía no se ha puesto, apenas es más de la hora séptima. Alguien vendrá. Dios es bueno. Tengamos fe.

Así habla la madre. Sencillamente, las palabras y el tono cariñoso; Tirzah no era ya una niña, como podía deducirse de la forma en que le hablaba su madre, pues había que añadir ochos terribles años a los que tenía cuando la conocimos.

—Intentaré ser fuerte, madre. Tus sufrimientos deben ser más grandes que los míos; es mi deber y tengo necesidad de vivir para ti y para mi hermano. ¿En dónde estará? Jamás, jamás nos encontrará.

Hay en aquella voz algo que nos hiere de una manera extraña, cierto timbre agudo, seco, metálico, inhumano.

La madre la estrecha contra su pecho y le dice:

—Anoche soñé con él; le veía como ahora te estoy viendo. Ya sabes que los sueños son realidades y nuestros antepasados creyeron siempre en sus revelaciones. ¡Tantas veces les ha hablado el Señor a través de ellos! Yo le veía en el Patio de las Mujeres, precisamente ante la hermosa Puerta; había muchas mujeres con nosotras y él vino y estaba bajo el dintel de la puerta, y miraba a uno y otro lado, a este lado y a aquel. Latía mi corazón con fuerza. Sabía que nos buscaba; extendí mis brazos hacia él y corrí, llamándole. El me oyó y me vio, pero sin reconocerme. Después desapareció.

—¿Y no sería eso lo que sucedería, si, en realidad, fuéramos a buscarle? ¡Hemos cambiado tanto!...

—¿Por qué no?... —La cabeza de la madre se abatió y sus facciones como por un agudo dolor se contrajeron; no obstante, recobrándose, continuó—: Nosotras podemos hacernos reconocer por él.

Tirzah gimió de nuevo y se retorció las manos.

—¡Agua, madre mía, agua, aunque no sea más que una gota!

La madre echó una ojeada a su alrededor, en muda súplica. Pasó ante ella una sombra, apagando la escasa luz que aún iluminaba su espíritu, y se puso a pensar en la muerte como en algo cercano que esperaba apoderarse de ella cuando su fe se extinguiera.

Sin saber qué decir para consolar a su hija, murmuró:

—Ten paciencia, Tirzah; ya vienen, ya están aquí.

En efecto, creyó oír un sonido tras la pequeña abertura, a través de la cual habían tenido la única comunicación con el mundo. Y no fue una ilusión. Un momento después oyó el grito inarticulado del preso que las llamaba. Oyólo también Tirzah y se levantaron ambas, abrazadas todavía.

—¡Alabado sea siempre el Señor! —exclamó la madre, con ferviente fe y renaciendo en su alma la esperanza.

—¿Quién está ahí? —oyeron después—. ¿Quienes sois?

La voz sonó extrañamente en sus oídos. ¿Qué importancia tenía? ¡Eran las primeras y únicas palabras que oían en ocho años! El efecto fue tan grande, como si volvieran de la muerte a la vida.

—Una mujer de Israel enterrada con su hija. Socorrednos pronto o moriremos.

—¡Valor! ¡Mucho ánimo! ¡Ahora vuelvo!

Las mujeres sollozaban gritando. Habían sido encontradas; acudían a ayudarlas. Habían sido halladas y serían puestas en libertad. Y seguiría inmediatamente la restauración de su casa; recobrarían sus bienes: casa, amigos, propiedades, ¡y a su hijo, a su hermano! La escasa luz se convirtió en el resplandor del paraíso y, olvidándose del tormento del hambre y de la sed, y de la amenaza de muerte, cayeron al suelo gritando, sin soltarse de los brazos.

Y el tiempo de la espera ya no se les hizo largo.

Gesio, el carcelero, hizo su narración metódicamente, pero al fin concluyó con ella, como hemos visto. El tribuno era diligente.

—¿Quién hay ahí dentro? —gritó, a traves de la abertura.

—¡Somos nosotras! —gritó la madre, levantándose.

Tras breves momentos oyóse del otro lado del muro el ruido dè golpes repetidos; rápidos, producidos por unos picos. No hablaron, pero escuchaban anhelantes, comprendiendo el significado de aquellos golpes: les abrían el camino de la libertad.

Los brazos que golpeaban eran fuertes, diestras las manos, la voluntad generosa. A cada instante eran más perceptibles, más claros; se oían caer fragmentos de roca; la libertad estaba próxima. Ahora ya podían oír a los trabajadores. De pronto, ¡oh, dicha!, vieron brillar a través de la hendidura el rayo rojo de una antorcha. En las tinieblas que llenaban la celda parecía el brillo de un diamante, hermoso como el lucero de la mañana.

—¡Es él, madre, es él! ¡Por fin nos ha encontrado! —gritó Tirzah, con la viva imaginación del adolescente.

Pero la madre, con dulzura, respondió:

—¡Dios es bueno!

Cayó un bloque dentro de la celda; luego otro... Al fin se desmoronó ruidosamente una gran parte. La puerta quedaba abierta.

Un hombre, blanco de yeso y polvo, saltó dentro, agitando una antorcha sobre su cabeza. Le siguieron los otros, provistos también de antorchas, y se hicieron a un lado con respeto, para dar paso al tribuno.

El tribuno se detuvo cuando vio que huían de él, no por temor, sino de vergüenza solamente, ¡oh, lector! Desde el oscuro rincón en donde se habían refugiado oyó estas terribles y desesperadas palabras:

—¡No os acerquéis! ¡Somos impuras! ¡Impuras!

Temblaron las antorchas en las manos de los hombres, que se miraron unos a otros.

—¡Impuras! ¡Impuras! —sonaba la voz desde el rincón, lenta, temblorosa, como un gemido de agonía.

Cumplía así su deber en el momento de la libertad, que ellas habían soñado tantas veces y por la que día a día habían rogado.

Tirzah y ella eran... ¡leprosas!

Quizá el lector desconozca el horrible significado de esta palabra en toda su gravedad. La ley de aquel tiempo, que solamente se ha modificado un poco en el nuestro, dice:

«Estos cuatro deben contarse entre los muertos: el ciego, el leproso, el pobre y el que no tiene hijos». Así lo establece el Talmud.

Ser leproso equivalía a estar muerto, a ser excluido de la sociedad como un cuerpo pútrido. Aquellos que más les aman no se atreven a hablarles sino a distancia; los derechos de que gozan los demás no existen para ellos; el Templo y las sinagogas les niegan sus ritos y les cierran sus puertas; van cubiertos de andrajos, con la boca tapada, a menos que tengan que gritar: «¡Impuro! ¡Impuro!» Solamente pueden vivir en el desierto o en las tumbas abandonadas convertidos en espectros que vagan por el Hinnón y la Gehena.

Hacía tiempo —no podía determinar el día ni el año, porque en aquel infierno el tiempo se sucedía terriblemente monótono y desesperante—, la madre sintió en la palma de la mano derecha como una costra seca, una cosa al parecer insignificante, que procuró lavar para hacerla desaparecer; pero volvió a presentarse y persistió con tenacidad. Poco se hubiera preocupado de ella, hasta que Tirzah se quejó de sufrir las mismas costras y los mismos síntomas. Era escasa el agua que les suministraban y se privaban de una parte de ella para usarla como remedio Por toda la mano se extendió la repugnante llaga; la piel se arrugó reseca, y saltó en horribles costras; se desprendieron las uñas de los dedos. No padecían grandes dolores, pero sentían un malestar general que aumentaba día a día. Luego comenzaron a resecarse y agrietarse los labios. La madre, que profesaba el culto a la limpieza, combatió de mil maneras contra la suciedad de la celda. Temiendo que la terrible enfermedad hubiera hecho presa en el rostro de Tirzah, la llevó a la luz y vio con indecible horror que las cejas de la joven eran blancas como la nieve.

¡Qué terrible angustia la de aquella certeza insoportable!

Sentada en un rincón, silenciosa, inmóvil, era incapaz de sentir ni pensar más que una sola cosa: «¡La lepra! ¡La lepra!».

Cuando recobró un poco de sosiego, olvidóse de sí misma para pensar solamente en la desgracia de su hija y, como madre, su ternura natural se convirtió en valor, sintiéndose dispuesta para el último y más extremo sacrificio del heroísmo. Guardó en el fondo de su corazón este secreto y, sin esperanza para ella misma, extremó sus cuidados por Tirzah con admirable ingenio.

Siguió manteniendo oculta a su hija la verdadera naturaleza de aquel mal que las corroía, haciéndole concebir la esperanza de que no era cosa grave. La distraía contándole historias mil veces repetidas, o las inventaba o bien la hacía cantar complaciéndose en oírla. Y los salmos, entonados por sus secos y carcomidos labios, le servían de gran alivio en sus amarguras. Una escama blanca que les cubría la cabeza devoraba sus labios y cejas y se apoderaba de sus cuerpos, extendiendo sus costras. Al penetrar en la garganta, dio aquel sonido estridente y extraño a su voz, invadiendo las articulaciones y endureciendo los tejidos y cartílagos.

Todos estos síntomas eran conocidos por la madre y sabía que no tenían salvación; la lepra seguiría su curso, atacando los pulmones, y arterias, carcomiendo los huesos; y cada vez el mal progresaba más, haciendo mayores estragos y más repugnantes los sufrimientos. Así continuarían lenta, muy lentamente, hasta la muerte, que aún podía tardar muchos años.

Terrible fue el día en que no pudo ocultar por más tiempo el nombre de la enfermedad. En su desesperada agonía rezaron para que el fin de sus miserias se produjese cuanto antes.

A pesar de todo llegó un día en que, resignadas, lograron hablar de su enfermedad; a pesar de la horrible transformación que iba operándose en ellas, se aferraban más y más a la vida. A cada momento recordaban el único lazo que las ligaba a la tierra; su hijo y su hermano, al que creían olvidadizo en sus momentos de desesperanza, pero que las alentaba en su recuerdo y les servía de consuelo en sus sueños.

La madre prometía a la hija que no tardarían en reunirse con él, y la hija persuadía a la madre de que no tardaría mucho en aparecer. Así trataban de sostener su fe y sus esperanzas, sin poner en duda su fidelidad para ellas como la suya para él, y que sería feliz cuando las encontrara. Así tejían sus sueños y sus desesperanzas y entretenían sus sufrimientos, mirando de aliviar su vida presente y hallando una excusa para el apego que sentían por ella.

Así estaban sus ánimos cuando las encontró Gesio, después de más de veinticuatro horas de ayuno.

Las antorchas iluminaban con su luz rojiza el calabozo. La libertad iba a su encuentro.

—¡Dios es bueno! —repetía la viuda, no por lo que había sido, sino por lo que ahora era. Era tal su gratitud por el momento presente, que olvidaba todos los sufrimientos pasados.

Adelantóse el tribuno hasta el rincón en que se encontraban y su conciencia impulsó a la madre a pronunciar su temeroso grito:

—¡Impuras! ¡Impuras!

¡Qué angustia le produjo este esfuerzo para acusarse de impureza! Todo egoísmo, alegre e irreflexivo, al sentir cercana la libertad, no bastaba para mantenerlas ciegas ante las consecuencias de su lamentable estado. Reanudar su antigua vida, tan feliz, era ya imposible. Cuando se aproximaran a la casa que en otro tiempo fue suya, tendrían que detenerse ante la puerta gritando: «¡Impuras! ¡Impuras!» Deberían alejarse de ella cerrando su corazón a todas sus afecciones, y con más dolor ahora que nunca, pues la veían más cercana y accesible. El hijo, objeto de sus sueños y de quien esperaba tan puras alegrías como toda buena madre espera de sus hijos, debería, al encontrarla, mantenerse alejado. Si él extendía sus manos y la llamaba: «¡Madre! ¡Madre!», ella debía, por amor hacia él, alejarle más, gritándole: «¡Impura! ¡Impura!» Y esta otra criatura suya, que cubría su desnudez con sus largos y enmarañados cabellos, de una blancura horrible, tendría que ser siempre así. Y sin embargo, se resignaba a su suerte y repetía el grito que, en adelante, habría de ser eternamente su saludo para con el resto de la humanidad.

—¡Impura! ¡Impura!

El tribuno oyó con horror este grito, pero no dio un paso atrás.

—¿Quiénes sois? —preguntó.

—Dos mujeres que se mueren de hambre y sed. No os acerquéis, no toquéis ni el suelo ni las paredes. ¡Somos impuras!

—Cuéntame tu historia, mujer, y dime tu nombre. ¿Cuánto tiempo hace que estáis aquí? ¿Quién os hizo encerrar y cuál fue el motivo?

—Hubo en un tiempo, en esta ciudad de Jerusalén, cierto príncipe Ben-Hur, amigo de todos los romanos generosos y a quien el César llamaba su amigo. Yo soy su viuda y ésta es mi hija. ¿Cómo podré decirte por qué estamos aquí enterradas si no lo sé, a no ser porque éramos muy ricos? Valerio Graco puede decirte quién era nuestro enemigo y cuándo empezó nuestra prisión. Yo no puedo. ¡Mira a qué estado hemos quedado reducidas! ¡Oh, míranos y ten piedad!

La atmósfera era densa, por el hedor y el humo de las antorchas. El romano llamó a uno de los que las llevaban y a esta luz escribió la respuesta, palabra por palabra. Era terminante, precisa y, al mismo tiempo, contenía una historia, una acusación y un ruego. Ninguna persona vulgar habría sido capaz de formularla; y el tribuno no pudo menos de sentir compasión y de darse cuenta de su veracidad.

—Se te hará justicia, mujer —dijo al guardar sus tablillas—. Ahora recibirás alimento y bebida...

—Y ropa y agua para lavarnos, te lo ruego, ¡oh, generoso romano!

—Cuanto necesites.

—¡Dios es bueno! —exclamó llorando la viuda—. ¡Que la paz sea siempre contigo!

—Yo no volveré —añadió—, pero prepárate, porque esta noche se te dejará libre a la Puerta de la Torre. Ya conoces la ley. Adiós.

A una señal suya salieron los hombres, y se alejaron del calabozo.

Poco más tarde, algunos esclavos llevaron a la celda un gran cántaro de agua, una palangana y paños para limpiarse. También les llevaron un plato con carne y pan y, por último, dos trajes de mujer, todo lo cual pusieron al alcance de las dos prisioneras.

Hacia la mitad de la primera vigilia, fueron conducidas a la puerta y llevadas a la calle. El romano creyó cumplir así su obligación para con ellas. Las dos quedaron libres en la ciudad de sus padres y alzaron sus miradas al cielo, en donde, como en otros tiempos más felices, brillaban alegres las rutilantes estrellas.

CAPÍTULO III

OTRA VEZ JERUSALÉN

A la misma hora en que Gesio, el carcelero, exponía sus acusaciones ante el tribuno de la Torre Antonia, por la vertiente oriental del monte Olivete subía un hombre. El camino era escarpado y polvoriento y la vegetación que aparecía a ambos lados seca, abrasada, porque era el tiempo de la sequía en Judea. Menos mal que el viajero era joven y vigoroso e iba cubierto solamente con un flotante traje de lienzo.

Iba despacio, dirigiendo de vez en cuando sus miradas a derecha e izquierda, no con el aspecto de contrariedad y la ansiosa expectación del que desconoce el camino, sino más bien con el aire del que se va aproximando a un antiguo amigo, después de una larga separación, entre alegre y curioso, como si se dijera: «Estoy contento de volver a verte, pero déjame que te pregunte en qué has cambiado».

A medida que iba subiendo, se detenía de vez en cuando para contemplar el paisaje, que iba ensanchándose hasta abarcar los montes de Moab. Casi ya en lo alto aceleró el paso, insensible al cansancio, sin pararse ni volver atrás la cabeza. Una vez en la cumbre, a la que tuvo que dirigirse dejando de lado la senda trillada y desviándose hacia la derecha, se detuvo, como contenido por una fuerza invencible. Entonces, si alguien hubiera podido verle, le hubiera sorprendido cómo se dilataban las pupilas del viajero, cómo enrojecían sus mejillas y se aceleraba su respiración a la vista del espectáculo que tenía ante sus ojos.

El viajero no era otro que Ben-Hur, y el panorama que tenía ante su vista, Jerusalén. No la Ciudad Santa de nuestros días, sino la Ciudad Santa de Cristo, en la forma en que la dejó Herodes. Si ahora es hermosa contemplada desde el monte Olivete, ¿cómo no lo sería entonces?

Se sentó Ben-Hur sobre una roca y, despojándose del blanco

turbante que cubría su cabeza, contempló cómodamente la ciudad de sus mayores.

¡Cuántos, antes que él y otros después, admirarían el mismo espectáculo en circunstancias particularmente extraordinarias! Un panorama de montañas suele variar poco con el tiempo. Los cambios más rápidos se presentan allí en donde aparece la mano del hombre. El sol es más clemente en la vertiente occidental del monte Olivete y los hombres sin duda tenían por ella sus preferencias. La viña y los frutales, en especial las higueras y los viejos olivos, estaban relativamente frescos y verdes. Abajo, hasta el torrente seco del Cedrón, la tierra se teñía de verde, alegrando la vista. Terminaba allí el Olivete y comenzaba el Moria; allí acababa la muralla, blanca como la nieve, levantada por Salomón y terminada por Herodes. Desde la muralla, la mirada se alzaba hasta el Pórtico de Salomón, que parecía como un pedestal del monumento cuyo plinto era el cerro mismo. La vista proseguía su viaje ascendente al Patio de los Gentiles, vagando después al de los Israelitas, al de las Mujeres y al de los Sacerdotes, cada uno con sus columnas sobrepuestas de mármol blanco y las gradas en forma de anfiteatro. Sobre los patios se destacaba una corona inmensamente hermosa, de proporciones majestuosas y resplandeciente de oro. Allí estaban la Tienda, el Tabernáculo y el Sancta Sanctórum. El Arca ya no existe, pero Jehová estaba allí, pues en la fe de cada israelita la presencia personal de Dios era un firme dogma. No existía en ningún país del mundo edificio que pudiera comparársele en magnificencia, ni como templo, ni como monumento. De todo aquel esplendor no queda ahora ni una sola piedra. ¿Quién predijo esta rutina? ¿Dios? ¿El Hombre Dios? Ya contestaremos a esta pregunta.

Los ojos de Ben-Hur miraban cada vez más arriba, hasta la cima de Sión, consagrado por santos recuerdos, íntimamente ligados a la memoria de los reyes ungidos. Conocía el Valle de Quesero, sumido allá abajo, entre el Moria y el Sión, recorrido por el Xistos, en cuyas frescas sombras se ocultaban jardines y palacios. Pero por encima de todo esto, sus pensamientos se remontaban a la perspectiva del gran conjunto de edificios de la regia colina; allí estaban la casa de Caifás, la Sinagoga Central, el Pretorio Romano, el Hípico y los cenotafios, el Faselo y el Mariamno, enrojecidos por el crepúsculo. Y en cuanto distinguió el palacio de Herodes, ¿en qué otra cosa podía pensar sino en el Rey que esperaban, a quien él mismo se había consagrado y cuyo camino se había propuesto allanar colmándole las vacías manos? Su mente voló hacia el futuro, hacia aquel día en que el nuevo Rey exigiría lo suyo y tomaría posesión del Moria y de su Templo, de Sión y de sus palacios y Torres, de la Torre Antonia, que hostil y negra, miraba hacia el Templo de la nueva ciudad de Baceta, de los dos millones de israelitas que se reunirían con palmas y banderas y cantarían con alegría, porque el Señor había llegado y les entregaría la tierra.

El sol entraba en su ocaso. El refulgente disco parecía apoyarse sobre la cima lejana de los montes del oeste, quemándolo todo, inundando la ciudad y bordando de oro las murallas y las torres. Luego desapareció en el horizonte. La naturaleza, serena y plácida, llevó el pensamiento de Ben-Hur hacia su antiguo hogar.

La melancolía del crepúsculo suavizó sus sentimientos y, olvidando por un instante sus ambiciones, no pensó más que en el motivo que le traía a Jerusalén.

Un día, mientras que con Ilderim buscaban los lugares estratégicos en el desierto, con el fin de tener una idea general del país, de la misma forma que un soldado estudia su futuro campo de operaciones, llegó un mensajero con la noticia de que Graco había cesado en su cargo y que éste había sido ocupado por Poncio Pilatos.

Messala continuaba inválido y le creía muerto; Graco se había marchado. ¿Por qué retardar por más tiempo sus investigaciones sobre el paradero de su madre y de su hermana? No tenía nada que temer ahora. Si él no podía recorrer las prisiones de Judea, haría que fueran registradas por otros. En caso de dar con el paradero de ellas, Pilatos no tendría motivos para retenerlas en prisión; en una palabra, no encontraba obstáculo que con dinero no pudiera vencerse. Una vez halladas, las llevaría a un lugar seguro y, entonces, con paz en el espíritu, con la conciencia tranquila por haber cumplido con su deber, podría entregarse sin reservas al Rey que iba a venir. En breves instantes se decidió y aquella noche lo consultó con Ilderim y éste le dio su asentimiento. Tres árabes fueron con él hasta Jericó, en donde los dejó solos y se adelantó él a pie. Malluch había de ir a buscarle a Jerusalén.

El plan de Ben-Hur aún no estaba bien definido en todos sus detalles; se mantenía únicamente en sus líneas generales.

Previniendo futuros riesgos, le pareció más prudente permanecer en la sombra, evitando todo contacto con las autoridades, en especial con las romanas. Malluch, con su astucia era el hombre a propósito para encargarse de las investigaciones.

El primer punto que debía poner en claro era el lugar por donde debería empezar y, naturalmente, sus presentimientos le llevaban a la Torre Antonia. La tradición popular describía el sombrío edificio surcado en su parte baja por una maraña de lúgubres calabozos que, aun más que la guarnición, contribuían a mantener el terror en la población judía. Un emparedamiento, tal como la fantasía del pueblo lo imaginaba, cabía dentro de lo posible en aquella fortaleza. Por otra parte, nada más lógico que iniciar las investigaciones allí donde comenzaba el cabo del hilo que le había de conducir, con mayor o menor presteza, al lugar en donde estuvieran. Nunca olvidaría aquel fatídico día en que los romanos las empujaban a lo largo de la calle que conducía a la Torre. Si no continuaban allí, por lo menos habrían estado, y de su estancia se conservaría algún recuerdo que le serviría de base para ulteriores investigaciones.

Tenía además una esperanza, a la que se asía como punto de partida y que debía servirle de mucho. Sabía por Simónides que Amrah, la nodriza egipcia, aún vivía. La mañana en que la fatalidad hirió a la familia Ben-Hur, la fiel esclava huyó de los soldados y se refugió en el palacio, donde quedó encerrada con los enseres que Graco no juzgó dignos de su rapacidad. Simónides había cuidado secretamente de ella y ahora se encontraba allí, como único habitante de la gran mansión que Graco no logró vender a ningún precio, a pesar de sus ofertas. La triste historia de sus dueños era suficiente para contener a un extraño y retraerle de comprar o de habitar el palacio de Ben-Hur. El pueblo no se atrevía a hablar de él sino quedamente y con temor cuando pasaba junto a sus puertas. Lo creían habitado por los espíritus, y, sin duda, habían visto a través de alguna ventana, o sobre la terraza, la vacilante figura de Amrah, que procuraba ocultarse de todas las miradas.

Creía Ben-Hur que, si conseguía llegar hasta ella, podría serle de utilidad para la investigación que se proponía. De todas maneras, tenía un enorme deseo de verla en aquel sitio que tan dulces recuerdos guardaba para él, por el solo placer de abrazar a un ser querido y leal.

Iría primero a la vieja casa y buscaría a Amrah. Una vez tomada esta resolución, poco después de la puesta de sol, descendió a Jerusalén, bajando del monte por la senda que conduce al lecho del Cedrón. Entre el punto de intersección entre los pozos de Siloán y la villa de este nombre, encontró a un pastor que llevaba sus corderos al mercado; en su compañía pasó por Getsemaní y entro en la ciudad por la Puerta del Pescado.

CAPÍTULO IV

BEN-HUR A LA PUERTA DE SU CASA

Cuando se separó del pastor, ya dentro de la ciudad, y se dirigió por una callejuela estrecha hacia la parte sur, era bien entrada la noche. Algunas personas con las que se cruzó le saludaron.

Las casas a ambos lados de la calle eran bajas, lóbregas, tristes; estaban cerradas todas las puertas; únicamente en las azoteas alguna que otra madre reñía a los niños. El empedrado de la calle era áspero e irregular.

Se encontraba solo en la noche, temía no hallar el objeto de sus pesquisas y se sentía afectado de una forma penosa. Así llegó hasta la profunda piscina, conocida hoy con el nombre de Pozo de Betseda, cuyas aguas reflejaban el cielo que se extendía sobre ella. Alzando los ojos, contempló el lado norte de la Torre Antonia, que negra y amenazadora, se destaca sobre la escasa luz gris del cielo, como atalaya sombría.

Se detuvo Ben-Hur, como si aquel gigantesco centinela le hubiera dado el alto.

La Torre aparecía tan grandiosa y asentada sobre tan inconmovibles cimientos, que no podía por menos de reconocer que era inexpugnable. Si allí se hallaba su madre enterrada viva, ¿qué podría hacer por ella? Por la violencia, nada. Un ejército entero que la sitiara, con sus arietes y balistas, se sentiría impotente ante aquella masa de piedra.

El gigantesco torreón del sudeste se alzaba solitario y parecía que le miraba sarcásticamente, como un coloso mira a un pigmeo y se burla de su impotencia. Y él discurría: «¿De que me servirían la astucia y el ingenio? Y Dios, último recurso de los desvalidos, ¡es casi siempre tan tardío en acudir en nuestro socorro!»

Sumido en sus tristes dudas, desesperado y descorazonado, se internó en la calle que se extendía al oeste, frente a la Torre, y la siguio lentamente.

Después de Beceta encontraría un *khan*, en donde había resuelto alojarse, mas, por lo pronto, no pudo resistir la tentación de ir a su casa. El corazón le llevaba ciegamente hacia aquel lado.

Algunas personas que pasaban por su lado sin conocerle habíanle saludado, y nunca le fueron estos saludos más agradables. Vio el cielo que hacia el este brillaba con tonos plateados por la luna, en tanto que por el oeste los objetos antes visibles, en especial las torres de Monte Sión, destacaban sobre la negrura que llenaba el valle a sus pies, verdaderos castillos en el aire, semejando espectros.

Llegó por fin a la casa de sus padres.

¡Cuántos hombres que, cuando niños, tuvieron moradas felices, paraísos de donde salieron llenos de amargura, desearían volver, si esto pudiera ser, tan niños como al partir! ¡Lugares de tiernos y alegres placeres, de risa y de cantos, cuyo recuerdo nos es más dulce que todos nuestros éxitos y victorias en el transcurso de la vida!

Ante la puerta del lado septentrional del antiguo edificio se detuvo Ben-Hur. Aún se leía en la unión de las dos hojas el pergamino con la inscripción: «Esta casa es propiedad del emperador». En las cuatro puntas conservaba aún la cera que utilizaron para sellarla. Nadie había entrado ni salido por allí desde el fatal día de la separación de la familia. ¿Cómo debía llamar? Era inútil, lo sabía; pero la tentación era irresistible. Amrah podría oírle y miraría quizá por las ventanas de este lado. Cogió una piedrecita y, subiendo la ancha escalinata de piedra, golpeó tres veces. Los golpes repercutieron en el interior, pero no le trajeron ninguna respuesta. Llamó nuevamente, más fuerte, con la esperanza de oír algún rumor; pero la casa continuaba sumida en el silencio. Cruzó la calle y miró atentamente las ventanas, no viendo en ellas el menor signo de vida. El parapeto que protegía la terraza superior destacaba nítidamente en el cielo su línea recta, sin que nadie asomara la cabeza para indagar quién turbaba un silencio de ocho años. La más mínima señal la hubiera percibido Ben-Hur, pero no vio nada.

De la fachada septentrional pasó a la occidental, y miró atentamente sus cuatro ventanas con el mismo resultado. El ansia que le atormentaba hacía latir su desolado corazón con deseos impotentes, conmoviéndole ante las decepciones de su misma fantasía. Amrah no daba señales de vida.

Encaminose hacia la parte sur. También la puerta se conservaba allí sellada con la misma inscripción. La luna de agosto que se elevaba sobre el Monte Olivete, que más tarde tomó el nombre de Monte de la Ofensa, iluminaba la puerta pudiéndose leer claramente el pergamino, lo que le llenó de indignación. Arrancó la inscripción y la arrojó en la zanja del camino. Entonces tomó asiento en la escalera de piedra y suplicó a Dios que el nuevo Rey viniera pronto. Cuando, ya más sosegado, fue cediendo al cansancio del largo viaje, al calor ardiente del verano, se apoyó contra el muro y quedó profundamente dormido.

Dos mujeres, que venían del lado de la Torre Antonia, se acercaron sigilosamente al palacio de Hur. Avanzaban deteniéndose en cada momento, para escuchar el más leve rumor. Ya en la esquina del viejo edificio, la una dijo a la otra, con voz como un susurro:

—¡Esta es la casa, Tirzah!

Tirzah estrechó la mano de su madre, miró anhelosamente y, apoyándose sobre su hombro, rompió en callados sollozos.

—Vámonos, hija mía, porque... —vaciló la madre, estremeciéndose; pero con un esfuerzo de voluntad para sobreponerse continuó diciendo—: Cuando amanezca, nos echarán de la ciudad... para no volver nunca.

Arrodillóse Tirzah sobre el empedrado.

—¡Es verdad! —replicó, entre sollozos—. Lo olvidaba. Por un momento me había hecho la ilusión de que podríamos entrar en nuestra casa... Pero somos leprosas y no tenemos hogar... ¡Pertenecemos a la muerte!

La madre, con ternura, la hizo levantar y le dijo:

—Nada hemos de temer. Vámonos.

Tenía razón; sólo con mostrar sus manos descarnadas, habrían puesto en fuga a una legión; ¡tan terrible era su vista!

Llegaron hasta la pared, deslizándose como espectros. Se detuvieron al ver la incripción y leyeron: «Esta casa es propiedad del emperador».

Juntó la madre las manos y, elevando los ojos al cielo, gimió con indecible angustia:

—¿Qué te sucede madre mía? ¡Me asustas!

—¡Oh, Tirzah, hija mía! ¡El pobre ha muerto! ¡Ha muerto!

—¿Quién, madre?

—¡Tu hermano! Le han quitado todo... ¡Hasta la casa!

—¡Pobre! —dijo Tirzah con acento de tristeza.

—¡Nunca podrá ayudarnos ni protegernos!

—¿Qué vamos a hacer, madre?

—Mañana buscaremos un agujero en donde reposar y pediremos limosna al borde de los caminos, como hacen los demás leprosos... Mendigar..., o si no...

Se apoyó Tirzah en ella y dijo, sollozando:

—Morir... ¿Qué nos queda, sino morir?

—¡No! —replicó la madre firmemente—. El Señor señaló ya nuestra hora; somos fieles siervos del Señor. Debemos ponernos en sus manos para todo, hasta en esto. ¡Vamos!

Y diciendo estas palabras, cogió a Tirzah de la mano y se dirigió con ella hacia la esquina del oeste. No había nadie allí, pero al doblarla, retrocedió ante la claridad de la luna, que iluminaba espléndidamente toda la fachada meridional y la mitad de la calle. Al mirar hacia las ventanas del lado occidental se detuvo en plena luz, tirando de Tirzah, y pudo ver todo el horror de su miseria: corroídos los labios y las mejillas; empañados los ojos por el humor purulento; las manos y los brazos, secos apergaminados y escamosos; los enmarañados cabellos en repugnantes mechones, cubiertos como las cejas de una caspa de un blanco sucio. No hubiera podido distinguirse quién era la madre y quién la hija, pues las dos estaban igualmente envejecidas por la enfermedad.

—¡Calla! —murmuró la madre—. Hay alguien allí, sobre la escalinata... Es un hombre... Evitemos que nos vea.

Cruzaron con rapidez al lado opuesto de la calle y, amparadas por las sombras, se acercaron hasta la puerta, en donde se detuvieron.

—¡Parece dormir!

En efecto, el hombre se mantenía en absoluta inmovilidad.

—No te muevas; voy a examinar la puerta.

En silencio, atravesó la calle y fue a tocar suavemente el postigo; suspiró el hombre en aquel momento y, al volverse, su cabeza, que se apoyaba en la pared, quedó iluminada por la luz de la luna. Ella, al verle, se estremeció de pies a cabeza, miró de nuevo, turbada; se detuvo, e inclinándose hacia delante unidas las manos, las levantó al cielo en muda súplica. Después corrió hacia Tirzah.

—¡Tan cierto como Dios existe, ese hombre que ves ahí es mi hijo, tu hermano! —dijo, con voz ahogada y grave.

—¡Mi hermano! ¡Judá!

Tomándola del brazo, le dijo su madre:

—¡Ven! Le contemplaremos juntas una vez más... ¡Sólo una! Después, ¡oh, Señor!, Tú protegerás a tus siervas.

Asidas de la mano cruzaron la calle, silenciosas y rápidas como fantasmas. Cuando sus sombras cayeron sobre él, se detuvieron. Una de las manos del joven pendía fuera del escalón. Tirzah se arrodilló y ya se inclinaba para besarla, cuando su madre la contuvo horrorizada.

—¡No lo hagas! ¡No, por tu vida! ¡Impura! ¡Impura! —murmuró.

Tirzah se estremeció, retrocediendo, como si el leproso fuera él.

Ben-Hur era de varonil belleza. Tenía curtidas la frente y las mejillas por efecto del viento y el sol del desierto; pero, bajo el ligero bigote, se mostraban sus labios rojos y brillaban sus dientes, blancos como la nieve. La barba, fina y corta, no llegaba a cubrir la redondez del mentón ni su garganta. ¡Qué bello aparecía a los ojos de su madre! ¡Qué esfuerzo sobrehumano tenía que hacer para resistir el ansia de abrazarle, reclinar la cabeza en su hombro y besarle como cuando era pequeño! ¿De dónde sacaba fortaleza para resistir al irresistible impulso? Del amor. Del amor de madre superior a todo otro amor, porque siendo infinitamente tierno y abnegado, es capaz de llegar hasta el más inaudito sacrificio. Ni por todos los bienes de este mundo, ni aunque con ello hubiera podido recobrar la felicidad y la salud, ni aun por la misma vida, habría acercado sus labios leprosos a las mejillas de su hijo. ¡Y, sin embargo, sentía una imperiosa necesidad de besarle! ¡Acababa de encontrarle y tenía que renunciar a él para siempre! ¡Que dura y amarga situación la suya! Se arrodilló y, arrastrándose hasta sus pies, rozó con sus labios la suela de sus sandalias, llenas de polvo del camino, y volvió a besarlas de nuevo una y otra vez, poniendo toda el alma en estos besos.

El durmiente se removió y extendió la mano. Se echaron ellas hacia atrás, pero le oyeron murmurar en sueños:

—¡Madre! ¡Tirzah! ¿En dónde estáis?

Y cayó nuevamente en un profundo sueño.

Tirzah le contemplaba extasiada. La madre hundió la cabeza en el polvo, intentando contener los sollozos, tan hondos y tan fuertes que parecía que su corazón fuera a estallar. Casi deseaba que despertara. Su Judá había preguntado por ella; su hijo no las olvidaba, pensaba en ellas. ¿No era esto suficiente para consolarla?

Se levantó e hizo una seña a Tirzah para que hiciera lo mismo; le contemplaron juntas una vez más, como para que su imagen quedara grabada para siempre en su corazón; cruzaron la calle de nuevo y se ocultaron en las sombras. Arrodilladas y pendientes los ojos de él, esperaban que se despertara, esperaban una revelación cualquiera, aunque no hubieran podido decir cuál.

Pasaron algunos minutos. Aún dormía Judá, cuando apareció otra mujer en la esquina del palacio. Las dos que permanecían en la oscuridad la vieron plenamente a la luz de la luna; una mujer de mediana estatura, encorvada, de oscura piel y grises cabellos, con sencillo traje de criada y llevando un cesto con legumbres.

Al ver a un hombre tendido sobre las gradas, se paró; después, con decisión, se acercó despacio al que dormía. Pasó por su lado y subió a franquear el postigo, que cedió sin ruido abriéndose de par en par. Silenciosamente dejó su cesto dentro y ya iba a entrar cuando, curiosa, volvió para mirar detenidamente a aquel hombre, cuyo rostro mostrábase a la luz de la luna.

Desde el lugar en que se ocultaban, Tirzah y su madre oyeron una exclamación ahogada y vieron a la mujer que se frotaba los ojos como si algo los velara; se inclinó con las manos juntas, miró a su alrededor con cautela, cogió la mano de Judá y besóla con devoción. ¡Aquella mano que ellas hubieran querido devorar a besos y que no habían osado tocar!

Despertado por este beso, Ben-Hur retiró instintivamente la mano, pero sus ojos se encontraron con los de la mujer.

—¡Amrah! ¡Oh Amrah! ¿Eres tú? —exclamó.

La infeliz mujer ni tan siquiera pudo contestar: se arrojó en su pecho, llorando de alegría. Con suavidad se desprendió él de sus brazos, levantó el rostro surcado de lágrimas, con tanto alborozo como ella. Las que estaban ocultas oyeron cómo preguntaba:

—¿Y mi madre? ¿Y Tirzah? ¡Oh, Amrah, dime qué ha sido de ellas! ¡Habla pronto, te lo ruego!

Amrah lloraba aún con más fuerza.

—¿Las has visto, Amrah? ¿Sabes dónde están? ¡Dime si están en casa!

Tirzah iba a adelantarse, pero su madre, advinándolo, la retuvo y murmuró bajito a su oído:

—¡No te muevas! ¡No, por tu vida! ¡Impuras! ¡Impuras!

Su amor la obligó a esta imposición tiránica; sus destrozados corazones las arrastraban hacia él, pero triunfó el amor de la madre.

Mientras tanto, Amrah, acosada a preguntas, no hacía más que llorar.

—¡Ibas a entrar! —le dijo él señalando el postigo abierto—. Ven, quiero entrar contigo. Mintieron los romanos. ¡Sobre ellos caiga la maldición del Señor! Ésta es mi casa. Levántate, Amrah; entra.

Momentos después habían desaparecido en el interior, dejando a las dos desdichadas en las sombras, mirando aquella puerta por la que no habían de cruzar jamás. Juntas se tendieron en el polvo.

Habían cumplido con su deber. Su amor había resistido la prueba.

Amanecido el día siguiente, los primeros que pasaron por su lado les echaron a pedradas de la ciudad.

—¡Fuera de aquí! ¡Vosotras sois ya de la muerte! ¡Id con los muertos!

Al oír los gritos que les herían los oídos, huyeron corriendo...

CAPÍTULO V

LA TUMBA DEL JARDÍN DEL REY

Al llegar a Tierra Santa, los peregrinos que buscan aún en nuestros días la famosa localidad que lleva el bello nombre de Jardín del Rey, tienen que descender por el lecho del Cedrón hasta el pozo En-Rogel y, después de haber bebido de sus dulces y cristalinas aguas, se detienen allí, pues aquél es el punto interesante que deseaban conocer. Al ver las grandes priedras que forman el brocal y sondear la profundidad del pozo, no pueden menos que sonreír ante la manera primitiva con que sacaban el agua en otros tiempos. Dirigiendo su mirada a lo lejos, queda uno hechizado a la vista de los montes Mori y Sión, cuyas vertientes se adelantaban hacia el espectador desde el norte, acabando el uno en Ofel y el otro en el sitio en que se suele situar la antigua ciudad de David.

Hacia el fonfo, destacándose sobre el cielo, pueden aún verse las ruinas de aquellos sagrados edificios; aquí el Harán con su cúpula graciosa, más allá los restos del Hípico, magnifícos aún. Después de disfrutar de este espectáculo y de grabarlo en la mente, dirige el viajero sus ojos hacia el Monte de la Ofensa, que se levanta, agreste y majestuoso, a la derecha; y hacia el Cerro del Mal Consejo, en el cual, teniendo presente la Historia Sagrada y las tradiciones rabínicas y monocales, hallará cierto interés, no exento de vago y supersticioso horror.

Sería un largo relato describir todo lo que de interés se agrupa en torno a este cerro. Nos limitaremos a recordar que a su pie se encuentra el verdadero Infierno de la Ortodoxia moderna, el Infierno de azufre y fuego, antiguamente llamado Gehena, y que hoy, como en los días de Cristo, está excavado en la agreste vertiente que mira hacia la ciudad por las numerosas tumbas o grutas que desde tiempos remotísimos son habitadas por los leprosos, no aisladamente, sino agrupados todos. Allí han establecido su gobierno y tienen su sociedad; fundaron la ciudad sólo habitada por ellos y de la que huye la gente, como si tuviera la maldición de Dios.

Dos días después de los sucesos relatados en el anterior capítulo, se dirigía Amrah por la mañana temprano al pozo de En-Rogel, muy cerca del cual tomó asiento sobre una piedra. Quien tuviera conocimiento de las costrumbres del país, habría dicho al verla que era la criada de alguna rica familia. Llevaba una jarra con agua y un cesto, cubierto con una servilleta blanca como la nieve.

Colocando en el suelo su carga, se quitó el chal que llevaba en la cabeza y cruzó sus manos sobre las rodillas, y en silencio se puso a mirar hacia el punto en que el cerro, cortado casi a pico, se levanta sobre el campo del Alfarero y el Aceldama.

Era la primera que llegaba al pozo, por ser aún muy temprano. No tardó, sin embargo, en aparecer un hombre con un rollo de cuerda y un cubo de cuero. Después de dirigir un saludo a la mujer de negra cara, preparó la cuerda, la ató al cubo y aguardó a los parroquianos. Cualquiera podía sacar agua de allí, si lo quería, pero el oficio de aquel hombre era sacar agua para los demás; por la módica suma de un gerah llenaba el gran cántaro que la mujer más robusta pudiera llevar.

Amrah seguía en silecio, y el hombre, al ver vacío su cántaro, le preguntó si quería que se lo llenase. Cortésmente, ella le contestó.

—Aún no —dicho lo cual, ya no le prestó atención.

Cuando brillaba ya la luz del día sobre el Olivete comenzaron a llegar los clientes, a los que el hombre se esforzaba en servir con gran solicitud. Mientras tanto, Amrah continuó conservando su asiento, mirando sin cesar a lo alto del cerro. Cuando el sol apareció, ella continuaba todavía sentada y esperando.

Ahora sabremos lo que esperaba y cuál era su propósito al ir allí.

Tenía costumbre, desde que quedó dueña absoluta del palacio, de ir al mercado por la noche. Con el mayor sigilo y el rostro cubierto, iba a las tiendas de Tiropeión, o a las que estaban pasada la Puerta del Pescado, al este, y al volver ya tarde, una vez compradas la carne y las legumbres, se encerraba en la casa.

¿Quién podría imaginarse el contento que experimentó al tener a Ben-Hur en la antigua mansión de sus padres? Nada podía decirle de su señora ni de Tirzah, nada en absoluto. Él le manifestó su deseo de que fuera a vivir en un lugar menos solitario, pero ella se negó. Amrah, sin embargo, hubiera deseado que él se estableciese en la casa de sus padres, que se hallaba tal cual la había dejado, pero temía el peligro de ser descubierto y quería evitar toda clase de publicidad o que fuera perseguido por la autoridad romana. Iría a verla con frecuencia por la noche, y ella tuvo que darse por contenta, poniendo cuanto estaba a su alcance para hacerle gratas las horas de estancia en su casa. No se daba cuenta de que ya era un hombre y que habrían cambiado sus preferencias y costumbres de niño; para complacerle empleó con él las mismas atenciones, cuidándole como cuando era chiquillo. Sabía que le gustaban los dulces, tenía presente cuáles eran los manjares por los que sentía inclinación y procuraba tenerlos siempre a mano. Así pues, la noche anterior, mucho antes de lo que tenía por costumbre, salió con su cesto y se fue a la Puerta del Pescado en busca de la mejor miel. Allí oyó por casualidad a un hombre que contaba una extraordinaria historia.

La historia, como puede imaginarse el lector, la contaba uno de los que, antorcha en mano, presenciaron la entrada del tribuno comandante de la Torre Antonia en el calabozo número VI, cuando se descubrió en ella a las dos mujeres de la familia Hur. A sus oídos llegaron todos los pormenores del hecho, el nombre de las prisioneras y las palabras de la misma viuda.

El dolor que experimentó Amrah al oír la triste historia puede suponerse en un alma tan amante y leal para sus amos. Terminó sus compras y volvió a la casa como una sonámbula. ¡Qué felicidad iba a proporcionarle a su niño al decirle que había encontrado a su madre!

Dejó de lado el cesto y llorando de ternura y riendo, se entregó a sus quehaceres domésticos. De pronto, como herida por un rayo, quedo éxtática. Decirle a Ben-Hur que su madre y hermana estaban leprosas sería matarle. Nada en el mundo podría evitar que fuera a la terrible ciudad que se extendía al pie del Cerro del Mal Consejo. Revisaría tumba por tumba, sin tener en cuenta que la atmósfera que se respiraba allí estaba infectada y que la horrible enfermedad le atacaría a él también. «¿Qué hacer?», se preguntaba Amrah, retorciéndose las manos.

Igual que otras antes que ella, y como después de ella multitud de mujeres, se inspiró no ya en un consejo razonado, sino en su afecto, y llegó a esta conclusión singular: sabía que los leprosos tenían por costumbre, muy de mañana, al salir de sus habitaciones, ir a por agua para todo el día al pozo de En-Rogel. Llevaban sus cántaros y los depositaban a cierta distancia... y esperaban apartados de ellos a que estuvieran llenos. Era posible que su ama y Tirzah fuesen también a buscarla, ya que la ley era inexorable y no hacía excepción alguna. Un leproso rico no disfrutaba de un trato mejor que un indigente.

Amrah tomó la decisión de ocultar a Ben-Hur la historia oída, e ir sola al pozo y esperar allí a aquellas desventuradas, y creía con firmeza que había de reconocerlas a simple vista; o al menos, ellas la reconocerían.

Aquel día fue a verla Ben-Hur, y estuvieron hablando largo rato. Al otro día llegaron Malluch y las pesquisas empezarían en seguida. Se mostraba impaciente, y fue a dar un paseo por los alrededores, para matar el tiempo. El secreto pesaba terriblemente a la pobre mujer, pero supo resistir y callar.

Cuando al fin se marchó Ben-Hur, ella se ocupó de hacer una buena comida. Al amanecer, cuando aún brillaban las estrellas en el cielo, llenó su cesto, cogió un cántaro y se dirigió hacia el pozo de En-Rogel por la Puerta del Pescado, que era la primera que se abría.

Un poco antes de la salida del sol, cuando el movimiento era mayor y el que sacaba el agua estaba más atareado, comenzaron a aparecer en las puertas de las tumbas los míseros pobladores que habitaban al pie del cerro. Poco a poco se formaron grupos, entre los cuales había cantidad de niños que inspiraban la más profunda compasión. Se fueron acercando hasta una respetable distancia del pozo; eran mujeres con cántaros sobre los hombros, o débiles ancianos, que se movían cojeando, apoyados con una mano en el bastón y el cántaro en la otra; avanzaban como podían, algunos apoyándose en el hombro de los otros, y no pocos, completamente inválidos, yacían sobre montones de paja a la entrada de sus cuevas.

Pero, aun en aquella inmensa desgracia, acudía el amor a suavizar y hacer llevadera tan amarga vida. La distancia atenuaba la crudeza de su miseria, velando en parte el horror que inspiraban estos parias.

Sentada junto al pozo, examinaba Amrah aquellos grupos de espectros ambulantes, sin tan siquiera moverse. En alguna ocasión creía ver a las que buscaba. No tenía la menor duda de que se hallaban allí y de que de un momento a otro tendrían que aproximarse, como los demás. Seguramente, esperarían a que marchase toda aquella gente.

En la parte más baja del cerro se hallaba una tumba que, por su ancha boca, había atraído más de una vez las miradas de Amrah. Había cerca una piedra de grandes dimensiones. Penetraba en ella el sol en las horas más ardientes del día; la cueva parecía estar deshabitada, a menos que buscara refugio algún perro sarnoso al volver de hozar buscando entre los montones de basura algún hueso. De ella precisamente vio salir, con gran sorpresa, dos mujeres, una de las cuales se apoyaba penosamente en la otra; ambas parecían viejas y tenían el cabello blanco, pero sus vestidos no estaban sucios ni rotos. Miraban en torno suyo como si el lugar fuera nuevo y desconocido para ellas. Amrah creyó verlas temblar de horror ante aquel espantoso conjunto de seres desgraciados de que formaban parte. Desde el momento en que atrajeron su atención, el corazón de Amrah latía más apresuradamente y sus ojos ya no se separaron de ellas. Permanecieron las dos junto a la piedra, un rato; después, lenta y penosamente, se fueron acercando al pozo, llenas de temor. Al verlas adelantarse, se levantaron muchas voces conminándolas a detenerse, pero no oyeron o no entendieron lo que les decían. El hombre que sacaba el agua recogió algunas piedras para tirárselas, mientras las mujeres prorrumpían en maldiciones. Todos sus compañeros de desgracia les gritaron desde el pie del cerro:

—¡Impuras! ¡Impuras!

«Con seguridad —pensó Amrah— que estas dos deben ser nuevas y desconocen las costumbres de los leprosos.»

Se levantó y fue a su encuentro, con el cesto y el cántaro. La alarma había cesado alrededor del pozo.

—¡Qué loca! —dijo una, riendo—. ¡Qué insensata, traer una buena comida para estos muertos que andan!

—Y es posible que venga de lejos —dijo otra.

Amrah seguía adelante. ¿Y si su corazón se engañaba? Latía con tal fuerza que parecía subírsele a la garganta. Cuanto más se aproximaba a ellas, tenía más dudas y estaba más confusa. A unos cuatro o cinco metros de distancia, se paró.

¡Era aquélla la señora a quien tanto amaba! ¡Aquélla a la que había besado las manos tantas veces con gratitud! ¿Dónde estaba la imagen tan graciosa como digna, que conservaba en su memoria con tanta fidelidad? ¿Podía ser aquélla, acaso, la Tirzah que ella había amamantado? ¿La misma a la que había calmado su llanto y que había participado en sus juegos; la niña de dulce y risueño rostro que a todas horas cantaba alegrando la casa; la bendición que Dios le prometía para consuelo de su vejez? ¿Era aquélla su niña tan querida? El corazón de la buena mujer estaba encogido de pena.

«Estas dos son muy viejas —se dijo para sí—. Me retiraré.»

Y se volvió.

—¡Amrah! —dijo una de las leprosas.

El cántaro resbaló de sus manos y volvió la cabeza temblando.

—¿Quién me llama? —preguntó.

—¡Amrah!

Los ojos de la mujer se clavaron en el rostro de la que la llamaba.

—¿Es mi ama? —preguntó.

—¡Nosotras somos las que buscas!

—¡Oh, ama mía! ¡Ama mía! ¡Os encuentro al fin! ¡Bendito sea el Señor que me trajo hasta aquí!

Y, cayendo de rodillas, la pobre Amrah se arrastró más cerca de sus amas.

—¡Detente! ¡No te acerques! ¡Impuras! ¡Impuras!

Estas palabras la detuvieron. Amrah, con la frente en el polvo, sollozaba con tal fuerza que la gente del pozo la oyó.

De repente, se irguió y preguntó entre lágrimas:

—¡Oh, ama mía! ¿Dónde está Tirzah?

—¡Estoy aquí, Amrah! ¿Me quieres dar un poco de agua?

El hábito de servidumbre se mostró en seguida. Arreglóse el cabello que la cubría la cara, se levantó y, tomando el cesto, lo descubrió.

—Mira —le dijo—, aquí hay pan y carne.

Hubiera deseado extender el mantel sobre el suelo, pero su ama la detuvo.

—No, Amrah, no lo hagas. Aquella gente te apedrearía y nos negaría el agua. Dame la cesta. Toma el cántaro, llénalo y tráemelo aquí. Nos lo llevaremos a nuestra cueva. Ya has hecho todo lo que podías hacer por nosotras hoy. ¡Date prisa, Amrah!

La gente que había presenciado la escena, cedió el paso a la criada y hasta la ayudó a llenar el cántaro, conmovida.

—¿Quiénes son? —le preguntaron.

Amrah contestó con tristeza:

—¡Eran tan buenas para mí!

Cargando el cántaro, se adelantó hacia sus amas. En su confusión hubiera llegado hasta ellas, pero el grito de «¡Impuras!», la contuvo. Poniendo el cántaro al lado del cesto, retrocedió y esperó a poco trecho.

—¡Gracias, Amrah! —dijo su ama, recogiéndolo todo—. ¡Eres muy buena!

—¿Hay algo que yo pueda hacer? —preguntó.

La mano de la leprosa, ardiente de fiebre, se apoyaba en el cántaro. Al oír las palabras de Amrah, le dijo con firmeza:

—Sí; sé que Judá ha vuelto a casa. Hace dos noches que le vi en la puerta, dormido sobre la escalinata. Te vi también a ti cuando le despertaste.

Amrah juntó las manos.

—¡Oh, ama mía! ¡Le viste y no te acercaste!

—¡Quizá nuestro aspecto le hubiera matado! ¡Jamás podré estrecharle entre mis brazos! ¡Jamás le podré besar! ¡Oh, Amrah, Amrah, tú le quieres, sé que le quieres!

—Sí —dijo la fiel criada, arrodillándose de nuevo y llorando—. Daría por él la vida.

—Dame pruebas de lo que dices, Amrah.

—Habla, estoy pronta.

—No le digas nunca que nos has visto ni dónde estamos. Sólo te ruego eso.

—El os está buscando. Ha venido de muy lejos sólo para buscaros.

—No debe hallarnos, ni saber lo que ha sido de nosotras, Amrah. De hoy en adelante nos servirás como lo has hecho hoy, trayendo lo poco que necesitamos para vivir. Vendrás cada mañana y cada noche y... y... —se quebraba su voz y su poderosa voluntad se sentía aniquilada— y nos hablarás de él. ¡Recuérdalo! ¡Él no debe saber una sola palabra de nosotras! ¿Lo oyes, Amrah?

—¡Será tan penoso para mí oírle hablar de vosotras y ver que se afana inútilmente en vuestra búsqueda! ¡Sufriré tanto viendo su amor por vosotras sin poder decirle que estáis con vida!

—¿No podrías decirle que estamos bien, Amrah? Pero no, es mejor que calles por completo. Márchate ya y vuelve por la noche. Nosotras te buscaremos. ¡Hasta luego!

—No podré soportar el secreto, ¡oh, ama! ¡Es muy duro de llevar! —dijo la sierva cayendo de nuevo con la frente en el polvo.

—Mucho más insoportable sería para nosotras verle tal como estamos —respondió la madre, mientras entregaba el cesto a Tirzah—. Vuelve por la noche —le repitió; y cogiendo el cántaro, regresaron a la cueva.

Esperó Amrah verlas desaparecer; entonces se levantó y triste y silenciosa emprendió el regreso.

Volvió por la noche, y de allí en adelante adquirió la costumbre de servirlas así. Les llevaba cuanto podían necesitar, que era bien poco. Aunque inhóspita y dura, la tumba no era tan triste como la celda de la Torre. La alegre luz del sol doraba su puerta, que se abría al aire libre y les ofrecía el bello espectáculo de la Naturaleza.

Bajo la inmensa bóveda azul del cielo, se puede esperar la muerte más apaciblemente...

CAPÍTULO VI

UNA ESTRATAGEMA DE PILATOS - EL COMBATE

En la mañana del quinto día del mes séptimo, llamado Tisri en hebreo y octubre según nosotros, se levantó del lecho Ben-Hur, triste y disgustado con el mundo entero.

Apenas llegó Malluch se había dirigido a tomar informes a la Torre Antonia. Osadamente, se presentó al tribuno jefe de la fortaleza y le relató la historia de los Hur, dándole detalles del accidente ocurrido a Grato e insistiendo, sobre todo, en la afirmación de que no había en aquel hecho ni la más ligera sombra de culpabilidad. Venía a informarse de si aún vivían algunos de los miembros de la desgraciada familia y, una vez hallados, elevar una petición al César para que les fuera restituida su fortuna y el pleno goce de sus derechos civiles. La petición sería atendida sin duda alguna, pues la familia Hur no temía que se hiciera una investigación judicial, que, al contrario, demostraría su inocencia. El jefe de la fortaleza le contó a su vez cuanto sabía de ambas mujeres; le mostró los informes en que se daba cuenta del hecho, de la declaración de las desdichadas e incluso le autorizó a sacar una copia del documento.

En posesión de estas noticias, Malluch fue en busca de Ben-Hur. No sería posible describir el efecto que la terrible historia produjo en el joven. Su gran dolor y amargura no son de los que se pueden mitigar con lágrimas y lamentos. Horas y horas permaneció anonadado. La palidez de su rostro era el único signo del tormento que destrozaba su alma. De vez en cuando exhalaba un gemido con el que expresaba la tortura de su corazón.

—¡Leprosas! ¡Leprosas!... Mi madre..., Tirzah... ¡Ellas leprosas! ¡Cuánto tiempo, Dios mío, Dios mío! ¡Cuánto tiempo, oh, Señor!

A intervalos se sentía desgarrado por una santa cólera y forjaba en su imaginación mil proyectos de una venganza no menos santa.

—¡Quizá se estarán muriendo a estas horas! ¡Voy en su busca! —exclamó, poniéndose en pie.

—¿Adónde vas? —le preguntó Malluch.

—¡Sólo hay un lugar que les esté permitido!

Malluch intentó calmarle, y tras muchos razonamientos le persuadió de que le dejara el trabajo de buscarlas, pero no hubo manera de disuadirle para que no le acompañara aquel día hasta el lugar donde solían reunirse los leprosos para implorar la caridad de los viajeros. Juntos, pues, llegaron a la vertiente opuesta del Cerro del Mal Consejo, el sitio en que los leprosos se agrupaban a un lado y a otro del camino, y estuvieron allí muchas horas repartiendo limosnas a cuantos veían, preguntándoles sobre el paradero de las dos mujeres y prometiendo una fuerte recompensa a quien descubriera dónde se hallaban. Así continuaron haciendo indagaciones el resto del quinto mes y todo el sexto.

En la ciudad del dolor se notó durante algunos días cierta efervescencia, debida a las grandes recompensas ofrecidas, que era un poderoso aguijón para aquellos miserables que soportaban tal cantidad de privaciones. La tumba de las dos mujeres fue visitada muchas veces por sus compañeros de desgracia, que iban a informarse, pues las señas de ellas coincidían en muchas cosas con las que se buscaban; pero ambas conservaban su secreto y supieron desviar todas las sospechas. En total, el resultado de la investigación fue nulo. Lo único que llegó a saber a principios del mes séptimo fue que dos mujeres leprosas habían sido apedreadas por orden de la autoridad, unos dos meses antes, en la Puerta del Pescado. Cotejando fechas, y con las señas que se les daba, adquirieron la triste seguridad de que aquellas dos infelices debían ser la madre y la hermana del joven. Por último, se preguntaban: ¿Adónde habían ido, qué había sido de ellas?

—¡No era suficiente que los seres queridos de mi familia fueran leprosos! —repetía Ben-Hur, en el colmo de su dolor y con inmensa amargura—. ¡No era bastante esto! ¡Tenían que ser apedreadas en su misma ciudad! ¡Mi madre ha muerto! ¡Con seguridad se han perdido en el desierto! Sí, mi madre ha muerto. ¡Tirzah ha muerto! ¡Me encuentro solo en el mundo! ¿Para qué? ¿Y cuánto tiempo, ¡oh, Señor!, cuánto tiempo subsistirá esta Roma perversa?

Lleno de cólera, vengativo, desesperado, volvió al *khan*. Estaba el patio lleno de gente, que había llegado la noche última, y mientras comía oyó las conversaciones y examinó el aspecto de todos. Un grupo de jóvenes acaparó especialmente su atención. Eran en su mayoría robustos, diligentes, y revelaban la provincia de donde procedían por su acento y modales. En su porte, en el modo de erguir la cabeza, en su mirar recto y franco había un no sé qué de fiero e independiente que no se parecía en nada al aire servil y apocado de los individuos de su clase que habitaban en la capital.

Pronto supo que eran galileos que iban a la ciudad con diversos fines, pero, sobre todo, para tomar parte en la fiesta de las Trompetas, que precisamente se celebraba aquel día. Al instante fueron objeto de su atención, pues sabía que procedían de un país en el que esperaba hallar el mayor apoyo para la obra que debía emprender.

Mientras los observaba, su imaginación se los representaba cubiertos con la armadura, empuñando las armas de los dominadores y sometidos a la rígida disciplina romana, formando una legión como las que dieron a su odiada enemiga el imperio del mundo. ¡Sí, él convertiría a aquellos hombres robustos en legiones formidables!

Como una tromba entró en el patio un hombre con el rostro inflamado. Sus ojos echaban chispas y era presa de gran agitación.

—¿Qué hacéis aquí? —increpó a los galileos—. Los rabinos y los ancianos han ido al Templo a hablar con Pilatos. ¡Daos prisa, venid, vamos allá!

Al instante todos le rodearon.

—¿Para hablar con Pilatos? ¿Para qué?

—Según dicen, el nuevo acueducto de Pilatos ha de pagarse con los fondos del Templo.

—¡Cómo! ¿Con un tesoro sagrado? —repetían, mirándose unos a otros con indignación.

—¡Con el dinero del Señor! ¡Que se atrevan a tocarlo!

—¡Vamos a protestar! —gritó el mensajero—. En este instante la comitiva de los ancianos está pasando el puente. Debemos seguirles. ¡Vamos todos! ¡Aprisa!

Como movidos por el mismo pensamiento, se despojaron de sus vestidos inútiles y quedaron con las túnicas cortas y sin mangas que llevaban habitualmente, y con la cabeza descubierta, siendo como eran segadores en los campos o pescadores en el lago; la indumentaria que usaban para trepar por las montañas detrás de sus corderos.

—¡Ya estamos listos! —dijeron, apretándose las fajas.

Entonces, Ben-Hur se acercó a ellos y les dijo:

—Hombres de Galilea, yo soy Judá. ¿Me admitís con vosotros?

—¡Vamos a combatir! —exclamaron.

—¡Oh, entonces, no seré yo el primero en huir!

Admitieron de buen humor la respuesta y el mensajero le dijo:

—Pareces robusto. Puedes venir si quieres.

Ben-Hur se despojó, como ellos, de su manto.

—¿Esperáis que habrá lucha? —les preguntó tranquilamente, mientras se ceñía la faja a la cintura.

—Sí.
—¿Con quién?
—Con la guardia.
—¿Legionarios?
—Si no es en ellos, ¿en quién pueden confiar los romanos?
—¿Y qué armas tenéis?
Ellos le miraron en silencio.
—Bien —dijo—; tenemos que salir del paso como podamos. Pero, ¿no sería mejor que escogiéramos un jefe? Los legionarios tienen siempre una cabeza que los dirige y así luchan como un solo hombre y un solo brazo.
Los galileos le prestaron mayor atención, como si la idea les resultara completamente extraña.
—Bueno, por lo menos estaremos juntos —dijo—; ya estoy listo.
—En marcha, pues.
El *khan* estaba en Bezeta, la nueva ciudad, y para ir al Pretorio, nombre que los romanos daban pomposamente al palacio de Herodes en Monte Sión, el grupo había de cruzar las tierras bajas del norte y al oeste del Templo. De norte a sur, por calles que apenas merecían este nombre, pasaron junto al Akra, distrito de la Torre Mariana, a partir de cuyo punto era corto el trecho hasta la gran puerta abierta en la muralla que rodeaba las alturas sagradas. Por el camino, habían encontrado a gente tan excitada como ellos y a quienes la noticia de aquella pretensión excitaba sobremanera. Cuando llegaron a la puerta del Pretorio, la comitiva de ancianos y rabinos estaba dentro, y fuera se hallaba una multitud enfurecida y clamorosa.
Guardaba la puerta un centurión con un destacamento armado, alineado bajo la hermosa galería de mármol. El sol reverberaba sobre los yelmos y escudos, pero los legionarios se mantenían firmes en sus filas, insensibles al calor y a los gritos e insultos de la muchedumbre.
La ancha puerta, con sus hojas abiertas de par en par, daba paso a una multitud de ciudadanos, en tanto que otros, en menor número, pugnaban por salir.
—¿Qué sucede ahí dentro? —preguntó uno de los galileos a los que salían.
—Nada —contestó—, están los rabinos a la puerta del palacio pidiendo audiencia a Pilatos. Éste se ha negado a recibirles y ellos le han enviado un emisario a decirle que no se irán hasta que les haya recibido. Ahora esperan la respuesta.
—Vamos dentro —dijo Ben-Hur decidido, pensando que aquel alboroto no debía ser solamente un desacuerdo entre el gobernador y los rabinos, sino que se trataba de una delicada cuestión de amor propio, de ver quién impondría su voluntad.
Al otro lado de la puerta había un jardín de frondosos árboles

con bancos a ambos lados. Lo más raro era que la gente evitaba con todo cuidado pasar por debajo de los árboles, y no sólo pasar, sino evitar su fresca y agradable sombra. Por muy extraño que parezca, una disposición rabínica, fundada en la ley, no permitía que dentro de los muros de Jerusalén creciesen plantas. El mismo rey sabio, cuando necesitó un jardín para su esposa egipcia, se vio en la precisión de hacerlo fuera del recinto de las murallas, por encima de En-Rogel.

Entre la alameda brillaba la fachada del palacio. Volviendo hacia la derecha, llegó el grupo a un gran espacio cuadrado, en cuyo lado occidental se elevaba la residencia del gobernador. Una multitud alborotada llenaba este vasto espacio. Las miradas de todos se dirigían hacia un pórtico con una gran puerta cerrada en el centro. Bajo el pórtico había otra compañía de legionarios.

La muchedumbre estaba tan apretujada que aunque hubieran pretendido nuestros amigos avanzar no hubieran podido. Se tuvieron que quedar detrás, observando lo que sucedía.

Podían divisar los altos turbantes de los rabinos, muy cerca del pórtico. Su impaciencia se comunicaba a la masa agolpada tras ellos.

De tanto en tanto, se oían gritos como éste:

—Pilatos, si eres gobernador, ¿por qué no sales? ¡Sal afuera!

De entre la turba surgió un hombre con el rostro enrojecido, más por la indignación que por el calor, exclamando:

—¡Aquí no cuenta para nada el pueblo de Israel! ¡Hemos quedado convertidos en unos perros de los romanos!

—¿Crees que saldrá?

—¡Cómo! Ha rehusado salir tres veces.

—¿Qué harán los rabinos?

—Igual que en Cesarea; acampar hasta que les dé audiencia.

—El tesoro no se atreverá a tocarlo, ¿no es cierto? —preguntó uno de los galileos.

—¿Quién puede saberlo? ¿No fue romano el que profanó el Tabernáculo? ¿Qué hay sagrado para los romanos?

Había pasado más de una hora y Pilatos no se había dignado dar una respuesta. Los rabinos y la multitud permanecieron allí. Llegó el mediodía, trayendo consigo un aguacero que venía del oeste, pero la multitud no desertó; antes por el contrario, aumentó, más indignada y tumultuosa. Ni un instante cesaban de gritar:

—¡Que salga! ¡Que salga!

A veces proferían frases insultantes.

Ben-Hur, entretanto, trataba de mantener a los galileos en grupo compacto, pensando que el orgullo del romano no tardaría en echar a rodar toda prudencia y que el desenlace se produciría de un momento a otro. En efecto, Pilatos sólo esperaba que el pueblo le proporcionase un pretexto para emplear la fuerza.

Por fin, llegó el desenlace. De repente entre la multitud se oyeron unos golpes sordos, seguidos de grandes alaridos de dolor y de rabia, y toda aquella masa se agitó en un furioso remolino. Los ancianos que estaban junto al pórtico, volvieron la cara, asustados. La turba que estaba detrás luchaba por llegar hasta el centro, en tanto que los que se hallaban allí hacían esfuerzos inauditos para salir. El choque fue terrible; miles de voces gritaban y nadie se entendía; la sorpresa se convirtió pronto en un espantoso pánico.

Ben-Hur no perdió la cabeza.

—¿Puedes ver lo que pasa? —preguntó a uno de los galileos.

—No.

—Voy a levantarte.

Cogiéndolo de las piernas, lo levantó.

—¿Ahora ves?

—Sí —dijo el hombre—. Unos cuantos sujetos armados de palos están pegando a la gente del pueblo; pero van vestidos como los judíos.

—¿Quiénes son?

—Los romanos. ¡Por el Dios vivo que son romanos disfrazados! Sobre el montón llueven sus palos sin misericordia. Un rabino ha caído al suelo de un golpe en la cabeza. ¡Un anciano!

Ben-Hur dejó al hombre en el suelo.

—Hombre de Galilea —dijo—, esto es una traición de Pilatos. ¿Queréis oírme? Ahora vamos a enfrentarnos con los vapuleadores.

Los galileos estaban muy animosos.

—¡Sí, sí! —respondieron.

—Vamos afuera, a los árboles de la puerta, y veréis cómo el plantió de Herodes, aunque contrario a la ley, sirve para algo útil. ¡Venid!

Corrieron hacia los árboles y desgajaron las más gruesas ramas. En unos momentos estuvieron todos armados de gruesas estacas.

Aquello se había convertido en un campo de batalla. La multitud corría alocada hacia la puerta. Dejaban tras ellos los golpes y los gemidos, las maldiciones y los gritos.

—¡Contra la pared! ¡Contra la pared y dejad pasar esa chusma! —gritó Ben-Hur.

Se echaron hacia la derecha e hicieron lo que les decía, huyendo de la avalancha de la multitud y, poco a poco, avanzaron hasta volver a entrar de nuevo en la gran plaza.

—¡Manteneos juntos y seguidme!

Ben-Hur les había impuesto su voluntad y, tácitamente, lo reconocían todos y le obedecían como a un jefe. Él en cabeza y detrás todo el grupo compacto de galileos.

Cuando los romanos, que vapuleaban al pueblo, riéndose a carcajadas, se encontraron cara a cara con los galileos de miembros recios, prontos a la lucha e igualmente armados, titubearon.

La algazara fue atrozadora; los golpes llovían rápidos y mortales y la acometida fue impetuosa e irresistible, como el odio que los animaba. Nadie como Ben-Hur manejaba su arma con tanta destreza; su habilidad tenía la ventaja de sus largos brazos, y su incompatible vigor le abría ampliado camino; allí donde caían, se deshacían los grupos como un montón de hojas secas aventadas por el huracán. Manejaba el garrote más largo y pesado; y no era necesario más de un golpe para dejar al enemigo fuera de combate. Combatía como el primero sin dejar por eso de ser el jefe. Antes bien, parecía tener ojos en todas partes, atento a sus amigos y acudiendo a ellos en el momento preciso. Su grito de guerra excitaba a sus seguidores y llenaba de espanto a sus enemigos.

Sorprendidos por aquel grupo que los igualaba en fuerza, los romanos se fueron retirando poco a poco, hasta que se declararon en huida y corrieron a refugiarse en el pórtico.

El ímpetu de los galileos los hubiera perseguido hasta la escalinata, pero Ben-Hur prudentemente los contuvo.

—¡Alto! ¡Quietos, compañeros! —les gritó—. El centurión viene ahora con la guardia. Tienen espadas y broqueles; no podemos combatir con ellos. Ya hemos hecho por hoy lo que podíamos, y no mal, por cierto. Ahora, cada cual que se vaya por donde pueda.

Le obedecieron todos, aunque con lentitud, porque tenían que saltar por encima de los heridos que llenaban el suelo, retorciéndose y gimiendo unos y otros implorando ayuda, y algunos inmóviles como muertos. Pero no todos los caídos eran judíos, lo cual les servía de consuelo.

El centurión les gritó, al ver que se le escapaban:

—¡Esperad! ¡Esperad, perros de Israel!

Ben-Hur en su propia lengua se burló de él, diciendole:

—Si nosotros somos perros de Israel, vosotros sois chacales de Roma. Quedaos ahí, que ya volveremos.

Los galileos aplaudieron y se fueron riendo.

En las afueras encontró Ben-Hur una muchedumbre como no había visto otra, ni tan siquiera en el circo de Antioquía. Las calles, las azoteas, las vertientes del cerro, estaban llenas de un gentío denso y apretado que esperaba y oraba. El ambiente estaba lleno de voces e imprecaciones.

El grupo pasó ante la otra guardia sin impedimento alguno, pero, apenas se habían alejado, cuando apareció el primer centurión que cargaba contra ellos y, desde la puerta, llamó a Ben-Hur.

—Tú, atrevido, ¿eres judío o romano?

Ben-Hur contesto:
—Soy un hijo de Judá que ha nacido aquí. ¿Qué me quieres?
—Espera y nos veremos las caras.
—¿Tú solo?
—Como quieras.
Ben-Hur se rió de él.
—¡Oh, bravo romano! ¡Digno hijo del bastardo Júpiter romano! ¿No ves que no tengo armas?
—Coge las mías —replicó el centurión—. Yo me armaré en el cuerpo de guardia.
Al oír la gente este diálogo enmudeció y un silencio cada vez más pesado terminó por extenderse a toda aquella multitud.
Poco tiempo hacía que Ben-Hur había vencido a un romano ante los ojos de toda Antioquía; bien podía ahora vencer a otro a la vista de Jerusalén entera. Esta victoria podía ser de provecho para la causa del nuevo Rey, del Rey que había de venir.
Sin vacilar se adelantó confiadamente y dijo al centurión:
—Por mi parte estoy dispuesto. Déjame tu espada y tu escudo.
—¿Y el yelmo y la coraza también? —preguntó el romano.
—Quédatelos; no los necesito.
Al momento le entregaron las armas y el centurión pronto estuvo dispuesto. Mientras, los soldados, ante la puerta, en apretadas filas, continuaban inmóviles, escuchando en el mayor silencio.
Cuando ambos contendientes avanzaron el uno contra el otro, para empezar el combate la multitud se preguntaba: «¿Quién es?» Y nadie, entre tantos miles de almas, supo responder a esta pregunta.
La superioridad de los romanos en las armas provenía de tres causas: sumisión ciega a la disciplina, táctica de la legión y manejo hábil de la espada corta y ancha que habían adoptado de los españoles. Jamás golpeaban o tajaban con ella, sino que la usaban para dar estocadas, lo mismo en el combate que en la retirada, y generalmente la cara de su enemigo era su blanco. Ben-Hur sabía esto perfectamente. Dispuesto a iniciar el combate, dijo al romano:
—Antes te comuniqué que era un hijo de Judá, pero añado que soy también un lanista educado en Roma. Defiéndiete, pues.
Y acometió a su enemigo.
El uno ante el otro, se midieron con la vista, lanzándose encendidas miradas por encima de sus escudos. Avanzó el romano, amagando una estocada baja, rió el judío con ironía; el romano le dirigió rápidamente una estocada a la cara; pero el judío fue mucho más rápido, saltando ligeramente a la izquierda. Luego deslizó su escudo por debajo del brazo levantado de su enemigo, hasta que la espada y el brazo que la sostenía queda-

ron retenidos; otro paso más y el costado derecho del romano quedaba expuesto a la punta de la espada de su enemigo. Con un ruido sordo, el centurión cayó pesadamente de bruces.

Ben-Hur era el vencedor. Plantando su pie sobre la espalda del vencido, levantó el escudo sobre su cabeza, como era costumbre de los gladiadores en casos semejantes, y saludó a los impertérritos soldados, inmóviles ante la puerta.

Cuando el pueblo se dio cuenta de la victoria del judío, rompió en vítores de loca alegría. Sobre las azoteas, hasta las más lejanas, junto al Xistos, gritaba la multitud y agitaba sus pañuelos y aplaudía. Si se lo hubieran permitido, los galileos le hubieran llevado a hombros.

A un subalterno que se adelantó desde la puerta, le dijo:

—Tu compañero ha muerto como un soldado. No quiero quedarme con sus despojos. Sólo me convienen su escudo y su espada. Son míos.

Después se marchó con sus galileos, y les dijo:

—Hermanos, os habéis portado valientemente. Debemos separarnos ahora, pues es posible que nos persigan. Nos veremos esta noche en el *khan* de Betania. He de proponeros algo de mucho interés para Israel.

—¿Quién eres? —le preguntaron.

—Un hijo de Judá —repuso con sencillez.

Mucha gente, ávida de contemplarle, se agolpó en torno suyo.

—¿Iréis a Betania? —preguntó.

—Sí; iremos.

—Entonces llevad con vosotros esta espada y este escudo, para que yo pueda reconoceros.

Y cruzando a través de la muchedumbre que se acrecentaba a cada instante, desapareció rápidamente.

A instancias de Pilatos, la gente se llevó sus muertos y heridos con gran tristeza y dolor; pero éstos quedaban mitigados, en parte, por el triunfo del desconocido campeón, a quien buscaban por doquier y a quien todo el mundo alababa. El desalentado espíritu de la nación se sintió renacer ante aquel hecho heroico; tanto en las calles como en el recinto del Templo, en medio mismo de la solemnidad de la fiesta religiosa, se evocaban las antiguas hazañas de los Macabeos y millares de personas se hacían halagüeñas reflexiones.

—Tened un poco de paciencia, hermanos, e Israel recuperará lo suyo. Tengamos fe en el Señor y esperemos.

De esta manera se dio a conocer Ben-Hur y adquirió fama en Galilea, preparando el camino para la causa del Rey que iba a venir.

LIBRO VII

Al despertar vi una sirena esbelta y sonriente, envuelta en sutil gasa de vapores, que soñaba en el mar distante. Brazaletes de coral ceñían sus muñecas, y una corona de brillantes algas lucía en sus cabellos.

THOMAS BAILEY ALDRICH

CAPÍTULO PRIMERO

JERUSALÉN SALE A RECIBIR AL PROFETA

Se verificó la reunión en el *khan* de Betania. De allí, Ben-Hur partió con los galileos a su país, donde sus proezas en la vieja Plaza del Mercado le direon fama y muchísima influencia. Antes de que acabara el invierno había conseguido organizar tres legiones, réplica exacta de las romanas. Hubiera podido tener otras tantas, porque el espíritu guerrero de aquel pueblo necesitaba poco para despertarse. Mas era preciso conducirse con cautela si no se quería suscitar los recelos de los romanos y de Herodes Antipas.

Contentándose de momento con estas tres legiones, luchó para disciplinarlas y educarlas para la acción. Con este fin, se llevó a los oficiales a las soledades de Traconítide y los adiestró en el manejo de las armas; enseñóles después la táctica especial de la legión y los mandó a su casa como instructores.

Estos ejercicios llegaron a ser como un entretenimiento para el pueblo y su pasatiempo favorito, aunque la tarea exigía paciencia, habilidad, celo, fe y abnegación, cualidades que era necesario poseer par tener influencia en las masas y moderarlas a su voluntad; y ya sabemos que Ben-Hur las poseía. ¡Cuánta abnegación y trabajo exigía su obra!

No obstante, es posible que hubiera fracasado sin el apoyo de Simónides, que le suministraba armas y dinero, y sin Ilderim, que vigilaba las fronteras y le llevaba todo cuanto necesitaba. Los galileos no dejaban tampoco de ayudarle en su proyecto.

Bajo el nombre de Galilea, estaban comprendidas las cuatro tribus de Aser, Zabulón, Isacar y Neftalí, con los distritos que desde que se establecieron en la Tierra de Promisión les había correspondido. El judío nacido cerca del Templo desdeñaba a estos hermanos suyos del norte, pero el Talmud ha dicho: «El galileo ama el amor, y el dinero el judío».

Aborrecían a Roma con el mismo ardor con que amaban a su país; en cada alzamiento ellos eran los primeros en salir a la lucha y los últimos en retirarse. En la última guerra contra Roma murieron más de ciento cincuenta mil jóvenes galileos. En las grandes festividades religiosas, acudían a Jerusalén en grandes masas, que llegaban a acampar como verdaderos ejércitos. Eran generosos en sentimientos y opiniones y tolerantes con los gentiles paganos. Estimaban como compatriotas suyos a todos los habitantes de la tierra y vivían en paz con ellos. Contribuyeron a la gloria del nombre hebreo poetas galileos como el autor del *Cantar de los Cantares* y profetas como Oseas.

En un pueblo de estas características, tan vivo y orgulloso, tan bravo, abnegado y con tanta imaginación, una leyenda como la venida del Rey futuro había de causar impresión.

El hecho de que este Rey habría de destruir el poder de Roma, hubiera sido motivo más que suficiente para agruparlos en torno a Ben-Hur, dóciles a sus propósitos; pero cuando, además de esto, les convenció de que el Rey venía a conquistar el mundo, con más poder que el César y más autoridad que Salomón, y que este imperio no tendría fin, su adhesión fue incondicional y se afiliaron a su causa en cuerpo y alma.

Si le preguntaban el fundamento de su fe, él les citaba a los profetas y les hablaba de Baltasar, que estaba esperando en Antioquía, y se quedaban satisfechos, porque la creencia de la venida del Mesías tenía en ellos hondas raíces. Aquel sueño tan amado y acariciado por tanto tiempo estaba ahora muy cerca de realizarse. El Rey no había de venir, ya había llegado.

De esta manera pasaron para Ben-Hur los meses de invierno, y con la primavera llegaron las lluvias que, desde el mar occidental, llevan en sus alas los vientos favorables. Había trabajado con tanto ardor y con tal éxito durante este tiempo, que podía decirse a sí mismo y a sus partidarios con orgullo:

—Que venga el Rey. Sólo tiene que decirnos en qué lugar quiere asentar su trono. Seremos el brazo que se lo conquiste.

Y todos los que le trataban no le conocían por otro nombre que el de «un hijo de Judá».

Estaba una tarde Ben-Hur en lo más escarpado y recóndito de la Traconítide, sentado entre los galileos a la puerta de la caverna que les servía de cuartel general, cuando llegó un mensajero árabe con una carta para él. Rompiendo el sello, leyó lo siguiente:

> «Jerusalén, Nisán IV
>
> »Entre nosotros ha aparecido un profeta que dicen es Elías. Ha permanecido muchos años en el desierto, y en mi opinión es un profeta verdadero que, según sus propias palabras, precede a otro en verdad mucho más grande que

él, que está al llegar, y le está esperando en la ribera oriental del Jordán. En persona he ido a verle y a oírle, y me he convencido de que espera al Rey que nosotros aguardamos. Ven, si quieres, y juzga por ti mismo.

»Toda Jerusalén ha ido a ver al profeta, y tanta gente se reúne en la orilla donde predica, que parece el Monte Olivete en los últimos días de la Pascua.

MALLUCH.»

Se iluminó de júbilo el rostro de Ben-Hur.

—Este mensaje, amigos míos, me comunica que nuestro deseo va a realizarse. El heraldo del Rey ha aparecido anunciando su llegada.

Después de oír la lectura de la carta, todos se alegraron con la promesa que encerraba.

—Preparaos en seguida —les dijo—; por la mañana volveréis a casa, y cuando lleguéis, avisáis que estén prontos para reunirse en cuanto yo ordene. Entretanto, me informaré si en realidad ha aparecido el Rey y os enviaré noticias. Vivamos alegres con esta esperanza.

Acto seguido, envió una carta a Ilderim y otra a Simónides, comunicándoles las noticias recibidas y su intención de ir en seguida a Jerusalén; llevadas éstas por rápidos correos, esperó a que llegara la noche. Cuando aparecieron las estrellas montó y, acompañado de un guía, marchó hacia el Jordán, siguiendo el camino que emplean las caravanas que van desde Rabat-Amón a Damasco.

El guía era seguro, y «Aldebarán», muy veloz. A medianoche, ya habían salido de las asperezas volcánicas y adelantaban rápidos hacia el sur, en un país más llano.

CAPÍTULO II

LA SIESTA JUNTO AL LAGO — IRAS

Tenía Ben-Hur el propósito de buscar refugio al amanecer y descansar hasta la noche. Mas, a pesar de lo rápido de su viaje, los sorprendió el día en pleno desierto y fue necesario continuar, prometiéndole el guía llevarle en poco tiempo a un valle rodeado de altas rocas, en donde había una fuente de agua viva, moreras y abundante pasto para sus caballos.

Cabalgaba distraído, meditando en los acontecimientos que se avecinaban y que tan profundos cambios introducirían en la marcha de la Humanidad y en el gobierno de los pueblos, cuando de pronto su guía le llamó la atención sobre un grupo de jinetes que venían detrás.

Por todos lados se extendía el desierto con la soledad de sus arenas que poco a poco se iban tiñendo de amarillo a medida que la luz aumentaba. No se veía el más ligero indicio de vegetación. Allá, a lo lejos, hacia la izquierda, se divisaba una baja cordillera, interminable en apariencia.

Ben-Hur esperó con inquietud el instante de poder saber quiénes eran los que le seguían.

—Es un camello con viajeros —dijo el guía.

—¿Hay otros detrás? —preguntó.

—Viene solo. Es decir, no; un hombre a caballo lo acompaña. Debe ser el conductor.

No tardó Ben-Hur en divisar el camello, que era blanco y de extraordinaria alzada. Sin querer, recordó el hermoso animal que vio junto a la fuente del bosque de Dafne, llevando sobre su lomo a Baltasar y a Iras. No podía haber otro igual. Su paso se hizo imperceptiblemente más lento, pensando en la bella egipcia, hasta que vio bajo el dosel o tienda del *hudah* a dos personas. ¡Eran Baltasar e Iras!

¿Debía o no darse a conocer? Se sorprendía de encontrarles

solos en el desierto. Entretanto, el camello se acercaba cada vez más con su paso silencioso. Ya se oía el tinteneo de las campanillas; ya se divisaba claramente al etíope que siempre los acompañaba...

El admirable animal se detuvo al llegar junto al caballo de Ben-Hur, y al mirar éste hacia arriba, Iras alzó las cortinas y le contempló con sus grandes y húmedos ojos, llenos de curiosidad y admiración.

—¡La bendición del verdadero Dios sea contigo y los tuyos! —dijo Baltasar con trémula voz.

—¡Y contigo y los tuyos la paz del Señor! —contestó Ben-Hur.

—Los años han debilitado mis ojos —dijo Baltasar—, pero creo que eres el hijo de Hur a quien conocí no hace mucho tiempo como huésped digno en la tienda de Ilderim, el Generoso.

—Y tú eres Baltasar, el sabio egipcio cuyas pláticas sobre los sagrados acontecimientos que esperamos han contribuido a que yo me encuentre en estas soledades. ¿Hacia dónde te diriges solo?

—El que está con Dios nunca va solo, y Dios se encuentra en todas partes —contestó Baltasar—. Pero, contestando a tu pregunta, he de decirte que viene detrás una caravana que va a Alejandría, y como ha de pasar por Jerusalén, pensé que sería bueno aprovechar su compañía hasta la Ciudad Santa, que es adonde me dirijo. Descontento de un viaje tan lento, porque escolta la caravana una cohorte romana, nos hemos levantado temprano y nos hemos adelantado a ella. No tengo miedo alguno a los ladrones que puedan acometernos, porque llevo un salvoconducto del jeque Ilderim. Respecto a las fieras, Dios es suficiente para protegernos.

Se inclinó Ben-Hur y dijo:

—El salvoconducto del buen jeque es una poderosa recomendación en el desierto; muy rápido debiera ser el león para alcanzar a este rey del desierto.

Su mano acarició el cuello del camello.

Iras, con una sonrisa que no pasó inadvertida a Ben-Hur, dijo:

—Sin embargo, sería mejor para él haber comido. También los reyes sufren hambre y dolor de cabeza. Si eres Ben-Hur a quien hace referencia mi madre, y a quien yo hubiera tenido la satisfacción de reconocer antes que él, tendrás la bondad de indicarnos el camino más corto para llegar a alguna fuente en la que podamos reposar en paz y tomar tranquilos nuestro almuerzo.

Ben-Hur contestó presuroso:

—Bella egipcia, si puedes tener un poco de paciencia, no tardarás en llegar a la fuente por la que preguntas; sus aguas te parecerán dulces y frescas como las famosas de Castalia. Si me lo permites, nos pondremos en seguida en marcha.

—¡Te doy la bendición del sediento! y a cambio te ofrezco el pan de los hornos de la ciudad, con fresca manteca de Damasco.

—Por adelantado te doy las gracias. En marcha, pues.

Y, acto seguido, Ben-Hur se puso en camino.

No tardaron en llegar a un hondo torrente, por el que descendieron siguiendo al guía. El descenso era peligroso a causa de las lluvias recientes, que habían reblandecido el terreno. Las vertientes a veces cortadas a pico les amenazaban con desprender sobre ellos enormes rocas socavadas por las corrientes que se precipitaban al fondo. Cuando salieron de este angosto paso, penetraron en un valle extenso y en extremo delicioso.

Corrían por todas partes riachuelos que se entrelazaban y cruzaban formando islitas encantadoras, sombreadas por espesos cañaverales. Olivos silvestres se agrupaban en los lugares más altos y una palmera se elevaba como una soberana en aquel pequeño mundo. Al pie de las laderas crecían viñedos, trepando por las rocas y los olivos, y a la entrada de un bosquecillo de moreras discurrían las aguas de un arroyo, señalando la fuente de la que procedían. El guía los condujo hasta allí, levantando a su paso pájaros de brillante plumaje y bandadas de perdices.

La fuente brotaba de una hendidura al pie de una roca y había sido ensanchada hasta formar una especie de recipiente bajo un arco que le daba sombra. Encima de la roca, en caracteres griegos, se destacaba el nombre de Dios. Es posible que el sediento que llegó allí, después de dar gracias a Dios en esta forma duradera, se quedase más de un día gozando de su alegre espesura. Desde el arco se deslizaba el agua por una pradera cubierta de verde musgo y saltaba después a un pequeño lago desde donde corría nuevamente por entre las altas hierbas que crecían al pie de los árboles, perdiéndose al fin en las ardientes arenas, que la absorbían sin dejar rastro.

El espacio que rodeaba la fuente y el pequeño lago no denotaba la menor huella humana, lo cual les aseguraba la tranquila posesión de aquel paraíso. El joven y el guía se apearon, dejando sus caballos libres, y el etíope ayudó a sus amos a bajar del camello, que dócilmente se había arrodillado. Apenas el anciano bajó, volvió su rostro hacia oriente, cruzó las manos sobre el pecho y oró devotamente.

—Tráeme una copa —pidió Iras, impaciente, al etíope.

Sacó el esclavo una copa de cristal del fondo del *hudah*, que entregó a Iras, quien al tomarla dijo a Ben-Hur.

—Quiero ser tu sierva junto a la fuente.

Se dirigieron hacia ella y, aunque él quiso sacar el agua, se negó Iras y, poniéndose de rodillas en el musgo, hundió la copa en la corriente para que se refrescara antes de llenarla. Después de breves momentos, la llenó y se la tendió a Ben-Hur para que bebiera primero.

Negóse el joven a beber, rechazando con suavidad la bella mano y mirando los hermosos ojos rasgados, velados por largas pestañas.

—No; bebe tú primero, te lo suplico.

Ella insistió.

—En mi país tenemos un proverbio que dice: «Mejor es ser copero de un afortunado que ministro del rey».

—¡Afortunado! —repitió él, mirándola sorprendido.

—Los dioses nos dan la victoria para mostrarnos que están a nuestro lado. ¿No triunfaste en el circo?

Enrojeció Ben-Hur.

—Ésa fue una señal, pero aún hay otra. ¿No has matado a un centurión romano en un combate a espada?

Enrojeció más aún, mostrando con ello el placer que sentía, no sólo por el recuerdo de sus triunfos, sino porque le halagaba el saber que ella había seguido con interés su carrera. El combate de que Iras hacía mención era conocido por todo Oriente, pero nadie sabía el nombre del vencedor, salvo algunos pocos: Malluch, Ilderim y Simónides. ¿Alguno de ellos habría confiado su secreto a Iras? Así, en medio de su satisfacción, se sentía algo perplejo. Notándolo ella, se levantó, manteniendo la copa en la corriente, y dijo:

—¡Oh, dioses de Egipto! Os doy las gracias porque he descubierto a un héroe y porque la víctima inmolada en el palacio de Iderneo no fue él. Por todo ello, ¡oh, dioses!, bebo en vuestro honor.

Parte del contenido de su copa lo vertió en la corriente y bebió el resto. Retiró la copa de sus labios y se rió al ver la cara del joven judío.

—¡Oh, hijo de Hur! ¿Es natural entre los valientes ser derrotado con tanta facilidad por una mujer? Toma la copa y mira si encuentras en su fondo alguna palabra dulce para mí.

Cogió la copa el joven y se inclinó para llenarla.

—Un hijo de Israel no tiene dioses ante los que pueda libar —exclamó mientras jugaba con el agua, para disimular su turbación, que era aún mayor que antes.

¿Qué más sabía la egipcia acerca de él? ¿Que sabría de sus relaciones con Simónides? ¿Estaría enterada de su tratado con Ilderim? Alguien le había revelado sus secretos y esto era tan grave que se sentía profundamente disgustado. Se encaminaba a Jerusalén, lugar en que estas noticias podían resultar peligrosas no sólo para él, sino también para los que se le habían unido y para la causa común.

¿Era la egipcia amiga o enemiga? Meditaba todo esto en el corto espacio de tiempo de llenar la copa. Se levantó al fin, y con fingida indiferencia dijo:

—Hermosa joven, si yo fuera egipcio, griego o romano diría en este momento —y levantó la llena copa—: ¡Oh, dioses! ¡Os doy gracias porque en este mundo de desdichas y sufrimientos permanezca en él el encanto de la belleza y la dulzura del amor; y bebo en honor de quien plenamente las representa, la bella Iras, la más graciosa de las hijas del Nilo!

Puso ella con suavidad su mano sobre el hombro del joven.

—Has pecado contra la ley. Son falsos los dioses por quienes has libado. Debiera denunciarte a los rabinos.

Rió Ben-Hur.

—Eso sería lo menos peligroso de que podía acusarme una mujer que conoce tantas cosas sobre mí.

—Voy más lejos aún; acusaré a la pequeña judía que hace florecer las rosas en casa del gran Simónides. A ti, de impiedad, y a ella...

—Bien... ¿qué?

—Le repetiré lo que has dicho con la copa en la mano y tomando a los dioses por testigos.

Ben-Hur quedó en silencio esperando que ella continuara. Imaginóse a Ester recibiendo, escuchando o mandando, y leyéndolos muchas veces, los despachos recibidos o expedidos. En presencia de ella contó a Simónides lo que le había sucedido en el palacio del Iderneo. Eran amigas Ester e Iras; la una, astuta insinuante y conocedora del corazón humano; la otra, ingenua, crédula, fácil de engañar, Simónides guardaba su secreto e Ilderim tampoco lo habría revelado; teniendo en cuenta que el silencio era para ellos cuestión de honor, su mismo interés aconsejaba guardarlo celosamente, ya que después de él, ellos resultaban los más comprometidos. ¿Habría informado Ester a Iras? No se atrevía a acusarla, pero el germen de la duda empezó a desarrollarse con rapidez en su mente.

Baltasar se acercó a la fuente impidiendo a Ben-Hur contestar a Iras.

—Este valle es delicioso —exclamó el anciano—; la hierba, los árboles con su sombra nos invitan a permanecer aquí, a descansar al lado de esta fuente. Pero no es suficiente que te dé las gracias por el placer que nos has proporcionado. Ven, siéntate a nuestro lado y comparte nuestro pan.

—Permíteme antes que te sirva.

Llenó la copa y se la dio a Baltasar, que levantó los ojos en acción de gracias.

Llevó toallas el esclavo y, después de lavarse las manos y secárselas, se sentaron según la costumbre oriental, bajo la misma tienda que muchos años antes había servido a los tres magos de refugio común en el desierto. Juntos comieron complacidos.

CAPÍTULO III

LA VIDA DE UN ALMA

—Cuando te hemos alcanzado —dijo el anciano— me pareció que te dirigías a Jerusalén. ¿Puedo preguntarte si es así?

—Sí, voy allá.

—Me siento en la necesidad de evitarme fatigas inútiles. ¿Sabes si hay algún camino más corto para ir que el de Rabat-Amón?

—Sí, pero es mucho más difícil; por Rabat-Gilead. Es por donde me propongo ir yo.

—Estoy impaciente por llegar. Hace algún tiempo que mis sueños están llenos de pesadillas, o mejor, me obsesiona el mismo sueño muchas veces repetido. Oigo una voz que me grita: «¡Date prisa, levántate! Aquel a quien tanto esperas va a aparecer».

—¿Te refieres al que ha de ser Rey de los judíos? —preguntó Ben-Hur, mirándole con asombro.

—El mismo, efectivamente.

—Entonces, ¿aún no sabes nada de Él?

—Nada. Unicamente las palabras que la voz me repite en mis sueños.

—Pues yo tengo noticias que te complacerán tanto como me han alegrado a mí.

Sacó la carta de Malluch y la entregó al egipcio, que temblaba de emoción. La leyó en alta voz, y su contenido exaltó sus sentimientos; las débiles venas de su cuello se hincharon y latieron aceleradamente. Cuando terminó, elevó sus empañados ojos dando gracias al cielo y se puso a orar. No añadió pregunta alguna porque no abrigaba dudas.

—¡Cuán bueno has sido para mí, oh, Dios! —exclamó—. Te ruego me concedas la gracia de ver de nuevo al Salvador y de volverle a adorar, y tu siervo ya no te pedirá sino morir en paz.

Esta sencilla plegaria, hecha con una unción extraordinaria, consiguió que Ben-Hur sintiera una sensación nueva e imborrable. Parecía como si el Señor se inclinara sobre ellos o estuviera sentado a su lado como un amigo dispuesto a dispensarnos sus favores sin ceremoniosas súplicas, o como un padre amante para quien todos sus hijos son iguales en su cariño; no sólo los judíos, sino todo el género humano; el padre universal que no precisa mediadores, rabinos, sacerdotes ni maestros.

El pensamiento de que Dios enviara un Salvador en vez de un Rey nació en Ben-Hur de un modo tan diáfano y conforme a la idea que él tenía de Dios, que sin contenerse preguntó:

—¿De manera que tú persistes en que ha de ser un Salvador y no un Rey?

Baltasar le miró de una manera a la vez reflexiva y tierna.

—¿Cómo debo entenderte? —inquirió a su vez—. El espíritu, la estrella que se me apareció en otro tiempo, no se me ha vuelto a aparecer desde que te hablé en la tienda de Ilderim; no la he visto ni oído, como en otro tiempo, pero estoy seguro de que la voz que habla en mis sueños es la misma. No he tenido, pues, ninguna otra revelación.

—Quiero recordarte que nuestros pareceres eran diferentes —dijo el joven con afabilidad—. Tu opinión era que sería un Rey, pero no a la manera del César; creías que tu soberanía sería espiritual, no de este mundo.

—¡Oh, sí! Y soy del mismo parecer. Ésa es la discrepancia en nuestras creencias. Esperas tú un Rey de hombres; yo un Salvador de almas.

Calló un momento, luchando en su interior por desenredar un pensamiento demasiado trascendental, a fin de someterlo a un razonamiento sutil y expresarlo de la mejor manera.

—Permíteme, ¡oh, hijo de Hur! que intente darte a comprender cuál es mi opinión. No podría precisar cuándo surgió en la mente del hombre la noción de la existencia del alma. Es posible que nuestros primeros padres la trajeran cuando perdieron el paraíso, que fue su primera morada. ¿Qué nos hace creer que hay un alma en cada hombre? Piensa cuán necesaria es su existencia. ¿Qué pueblo, qué hombre ha deseado jamás morir y dejar de existir para siempre? Nadie, y todos en el fondo de su corazón han esperado y creído en una vida más perfecta y mejor. Este sentimiento justifica las estatuas y las inscripciones; la historia misma. El más poderoso de nuestros egipcios se hizo tallar una efigie en un cerro de roca maciza; los rasgos eran los suyos y el rey observó que la figura era su fiel expresión. Nos lo podemos imaginar exclamando satisfecho: «Que venga la muerte; yo la sobreviviré; mi estatua está ahí ya». Pero ¿es esta vida póstuma suficiente para calmar las aspiraciones del ser humano? ¿Consiste acaso en que perdure su recuerdo entre los hombres o en una gloria abstracta tan impalpable como el reflejo de la luz de la luna sobre aquel busto colosal? ¿Es suficiente un monumento de piedra? Entretanto, ¿qué se ha hecho de él? Su cuerpo embalsamado yace en una tumba que en vida fue suya; allí está, con certeza menos bello que en la estatua del desierto. Pero ¿dónde se halla el rey mismo? ¿Quizá cayó en la nada? Era un hombre vivo, como tú y yo, hace más de dos mil años. ¿Fue su último aliento la señal de una desaparición absoluta? Decir que sí sería acusar al mismo Dios. Consideremos más bien que después de esta vida hay algo más imperecedero que el recuerdo de los hombres; que debe haber para el alma otra vida, una vida eterna como toda nuestra voluntad y nuestra conciencia; una vida con cierta similitud a ésta, aunque varíen las condiciones exteriores. Te preguntarás cuál es el plan de Dios. Nada más portentoso ni más sencillo. El don a cada nacido de un alma está sujeto a esta ley; la inmortalidad es patrimonio del alma. Dejando de lado esta necesidad, esta creencia despoja a la muerte de todos sus terrores. El que muere sabe que le espera algo mejor que lo que deja, y un entierro es como plantar una semilla de la que ha de nacer una nueva vida. Mírame bien a mí, anciano como soy, débil, fatigado, quebrantado de cuerpo y deformado por mis enfermedades, con mi cara arrugada, mis sentidos torpes, mi voz cascada. Ahora bien, ¡oh, hijo de Hur!, sabiendo esto, que es lo esencial, ¿disputaré acerca de lo que sólo es transitorio y accidental? ¿Sobre la forma del alma, en dónde ha de habitar; si come y bebe, si es alada y está dotada de este o aquel órgano? No. Lo más cuerdo es confiar en la bondad de Dios. La belleza de este mundo es un don suyo y procede de su mano y proclama su perfección infinita. Él es el autor de toda forma; Él viste al lirio y da color a la flor. Él deja caer el rocío y da armonía a la Naturaleza. Es decir, nos ha organizado para esta vida sometiéndonos a unas condiciones que para mí son como una garantía del futuro; por esto, abandonándome en sus manos como un niño, pongo en ellas mi alma y mi destino después de la muerte, porque sé que me ama como un padre.

Hizo una pausa y bebió un sorbo, y al acercar la copa a sus labios, sus manos temblaban de emoción, sentimiento que comunicó a Iras y a Ben-Hur, que le escuchaban en silencio. El joven comenzó a vislumbrar los destellos de una nueva y deslumbradora luz. Ahora empezaba a ver con toda claridad que tenía que existir un reino espiritual de mucha más importancia para el hombre que cualquier otro imperio y que, por tanto, un Salvador era un don mucho más divino y preciado al hombre que si le diera el rey más poderoso de la tierra.

—¿Puedo preguntarte —dijo Baltasar— si esta vida, tan breve y turbulenta, es preferible a la eterna y perfecta, destinada al alma? ¿Que significan cincuenta, cien o más años de vida terrena, comparados con la eternidad en compañía de Dios? Pero ¡pobres de nosotros! ¡En qué costumbres han caído los pueblos! Viven solamente para el presente, como si lo fuera todo, y hasta llegan a decirse a sí mismos: «No hay mañana para el que ya no existe; o si lo hay, no pudiéndolo saber con certeza, sería una preocupación más pensar en ello». Así, cuando son llamados por la muerte, no pueden entrar en el goce pleno de esa otra vida gloriosa, porque no están dispuestos para ella. Por mi parte, no cambiaría una sola hora de la vida de mi alma por mil años de mi vida como hombre.

Calló Baltasar nuevamente, y después prosiguió como si hablara consigo mismo:

—Te ruego me disculpes, ¡oh, hijo de Hur!, si dejo a tu propio criterio y reflexión la vida del alma y sus condiciones, goces y ventajas. Considera que esta vida futura ha llegado a oscurecerse tanto en la muerte del hombre actual, que podemos llamarla una luz que se extingue. Si consigues que brille de nuevo en tu corazón, ¡alégrate, hijo de Hur! Comprenderás entonces que la necesidad que tiene el género humano de un Salvador es inmensamente mayor que la necesidad que pueda experimentar de tener un rey, y te convencerás de que Aquel a cuyo encuentro vamos no vendrá como un guerrero con espada, o como un emperador con su corona. ¿Con qué señal podremos reconocerle cuando le veamos? Si persistes en tu creencia sobre su carácter, es decir, que ha de ser un rey como Herodes, debes esperar hasta que te encuentres con un hombre vestido de púrpura y con un cetro en las manos, mientras que Aquel a quien yo busco será pobre, humilde y no se distinguirá de los demás, a lo menos en apariencia, y el signo por el cual he de reconocerle no puede ser más claro. Me ofrecerá a mí, como a toda la Humanidad, el camino de la vida eterna, la más hermosa y pura vida del alma.

Los oyentes permanecieron silenciosos un momento, esperando que Baltasar concluyera.

—Levantémonos, pues; pongámonos ya en camino. Cuanto os he dicho ha aumentado el ansia de ver pronto a quien hasta ahora siempre ha vivido en mi mente. Si parece que os apresuro demasiado, que esta impaciencia sea mi excusa.

Hizo una señal, y el etíope les llevó vino en un pequeño odre que escanciaron y bebieron y, sacudiendo sus ropas, se levantaron. En tanto que el esclavo recogía la tienda y demás cosas, guardándolas en las cajas del *hudah*, y el guía árabe ensillaba los caballos, los tres se lavaron en la fuente.

Al poco rato estaban ya en camino, tratando de alcanzar la caravana, en el caso de que ésta se les hubiera adelantado.

CAPÍTULO IV

BEN-HUR MONTA LA GUARDIA CON IRAS

La caravana que atravesaba el desierto era muy pintoresca. Parecíase en su lento movimiento a una serpiente perezosa pintada de escamas; pero se hizo tan insoportable a Baltasar, a pesar de su paciencia, que tomaron la resolución de viajar solos.

Ben-Hur encontraba cierto hechizo en la presencia de Iras. Cuando, desde lo alto del asiento que ocupaba en el *hudah*, dirigía una mirada hacia él, se acercaba presuroso, y cuando ella le hablaba los latidos de su corazón se aceleraban. El deseo de serle agradable era su constante objetivo. Cualquier cosa, por vulgar que fuera, adquiría nuevo interés para él en el momento en que atraía la atención de ella; una negra golondrina que atravesaba el espacio y que ella le mostró, le extasió como una aparición celeste; si un cristal de cuarzo o una simple lámina de mica brillaba al recibir la caricia del sol entre la confusa arena, a su menor indicación se apartaba del camino para ir a recogerlo y ponerlo en sus manos; y si ella lo tiraba decepcionada, lejos de pensar que aquello le entristecía, él se apenaba y hubiera deseado que hubiera sido una preciosa gema. La púrpura de las montañas lejanas le parecía más hermosa si ella dedicaba una exclamación de elogio; y si de vez en cuando, dejando caer las cortinas de su *hudah*, se confinaba en su interior, le parecía que una oscura niebla extinguía el esplendor del cielo y de la tierra.

En esta disposición, y cediendo fácilmente a su influencia, ¿quién le salvaría del riesgo que había de nacer de tan prolongada compañía al lado de la hermosa egipcia, en medio de tanta soledad como les rodeaba?

Ciertas señales permitían observar que ella conocía bien la influencia que ejercía sobre él. Desde primera hora se había adornado con una redecilla de oro sembrada de moneditas pendientes de finas cadenas que caían sobre su frente y sus mejillas, entremezclándose armoniosamente con los abundantes rizos de su cabello de un negro azulado. Con gran coquetería, había cubierto sus dedos de anillos y colgado diamantes en sus orejas, y en el cuello un collar de perlas; ricos brazaletes ceñían sus muñecas y su pecho estaba cubierto con un chal bordado de hilillos de fino oro. En su deseo de agradar rodeó su cuello con una gorguera de encaje, que graciosamente le cubría apenas la garganta y los hombros. Y de esta forma, como revestida con una armadura de combate, lanzaba al joven las flechas de sus miradas y los dardos de sus palabras, dulcemente halagadoras, aguzadas por las más perturbadoras sonrisas. Con las mismas artes fue apartado Antonio de la gloria, teniendo en cuenta que la que cubrió su ruina no era, ni con mucho, tan bella como esta compatriota suya.

Llegó la tarde y después la noche. Al ponerse el sol detrás de uno de los picos del antiguo Basan, se hallaban a orillas de un estanque de transparentes aguas que la lluvia había depositado en el desierto de Abilena. Se plantó la tienda, cenaron y, tomadas todas las disposiciones, pernoctaron.

Correspondía a Ben-Hur la segunda guardia. Se mantuvo en pie con la lanza, muy cerca del camello, que dormitaba, admirando a veces las estrellas o contemplando el paisaje velado por la noche.

Su mente sólo estaba ocupada por la egipcia, presentándole todas sus seducciones y preguntándose cómo había podido adueñarse de sus secretos. ¿Haría buen uso de ellos? O bien, ¿qué actitud debía tomar ante ella? En medio de este combate interior, el amor le debilitaba con todas sus tentaciones.

Cuando más abismado estaba, sobre su hombro se posó suavemente una mano, en un contacto que le hizo estremecer. Volvióse y vio que ella estaba allí, sonriéndole.

—Creí que dormías.

—El sueño está bien para los niños y los viejos; he salido para admirar a mis antiguas amigas, las estrellas del sur, las que sostienen los velos de medianoche sobre el Nilo. Pareces sorprendido.

Él cogió su mano que había apartado de su hombro y le preguntó:

—¿He sido, quizá, sorprendido por un enemigo?

—¡Oh, no! Ser enemigo es detestar, y el odio es una enfermedad que Isis no permitiría que me atacara. Debes saber que siendo niña besó mi corazón.

—Por tu forma de hablar deduzco que no piensas como tu padre. ¿No participas de su fe?

—Pudiera haber participado de ella —y sonrió— si hubiese visto lo que ha presenciado él. Acaso llegue a participar si llego a su edad. No debería haber religión para la juventud, sino únicamente amor y filosofía; y ninguna poesía tiene su inspiración, sino en el vino, en el amor o en la alegría, no en filosofías que no entienden las locuras de su tiempo. El Dios de mi padre es demasiado grave para mí. No pude hallarlo en los bosques de Dafne ni se habló nunca de Él, como actualmente, en los atrios de Roma... Pero... ¡oh, hijo de Hur!, tengo un deseo.

—¡Un deseo! ¿En dónde está el que ose negar satisfacértelo?

—Quiero sujetarte a una prueba.

—Dime, pues.

—Es muy sencillo. Quiero protegerte.

La joven se aproximó más a él. Ben-Hur, riendo, contestó:

—¡Oh, Egipto! Iba a decir amado Egipto. ¿No es tu país la patria de la Esfinge?

—Bueno. ¿Y qué?

—Tú eres para mí un enigma. Apiádate de mí y dame siquiera el extremo del hilo, como Ariadna, para que pueda entrar en el laberinto de tu alma. ¿En qué puedo necesitar protección? ¿Cómo puedes protegerme tú?

Iras apartó la mano del hombro de Ben-Hur y, volviéndose hacia el camello, le habló con cariño, acariciando su mostruosa cabeza como si fuera un dechado de belleza.

—¡Oh, tú, el último, el más veloz y magnífico ejemplar de los rebaños de Jacob! También tú tropiezas cuando el camino es abrupto y pedregoso y la carga pesada. ¿Cómo conoces con una sola palabra de cariño el afecto que te tienen, y te muestras siempre agradecido, aunque sea hacia una simple mujer? Mereces un beso de mis labios, tú, inteligente animal.

Se inclinó y rozó la ancha frente del camello con sus labios, diciéndole al propio tiempo:

—Toma, porque no hay recelos ni sospechas en tu alma.

Ben-Hur, reprimiéndose, dijo con calma:

—El reproche va directo al blanco, ¡oh, Egipto! Mi cautela puede parecer una negativa, mas, ¿no comprendes que me encuentro ligado por un compromiso de honor y que con mi silencio protejo la vida y la suerte de otros?

—Puedes ser. O mejor dicho, así es.

Él retrocedió un paso y, turbado, preguntó:

—¿Cómo lo sabes?

—¿Por qué no reconocen los hombres que la intuición y el entendimiento en la mujer es más despierta y sutil que el suyo? Durante todo el día he estado observándote constantemente. No tenía más que mirarte para saber que tenías un gran pesar; y para averiguar lo que te agobiaba, ¿no me bastaba recordar tu conversación con mi padre? Hijo de Hur... —bajó la voz con extraño arte y, aproximándose más, de manera que su aliento ardoroso se esparcía en las mejillas del joven, continuó—: ¡Hijo de Hur! Aquel a quién vas a buscar, ¿no es el que ha de ser Rey de los judíos? ¿No es cierto que sí?

Latió con intensidad y apresurado el corazón de Ben-Hur.

—Un Rey de los judíos como Herodes, pero más grande —siguió la egipcia.

Clavó él su mirada en las tinieblas de la noche, hacia las estrellas; después sus ojos se encontraron con los de ella y permanecieron hundidos allí, como si quisieran penetrar en el fondo de su alma, mientras que el aliento de sus labios abrasaba los del judío, tan cerca se hallaba.

—Desde la mañana hemos estado soñando. Si yo te refiero mi sueño, ¿harás tú lo mismo? ¿Permaneces todavía callado?

Iras rechazó la mano de Ben-Hur y dio la vuelta para irse, pero él la detuvo y le dijo anhelante:

—¡Quédate, te lo ruego, y habla!

Ella se acercó y, con la mano apoyada en su hombro, se reclinó en él. El joven le rodeó la cintura con su brazo y la acercó más, aún más estrechamente, y en esta caricia iba envuelta la promesa que ella le pedía.

—Habla y cuéntame tus sueños, ¡oh, Egipto, querido Egipto! Un profeta, sí, pero ni el Zisbita, ni el Legislador, podría haberte negado lo que has pedido. Estoy a tu merced. Sé compasiva, te lo ruego. ¡Apiádate de mí!

La súplica pasó inadvertida, en apariencia, pues mirando al cielo y abandonándose al abrazo dijo ella despacio:

—La visión que tuve en sueños era la de una guerra formidable por mar y por tierra con gran ruido de armas y choque de ejércitos, como si César y Pompeyo hubieran vuelto. Una nube de polvo veló el mundo entero y Roma dejó de existir. El poder pasó a Oriente y cuando la nube se disipó, salió a la luz otra raza de héroes; para recompensar su valor había mayores satrapías y coronas más brillantes que las conocidas hasta entonces. Y cuando la visión me cegaba, y también después de haberse borrado, continué preguntándome: ¿Qué no tendrá aquel que sirva al Rey más diligente y mejor?

Sobresaltóse Ben-Hur de nuevo. Este sueño era su sueño y esta pregunta era la misma que se había dirigido a sí mismo aquella mañana. Ahora se imaginaba haber encontrado el hilo que le faltaba para descifrar el misterio que parecía rodear a Iras.

—Ahora ya te tengo —dijo—. Las satrapías y las coronas eran las cosas que querían ayudarme a alcanzar, ¡ya lo veo! ¡Ay, querida Egipto, todos esos galardones eran de guerra! Y tú no eres más que una mujer, aunque tu corazón haya sido besado por Isis, y las coronas son cosas muy altas, más altas de lo que puede alcanzar tu mano, a menos que no hayas encontrado un camino más corto que la espada para alcanzarlas. Si es así, muéstramelo y emprenderé esa senda, aunque no sea más que por tu amor.

Ella separó dulcemente su brazo y le dijo:

—Extiende tu capa en la arena, aquí, cerca del camello, para que pueda descansar en ella. Me acostaré y te contaré una leyenda que, siguiendo el curso del Nilo, llegó a Alejandría, en donde la oí yo.

Así lo hizo él, clavando antes su lanza en el suelo, al alcance de su mano.

—¿Y qué haré yo? —dijo él lamentándose, cuando la vio sentada—. ¿Es costumbre en Alejandría que los que escuchan estén en pie o sentados?

Desde el cómodo asiento que se había procurado contra el cuerpo del camello, contestó ella riendo:

—Al escuchar las historias de los narradores entra quien quiere y cada uno se acomoda como gusta.

Sin pensarlo más, él se tendió en la arena haciendo que el brazo de ella rodeara su cuello.

—Te escucho —dijo.

CÓMO VINO LO BELLO AL MUNDO

«Isis era, o mejor dicho, es, la más bella de todas las diosas, y Osiris, su esposo, aunque sabio y poderoso, estaba a veces atormentado por los celos, porque sólo en sus amores se asemejan los dioses a nosotros. El palacio de la divina esposa era de plata, situado en la más elevada montaña de la luna, y desde él pasaba muchas veces el sol, en cuyo centro, fuente de perenne luz, tenía Osiris su palacio de oro brillante en demasía para que los hombres pudieran contemplarlo fijamente.

»Era una ocasión (para los dioses no hay días) en que se encontraba ella muy divertida en la azotea del áureo palacio; jugueteando con su esposo, acertó a mirar a lo lejos y vio a Indra que pasaba en aquel instante por el límite del universo con un ejército de monos montados sobre águilas. El dios indio, amigo de los seres vivos, cuyo nombre se daba amorosamente a Indra, volvía triunfante de la última guerra contra el monstruoso Rakсakas, llevando en su escolta a Rama, el héroe humano, y a su esposa Sita, que, después de Isis, era la más hermosa entre las diosas.

»Isis se levantó y desciñéndose su cinturón bordado de soles lo agitó saludando alborozada a Sita; fíjate bien, solamente a Sita. Al momento, entre la hueste en marcha y la pareja que se entretenía sobre el áureo terrado, se interrumpio, se interpuso como un velo en las tinieblas: Osiris había fruncido el ceño.

»El tema de su conversación era tan sublime, que nadie, sino ellos, podían tenerlo, y él, disgustado, se levantó y dijo majestuosamente a su esposa: "Vete a casa. Ya haré yo solo el trabajo. Para crear un ser completamente feliz no necesito tu ayuda. ¡Vete!"

»Se levantó Isis y, sonriendo, dijo: "Hasta la vista, mi dulce dueño"; su aspecto era el de la luna llena brillando entre argentada niebla en las noches serenas de estío. "Ya sé que no tardarás en llamarme —continuó—, porque sin mí no podrás hacer un ser perfectamente feliz, como te imaginas ahora, y tanto más, mi adorado amigo —y se detuvo para reír con malicia—, cuando tú mismo no podrías serlo sin mí."

»—Ya veremos —dijo Osiris.

»Y ella, cogiendo su silla y sus agujas, se fue a su casa y, subiendo a la azotea de su argentado palacio, tomó asiento y se puso a hacer calceta al tiempo que vigilaba a su esposo.

»Y la fuerza creadora de Osiris, agitándose en su poderoso pecho, tronaba como el estruendo de los molinos de los dioses girando todos juntos; y tan violenta fue, que algunas estrellas se desprendieron de la bóveda del firmamento como los guisantes de su vaina seca y se perdieron en el espacio. Y en tanto que duraba el fragor de la creación, seguía ella esperando y manejando sus agujas, sin tan siquiera perder un solo punto.

»Como una mancha en el espacio, no muy alejada del sol, apareció un vellón de niebla, que creciendo, creciendo, alcanzó un tamaño como el de la luna; y ella comprendió que Osiris intentaba crear un mundo, y cuando éste se fue desarrollando más y más, llegó a privarla de la luz del sol; comprendió que su esposo estaba verdaderamente enfadado, pero continuó su calceta, segura de que al fin la llamaría.

»Y de esta manera nació la tierra, que en sus principios no era más que una fría masa abandonada en el vacío infinito.

»Al poco tiempo vio alterarse su superficie y formarse aquí una llanura, allí una montaña, más allá un mar, aunque por ninguna parte vio la más mínima centella de vida. Por fin, algo se movió a orillas del río; ella interrumpió su calceta y miró con asombro. Este algo, levantándose, extendió sus manos hacia el sol en señal de gratitud. Y así nació el hombre, cosa buena de ver. En torno suyo brotaron los demás seres, cuyo conjunto constituye lo que llamamos Naturaleza: plantas, pájaros, animales, hasta los insectos y los reptiles. Durante algún tiempo el hombre fue dichoso en su morada, pues no era difícil adivinar su felicidad. Y en el estrépito ardoroso de su creadora voluntad, Isis oyó que su divino esposo, con una carcajada burlona, le dirigía, a través del espacio, estas palabras: "¿De qué me servías tú? ¡Ahí tienes un ser perfectamente feliz!" Pero Isis no respondió, y continuó esperando y calcetando tranquilamente, pues era tan paciente como Osiris poderoso; y si él podía crear, ella sabía esperar. Y esperó, sabiendo que la vida en sí no es suficiente para hacer feliz a una criatura.

»Pronto pudo observar un cambio en el hombre. Parecía absorto, permaneciendo muchas horas tendido boca abajo, y casi no levantaba los ojos al cielo. Y cuando lo hacía, mostraba un rostro enojado.

»Con seguridad de que el hombre no era feliz, se decía a sí misma: "Esta criatura precisa algo". Entonces sintió como un nuevo ardor de voluntad creadora, que la disponía al trabajo, y en un momento la tierra, de color gris uniforme, uniforme y frío, empezó a llamear en colores; las montañas, en los crepúsculos se pusieron una diadema de púrpura; los valles se tapizaron de verdes alfombras matizadas de flores igual que estrellas; el mar tomó el azul del cielo que se reflejaba en sus olas, y las nubes se tiñeron de mil colores. Y el hombre aplaudió entusiasmado, porque estaba curado y era de nuevo feliz.

»Isis sonrió y continuó moviendo sus agujas, diciendo para sus adentros: "Esto le calmará cierto tiempo. Pero el color no es suficiente para una criatura como el hombre. Osiris tendrá que volver a la fragua".

»Con esta última palabra, sintió una conmoción en la luna: el trueno de la fuerza creadora. Y al mirar dejó caer Isis su calceta y unió sus manos asombrada. Hasta aquel momento todas las cosas habían estado fijas en su superficie, con excepción del hombre. Ahora todo lo que tenía vida, y muchas cosas más que no la tenían, recibían el don del movimiento. Se lanzaron a volar alegremente los pájaros; los cuadrúpedos, grandes y pequeños, saltaron por la verde hierba; sacudieron sus frondosas ramas los árboles y se inclinaron al recibir la caricia del viento; los ríos se lanzaron hacia el mar, y éste, incesantemente, batía la orilla, unas veces con acariciadoras ondas, otras cubriéndola de burbujeante espuma al estrellar contra las rocas sus olas encrespadas; flotaban las nubes en el cielo como las naves que navegan en alas del viento.

»Se alegró el hombre y fue feliz como un niño, y Osiris, complacido, exclamó: "¡Pues qué creías! ¡Mira, todo es perfecto y sin tu ayuda!"

»Cogió nuevamente las agujas la buena esposa y con la mayor placidez contestó: "Has discurrido bien, dulce señor; tan bien que podrá servir algún tiempo más".

»Y volvió a suceder lo mismo. El movimiento de las cosas se hizo familiar al hombre. Los pájaros cruzando veloces el cielo, y los ríos en su rápida carrera hacia el mar, y las olas en su continuo movimiento no le distraerían ya, y su melancolía fue peor que antes.

»"¡Pobre criatura —pensó Isis—. ¡Es más desdichado que nunca!" Y como si Osiris hubiese leído el pensamiento de su esposa, se conmovió, y el estruendo de su poderosa voluntad agitó el Universo; sólo el astro del día se mantuvo firme en su inconmovible centro.

»Isis miró, pero no vio variación alguna, y en tanto sonreía, creyendo que la última creación de su esposo no había aún concluido, vio que el hombre se levantaba rápido, que parecía escuchar a su alrededor; y su rostro se alegró y palmoteó feliz, porque por vez primera en la tierra oía los sonidos, ora disonantes, ora armoniosos. Susurraban los vientos, los pájaros trinaban en los árboles, y hasta algunos hablaban. Los arroyos en su ir hacia los ríos se convirtieron en otros tantos músicos con arpas de cuerdas de plata resonando al unísono; y al correr hacia el mar, los ríos levantaron su majestuosa voz, el océano batió la ribera con rumor de truenos.

»Quedó sorprendida Isis, ante tantas maravillas realizadas por su esposo; pero movió la cabeza, exclamando: "Color, movimiento, sonido; ya no falta ningún elemento de belleza, pues luz y forma ya existían antes que la tierra". La obra de Osiris había terminado y, si su criatura volvía a sucumbir en la tristeza, sería necesario que acudiera a ella. Y sus dedos se movían incesantes; un punto..., dos..., tres..., cinco..., nueve...

»Continuaba siendo feliz el hombre... Y su felicidad duró más que antes; parecía que no se iba a cansar nunca de ser feliz.

»Pero Isis esperó segura de no engañarse y no hizo caso de las risas burlonas que le llegaban desde el sol y por fin percibió los primeros síntomas de hastío.

»Habituóse el hombre a la percepción de los sonidos; desde el canto del grillo en los jardines hasta el bramido del mar y el estruendo de las tormentas. Estaba desolado y languidecía, y, tendido junto al lecho del río, permanecía largas horas inmóvil.

»Isis, apenada, exclamó "Señor, tu criatura se muere de nostalgia". Osiris, aunque se daba cuenta, permaneció callado; no podía hacer nada más. "¿Quieres que te ayude?", le preguntó su esposa.

»Osiris tenía demasiado orgullo para responder.

»Entonces, Isis cogió el último punto de su calceta y, haciendo de él un rollo brillante, lo arrojó al espacio con tal fuerza que fue a caer junto al hombre. Al oír éste que algo había caído a su lado, levantó la cabeza, y he aquí que la mujer, la primera mujer, surgía para ayudarle. Ella le tendió la mano que él estrechó. Se levantó y no fue desgraciado nunca más, viviendo eternamente feliz.»

—Éste, es ¡oh, hijo de Hur!, el origen de lo bello, según lo relatan a orillas del Nilo.

Iras guardó silencio.

—Una hermosa leyenda y muy ingeniosa —dijo Ben-Hur—; pero carece de algo. ¿Qué hizo Osiris después?

—¡Oh, sí! Llamó a su divina esposa a su mansión del sol y en adelante fueron dichosos, prestándose siempre ayuda el uno al otro.

—¿Y no debo hacer yo lo mismo que hizo el primer hombre?

Y tomando la mano de la egipcia la besó, diciendo:

—¡Oh, amor! ¡Amor! —y reposó su cabeza en el seno de Iras.

—Tú encontrarás al Rey —dijo ella, acariciando su cabeza—. Hallarás al Rey y le servirás. Conquistarás con tu espada sus más ricos dones y su mejor soldado será mi héroe.

Ben-Hur volvió el rostro hacia ella y vio la cara de Iras muy cerca; y en todo el firmamento no hubo para él estrellas más brillantes que sus ojos, aunque estaban velados por la emoción. Se incorporó hasta quedar sentado y, estrechándola entre sus brazos, la besó apasionadamente.

—¡Oh, Egipto, Egipto! Si el Rey tiene coronas que regalar, si alcanzo una, la pondré en el lugar que mis labios han besado en tu cabeza. Tú serás mi reina..., mi reina, la más hermosa de todas. ¡Y yo seré siempre, siempre feliz!

—¿Y no me ocultarás nada, y permitirás que te ayude? —dijo la egipcia, devolviéndole sus besos.

Esta pregunta hizo decaer todo su entusiasmo.

—¿No es suficiente para ti que yo te ame?

—El amor perfecto se basa en una absoluta confianza. Pero no importa, llegarás a conocerme mejor.

Retiró ella sus manos y se levantó.

—Eres muy cruel —exclamó Ben-Hur.

La joven se detuvo junto al camello y volvió a rozar la frente del animal con sus labios.

—¡Oh, tú, el más noble de tu especie! Toma este beso, porque no existe desconfianza en tu amor.

Un instante después había desaparecido.

CAPÍTULO V

EN BETABARA

La partida llegó a orillas del Jabbok, donde había por lo menos cien hombres, de la Perea en su mayoría, que también reposaban con sus ganados. Era el tercer día de jornada.

Al apearse se les acercó un hombre con un cántaro y una taza, ofreciéndoles de beber, y como ellos aceptaron el obsequio con mucha afabilidad, el hombre les dijo, señalando el camello:

—Vengo del Jordán, en donde se han reunido gentes de los más distantes países. Han llegado en camellos, ¡oh, ilustres viajeros!, pero nadie tenía un animal tan hermoso como el vuestro. ¡Bello y noble ejemplar! ¿Puedo preguntaros de qué estirpe procede?

Baltasar respondió, pero Ben-Hur, excitado, preguntó al hombre:

—¿En qué lugar del río se ha congregado tanta gente?

—En Betabara.

—Antes ese lugar era un vado solitario —dijo Ben-Hur—. No puedo comprender qué es lo que ahora lo ha hecho tan atractivo.

—Veo que no sois de aquí —replicó el extranjero—, y que hasta vos no han llegado las buenas nuevas.

—¿Qué nuevas?

—Ha aparecido en el desierto un hombre muy santo que predice extrañas cosas que impresionan enormemente a cuantos le oyen. Se llama a sí mismo Juan el Nazarita, hijo de Zacarías, y dice que es el precursor del Mesías.

Todos le prestaron atención y la egipcia tenía más interés que nadie. El hombre continuó:

—Dicen de este hombre que ha pasado toda su vida, desde la niñez, en una cueva, más abajo de En-Gudi, orando y viviendo más santamente que los esenios. Gran cantidad de gente va a escucharle. Ahora venimos nosotros de allí.

—¿Y qué predica?

—Una doctrina nunca oída en Israel. Según dicen, él la llama «arrepentimiento y bautismo». Los rabinos no saben qué hacer con él y nosotros tampoco. Unos le han preguntado si era el Cristo, otros si era Elías, pero para todos él no tiene otra respuesta: «Yo soy la voz del que clama en el desierto: Enderezad el camino del Señor».

Sus compañeros lo llamaron, pero antes de irse, Baltasar le preguntó embargado por la emoción:

—Dinos, buen extranjero, ¿crees que encontraremos a ese predicador en el sitio en que le dejasteis?

—Sí, en Betabara.

—¿Quién debe ser ese nazarita —preguntó Ben-Hur a Iras— sino el heraldo de nuestro Rey?

En poco tiempo había llegado a la creencia de que la hija estaba más interesada en el misterioso personaje que el mismo padre. No obstante, el viejo, cuyos hundidos ojos tenían una nueva luz, se levantó y dijo:

—Démonos prisa. No estoy fatigado.

Ayudaron al escalvo y a poco emprendían de nuevo la marcha.

Al llegar la noche acamparon muy cerca de Ramot-Gilead y, tras breve charla, se retiraron a descansar.

—Levantémonos pronto, hijo de Hur —dijo el anciano—. El Salvador puede aparecer y nosotros no nos hallaríamos allí.

—El Rey no puede encontrarse lejos de su heraldo —murmuró Iras, y se apresuró a ocupar su lugar en el camello.

—¡Mañana veremos! —contestó Ben-Hur, besando su mano.

Al otro día, cerca de la hora tercia, y después de pasar la garganta a través de la cual, siguiendo la base del Monte de Gilead, habían estado viajando desde su salida de Ramot, la comitiva llegó a la estéril llanura que se extiende al este del río sagrado. Vieron frente a ellos el límite superior de los antiguos terrenos plantados con palmeras de Jericó que alcanzaban hasta la parte montañosa de Judea.

La sangre de Ben-Hur corría con más celeridad por sus venas, porque sabía que el vado se hallaba cercano.

—Alégrate, buen Baltasar —le dijo—; casi hemos llegado ya.

El etíope apresuró el paso del camello. Pronto se ofreció a sus ojos un gran número de barracas, tiendas y cabalgaduras con los pies trabados; y un poco más allá, a la orilla misma del río, una gran multitud; y más lejos aún, en su orilla occidental, otra multitud no menos numerosa. Se apresuraron aún más, comprendiendo que el profeta estaba predicando. Cuando ya estaban muy cerca, notaron un gran movimiento entre la gente, y que ésta comenzaba a dispersarse.

¡Habían llegado demasiado tarde!

—Quedémonos aquí —dijo Ben-Hur a Baltasar, que se retorcía las manos de dolor—. El profeta puede venir por esta parte.

La gente, excitada por lo que había oído, enzarzada en acaloradas polémicas, no prestó atención a los recién llegados. Habían pasado por su lado cientos de personas, y cuando creían haber perdido la ocasión de ver al profeta, descubrieron en la orilla, no muy lejos de ellos, un personaje de tan rara apariencia que olvidaron todo lo que les rodeaba para no fijarse más que en aquel extraño ser que se les iba acercando.

Su aspecto era rudo y grosero hasta parecer salvaje, y su rostro delgado tenía el color de un viejo pergamino. Caía sobre sus hombros hasta media espalda una inculta y revuelta cabellera de deslucidos rizos quemados por el sol. El costado derecho lo mostraba al descubierto. Llevaba una camisa de pelo de camello, más basta y sucia que la tienda de un beduino; cubría su busto hasta las rodillas; ajustada su cintura por una ancha franja de piel sin curtir. Iba descalzo. Un zurrón de piel, también sin curtir, colgaba de su cinturón. Se apoyaba en un palo grueso y nudoso.

Sin embargo, sus movimientos eran rápidos, decididos y extrañamente inquietos. Tenía a cada momento que separar de sus ojos los indómitos rizos que le estorbaban la vista y su mirada escrutadora se dirigía en torno suyo, como buscando a alguien.

La bella egipcia clavaba sus ojos con sorpresa, por no decir disgusto, en el hijo del desierto. Se inclinó sobre el *hudah,* y preguntó a Ben-Hur, que cabalgaba muy cerca:

—¿Es ése el heraldo del Rey?

—Ése es el nazarita —replicó él, sin mirarla.

En verdad que se sentía algo más que molesto. A pesar de que no eran para él extraños los solitarios ascetas de En-Gedi, con sus ropas harapientas, su desdén por la opinión de las gentes y su firmeza en unos votos por los que eran capaces de sufrir torturas inimaginables y que los diferenciaban de las demás personas como si no hubieran sido concebidas como ellos; a pesar de que sabía que iba a ver a un hombre que se designaba a sí mismo solamente como: «*Una voz del desierto*»; a pesar de todo esto, el ideal de Ben-Hur sobre el Rey que realizaría tantas cosas y que sería tan extraordinario, que con tan vivos colores se presentaba en sus sueños, se sintió un poco decepcionado al contemplar la agreste figura que tenían ante sus ojos. Vinieron a su imaginación los criados de los baños que tantas veces había visto en Roma en las Termas públicas. Así, sonrojado, ofendido, se limitó a dar esta respuesta:

—Es un nazarita.

Pero Baltasar le miraba con muy diferentes ojos.

Sabía que los caminos de Dios son muy distintos de los que suelen seguir los hombres. Había contemplado al Salvador recién nacido recostado en un pesebre y estaba prevenido por su fe a que lo más duro y lo más basto fuese precisamente señal cierta de la presencia divina. Así, conservó su asiento y cruzando las manos sobre el pecho sus labios comenzaron a moverse desgranando una oración. Él no esperaba un Rey.

Durante este tiempo, en que cada uno de los presentes se sentía movido por sentimientos tan dispares, otro hombre, que sentado sobre una piedra había permanecido a la orilla del río, meditando quizá en el sermón que había estado escuchando, se levantó y se dirigió hacia el camino por el que venía el nazarita, a pocos pasos del camello de Baltasar.

Ambos continuaron su camino hasta hallarse el uno frente al otro; pero, de repente, el profeta se detuvo como herido por una visión sobrenatural, echóse hacia atrás el cabello que cubría sus ojos y levantó las manos en un gesto de detener a la multitud, que iba dispersándose. Y todos, en efecto, se detuvieron, en la actitud del que se dispone a escuchar, y cuando el silencio fue absoluto, el nazarita, con el rugoso bastón que empuñaba en su diestra, señaló al extranjero.

Todos dirigieron hacia él sus miradas, y Baltasar y Ben-Hur, al mismo tiempo, miraron al que Juan señalaba y que produjo en ambos la misma impresión, aunque no en el mismo grado. Hacia ellos, por un espacio claro que tenían enfrente, se adelantaba muy despacio. Su talla era algo más que mediana, pero esbelta, delicada; sus ademanes, sosegados y graves, como los de un hombre entregado a la meditación de las cosas elevadas. Vestía con soltura su túnica, larga hasta los tobillos y de mangas completas, y el manto exterior, llamado en hebrero *talith*. LLevaba sobre el brazo izquierdo el acostumbrado paño que en general se anudaban a la cabeza; la roja banda ondeaba al viento a su costado. Calzaba sencillas sandalias. Iba sin alforja, sin ceñidor ni báculo.

Estos detalles llamaron apenas la atención de los tres espectadores, los cuales, desde el primer momento, se sintieron atraídos por la cabeza y el rostro del hombre, que ejerció en ellos una verdadera fascinación, como en todos cuantos los contemplaban.

El reflejo del sol en su cabeza acentuaba el color castaño tirando a rubio oro de su cabellera larga y espesa, ligeramente ondulada y dividida en medio de la frente. Ésta era ancha y elevada, y bajo las negras cejas bien arqueadas, sus rasgados ojos de un color azul oscuro brillaban suavizados hasta la ternura inefable, velados por largas pestañas, como son frecuentes en los niños, pero raras en los hombres. Respecto a los demás rasgos de su rostro, habría sido difícil decidir si eran griegos o hebreos. La forma de su nariz y de la boca no eran frecuentes en este último tipo, y por la dulzura de sus ojos, la palidez de su tez y la finura del cabello y de la barba, que caía en ondas sobre su pecho, nadie hubiera podido decir que no era hermoso. Pero un bravo soldado no lo habría catalogado como un serio contrincante, ni mujer alguna hubiera sentido temor ante su vista, ni el niño más tímido dejado de darle su mano y entregarle su confianza al primer encuentro.

Cierta expresión inefable brillaba en sus facciones, iluminadas no sólo por su inteligencia, sino por el amor, la piedad y la melancolía, aunque hablando con propiedad era mezcla de todos estos sentimientos; aspecto fácil de concebir en un alma noble e inocente, sentenciada a vivir entre pecadores groseros y empedernidos. Sin embargo, nadie hubiera podido observar en él el menor signo de debilidad; ésta por lo menos habría sido la opinión de los que saben que las cualidades mencionadas: amor, piedad, melancolía, son debidas a la conciencia de la propia fuerza para sobrellevar los sufrimientos más insoportables y de la voluntad enérgica para no causarlos a los demás.

Lentamente se fue acercando a ellos.

Ben-Hur, a caballo y con la lanza en la mano, era merecedor de atraer la atención de un rey, y, en efecto, la mirada del hombre que se aproximaba permanecía clavada en él, y después se volvió hacia Baltasar, pero no concedió ni una ojeada a Iras, cuya belleza era un imán que atraía la atención de todos.

El silencio era profundo. Juan, señalando con su bastón, gritó de repente:

—¡He aquí el Cordero de Dios que quita los pecados del mundo!

La mayoría de los presentes, a quienes la acción del nazarita había detenido y esperaban sus palabras, quedaron embargados de temor al oírle expresarse de tan extraña manera y tan fuera de su entendimiento. El efecto que produjeron en Baltasar no podría describirse. Había venido de muy lejos sólo para contemplar una vez más al Salvador de los hombres. La fe que le otorgó en otro tiempo tan extraordinario privilegio alentaba en su corazón con mayor fuerza, y si ahora le concedía una facultad superior de visión sobre sus acompañantes, el poder ver y reconocer a Aquel que iba buscando, antes de calificar de prodigio este poder pensó que más bien era la facultad de un alma no despojada aún de las relaciones divinas que antaño se le había otorgado como premio a una vida que en sí misma era milagrosa en una época sin ejemplos de santidad. El ideal de su fe lo tenía ante sus ojos, perfecto en su rostro, formas, indumentaria, actitud y edad; en una palabra, lo reconocía sin duda alguna. Por si quedase alguna duda para identificarle, en aquel momento, como para dar más seguridad al emocionado egipcio, el nazarita repitió su exclamación:

—¡He aquí el Cordero de Dios que quita los pecados del mundo!

Cayó de rodillas Baltasar. Él no necesitaba ninguna otra explicación, y como el profeta lo comprendió así, se volvió a los que estaban más cerca y les dijo:

—Éste es Aquel de quien os he dicho: «Detrás de mí viene un hombre que ha sido puesto delante de mí, porque era primero que yo». Yo no le conocía; mas para que Él sea mostrado a Israel, para esto vine yo a bautizarle con agua. He visto al Espíritu que descendía del cielo como paloma y se posaba sobre Él. Yo no le conocía, mas el que me envió a bautizar con agua me dijo: «Aquel sobre quien vieres descender el Espíritu y posarse sobre Él, éste es el que bautiza en el Espíritu Santo». Y yo le he visto y he dado testimonio de que es... —hizo una pausa, y señalando con su bastón al extranjero de blanca túnica, como para dar más convicción a sus palabras, concluyó—: *Éste es el Hijo de Dios.*

—¡Es Él, es Él! —exclamó Baltasar, arrasados de lágrimas sus ojos dirigidos al cielo, y como si la emoción fuese superior a sus fuerzas, cayó desvanecido en el suelo.

Ben-Hur había estado examinando, durante este tiempo, el semblante del desconocido, aunque con un sentimiento totalmente diferente. No era insensible a la pureza que emanaba de su rostro, ni a su aire reflexivo, a su ternura, humildad y santidad, pero aún quedaba un resquicio en su alma para la duda, y se preguntaba: «¿Quién es este hombre? ¿Qué es? ¿Mesías o Rey?» Jamás hubo aparición menos regia. Al mirar esta placidez, este porte afable, el solo hecho de atribuirle proyectos de guerra o de conquista, o ansias de dominio, parecía casi una profanación. Hablando con su corazón se decía: «Baltasar debe tener razón y no Simónides. Este hombre no ha venido a restablecer el trono de Salomón, no tiene el genio ni el carácter de Herodes. Podrá ser Rey, pero habrá de ser de otra forma y más grande que el de Roma».

Todas éstas eran meras conjeturas para Ben-Hur, de las que no se atrevía a sacar conclusión alguna; pero en aquel instante un lejano y vago recuerdo vino a él y su memoria hizo un poderoso esfuerzo para localizarle. «Estoy seguro de que he visto a este hombre en otra ocasión; pero ¿dónde y cuándo?»

Que su aspecto tranquilo, compasivo y dulce había ejercido en otro tiempo una emoción intensa tan honda como ahora la ejercía sobre Baltasar, era convincente para Ben-Hur. Tenue y confusa en principio, y después clara como la luz, revivió la escena junto al pozo de Nazaret, cuando los romanos le llevaban a la galera arrastrándole. Reprodújose en su imaginación con todos sus mínimos detalles. Aquellas benditas manos le habían acariciado y dado de beber cuando él estaba pereciendo de sed; guardaba en su alma el recuerdo de aquel dulce rostro. Sus emocionados sentimientos le hicieron olvidar todas las explicaciones del predicador, pero no sus últimas palabras, tan maravillosas que el mundo aún se estremece al oírlas.

—*¡Éste es el Hijo de Dios!*

Saltó Ben-Hur del caballo dispuesto a venerar a su bienhechor, pero Iras le gritó en aquel momento:

—¡Socorre a mi padre, que se muere! ¡Oh, hijo de Hur!

Se detuvo el judío, volvió la cabeza y corrió hacia Baltasar, que se hallaba desvanecido. La hija le tendió una copa y, haciendo que el criado arrodillase el camello, corrió en busca de agua al río. Cuando volvió, ya había desaparecido el extranjero.

Al recobrar el conocimiento, Baltasar extendió sus manos y pregunto débilmente:

—¿Dónde está?

—¿Quién? —preguntó Iras.

Una violenta emoción aparecía en el rostro del buen hombre, como si su más íntimo deseo le hubiera sido plenamente concedido.

—¡Él, el Redentor, el Hijo de Dios, a quien he vuelto a ver!

—¿Tú lo crees así? —preguntó en voz baja Iras a Ben-Hur.

Los tiempos están llenos de prodigios. Esperemos —le respondió él.

Al día siguiente, mientras los tres escuchaban al profeta, éste se interrumpió de pronto en medio de su sermón y exclamó con reverencia:

—¡He aquí el Cordero de Dios!

Sus ojos se volvieron al punto que señalaba y contemplaron de nuevo al desconocido. Al observar su noble figura y el santo y bello rostro, entristecido y lleno de compasión, brotó en la mente de Ben-Hur una nueva idea.

—Baltasar tiene razón... y Simónides también... ¿Acaso no puede el Salvador ser también un Rey?

Y a uno que estaba a su lado le preguntó:

—¿Quién es ese hombre que está allí?

El otro, sonriendo irónico, le contestó:

—El hijo del carpintero de Nazaret.

LIBRO VIII

¿Quién puede resistir? ¿Quién, en este mundo? Ella sumergió mi existencia en una atmósfera de ambrosía y la embelleció con sus celajes de oro. Me tomó como un niño de pecho y me meció en una cuna de rosas. La corriente de mi vida primera cambió de curso y yo presté, arrobado, tierno homenaje a esta arbitraria reina de los sentidos.

ENDYMION.—John Keats.

Yo soy la resurrección y la vida.

San Juan, cap. XI, vers. 25.

CAPÍTULO PRIMERO

HUÉSPEDES EN LA CASA DE HUR

—¡Ester, Ester! Llama al criado y dile que traiga una copa de agua.

—¿No querrías un vaso de vino?

—Que traiga agua y vino.

Este diálogo tenía lugar en el aposento de verano levantado en la azotea superior de la mansión de los Hur en Jerusalén. Desde el antepecho, que daba al patio, Ester llamó a un hombre que estaba en él, y en aquel momento otro criado subió y, saludándola con respeto, dijo:

—Un mensaje para el amo —y le entregó un rollo envuelto en un lienzo de lino, atado y sellado.

Estamos a 21 de marzo. Han transcurrido casi tres años desde la aparición de Cristo en Betabara.

En nombre de Ben-Hur, que no podía soportar más tiempo la desolación y soledad de la casa de sus padres, Malluch la compró a Poncio Pilatos y la hizo restaurar por entero. Sus habitaciones, escaleras, corredores, azoteas y patios fueron reformados. Nada quedó que hiciera recordar las trágicas circunstancias tan ruinosas para su familia; además, la amuebló con mayor riqueza que antes. Cualquier visitante hubiera reconocido en seguida los gustos refinados adquiridos por el joven propietario durante la época que residió en la villa de Misénum y en la capital del mundo.

Ben-Hur no dio a conocer que volvía a estar en su propiedad, el palacio de los suyos. En su criterio, aún no era el momento. Su tiempo lo empleaba en organizar las facciones de Galilea, esperando pacientemente las manifestaciones del Nazareno, que resultaba cada vez más misterioso para él y que, por los milagros realizados a menudo ante sus ojos, le mantenía en estado de ansiedad respecto a su carácter y misión. Con frecuencia iba a la Ciudad Santa, alojándose entonces en casa de su padre como forastero o huésped. Sus visitas distaban mucho de ser momentos de descanso para él. Baltasar y su hija habitaban en el palacio de Hur y la seducción que la joven ejercía sobre él conservaba todo el ardor original; el padre, más débil cada vez, tenía en él un asiduo oyente de sus disertaciones, en las cuales, con elocuencia extraordinaria, demostraba la divinidad del errante taumaturgo, en quien todos tenían fija la mirada.

En cuanto a Simónides y Ester, pocos días antes habían llegado de Antioquía. Un viaje sumamente molesto para el comerciante, que fue traído en un palanquín suspendido entre dos camellos. El pobre hombre era todo ojos para contemplar su país natal; se embriagaba del aire vivificante de las montañas y seguía el curso del sol, rememorando los tiempos de su juventud, con Ester a su lado, encarnación del recuerdo de aquella Raquel que había sido el único amor de su vida.

Al salir Ester a la azotea, caía sobre ella la luz del sol, haciendo resaltar sus delicadas curvas de mujer, ya formada, frágil, graciosa, de armoniosas facciones, rosadas por la juventud, sana, inteligente y bella por la expresión de bondad y abnegación que en ella se leía. Una mujer, en suma, merecedora de ser amada, porque el amor era un hábito de su vida.

Al volver miró el rollo, se detuvo, lo volvió a mirar con más atención y sus mejillas enrojecieron de satisfacción: el sello era de Ben-Hur. Con pasos ligeros se adelantó hacia su padre.

También Simónides contempló el sello antes de abrir el rollo, pasando nuevamente a su hija el pergamino que contenía.

—Lee —le dijo.

Sus ojos no se separaban de ella mientras hablaba. La tristeza oscureció de pronto la serenidad de su rostro.

—Veo que ya sabes de quién proviene, Ester.

—Sí, de nuestro amo.

Si bien parecía algo confusa, sus miradas se clavaron en su padre con sincera sumisión.

—Tú le amas, Ester —dijo él, después de un momento en que, hundida la barba sobre el pecho, estuvo reflexionando.

—Sí —respondió ella con sencillez.

—¿Has meditado bien lo que haces?

—He intentado no pensar en él sino como amo a quien por deber estoy sometida, pero de nada me ha servido.

—Eres una buena muchacha, tan buena como tu madre —dijo el anciano, entregándose de nuevo a sus reflexiones, de las cuales le sacó su hija al desenrollar el pliego—. El Señor me perdone..., pero es posible que tu amor no fuera vano si yo hubiese conservado todo cuanto tenía, como podía haber hecho... ¡Es tan grande el poder del dinero!

—Si tal hubieras hecho, hubiese sido mucho peor para mí; me hubiera juzgado indigna de tus moradas Y tú, ¡oh, padre mío!, no podrías sentirte orgulloso como te sientes... ¿Quieres que lea ahora?

—Espera, hija mía; deja que en testimonio de mi cariño te haga ver las cosas por su lado más desfavorable. Advirtiéndote yo, es posible que sea menos terrible para ti. Su amor, Ester, ya pertenece a otra.

—Lo sé, padre —dijo Ester, serena.

—Ha quedado prendido en las redes de la egipcia —siguió—. Esa mujer une a la astucia de su raza su extraordinaria belleza, que es un arma; pero como todas las de su casta, carece de corazón. La hija que desdeña a su padre hará sufrir al esposo.

—¿Es eso posible?

Simónides continuó:

—Baltasar es un sabio prodigiosamente favorecido por Dios, a pesar de ser tan gentil, pero ella se ríe de su fe. Ayer la oí expresarse así respecto a su padre: «Las locuras de la juventud tienen disculpa; nada hay digno de admiración en la vejez aparte de la sabiduría; cuando ésta deja de existir, ya se está de más en el mundo». Palabras inhumanas, propias de un romano. Yo pensé que puede venirme una debilidad similar a la de su padre, y que es probable que esté cercana. Pero no podría imaginarme nunca que tú dijeras de mí: «Sería mejor que hubiera muerto». No, tu madre era una auténtica hija de Judá.

Arrasados los ojos en lágrimas, le besó Ester y le dijo:

—Yo soy la hija de mi madre.

—Y también mi hija; mi hija, que es para mí todo lo que el Templo fue para Salomón.

Tras un breve silencio, su mano se posó sobre el hombro de ella y continuó:

—Una vez que haya tomado por mujer a la egipcia, Ester, pensará en ti pesaroso, porque llegará a comprender que ha sido instrumento de la vil ambición de su esposa, que ha fijado en Roma el ideal de sus sueños. Para ella es el hijo de Arrio, el duunviro, no el hijo de Hur, príncipe de Jerusalén.

Nada hizo Ester para encubrir el efecto prodcido por estas palabras.

—¡Sálvale, padre mío! No es aún demasiado tarde —suplicó.

Con una sonrisa de duda, replicó Simónides:

—Un hombre que se ahoga puede salvarse, pero es muy difícil para un hombre enamorado.

—Pero tú tienes gran ascendiente sobre él. Se encuentra solo en el mundo. Hazle ver el peligro. Muéstrale qué clase de mujer es.

—Quizá esto lo logre, pero, ¿llegaría a amarte? Es posible que no —y sus ojos parecieron desaparecer por un momento bajo sus cejas—. Yo soy un siervo, e igualmente lo fueron mis padres, de generación en generación, y me es imposible decirle:

«Ahí tienes a mi hija. Es más bella que la egipcia y te ama mucho más». Los muchos años de libertad y de emancipación han influido en mi carácter. Esas palabras serían como brasas en mis labios. Las rocas que se alzan sobre aquellas viejas montañas, se desplomarían sobre mí cuando pasara junto a ellas. ¡No, por los patriarcas, Ester! Mejor quisiera reposar al lado de tu madre y dormir el sueño eterno.

Enrojeció intensamente el rostro de Ester.

—No abrigo la pretensión de que le hables de mi amor. Sólo me interesaba por su felicidad, no por la mía. Puesto que me he atrevido a hacerle objeto de mi amor, debo conservarme digna de su respeto. De esta manera, al menos, excusaré mi locura. Ahora, déjame leer su carta.

—Sí, léela.

Apresuradamente leyó Ester, poniendo fin a aquel asunto que la turbaba:

> «Camino de Galilea a Jerusalén, Nisán, 8.
>
> El Nazareno se ha puesto, y yo tras Él, aunque lo ignora, camino de Jerusalén, y llevo conmigo una legión a mis órdenes y otra que viene detrás. La Pascua justificará la aglomeración de tanta gente. Él dijo al partir: "Iremos a Jerusalén, y todas las cosas que los profetas han escrito sobre mí serán cumplidas".
>
> Nuestra expectativa toca a su fin. Apresúrate.
>
> La paz sea contigo, Simónides.
>
> BEN-HUR.»

Ester entregó la carta a su padre, llena de una angustia que la devoraba. Ni una sola palabra hacía referencia a ella. Ni tan siquiera la había incluido en el saludo final, cuando nada hubiera sido tan natural como escribir: «¡Y paz para los tuyos!» Sintió por vez primera en su vida el tormento de los celos.

—El día ocho —dijo Simónides—, el día ocho. ¿Y a cuántos estamos hoy, Ester?

—A día nueve —contestó.

—Ahora deben hallarse, pues, en Betania.

—Y es probable que podamos verle esta noche —añadió ella, sin disimular su alegría.

—¡Es posible! ¡Es posible! Mañana es la fiesta de los Ázimos y desearía poder celebrarla aquí lo mismo que el Nazareno; y quizá podremos verlos a los dos, Ester.

Apareció en aquel momento el criado con el agua y el vino. Sirvió Ester a su padre. Poco más tarde, Iras acudía a la azotea.

Nunca como en aquel momento había parecido tan hermosa la egipcia a los ojos de la hebrea. Sus trajes de gasa la cubrían como una vaporosa nube; su frente, garganta y brazos adornados con macizas joyas, en que tanto placer hallan las egipcias, resultaban deslumbrantes. Su rostro respiraba satisfacción. Con ondulante marcha se dirigió hacia ellos, consciente de su atractivo, pero sin afectación. Se estremeció Ester al verla y se aproximó más a su padre.

—La paz sea contigo, Simónides, y con tu bella hija —dijo Iras, saludando con la cabeza a Ester—. Me recuerdas, mi buen maestro, si no te ofende la comparación, a los sacerdotes de Persia que suben a lo más alto de sus templos cuando declina el día para elevar sus plegarias al sol poniente. Si algo hay que desconozcas de este culto, llamaremos a mi padre, que es algo mago.

—Hermosa egipcia —contestó el comerciante, inclinándose con cortesía—, estoy seguro de que tu padre no se ofenderá, sin duda, si me oye decir que su ciencia de la Persia es lo menos valioso de su sabiduría.

Los labios de Iras se contrajeron en una sonrisa irónica.

—Hablando como un filósofo, pues me incitas a ello, te diré que eso significa que aprecias más otras cualidades en él. Deja, pues, que te pregunte: ¿Cuál es, a tu juicio, la singular cualidad que te has dignado atribuir a mi padre?

Simónides alzó con severidad su mirada hacia ella y contestó:

—La verdadera ciencia se dirige constantemente hacia Dios; la más pura es el conocimiento del mismo Dios. De todos los hombres que yo conozco no hay ninguno que la posea en mayor grado, o que mejor la manifieste en sus palabras y en su forma de obrar, que el buen Baltasar.

Y, para poner fin a esta discusión, alzó la copa y bebió.

Con cierta petulancia, la egipcia se volvió hacia Ester.

—A un hombre que posee tantos millones, y tantos buques tiene en el mar, le es difícil comprender en qué clase de ocupación hallamos nuestra diversión las pobres mujeres. Dejémosle con sus reflexiones. Junto a aquel muro podremos hablar nosotras dos.

Se encaminaron hacia el parapeto y se detuvieron precisamente en el mismo sitio en que muchos años antes Ben-Hur dejó resbalar, sin proponérselo, la loseta sobre la cabeza de Graco.

—¿Has estado alguna vez en Roma? —preguntó Iras, jugueteando con sus brazaletes.

—No —dijo Ester con cierta reserva.

—¿No has deseado ir nunca allá?

—No.

—¡Pobre inocente! Los pajarillos aún sin plumas que tienen su nido en las orejas de la gran esfinge, medio enterrada en las arenas de Menfis, saben tanto como tú.

Pero, al darse cuenta de la turbación de Ester, cambió de expresión y, confidencialmente, añadió:

—No he querido ofenderte. ¡Oh, no! Ha sido una broma. Déjame besarte para borrar mi ofensa. Voy a decirte lo que a nadie diría, ni aun al mismo Simbel si me lo preguntara ofreciéndome un cáliz de loto de la corriente del Nilo.

Rió nuevamente, sabiendo que su risa suavizaba la mirada de la hebrea, y dijo:

—Va a venir el Rey.

Con inocente sorpresa la miró Ester.

—El Nazareno —prosiguió—, de quien tanto han hablado nuestros padres y por quien Ben-Hur ha estado trabajando y suspirando tanto tiempo —su voz se hizo más baja—. Estará aquí mañana, y esta noche llegará Ben-Hur.

Se esforzaba Ester por conservar su serenidad, pero sin lograrlo; se humedecieron sus ojos y sus mejillas enrojecieron y el rubor hizo patente su amoroso secreto. En su turbación no notó la sonrisa de triunfo que cruzó como un relámpago el rostro de la egipcia.

—Mira, aquí tengo su promesa.

Y sacó un pergamino de su cinturón.

—Alégrate conmigo, ¡oh, amiga mía! ¡Esta noche estará aquí! Hay una mansión regia en las orillas del Tíber, que me ha ofrecido si acepto ser su prometida.

Se oyeron los pasos de alguien que caminaba apresuradamente en la calle; la egipcia suspendió la conversación y se asomó al parapeto. Al ver quién venía, exclamó, levantando las manos juntas al cielo:

—¡Alabada sea Isis! ¡Es él, es el propio Ben-Hur! ¡Que haya llegado en el mismo momento en que estaba pensando en él! No creería en los dioses si no nos enviaran sus buenos presagios. Abrázame, Ester, y dame un beso.

La hebrea levantó los ojos. Sus mejillas habían enrojecido y sus ojos desprendían destellos de una cólera como nunca había sentido. Su alma sencilla sufría una tortura superior a su resistencia. No era suficiente que hubiera desecado el manantial de sus sueños de amor, sino que su vanidosa rival venía a contarle su triunfo y las brillantes promesas que le había hecho el hombre amado. Para ella, la hija de un siervo, no tuvo el amo ni el más pequeño recuerdo, mientras que Iras podía enseñarle su carta, trasluciendo todo el amor que vertía en ella. Sin poderse reprimir más le dijo:

—¿Acaso le amas tanto? ¿O es que quizá lo que amas es solamente Roma?

Retrocedió un paso la egipcia, pero después se adelantó y, envolviéndola en una altiva mirada, exclamó:

—¿Qué es para ti, hija de Simónides?

Ester, vivamente emocionada, respondió:

—Es mi...

Un pensamiento, iluminó como un relámpago su mente, contuvo las palabras que iba a pronunciar; empalideció temblorosa, pero rehaciéndose al instante, contestó:

—Es el amigo de mi padre.

Su lengua se negó a declarar su condición de sierva.

Iras, en su tornadizo carácter, rompió en una carcajada.

—¿Eso nada más? Por los dioses egipcios del amor, guárdate tus besos. Me acabas de recordar que hay otros más sugetivos que me están esperando y... —añadió, mirándola con desdén—: Voy por ellos. La paz sea contigo.

Ester la vio desaparecer por la escalera. Cubriéndose la cara con las manos, rompió a llorar amargamente y sus lágrimas corrían por sus dedos abrasando sus mejillas. Eran lágrimas de vergüenza y pasión reprimida. Se alzaron en su corazón las palabras de su padre, aumentando su dolor. Veía ahora todo su significado: «Quizá tu amor no fuera vano si yo hubiera conservado todo lo que tenía, como sin fraude podía haber hecho».

CAPÍTULO II

BEN-HUR HABLA DEL SALVADOR

Una hora después de la escena de la azotea, se hallaban conversando Baltasar y Simónides, asistido éste por Ester, que había vuelto a ocupar su acostumbrado lugar al lado de su padre, cuando se presentaron en el gran salón del palacio Ben-Hur e Iras, que entraron juntos.

Adelantándose a su compañera, el joven hebreo saludó a Baltasar y después a Simónides, pero ante Ester se detuvo.

No es frecuente tener un corazón tan amplio como para que dé cabida a más de una pasión. Sin embargo, otros poderosos sentimientos quedan sofocados y empalidecidos por la pasión dominante, y así debió de suceder con Ben-Hur. Sus esperanzas del Mesías, sus anhelos sobre el porvenir de su patria, sus grandes proyectos fundados en la situación actual de su país, y hasta las influencias más próximas y directas, por ejemplo, la de Iras, habían despertado su ambición en el sentido más completo de la palabra. Pero si esto es una crítica (es sabido que en felicidad se olvidan los días de desventura), no le juzguemos con demasiada severidad.

Se detuvo Ben-Hur, admirado, al ver que Ester era ya una mujer y muy bella y, al contemplarla, una voz desde lo más hondo de su alma le recordó sus antiguas promesas y deberes, que se acusaba casi de haber echado en olvido. Entonces sintió que volvía a él su antiguo ser y, por un instante, se conmovió. Pero recobrándose, dijo:

—La paz sea contigo, dulce Ester, y contigo, buen Simónides. ¡Que la bendición del Señor descienda sobre ti, aunque no fuera por otra cosa que por haber sido un padre para el huérfano!

Ester lo escuchó con los ojos bajos; Simónides contestó:

—Repito la bienvenida que te ha dado Baltasar, ¡oh, hijo de Hur! Seas bien venido a la casa de tus padres. Siéntate y explicanos tus trabajos y tu obra, y háblanos del Nazareno y sus maravillas. ¿Quién es y qué desea? Si no te encuentras a gusto en tu propia casa, ¿en dónde estarás mejor? Toma asiento, te lo ruego, entre nosotros, y que yo pueda oírlo todo.

Ester salió y volvió presurosa con un escabel tapizado que ofrecio á Ben-Hur.

—Gracias —dijo él, con dulzura.

Ben-Hur se dirigía con preferencia a los hombres.

—El objeto de mi venida es hablaros del Nazareno.

Baltasar y Simónides se inclinaron y prestaron atención.

—Le he seguido mucho tiempo con el interés que un hombre puede pretar a otro a quien se espera con anhelo. Le he visto sometido a toda clase de pruebas, en las que se pone de relieve la valía de un hombre, y aunque tengo la seguridad de que es un mortal, como tú y yo, estoy también seguro de que es algo más.

—¿En qué es más que tú? —preguntó Simónides.

—Te diré.

Oyó que alguien entraba en la habitación y se detuvo; se volvió y se levantó con los brazos abiertos.

—¡Amrah! ¡Querida Amrah! —exclamó.

La anciana se dirigió a su encuentro, y los presentes, al ver el alborozo que manifestaba, no pensaron ni un momento en sus arrugadas y oscuras facciones. Arrodillóse a sus pies y, abrazando sus rodillas besó repetidas veces sus manos. Logró Ben-Hur desprenderse de sus brazos y levantarla, besó sus cabellos grises y sus arrugadas mejillas.

—Buena Amrah, ¿sabes algo de ellas? ¿Ni una sola palabra, ni el más mínimo indicio?

La buena mujer prorrumpió en sollozos.

—Hágase la voluntad del Señor —dijo Ben-Hur, gravemente.

En sus ojos había lágrimas que hubiera querido retener porque era un hombre. Cuando pudo serenarse, tomó asiento de nuevo y dijo:

—Ven, siéntate a mi lado, Amrah... Junto a mí. ¿No? Entonces a mis pies; porque tengo mucho que hablar a estos buenos amigos acerca de un hombre maravilloso que anda por el mundo.

Pero ella, contenta de poder contemplarle, se limitó a apoyarse en la pared y juntó las manos sobre sus rodillas. Ben-Hur hizo una inclinación a los ancianos y prosiguió:

—No quiero responder a las preguntas que me hacéis sobre Él sin referiros antes algunas de las cosas que le he visto realizar; y me siento tanto más inclinado a ello cuanto que mañana vendrá a la ciudad e irá al Templo, al que Él llama la Casa de su Padre, en donde, según se rumorea, se proclamará Rey. ¡Oh, Baltasar, y tú, Simónides, y toda Israel, debemos ir allá mañana!

Frotándose las temblorosas manos, Baltasar preguntó:

—¿En dónde podré verle?

—La aglomeración de la gente será grande. Será mejor, a mi juicio, que vayan a la azotea de los claustros o al pórtico de Salomón.

—¿Vendrás con nosotros?

—No puedo —dijo Ben-Hur—; es posible que mis amigos necesiten que los acompañe en el cortejo.

—¡Cortejo! —exclamó Simónides—. ¿Es que acaso viaja como un rey?

Ben-Hur no le contestó directamente, pues sabía las ideas que profesaba Simónides.

—Su acompañamiento lo constituyen doce hombres de la clase más humilde, y todos hacen el viaje a pie, sin temor al viento, al frío, a la lluvia ni al sol. Nada hay que se parezca menos al cortejo de un rey acompañado de la nobleza. Solamente cuando les habla no puede ponerse en duda que es el Maestro. Pues bien, ateniéndose a la ley de nuestras preocupaciones, de nuestras flaquezas y nuestros prejuicios, ¿qué concepto tendrías de un hombre que, pudiendo transformar en oro las piedras que pisa, prefiere ser pobre?

—Según los griegos, sería un filósofo —respondió Iras.

—Hija mía —le dijo Baltasar—. Jamás los filósofos tuvieron poder para hacer tales cosas. Pero, ¿cómo sabes que puede hacerlo? —preguntó, dirigiéndose a Ben-Hur, que respondió vivamente:

—Le he visto convertir el agua en vino.

—¡Es extraordinario! ¡Muy extraordinario! —dijo Simónides—. Pero no tan extraño como que, pudiendo ser rico, prefiera vivir en la pobreza.

—¿Es, en verdad, tan pobre como dices?

—Nada posee, ni envidia a nadie sus riquezas; al contrario siente profunda compasión por el rico. Pero dejemos esto de lado. ¿Qué pensarías al ver a un hombre multiplicar siete panes y dos peces, que era cuanto tenían para su comida, de tal manera que dio de comer a cinco mil personas y llenar aún algunos cestos con lo sobrante?

—¡Tú lo viste! —exclamó Simónides.

—Con toda certeza, y comí de aquel pan y de aquel pescado. Pero hay algo que todavía sobrepuja a todo esto —siguió Ben-Hur—. ¿Qué dirías de un hombre que posee la virtud que sólo con tocar el borde de su túnica el enfermo recobra la salud? Y esto lo han visto mis propios ojos, y no una sola vez, sino muchas. Al salir de Jericó, dos ciegos al borde del camino gritaban llamando al Nazareno, Él se acercó, tocó sus ojos y vieron. Le trajeron también un paralítico, al que Él dijo sencillamente: «Toma tu camilla y ¡vete a tu casa!», y el hombre se marchó gozoso y curado. ¿Qué dices de todas estas cosas?

El comerciante guardó silencio.

—Pero aún os referiré cosas más prodigiosas. Recordad esa terrible enfermedad que sólo cura la muerte; esa maldición de Dios: la lepra.

Al escuchar estas palabras, Amrah dejó caer las manos y se enderezo para poderle oír mejor.

—¿Qué dirías —prosiguió Ben-Hur, con mayor calor—, qué dirías si hubieras presenciado lo que yo? En Galilea se acercó a Él un leproso y le dijo: «Señor, si quieres, puedes sanarme». Él lo oyó y tocando con sus manos al desdichado, díjole: «Sé limpio». Y en aquel instante, el hombre volvió a ser lo que era, tan sano y limpio y como los que contemplábamos su curación, y éramos una gran muchedumbre.

Al oír esto Amrah, se levantó y con sus apergaminados dedos separó los mechones grises que cubrían sus ojos. El corazón de la fiel sirviente había vencido sobre la mente y su turbación no la dejaba ni razonar.

—Más aún —continuó Ben-Hur—; diez leprosos llegaron un día y, postrándose de rodillas, suplicaban: «Maestro, Maestro, ten piedad de nosotros». Él les dijo: «Id y mostraos a los sacerdotes, como ordena la ley; antes de que lleguéis a ellos estaréis curados». Yo lo vi y lo oí todo.

—¿Y sanaron?

—Completamente. En el camino desapareció la enfermedad y para recordarla sólo quedaron sus harapos manchados y sucios.

—Jamás se oyó tal cosa en Israel —dijo Simónides, con voz velada.

Amrah, sin que nadie se apercibiera, se levantó y salió silenciosamente.

—Los pensamientos que estos hechos, presenciados por mí, germinaron en mi espíritu, podéis imaginarlos fácilmente, pero mis dudas y mis recelos no se habían despejado aún. Los galileos son, como sabéis, valientes e impetuosos, y después de tantos años de espera, sus manos se adiestraban para la lucha; nada podía calmarlos sino el combate: «Es muy parco en declararse; tratemos de forzarle», me decían, y como en mí anidaba también la impaciencia, pensaba: «Si Él ha de ser el Rey, ¿para qué esperar más?» Nuestras legiones estaban dispuestas, y un día en que Él a orillas del mar estaba predicando, tomamos la resolución de coronarle, pero desapareció de una manera inexplicable, y después vimos que se adentraba en el mar a bordo de una barca. Buen Simónides, los deseos enloquecen a los demás hombres; poderío, riquezas y hasta los atributos reales que el amor de todo un pueblo le ofreció, no ejercen en este hombre la menor atracción. ¿Qué opinas de todo esto?

Simónides, cuyo mentón descansaba sobre su pecho, levantó la cabeza y contestó resueltamente:

—Vive el Señor, y viven, asimismo, las palabras de los profetas. El tiempo es aún prematuro; es posible que mañana tengamos la respuesta.

—Sea —dijo Baltasar.

Y añadió Ben-Hur.

—Bien; pero aún no he terminado. Sólo pueden dudar de estas cosas aquellos que no las han presenciado como yo, y dejadme que pase a otras infinitamente mayores. Decidme, ¿quién que vosotros conozcáis ha arrebatado a la muerte su presa?, ¿Quién devolvió nunca a un cuerpo muerto la vida que le había sido arrancada? ¿Quién sino...?

—Dios —contestó solemnemente Baltasar.

Inclinóse Ben-Hur.

—¡Oh, sabio egipcio! No puedo rechazar el nombre que me sugieres. ¡Si hubieras visto, como vieron mis ojos, a un hombre de pocas palabras, sin ninguna clase de ceremonia, sin más esfuerzo que el que emplea una madre para despertar a su pequeño, deshacer la obra de la muerte! Esto sucedió en Naim. Íbamos a entrar por las puertas de la ciudad cuando por ellas salía un cortejo que llevaba a un muerto. Se detuvo el Nazareno para dejar pasar el entierro. En el cortejo iba una mujer sollozando. El rostro del Nazareno se llenó de compasión. Habló con ella y a continuación se acercó al ataúd y dijo al amortajado: «¡Joven, levántate, yo te lo mando!» Y al instante el muerto se sentó y habló.

—Sólo Dios es tan grande —dijo Baltasar a Simónides.

—Tened en cuenta que sólo os he contado lo que yo mismo he presenciado como testigo, junto con una multitud de personas de todas las procedencias y clases. Al venir hacia Jerusalén, se produjo otro hecho aún más maravilloso. Había en Betania un hombre llamado Lázaro que murió y fue enterrado. Yacía dentro del sepulcro hacía cuatro días, y éste estaba cerrado con una gran piedra cuando el Nazareno llegó a aquel lugar. Al separar la piedra pudimos contemplar al hombre tendido en el fondo, envuelto en su sudario. Había muchísima gente congregada y todos pudimos oír distintamente las palabras del Nazareno, porque hablaba en voz muy alta: «Lázaro, sal fuera». Nunca podría expresaros el sentimiento sobrecogedor que me embargó, cuando en respuesta a esta orden vi cómo el hombre se levantaba, salía de su tumba y se unía a nosotros con sus atavíos de muerto. «Quitadle sus ligaduras —dijo el Nazareno—. Desatadle y dejad que se vaya». Y cuando le quitaron el paño que cubría su cara, he aquí, amigos míos, que su rostro tomó color y a los pocos minutos recobró el aspecto que tenía antes de su enfermedad. Aún vive y todos corren a su casa para cerciorarse y hablar con el. Ahora os pregunto lo que no es sino una repetición de lo que me preguntaste tú, ¡oh, Simónides! ¿No es el Nazareno algo más que un hombre?

La cuestión fue discutida por todos hasta mucho después de medianoche. Se resistía Simónides a abandonar sus creencias y la interpretación que él daba a las palabras de los profetas, y Ben-Hur declaró que ambos, el comerciante y el egipcio, tenían razón, o sea, que el Nazareno era el Redentor, tal como creía Baltasar, y, por tanto, el Rey prometido que Simónides quería para su pueblo.

—Mañana veremos. La paz sea con vosotros.

Dichas estas palabras, Ben-Hur se despidió, pues tenía intención de ir a Betania.

CAPÍTULO III

EL SACRIFICIO DE LA SIERVA

Amrah fue la primera persona que salió de la ciudad al día siguiente, con su cesta al brazo. Bajando hacia el valle oriental, iba contemplando la vertiente del Monte Olivete. Su color verde oscuro estaba salpicado por las blancas manchas de las tiendas instaladas allí por las gentes que acudían a la fiesta. Era tan temprano, que los forasteros estaban aún sumidos en el sueño. Pasó más allá de Getsemaní y de las tumbas, donde se cruzan los caminos de Betania, y llegó por fin hasta la villa sepulcral de Siloán. Había momentos en que su menudo cuerpo, ya envejecido, parecía no poder sostenerse; en más de una ocasión tuvo que sentarse para recobrar fuerzas, pero con nuevos ánimos reanudó su marcha.

Cuando llegó al Jardín del Rey, disminuyó la marcha; a su vista se extendía la terrible ciudad de los leprosos, al pie del perforado cerro de Hinón.

La desdichada mujer ya se había levantado y se hallaba sentada a la entrada de la tumba; dentro, Tirzah aún dormía. La enfermedad, durante estos tres últimos años, había hecho terribles progresos. Con plena conciencia del horror que debía inspirar, vivos aún los delicados instintos de su temperamento, iba siempre tapada y aun ante su hija sólo cuando era absolutamente preciso se descubría. En aquel momento se hallaba tomando el fresco con la cabeza descubierta, sabiendo que a aquellas horas no había nadie a quien pudiera causar repulsión. Había aun poca luz, pero suficiente para comprobar los terribles estragos que había sufrido su cuerpo. Su cabello era completamente blanco y había adquirido tal aspereza que era casi imposible peinarlo. Los párpados, los labios, las aletas de la nariz y la carne de las mejillas, habían desaparecido o se habían convertido en fétidas llagas. La garganta y el cuello estaban cubiertos de una masa de escamas de un color ceniciento. Una mano asomaba fuera de los pliegues de su túnica, rígida y escuálida como la de un esqueleto; habían desaparecido las uñas, y los nudillos de sus dedos, aunque no estaban completamente desprovistos de piel, formaban una especie de costras rojizas. La cabeza, cara y garganta y manos daban una idea de lo que debía ser el resto del cuerpo.

La pobre mujer sabía que en cuanto el sol bañase la cresta del Monte Olivete o del Monte de la Ofensa con su luz intensa y brillante, llegaría Amrah. Cogería agua del pozo y después se adelantaría hasta una piedra, a mitad del camino, entre el aljibe y el pie del cerro donde tenía su morada, dejando el alimento y el cántaro de agua fresca. De todo su antiguo esplendor, esta visita era el único lazo que la unía al pasado. Le preguntaba por su hijo y Amrah respondía a todo cuanto deseaba saber. Los informes, a veces, no eran muchos, pero eran consoladores; en ocasiones sabía que Judá estaba en casa y, entonces, saliendo de su horrible tumba, permanecía sentada sobre una piedra desde por la mañana hasta el mediodía, y desde el mediodía hasta la puesta del sol, con su mirada fija hacia el punto en que se hallaba el antiguo palacio, su hogar querido por los recuerdos y, más aún, porque él se encontraba allí en aquellos momentos.

Todo cuanto la Naturaleza ofrecía a su vista, era escaso y mezquino y no podía despertar su interés. Adonde quiera que volviera su mirada, el espectáculo era desgarrador. Tumbas por todos lados, arriba y abajo, a derecha y a izquierda. Podría pensarse que en el cielo claro y puro hubiera debido hallar algún paliativo para sus sufrimientos morales; pero, el sol, al iluminar las bellezas de la Naturaleza, ponía de relieve su propia deformidad. A no ser por la luz del sol, no se hubiera horrorizado de sí misma, ni el aspecto de Tirzah hubiera destrozado los sueños que las dos forjaban en la oscuridad. El don de la vista en esta ocasión resultaba como una terrible maldición.

¿Por qué no poner fin a sus sufrimientos? *La ley lo impedía.* Un gentil hubiera sonreído ante este pensamiento, pero jamás un hijo de Israel, para quien la Ley es sagrada.

Mientras permanecía sentada, llenando su negra soledad de imágenes aún más tristes y descorazonadoras, apareció en lo alto del cerro, tropezando y rendida de fatiga, una mujer con una cesta. La viuda se levantó rápida y, cubriéndose la cabeza, gritó con voz ronca: «¡Impura! ¡Impura!». Pero este grito no detuvo a Amrah, pues era ella, para encontrarse momentos después a los pies de su ama. Todo el amor de la pobre mujer, contenido durante tan largo tiempo, estalló en súbita explosión; en medio de sus sollozos y con mil exclamaciones apasionadas, besaba los vestidos de su ama y, por unos momentos, ésta luchó por desasirse. Viendo que era imposible, esperó que la violencia de sus sentimientos se hubiera calmado.

—¿Qué has hecho, Amrah? —le dijo—. ¿Es con esta desobediencia como quieres demostrarme tu amor? ¡Mujer perversa! Te has perdido y... ¡él, tu amo! No te atrevas a acercarte a él.

Amrah se arrastró por el suelo, llorando.

—Ahora estás proscrita por la Ley, como nosotras. No debes volver a Jerusalén. ¿Qué va a ser de nosotras? ¿Quién nos traerá el alimento? ¡Oh, qué mal te has conducido, Amrah! Ahora todos nos hemos perdido irremediablemente.

—¡Piedad! ¡Piedad! —respondió la pobre entre sollozos.

—Debiste tener compasión de nosotras y de ti misma. Ahora, nadie nos ayudará. ¡Oh, mujer falsa! ¿No era suficiente la cólera de Dios?

El ruido desperto a Tirzah, que apareció en la puerta de la cueva. No podríamos describir el aspecto que tenía. Cubierta de escamas y de lívidas cicatrices, casi ciega, brazos y piernas estaban hinchados hasta la deformidad; no hubieran podido los ojos más perspicaces relacionarla con su aspecto de otro tiempo ni, aunque estuvieran robustecidos por el amor, reconocer en ella la gracia infantil y angelical pureza con que la describimos en un principio.

—¿Es Amrah, madre?

La criada iba a echarse a sus pies.

—¡Quieta, Amrah! —gritó la viuda imperiosamente—. Te prohíbo que te acerques. Levántate y vete antes de que puedan verte los que vengan al pozo. Pero me olvidaba... ¡No puedes volver! Ahora tienes que quedarte con nosotras y participar en nuestra suerte. ¡Levántate, te digo!

Amrah se enderezó, pero sólo hasta quedar de rodillas, y, con las manos cruzadas, exclamó, con voz entrecortada:

—¡Oh, mi buena ama! ¡Yo no soy falsa! ¡No soy mala! Traigo buenas noticias.

—¿De Judá?

—Hay un hombre prodigioso —dijo la sierva— que tiene poder para curaros. Con su sola palabra se curan los enfermos y los muertos resucitan. He venido para llevaros hasta Él.

—¡Pobre Amrah! —exlamó Tirzah, llena de compasión.

—No —exclamó Amrah, con tesón, al percibir la duda en las palabras de Tirzah—. ¡Como Dios existe, el Dios de Israel, os digo la verdad! Acompañadme, os lo ruego, no perdáis tiempo. Hoy mismo pasará por el camino que conduce a la ciudad. Mirad, ya se acerca el día. Tomad algún alimento y pongámonos en marcha.

Escuchó la madre, ansiosa. Es posible que hasta ella hubiera llegado algún rumor sobre el hombre maravilloso, pues su fama había penetrado hasta los más recónditos lugares de Judea.

—¿Quién es ese hombre? —preguntó.

—Un nazareno.

—¿Y quién te ha hablado de Él?
—Judá.
—¿Está Judá en casa?
—Llegó anoche.
La viuda, intentando sosegar su corazón, permaneció silenciosa un buen rato.
—¿Te ha enviado Judá para que nos lo notifiques?
—No. El cree que las dos habéis muerto.
—Hubo un profeta que en otro tiempo curó a un leproso —dijo la madre a Tirzah, rememorando sus recuerdos—. Su poder venía de Dios.
Y dirigiéndose a Amrah, le preguntó:
—¿Cómo conoce Judá a ese hombre prodigioso?
—Ha viajado con Él; y ha oído a los leprosos cómo le suplicaban, y los ha visto marchar limpios. Primero curó a uno solo; en otra ocasión a diez de una vez.
La madre continuaba reflexionando. Temblaban sus descarnadas manos. La lucha en su alma, que se resistía a dar la sanción de su fe, la agitaba en sus fibras más íntimas. No podía dudar de las afirmaciones de su hijo, corroboradas por su criada, pero se debatía por comprender el poder de aquel hombre que obraba tantos prodigios. No obstante, su vacilación duró poco, pues dijo a Tirzah:
—¡Ese hombre debe de ser el Mesías!
Hablaba con gran convicción, como quien quiere a toda costa deshacerse de su última duda y, sobre todo, como una israelita familiarizada con las promesas que Dios había hecho a su raza.
—Hace algún tiempo, en Jerusalén y toda Judea corrió una historia que afirmaba su nacimiento. Lo tengo bien presente. Debe de ser un hombre ya. Será Él..., es Él, no me cabe la menor duda. Sí —dijo a Amrah—, creemos contigo. Tráeme agua, que encontrarás en la tumba en un jarro, y prepara nuestro desayuno. Tomaremos algo y nos iremos.
El desayuno fue breve y las tres mujeres emprendieron su singular expedición; Tirzah se había henchido de la misma fe que inspiraba a su madre y a Amrah. Sólo les quedaba un motivo de temor: el Nazareno, según habían oído Amrah, venía de Betania y desde este pueblo a Jerusalén había tres caminos: uno sobre la primera cumbre del Monte Olivete, el segundo por su base y el tercero, entre la segunda cima y el Monte de la Ofensa. No distaban el uno del otro, pero sí lo bastante para impedir encontrarse con el Nazareno si no atinaban con la senda por la que había de pasar. Amrah desconocía el país más allá del Cedrón e ignoraba los propósitos del hombre que iba a ver.
—Iremos primero a Betfage —dijo la viuda—. Si el Señor nos ayuda, sabremos allí lo que debemos hacer.
Descendieron primero la pendiente de la colina hasta Tofet y

el Jardín del Rey, y se detuvieron en el camino hondo abierto por el paso de muchos siglos.

—Me asusta seguir este camino —dijo la madre—; creo que sería mejor que lo hiciéramos por entre los campos o entre las rocas y los áboles. Hoy es día de fiesta y en la falda de esos cerros hay una multitud de gente esperando. Nos será más fácil evitarla por el Monte de la Ofensa.

Con gran dificultad caminaba la pobre Tirzah y al oír esto su ánimo empezó a decaer.

—Es muy empinado ese cerro, madre, y me será imposible trepar por el.

—Ten presente que vamos en busca de la salud y la vida. Mira cómo alumbra el día en torno nuestro. Las mujeres que acuden al pozo, si nos ven, nos apedrearán. Vamos, sé fuerte, por lo menos por esta vez.

Amrah se acercó a Tirzah y, sin temer las consecuencias hizo que se apoyara en ella, murmurando a su oído:

—Echa tu brazo a mi cuello. Aunque soy vieja me conservo fuerte y el camino no es muy largo. ¡Ánimo! Bien podemos ir así.

La vertiente del cerro que intentaban atravesar estaba interceptada por canteras y ruinas de viejos edificios, pero cuando al fin llegaron a la cumbre y se dispusieron a descansar, contemplando el espectáculo que tenían ante ellas, la madre sintió despertarse en el fondo de su ser un ardiente deseo de vivir y gozar de la vida.

—Mira, Tirzah —le dijo—; mira las planchas doradas de la Puerta Bella. ¡Cómo reverbera en ellas el sol! ¿Recuerdas que acostumbrábamos a ir allá? Nuestra casa está bastante cerca. Apenas puedo divisarla por encima de la Tienda del Tabernáculo. Allí está Judá para recibirnos.

En la vertiente de la cima central, cubierta de verde tapiz por los mirtos y los olivos, vieron delgadas columnas de humo que ascendían derechas en la tranquila paz de la mañana, denotando la presencia de los peregrinos y esto les recordó que el tiempo pasaba y era necesario apresurarse.

Aunque la fiel sierva se esforzaba para sostener a Tirzah, intentando aligerar sus esfuerzos, la joven gemía continuamente. Al llegar al camino que corre entre el Monte de la Ofensa y la eminencia central o segunda del Olivete, se desplomó totalmente exhausta.

—Sigue tú con Amrah, madre; dejadme aquí —dijo, en un susurro.

—No, no Tirzah. ¿Qué resolvería si yo curase y tú no? Cuando Judá preguntara por ti, ¿cómo podría decirle que te he abandonado?

—Dile que no he dejado de quererle.

La madre, que se había inclinado sobre el aniquilado cuerpo

de la hija, se enderezó y miró a su alrededor con desesperada resignación, deshecha el alma de tanto sufrimiento. En su suprema alegría de tornar a la vida pesaba la curación de su hija, que era aún lo suficientemente joven para que una existencia plena de salud borrara las miserias sufridas. Entonces vio, cuando ya casi estaba a punto de abandonarse a la voluntad divina, a un hombre que avanzaba con paso ligero por el mismo camino que venía del este.

—¡Ten valor, Tirzah! ¡No te aflijas! Allí viene uno que seguramente podrá darnos noticias del Nazareno.

Amrah ayudó a la joven a tomar asiento y la sustuvo en tanto que el hombre se acercaba.

—En tu anhelo, madre, olvidas lo que somos. El extranjero huirá de nosotras y nos llenará de maldiciones, aun teniendo en cuenta que no nos apedree.

—Veremos.

Era la única contestación que se le ocurrió, pues sabía bien el trato que solían recibir los parias como ellas.

El camino sólo era una vereda que daba vueltas y más vueltas formando recodos por la base de las colinas. Si el extranjero seguía esta senda, era forzoso que tropezara con ellas. Así sucedió. Pero antes de que se acercara, la madre dio el aviso, cubriendo al mismo tiempo su cabeza, que era otra de las cosas a que obligaba la Ley.

—¡Impuras! —gritó; pero para su sorpresa, el hombre continuó aproximándose.

—¿Qué quieres? —preguntó, deteniéndose a unos cuantos metros de distancia.

—Ya ves lo que somos. Ten cuidado —dijo la madre, con dignidad.

—Mujer, yo soy el mensajero de Aquel, que sólo necesita hablar a un enfermo como tú para sanarlo. Yo no tengo miedo.

—¿El Nazareno?

—El Mesías —rectificó el hombre.

—¿Es cierto que viene hoy a la ciudad?

—Ahora está en Betfage.

—¿Qué camino tomará?

—Este.

Juntó ella sus manos y elevó al cielo su mirada en acción de gracias.

—¿Quién crees que es Él? —preguntó el hombre, lleno de piedad.

—El Hijo de Dios —contestó la viuda.

—Quédate donde está, o, mejor, como le acompaña una gran multitud, súbete a esa roca blanca y, a su paso, no te olvides de llamarle fuerte y sin temor. Si es grande tu fe, Él te oirá aun cuando tronaran los cielos. Yo voy delante para avisar a Israel que se acerca y que se prepare a recibirle. ¡Mujer! La paz sea contigo y los tuyos.

Y siguió su camino.

—Hija mía, ¿has oído? Está en camino el Nazareno. ¡Viene por esta senda y nos oirá! Un esfuerzo más, sólo uno para llegar a la roca... ¡Sólo hay un paso!

Tirzah, sostenida por Amrah, se levantó; pero sólo habían avanzado unos pasos, cuando dijo la sierva:

—Detengámonos; el hombre se ha vuelto y viene hacia aquí.

—Discúlpame, mujer —dijo, cuando estuvo a su lado—. Olvidaba que el sol abrasará mucho hasta que pase al Nazareno. Esta calabaza de agua os aliviará. Tomadla y tened valor. Llamadle, llamadle cuando pase.

—¿Eres judío? —preguntó ella, sorprendida.

—Lo soy pero también algo mejor. Soy discípulo de Cristo, que enseña con la palabra y el ejemplo lo que ahora hago. El mundo conoce la palabra caridad, aunque no la comprende. Te deseo de nuevo la paz y te repito que no desfallezcas tú y los tuyos.

Después de alejarse el hombre, ellas continuaron su ascensión a la roca, que estaba escasamente a treinta metros del camino y la madre se convenció que desde allí podrían divisarla los que pasaran. Se echaron, pues, bajo la sombra de un árbol, bebieron y descansaron.

Tirzah, rendida, se quedó dormida. Temiendo despertarla, las dos mujeres se sumieron en el silencio.

CAPÍTULO IV

EL MILAGRO

Hacia la hora tercia, el camino poco a poco fue haciéndose más frecuentado por las gentes que iban en dirección a Betfage y a Betania. A la hora cuarta, allá lejos, sobre la cresta del Olivete, apareció una gran multitud, y cuando al cabo de poco tiempo empezaron a desfilar ante ellas, vieron con sorpresa que todos llevaban palmas recién cortadas.

Atónitas ante este espectáculo, no habían notado otro gran grupo de gente que venía del este, hasta que la algazara de sus gritos les hizo volver la cabeza hacia aquella dirección. La madre, entonces, despertó a Tirzah.

—¿Qué explicación tiene esto? —preguntó la joven, medio aletargada.

—Viene el Nazareno —le contestó—. Esos que pasan han venido de la ciudad para recibirle. Los que vienen del otro lado, son sus amigos que le acompañan, y es posible que todos se encuentren aquí, delante de nosotras.

—Temo que si es así, ahogarán nuestros gritos.

Inquietaba a la madre el mismo pensamiento.

—¡Amrah! —le preguntó—. Cuando Judá te habló de la curación de los diez, ¿en qué forma se lo suplicaban al Nazareno?

—Sólo decían: «Señor, ten misericordia de nosotras». O bien: «Maestro, ten misericordia».

—¿Sólo eso?

—Eso es lo que dijo.

—¿Y era bastante? —añadió como hablando consigo misma.

—Sí —replicó—. Judá los vio írse curados y limpios.

Mientras tanto, la gente ascendía lentamente por el repecho. Los primeros del grupo pasaron ante ellas. La mirada de las leprosas se fijó en un hombre que iba en medio de lo que podía decirse lo más escogido del grupo. Sus vestiduras eran blancas y llevaba la cabeza descubierta. Al llegar a una distancia en que ya podían distinguirle, contemplaron su rostro de un color casi aceitunado, sus largos cabellos castaños, quemados ligeramente por el sol y partidos sobre la frente.

No parecía tomar parte en la alegría que mostraban sus acompañantes, ni tan siquiera miraba a su alrededor. Una profunda tristeza se reflejaba en su rostro y en todo su aspecto. El sol, que daba en su espalda, arrancaba dorados destellos a sus cabellos y formaba alrededor de su cabeza, como una corona de oro.

La interminable procesión desfilaba alegre. No había necesidad de que le dijeran quién era... El Nazareno era inconfundible.

—¡Ya llega, Tirzah! ¡Ya está aquí! ¡Ven, hija mía!

Y se adelantó hasta el borde de la roca, donde se postró de rodillas. La hija y la sierva, se postraron en tierra también. En ese instante, miles de personas que habían salido de la ciudad, al divisar el cortejo que venía hacia ellos, se pararon y empezaron a agitar las palmas y los verdes ramos, gritando o más bien cantando a coro:

—¡Hosanna! ¡Bendito sea el Rey de Israel, que viene en el nombre del Señor!

Y la muchedumbre que venía con él, replicó a una sola voz, que pasó como viento de tempestad sobre la colina.

En medio de semejante algarabía, las debilitadas voces de las pobres mujeres, no eran más perceptibles que el gorjeo de un pajarillo asustado.

Había llegado el momento del encuentro entre los dos grupos y con él, la oportunidad que buscaban; si la dejaban escapar, se perderían para siempre, pues ya no tendrían curación.

—Más cerca. Aproximémonos más.

Levantando sus descarnadas manos, gritaban con todas sus fuerzas.

Las vio el pueblo; advirtió su aspecto horrible y se detuvo con espanto. La miseria humana, cuando llega a tales extremos, impone tanto como la majestad rodeada de púrpura.

—¡Las leprosas! ¡Las leprosas!

—¡Apedreadlas!

—¡Las maldiciones de Dios! ¡Matadlas!

Estos y otros gritos parecidos se mezclaban a los hosannas, pero los que rodeaban al Nazareno, conociendo más el carácter del hombre a quien suplicaban aquellas desventuradas, le miraron en silencio apelando a su inagotable piedad.

Al llegar frente a las tres mujeres se detuvo. Ellas le miraron; contemplaron la serenidad de su rostro, compasivo y de extraordinaria belleza, sus ojos rasgados llenos de ternura y de bondad, y exclamaron:

—¡Oh, maestro! ¡Oh, Señor! Ya ves nuestra miseria; apiádate de nosotras. ¡Límpianos! ¡Ten compasión de nosotras!

—¿Creéis que puedo hacerlo? —les preguntó.

—Tú eres Aquel de quién hablaron los profetas; eres el Mesías.

Los ojos del Nazareno se iluminaron y sus maneras se hicieron más sencillas.

Aún se detuvo un momento más, como absorto y pensativo, ajeno por completo a la multitud que le rodeaba, y siguió su camino.

—Mujer —le dijo—. Tu fe es grande; cúmplase tu deseo.

Aquel corazón divino, pero tan humano, tan dotado con los mejores dones terrenos, se dirigía con segura previsión hacia la muerte, la más afrentosa y cruel que la maldad de los hombres había podido concebir. Cómo debió resonar en su corazón aquel grito de despedida de las agradecidas mujeres, llenas de fe y amor.

—¡Gloria a Dios en las alturas! ¡Bendito, tres veces bendito el Hijo que se nos ha dado!

Inmediatamente después, ambos grupos, el que venía de la ciudad a recibirle y el que le acompañaba, se mezclaron a su alrededor, demostrando su alegría, sus hosannas y sus palmas, y el imponente cortejo pasó por delante de las mujeres. Se cubrió la madre la cabeza, y rodeando a Tirzah con sus brazos le dijo:

—¡Tirzah, hija mía! Tenemos su promesa. El es en verdad el Mesías. ¡Estamos salvadas! ¡Salvadas!

Y las dos continuaron de rodillas, en tanto que la procesión se alejaba lentamente y se perdía al otro lado del monte. Cuando el sonido de sus cantos fue apenas perceptible, el milagro empezó a realizarse.

En principio, sintieron como si en su corazón se renovase la sangre, que comenzó a circular más rápida y ardiente, haciendo vibrar sus atrofiados miembros con una armónica sensación de dulce restablecimiento, sin dolor alguno.

Veían cómo sus padecimientos iban desapareciendo ante aquellas oleadas de vida que les iba devolviendo todas sus energías. Se diría que volvían a ser lo que fueron y como habían sido. El vigor que se posesionaba de ellas, las exaltaba en un éxtasis de fervor, produciéndoles el efecto de un licor embriagador, dulce y confortable.

Mas esta transformación, pues esto era lo que iba realizándose, tenía otro testigo además de Amrah.

Ben-Hur, que había seguido al Nazareno en todas sus expediciones, presenció la aparición de las tres leprosas en el camino. Hasta él llegaron las súplicas y pudo ver las facciones devastadas por la lepra, oyó también la respuesta del Nazareno y tenía un vivísimo interés en presenciar y confirmar estas maravillosas curaciones, sobre todo después de la discusión con Simónides. Se mantuvo a un lado del camino, expectante. En cada ocasión buscaba un nuevo estímulo para su fe creciente, en la misión espiritual de aquel hombre prodigioso. Se había ocultado no lejos de la escena y, tomando asiento en una piedra, esperaba el resultado. Lo saludaban sus amigos al pasar delante de él; eran en su mayoría galileos de sus legiones, que llevaban ocultas bajo sus ropas, cortas y anchas espadas. Entre los últimos se veía a un árabe de atezado rostro, que conducía dos caballos del cabestro. A un signo de Ben-Hur se acercó.

—Espérame aquí —dijo el hebreo, cuando hubieron acabado de pasar los últimos rezagados—. Quiero llegar pronto a la ciudad y necesito a «Aldebarán».

Acarició la ancha frente del animal, que estaba en todo el apogeo de su vigor y belleza, y cruzando el camino, se dirigió hacia las dos mujeres.

Resultaban para él unas extrañas por las que sentía un interés como objeto de experimento sobrenatural, que le ayudaría a encontrar solución al misterio que, desde hacía tanto tiempo, le tenía obsesionado.

Ensimismado se dirigió a la roca en donde Amrah se había quedado medio escondida, oculto su rostro entre las manos, y entonces la reconoció.

—¡Por el Dios vivo, que es Amrah! —se dijo.

Corriendo se acercó a ella, pasando cerca de su madre y hermana sin reconocerlas, y plantándose ante la sierva le preguntó:

—Amrah, ¿qué haces aquí?

Por toda respuesta ella cayó de rodillas, arrasada en lágrimas, sin poder pronunciar una sola palabra, turbada por los encontrados sentimientos de alegría y temor.

—¡Oh, mi amo! ¡Qué bueno es tu Dios, que es el mío!

La sensación repentina que sentimos cuando el amor nos liga a sufrimientos ajenos, sólo ha podido estudiarse de una forma muy vaga. Lo cierto es que esta percepción nos permite entre otras cosas, compenetrarnos con el ser amado, de tal forma que sus dolores y sus alegrías llegan a hacerse nuestras. La pobre mujer, retirada y con la cara oculta, tenía plena conciencia de la transformación que iba operándose en las leprosas a pesar de no mediar entre ellas palabra alguna.

Ben-Hur, al verla, tuvo como un presentimiento de que su presencia allí estaba ligada a la de las dos mujeres, junto a las cuales había pasado sin reparar en ellas, y se volvió rápidamente a tiempo que se levantaban. Judá quedó petrificado, mudo y sobrecogido por un sentimiento indescriptible. ¿Era acaso víctima de una alucinación? Ante sus ojos tenía una mujer que era la viva imagen de su madre, tal cual la había dejado cuando los romanos la arrancaron de su lado. Sólo había un pequeño cambio; su cabello estaba mezclado con algunas hebras plateadas, pero esta diferencia era natural dados los años transcurridos. ¿Y quién, sino Tirzah, era la que se hallaba a su lado? Hermosa, perfecta, en plenitud de su desarrollo, pero conservando los rasgos característicos de su rostro, tal como estaba grabado en su memoria en aquel día fatal, en que le había acompañado a la azotea de su casa cuando ocurrió el accidente de Graco.

Las había creído muertas, y fue acostumbrándose a la idea de vivir sin ellas, aunque no cesaba de llorarlas; por eso, no pudiendo creer lo que veía, puso su mano sobre la cabeza de la sierva, exclamando con voz entrecortada:

—¡Amrah! ¡Amrah! ¡Mi madre! ¡Tirzah! Dime que no me engañan mis ojos.

—¡Háblales, amo mío, háblales!

Con los brazos abiertos, Ben-Hur corrió hacia ellas, gritando:

—¡Madre! ¡Madre mía! ¡Tirzah! ¡Aquí estoy!

Oyeron las dos su llamamiento y, con un grito apasionado, se abalanzaron hacía él. Detúvose de pronto la madre, retrocedió y lanzó su antiguo aviso:

—¡Detente, Judá, hijo mío! No te acerques más. ¡Impuras! ¡Impuras!

Este grito no fue arrancado por la costumbre de verse leprosas, sino por el temor, ese temor que es una de las formas del amor materno, siempre previsor. Aunque sentíanse curadas, el virus de la enfermedad podría transmitirse por el contacto de sus ropas contaminadas. El no pensaba en nada de esto. Sólo sabía que estaban allí, que las había llamado y le habían respondido. ¿Quién o qué retenerle? Pronto los tres unidos en estrecho abrazo, mezclaban sus lágrimas y sus caricias.

Pasado el primer éxtasis, dijo la madre:

—¡Oh, queridos hijos, en nuestra felicidad, no olvidemos a nuestro benefactor! Demos gracias a Aquel a quien tan obligados estamos.

Se hincaron de rodillas, Amrah la primera, y la oración de la madre fue como un cántico. Tirzah y Ben-Hur la repetían palabra a palabra, aunque éste no con la misma e irresistible fe, pues cuando se levantaron preguntó:

—En Nazaret, en donde ha nacido, madre mía, lo conocen por el hijo del carpintero. ¿Quién es en realidad?

Reposaron sobre él los ojos de la madre rebosantes de ternura y respondió sin vacilación:

—Es el Mesías.

—¿Y de quién le viene el poder?

—Lo sabremos por sus obras. ¿Podrías decirme si ha causado algún mal en su vida?

—No.

—Pues este signo es la respuesta. Su poder proviene del mismo Dios.

No es cosa fácil desarraigar en un momento todas las aspiraciones y esperanzas que forman parte de nuestra misma vida. Por más que Ben-Hur se interrogaba a sí mismo, sobre lo que significaban para este hombre todas las vanidades del mundo, sus ideales y ambiciones le impedían ceder. Persistía en su idea como en nuestros días persisten los que quieren medir a Cristo con su propia medida. ¡Cuánto mejor sería que nos acomodáramos a lo que Él es!

—¿Y qué vamos a hacer ahora? ¿Adónde iremos, hijo mío?

Una vez Ben-Hur se cercioró de que toda huella del terrible mal había desaparecido de ellas y que ambas habían recobrado toda la perfección de que gozaron antes se quitó la capa y la echó sobre los hombros de Tirzah.

—Póntela —dijo sonriente—; antes un extraño te habría evitado, pero ahora te ofendería con la mirada.

Al quitarse la capa, Ben-Hur dejó al descubierto la espada, pendiente de su cintura.

—¿Hay guerra? —preguntó la madre intranquila.

—No.

—¿Por qué vas, pues, armado?

—Por si fuera necesario defender al Nazareno.

Eludió así el joven la confesión de toda la verdad.

—¿Tiene enemigos? ¿Quiénes pueden serlo?

—¡Ay de mí, no todos son romanos!

—¿No es israelita? ¿No es un hombre de paz?

—Nunca hombre alguno amó con más intensidad que Él, pero según el criterio de los rabinos y maestros, es culpable de un gran crimen.

—¿Cuál?

—Predica una nueva doctrina. El gentil no circuncidado es tan merecedor del favor de Dios como el judío más estricto cumplidor de sus deberes.

La madre recapacitó en silencio y luego los cuatro se dirigieron a la sombra del árbol, al pie de la roca. Frenando Ben-Hur su impaciencia de llevárselas lo antes posible a su casa y de oír la historia de su detención, señaló la conveniencia de someterse a la ley que regía en tales casos. Llamó al árabe y le mando que llevase los caballos a la Puerta de Betseda. Después, la madre y los dos hijos, seguidos de Amrah, se encaminaron a pie hacia el Monte de la Ofensa.

El regreso fue muy distinto de la ida. Marchaban ligeras y con facilidad, y en pocos minutos llegaron a la tumba recién abierta junto a la de Absalón, que domina los abismos del Cedrón. La encontraron vacía y tomaron posesión de ella, en tanto que Ben-Hur adoptaba las oportunas medidas para que fueran restablecidas en su nueva condición.

CAPÍTULO V

LA MISIÓN DEL MESÍAS

Levantó dos tiendas Ben-Hur en lo alto del Cedrón, a poca distancia de las tumbas de los reyes; amorosamente las dotó de cuantas comodidades estaban en su mano, y condujo a ellas a su madre y a su hermana, que habían de permanecer allí hasta que un sacerdote, después de reconocerlas, atestiguara su curación absoluta.

En el transcurso de estas gestiones, el joven tropezó con la grave dificultad de la proximidad de las fiestas. Estaba prohibido entrar en el último de los patios consagrados del Templo y, tanto por necesidad como por gusto, se estableció en las tiendas con su amada familia. Muchas cosas le quedaban por saber y muchas otras que contarles de su propia vida.

Relatos que comprendían períodos largos y difíciles, sufrimientos corporales y penas del alma, que precisaban mucho más tiempo para ser referidos, pues el narrador no se ajustaba exactamente al orden cronológico, en su inquietud por comunicar todos sus sentimientos.

Todo lo que ellas le contaban lo escuchaba atentamente, y su odio hacia Roma alcanzó su paroxismo, y su anhelo de venganza se convirtió en rabiosa sed de sangre. En su exasperación, se apoderaban de él locos arrebatos de sublevación y proyectó seriamente el levantamiento de Galilea. Pero por fortuna, sus ideas y proyectos largamente madurados eran demasiado firmes para ser revocados en un momento de pasión. Todos sus propósitos tenían que terminar en el Nazareno y sus decisiones, y pensaba que nada podría llevarse a cabo si no conseguía la más completa unión de todo Israel.

El excitado revolucionario encontraba a veces gran placer imaginando a Cristo pronunciando estas palabras: «¡Escucha, Israel! Yo soy Aquel que os ha sido prometido por Dios para ser el Rey de los judíos; vengo a vosotros con toda la potestad que me dan las predicciones de los profetas. Levántate y sígueme, que el mundo será para ti fácil presa».

Si el Nazareno les hablara de este modo, ¡qué movimiento seguiría a sus palabras! ¡Cuántas bocas las propagarían por todas partes como trompetas de guerra proclamado el alzamiento! ¿Llegaría a hablarles así?

Deseoso de dar principio a su obra, y pensando sólo en el aspecto político y terrenal, Ben-Hur perdía de vista la doble naturaleza del Evangelio.

En el prodigio obrado en Tirzah y en su madre, pudo ver, sin el menor asomo de duda, que había en aquel hombre tanto poder, que era más que suficiente para levantar al pueblo judío, ceñir una corona y establecer un trono imperecedero sobre las ruinas del romano. Creía su poder tan inconmesurable como para refundir el mundo entero y convertirlo en una sola familia feliz. Y cuando la obra quedase consumada, ¿quién podría negar que esta paz y esta felicidad, que se establecerían sin grandes obstáculos no eran una misión digna del Hijo de Dios? ¿Podría nadie dudar de que el hombre que la realizara no era el Cristo redentor de la Humanidad? Dejando de lado toda consideración política, ¿qué indecible gloria personal no habría para él, aun suponiéndole solamente un hombre? Ningún mortal negaría esta misión divina.

Entretanto, Cedrón abajo, hacia el lado de Bezeta, y con más profusión por los caminos que llevaban a la Puerta de Damasco, circundando por completo Jerusalén, todo se cubría de tiendas y de provisionales albergues para los que venían a celebrar la Pascua. Ben-Hur buscaba a los extranjeros y hablaba con ellos, complaciéndose en calcular su inmenso número. Cuando reflexionaba que en ellos estaban representadas las naciones más extremas, desde la Columna de Hércules, en Occidente, hasta las ciudades comerciales del Extremo Oriente, se henchía de mística fe sobre sus futuros destinos. ¡No, no, no podía haber error al juzgar al Nazareno! Lo que Ben-Hur esperaba con calma era estar preparado para probar su poder. Y ninguna ocasión mejor que aquélla para realizar un movimiento iniciado por sus leales galileos y ceñir la corona en las sienes del Mesías. En cualquier otro momento, podrían apoyar este levantamiento unos cuantos miles de partidarios; en esta circunstancia responderían muchos millones a la vez. ¿Quién podría contarlos?

A la tienda de Ben-Hur acudían hombres curtidos, de aspecto enérgico y valiente, que sostenían con él largas conferencias, y por los que sabía cada movimiento del Nazareno y cada proyecto de sus enemigos, fueran romanos o rabinos, y el riesgo más o menos incierto en que estaba la vida del santo hombre; pero no temía que por el momento nadie tan osado se atreviera a atentar contra su vida. Su fama que empezaba a extenderse y a hacerle popular, le protegía. La gran aglomeración de gente en Jerusalén y sus alrededores le parecía suficiente garantía de seguridad. La confianza de Ben-Hur se basaba sobre todo en el poder milagroso de Cristo. Tan manifiesto era este poder que, quien lo poseía y utilizaba en favor de los demás, no dejaría de utilizarlo para protegerse a sí mismo.

Estos hechos ocurrían entre el 21 y 25 de marzo, contando según nuestro almanaque. En la noche del último día, cediendo a su inquietud, cabalgó hasta la ciudad, con el propósito de volver a las tiendas por la noche.

En la primera vigilia de Pascua, al atardecer, cuando la multitud se agolpaba en la ciudad para inmolar los corderos cuyos cadáveres humeaban en los patios del Templo. Alineados, los sacerdotes recogían la sangre que brotaba y la llevaban para rociar el altar. El movimiento era continuo, y grandes las prisas por acabar antes de que las estrellas aparecieran, momento en el cual se daba la señal de que cesara la ceremonia para proceder a asar y comer el cordero entre cánticos de júbilo.

Entró el jinete por la gran puerta norte y cabalgó a través de la ciudad, que aparecía en todo su esplendor y gloria.

CAPÍTULO VI

IRAS ABRE SU CORAZÓN

Se apeó Ben-Hur a la puerta del *khan,* desde el cual hacía más de treinta años habían partido en dirección a Belén los tres reyes magos. Dejó su cabalgadura en manos de los servidores árabes, y al poco rato se encontraba en la gran sala de la casa de sus padres. Malluch no estaba, como tampoco el comerciante y el egipcio, a quienes habían conducido en literas para que pudieran presenciar la fiesta pascual. Le dijeron que el egipcio se hallaba sumamente débil y sumido en un profundo abatimiento. Los jóvenes, tanto de ahora como en todos los tiempos, al dejarse llevar por los impulsos del corazón, suelen dar un hábil rodeo; así, cuando Ben-Hur se interesó por el buen Baltasar y solicitó poder visitarle, su verdadero propósito era ver a la egipcia.

Apenas terminó de hablar el esclavo, que volvía con la respuesta de que su amo se hallaba fuera, cuando se levantó la cortina del departamento de Iras y apareció ésta como flotando en una nube de blancos velos. La vaporosa aparición avanzó hasta colocarse bajo la fuerte luz que despedían las lámparas del candelabro de siete brazos que había en medio de la habitación. La hermosa joven no tenía miedo a la luz.

El esclavo se alejó dejándolos solos.

En medio de la turbulencia ocasionada por los acontecimientos de aquellos días, Ben-Hur casi no había podido dedicar un pensamiento a la joven. Si en algún momento de sosiego espiritual surgía su imagen en la inquieta mente del judío, ella se le aparecía como un placer lejano que esperaba.

Sin embargo, ahora, bajo la inmediata influencia de la mujer, sus sentimientos revivían aspirando a una satisfacción. Salió a su encuentro con ansiedad, pero se detuvo, súbitamente helado. Observó un cambio en las facciones de la joven que le produjo el efecto de una ducha fría.

Hasta aquel momento se había mostrado para él como una amante ansiosa, atenta siempre a tenerle sometido al influjo de sus encantos; cada mirada suya era una invitación a declararle su amor; cada ademán una revelación del que ella sentía por él. Le había halagado continuamente, perturbándole con el incienso de lisonjeras frases que expresaban su admiración.

Con el único objeto de seducirle, según intuía, le contaba la egipcia las mil historias de amor recogidas en la voluptuosa Alejandría, y la opinión tan antigua como el más viejo de los pueblos, de que la belleza es el galardón del héroe, había quedado grabada en el corazón de Ben-Hur.

Bajo este prisma vio a la egipcia, a partir de la noche del paseo por el lago del Vergel de las Palmeras. Pero ahora...

Hay pocas personas que tengan una doble naturaleza: la natural y la adquirida, que es como un complemento, resultado de la educación que la mayor parte de las veces perfecciona la primera y se convierte en una parte del ser total. Dejando estos conceptos para los metafísicos, nos limitaremos a decir que ahora la egipcia se mostraba tal cual era su naturaleza real.

Jamás mujer alguna acogió a un extraño con una mayor expresión de repulsión y odio más manifiesto. Fría, duras las facciones, henchidos de desprecio los ojos, orgullosa la cabeza echada hacia atrás, midiéndole de arriba abajo con aire de desdén, el labio inferior algo más saliente, Iras recibió a Ben-Hur diciéndole con incisiva voz:

—Llegas a tiempo, ¡oh, hijo de Hur! Quería darte las gracias por tu hospitalidad, pues a partir de pasado mañana no tendré oportunidad de hacerlo.

Inclinó la cabeza Ben-Hur, sin apartar de ella los ojos.

—He oído hablar —continuó la egipcia— de una costumbre que los jugadores de dados observan entre ellos con excelente resultado. Cuando acaban la partida, ajustan sus cuentas en las tabletas, hacen un brindis a los dioses y ciñen con una corona las sienes del vencedor. La partida que habíamos empezado tú y yo, ahora está terminada; veamos quién debe ceñir la corona.

Ben-Hur contestó con indiferencia.

—El hombre no debe malograr nunca el deseo de una mujer cuando ésta pone su empeño en alcanzar algo.

—Dime, príncipe de Jerusalén —continuó la egipcia, inclinando la cabeza y acentuando su tono burlón—, ¿en dónde está ese hijo del carpintero de Nazaret, que es a la vez Hijo de Dios y del que tantas y tan grandes cosas se esperaban?

Él agitó una mano impaciente y respondió:

—No soy su guardián.

La hermosa subrayó aún más el gesto y la actitud.

—¿Ha aniquilado ya el poder de Roma?

Hizo Ben-Hur un ademán de súplica.

—¿En qué lugar ha establecido la capital de su reino? ¿No podré yo contemplar su trono y los leones de bronce que lo adornan? ¡Le sería tan sencillo erigir un palacio al que resucitó un muerto! Sería suficiente que hollara el suelo con su pie y pronuciaran sus labios una palabra, para hacer surgir un palacio mayor y más bello que el de Karnac.

No era imposible equivocarse y creer que sus palabras sólo encerraban una broma inofensiva; las preguntas ya eran injuriantes, pero el tono con que eran pronunciadas las hacía insoportables. Ben-Hur sin poder contener ya su enojo, repuso con la sequedad del que quiere cortar un coloquio desagradable:

—¡Oh, Egipto! Esperemos otro día, otra semana o el tiempo que Él quiera, para construir su palacio con sus leones.

Pero ella continuó, haciendo caso omiso de su interrupción:

—¿Y cómo vas aún con esas vestiduras? Esperaba verte con los atavíos de un gobernador de la India o de un virrey de cualquier otro lugar. Una vez vi al sátrapa de Rages. Llevaba un gran turbante de seda y bordado de oro su manto, y el puño y la vaina de su alfanje me deslumbraban con los destellos de sus piedras preciosas. Parecía que Osiris le había prestado una aureola de rayos de sol... Sentiría mucho que no te hallaras aún en posesión de tu reino, ese reino que debíamos compartir juntos.

—La hija de mi sabio huésped es mucho más amable de lo que ella supone; me está mostrando que Isis puede besar el corazón de su favorita, sin hacerla mejor.

El tono de Ben-Hur era de una cortesía glacial. Iras le escuchaba entreteniéndose con el diamante que pendía de su collar de moneditas de oro.

—Para ser un judío, el hijo de Hur es demasiado inteligente.

—Recuerdo aún tu exaltación al imaginar a tu César haciendo su entrada triunfal en Jerusalén. Nos hiciste creer que el mismo día se proclamaría Rey de los juídos desde las gradas del Templo. Y yo, en mi fantasía, imaginaba la deslumbrante procesión que le acompañaba al bajar de la montaña sagrada, mis oídos percibían sus cánticos y veía a la gente agitar sus palmas en señal de victoria. Se destacaba entre ellos la majestuosa figura, con rico manto de púrpura sobre magnífico corcel, o bien guiando su cuadriga cubierta de armadura de bronce reverberando los destellos del sol. ¡Hubiera sido tan hermoso ver a un príncipe de Jerusalén a la cabeza de una cohorte de seis legiones de Galilea! —y al pronunciar estas palabras, lanzó sobre él una mirada ofensiva, que terminó con una carcajada de desprecio, como si lo ridículo del cuadro no fuese ni tan siquiera digno de su desdén—. En lugar de un Sesotris victorioso o de un César con espada y yelmo... ¡Ja, ja, ja! Mis ojos sólo han visto a un hombre con rostro de mujer montado sobre un pollino y con los ojos arrasados en lágrimas. ¡El Rey! ¡El Hijo de Dios! ¡El Salvador de los hombres vertiendo lágrimas como un infante! ¡Ja, ja, ja!

Aunque habituado a dominarse, Ben-Hur no pudo contener un gesto de cólera.

—A pesar de ello, no quise abandonar mi puesto, oh, príncipe de Jerusalén, aguardando el desenlace... No me reía... Dije para mí: «Esperemos. Quizá cuando llegue al Templo se exaltará, como conviene a un héroe que va a tomar posesión del Universo». Le vi entrar por la puerta de Susa y el Patio de las Mujeres. Se detuvo ante la Puerta Bella. La gente se agolpaba en el Pórtico, llenaba los patios y claustros de los tres lados del templo, estaba tan impaciente como yo, esperando la ceremonia de su proclamación. ¡Ja! ¡Ja! ¡Ja! Me parecía sentir ya el crujir de los cimientos y tambalearse el edificio del viejo pueblo romano... ¡Ja! ¡Ja! ¡Ja! ¡Oh, príncipe! Por el espíritu de Salomón, te afirmo que tu magnífico Rey del mundo no desplegó sus labios; recogio su túnica como una mujer y siguió adelante... ¡Y el viejo artefacto del Imperio romano se mantiene en pie!

Humildemente, rindiendo homenaje a su perdida esperanza, la esperanza de un rey guerrero y conquistador, y junto con ella la de su personal venganza, igualmente desvanecida, Ben-Hur inclinó la cabeza.

—Hija de Baltasar —dijo con dignidad—, si es éste el juego de que me hablabas, te cedo la corona; tuya es, igual que la victoria. Te pido únicamente, que no hablemos más de ello. Entiendo que tú alimentas algún designio, que desearía conocer para darle respuesta. Habla, pues, pero cíñete a esto únicamente; te escucharé y, si la suerte lo exige, te olvidaré y continuaré solo mi camino.

Iras le miró por un momento, como pensando acerca de lo que debía o no hacer. Por fin dijo fríamente:

—No tengo nada que añadir. Tienes permiso para dejarme.

—La paz sea contigo —contestó él, encaminándose hacia la puerta.

Mas cuando Ben-Hur se encontraba en el dintel, ella le llamó:

—Una palabra más.

El se detuvo y la miró.

—Piensa bien en todo lo que sé de ti.

—¡Oh, bella egipcia! —dijo Ben-Hur, volviendo a su lado—. ¿Qué es lo que sabes de mí?

—Tú eres más romano que ninguno de tus compatriotas.

—¿Tanto difiero de ellos?

—Son ahora romanos los semidioses.

—¿Quieres decirme qué más sabes de mí?

—La semejanza no me es indiferente y podría inducirme a salvarte.

—¡Salvarme!

Los dedos de pintadas uñas de la egipcia jugueteaban con el collar y su voz se había hecho más suave y queda; sólo un ligero movimiento de sus pies, calzados con sandalias de seda, denotaban impaciencia, golpeando nerviosamente el suelo.

—Hubo un judío —empezó—, un escapado de las galeras, que asesino á un hombre en el palacio de Iderneo.

Involuntariamente se estremeció Ben-Hur.

—Ese mismo judío —continuó, recalcando las palabras— mató a un centurión en la Plaza del Mercado, aquí, en Jerusalén; ha organizado tres legiones en Galilea para apoderarse en un momento determinado del gobernador romano y ha concertado alianzas para luchar contra Roma. El jeque Ilderim es uno de sus aliados.

Acercándose más a él, prosiguió en un tono que parecía un susurro:

—Tú has vivido en Roma; imagina que alguien repite estas cosas en los oídos de quien sabes. ¡Ah, cambias de color!

Ben-Hur retrocedió con el aspecto de una persona que, creyendo jugar con un gatito, advierte de pronto que es un tigre.

Tú conoces las antecámaras de Roma y sabes quien es Seyano. Piensa lo que sucedería si alguien le contase todo esto y le ofreciera pruebas, añadiendo que ese mismo judío es el hombre más rico en Oriente..., ¡el más rico del mundo! Es un arte difícil divertir al pueblo romano, y encontrar el dinero para tenerlo regocijado más difícil todavía; pero Seyano es un maestro en tales artes. Los peces del Tíber le quedarían agradecidos porque comerían algo más sustancioso que lo que hallan entre el lodo y, además, ¡cuánta emoción habría en las representaciones del Circo!

No pareció Ben-Hur impresionarse por la evidente ruindad de aquella mujer; vino a su mente la escena de la fuente, cuando iban al Jordán, y pensó nuevamente que era imposible que Ester le hubiera traicionado. Creyéndolo así, dijo con serenidad:

—Por halagarte, reconozco tu astucia y admito que estoy a tu merced. Y como también ha de agradarte que declare que no te creo capaz de concederme gracia, te lo confieso sin temor alguno. Yo podría matarte, pero tengo en cuenta que eres una mujer. El desierto está abierto para recibirme y aunque Roma es buena cazadora de hombres, les costaría mucho apoderarse de mí, porque de la estéril arena brotaría un bosque de lanzas para defenderme. Ahora me aventuro a pedirte una cosa. ¿Quién te ha informado de todo cuanto sabes de mí?

Fuera sincera o fingiese, se suavizó la dura expresión del rostro de la egipcia.

—Hay en mi país unos artistas que hacen cuadros utilizando conchas recogidas a las orillas del mar, cortándolas e incrustándolas en una pieza de mármol. ¿No hallas ninguna semejanza entre estos artistas y el que busca descubrir un secreto? Pues oye: juntando detalles que recogía aquí y allá, de éste y de aquél, y uniéndolos todos más tarde, he logrado construir un arma con la cual podría aniquilar... —hizo una pausa, hirió con el pie impacientemente el suelo, demostró una emoción incontenible y por fin terminó— a cierto hombre con el cual no sé qué hacer.

—No, no es suficiente —dijo Ben-Hur, que seguía observándola con la mayor frialdad—, no es bastante. Resuelve lo que debes hacer conmigo, y si debo morir, ¿por qué no confesarme en seguida tu secreto?

—¿Por qué no? —respondió ella con énfasis—. Del jeque Ilderim supe algo cuando conferenciaba con mi padre en el Vergel de las Palmeras. La noche era silenciosa y tranquila, y la lona de la tienda un impedimiento muy débil para un oído que pretendiera penetrarla.

Hizo una pausa y añadió sonriendo:

—Algunos otros detalles, pequeñas piezas de mi mosaico, las he obtenido de...

—¿De quién?

—Del mismo hijo de Hur.

—¿Y nadie más ha contribuido a ello?

—Nadie más.

Hur respiró satisfecho y dijo vivamente:

—Gracias, no estaría bien hacer esperar a Seyano. Adiós. La paz sea contigo.

—Espera —dijo ella, extendiendo la mano hacia él para detenerle.

Él la miró y por su aspecto comprendió que iba a revelarle el motivo de su conducta.

—No desconfíes de mí, ni me guardes resentimientos, ¡oh, hijo de Hur!, si te digo que sé por qué el noble Arrio te adoptó por heredero. Te lo juro por Isis y por todos los dioses de Egipto. Juro que tiemblo por ti, que tan valiente y generoso te crees, al verte en manos del cruel Seyano. Una gran parte de tu juventud la has pasado en los atrios de Roma y ha de ser muy dura para ti la soledad del desierto. Me apenas. Si haces lo que te pido, te juro por nuestra santa Isis que no te perseguiré.

Estas últimas palabras las pronunció con ardor, apoyándose en la poderosa sugestión de su belleza.

—Casi me inclino a creerte —replicó Ben-Hur, con cierto titubeo en la voz y en tono bajo e inseguro, porque aún anidaba la duda en su interior.

—Para una mujer, la vida es imperfecta si el amor no la llena; en cambio, la felicidad de un hombre estriba en la posesión de sí mismo. Ahora, escucha, ¡oh, príncipe!, lo que voy a revelarte.

La egipcia hablaba con gran locuacidad y entusiasmo; jamás había estado tan seductora.

—Tuviste un amigo en tu adolescencia. Entre los dos, tiempo más tarde, hubo una cuestión que os separó convirtiéndoos en enemigos. Se condujo injustamente contigo y, al cabo de muchos años os encontrasteis de nuevo en el circo de Antioquía.

—¡Messala!

—Sí, Messala. Tú eres su acreedor, pero si quieres puedes ser generoso: olvida lo pasado, devuélvele tu amistad y la fortuna que perdió én las enormes apuestas que le obligaste a aceptar. ¿Qué son seis talentos para ti? Escasamente una rama del árbol frondoso de tu fortuna, y para él... Toda la vida tendrá que arrastrar su cuerpo inválido... ¡Oh, Ben-Hur, noble príncipe! Para un romano como él, haber bajado a tal condición y hallarse en la miseria debe ser más odioso que la muerte. Tú puedes salvarle...

Le pareció a Ben-Hur que veía la cabeza del romano por encima del hombro de la egipcia, dirigiéndole una mirada de burla, y su expresión no era, con seguridad, la de un mendicante ni la de un amigo.

—¿Y ha sido Messala, el que te ha encargado esta petición?, ¡oh, Egipto!

—Messala es un espíritu noble; no contestaré a tus preguntas... Cree lo que te plazca.

—Si tienes una opinión tan favorable de él, y tan amiga suya eres, dime, ¿haría él en caso contrario lo que tú me dices a mí? Responde, por Isis. Contéstame en nombre de la verdad.

Tomó su mano y la estrechó con insistencia, como apelando a su sinceridad.

—¡Oh! —contestó Iras—. ¡Él es...!

—Un romano, ibas a decir... Quieres decir con ello que él no está obligado hacia mí en la misma forma que yo con él. Porque soy yo judío y él romano, es mi deber entregarle mi fortuna y perdonarle, ¿es eso? Acaba ya, ¡por nuestro Señor de Israel!, porque, si no logras calmar la indignación que invade mi alma, temo que voy a olvidar que eres una mujer, y bella por cierto, para ver sólo en ti a la espía del déspota, tanto más aborrecible para mí, cuanto que es romano. ¡Ea, habla, pues!

La egipcia retiró su mano y dio dos pasos hacia atrás con la expresión venenosa de su depravado espíritu que se traslucía en la voz y en los ojos.

—¡Tú miserable galeote, vil judío! ¿Llegaste a creer que podía amarte, después de conocer a mi Messala? Los hombres como tú han nacido para ser sus esclavos. Él se hubiera contentado con los seis talentos, pero ahora yo te digo que tienes que añadir veinte... Veinte, ¿me oyes? De esta manera pagarás los besos que has estampado en mi mano y de los que aún siento la repulsión, aunque me sirve de consuelo pensar que lo hacía por él. Si te he fingido simpatía y tanto tiempo he soportado tu odiosa presencia, ha sido sólo para servirle... Si antes del mediodía de mañana no ordenas a ese comerciante que administra tu fortuna que me entregue a la orden de mi Messala esos veintiséis talentos..., ¡fíjate bien la cantidad!, te entenderás con Seyano... Sé prudente, y adiós.

Iba a retirarse, pero Ben-Hur le cortó el paso.

—El viejo Egipto renace en ti —le dijo—. Cuando veas a Messala, aquí o en Roma, le transmitirás este mensaje mío: dile que he recobrado la fortuna que me arrebató, robando a mi madre; que he sobrevivido a las galeras a las que me condenó y que ahora, en la plenitud de mi fuerza, me gozo en su miseria y deshonor; dile también que la impotencia física que le ocasionó mi mano es la maldición del Dios de Israel, que ese tormento, peor que la misma muerte, le ha sido impuesto por sus crímenes, comunícale que mi madre y mi hermana, a quienes denunció y llevaron a la Torre Antonia, para que la lepra hiciera presa en ellas, están libres gracias al poder del Nazareno, a quien tú tanto desprecias; le manifiestas —y que esto sirva también para tu gobierno—, que cuando Seyano quiera despojarme no hallará nada, porque la herencia de Arrio, incluyendo la villa Misénum, ha sido vendida, y el producto bien asegurado, colocado en valores que están fuera del alcance de su mano, por larga que la tenga; y que esta casa y demás bienes, al igual que los buques y capital con que Simónides lleva su comercio, están salvaguardados por el Imperio y garantizados: Seyano prefiere una ganancia moderada, pero segura, recibida como regalo voluntario, que mayores despojos alcanzados por la violencia y manchados de sangre; y si ello no fuera suficiente, dile que me quedaría el recurso de comprar la protección del César. Todo esto lo he aprendido en los atrios de la capital. Puedes comunicarle, asimismo, que unida a mi desprecio no quiero mandarle mi maldición en palabras; pero como apropiada expresión de odio implacable, le envío algo que habrá de parecer la esencia de todas las maldiciones; y si al llegar a esta parte del mensaje, fija su mirada en ti, y te hace repetirla, puedes añadir que su sutileza romana le indicará lo que quiero decirle. ¡Vete ya!

La acompañó hasta la puerta con ceremoniosa atención y mantuvo la cortina levantada hasta que la egipcia salió.

CAPÍTULO VII

MIENTRAS ESTER DUERME

Cuando Ben-Hur dejó a Iras, se apoderó de su espíritu un profundo desaliento; marchaba lentamente y cabizbajo, preguntándose cómo un hombre paralítico puede conservar el cerebro bastante claro para hacer mal. Como siempre sucede después de una desgracia, Ben-Hur evocaba el pasado en busca de su origen y de los hechos que podían haberla producido. El pensamiento de que nunca hubiera sospechado que la egipcia estuviera íntimamente ligada a Messala y que durante varios años él y sus amigos hubieran estado sin saberlo a merced de aquella mujer, le hería en su orgullo de una manera insoportable.

—Ahora viene a mi memoria —se decia— que no pronunció una sola palabra de indignación para el despiadado romano de la fuente Castalia. Al contrario, le alabó aquella noche de la excursión por el lago del Vergel de las Palmeras... Y el misterio de la cita del Iderneo ha dejado de serlo.

Afortunadamente, sólo su vanidad había sido herida, y esta clase de heridas pronto cicatrizan.

—¡Alabado sea Dios! —exclamó en voz alta—. Gracias a Él, esta mujer no ha logrado conseguir más imperio sobre mí. En realidad, creo que nunca la amé seriamente.

Habiéndose aligerado con estas palabras del peso que agobiaba su espíritu, avanzó más agil hacia una escalera que ascendía hasta la azotea. Cuando llegó arriba pensaba: «¿Sería el padre cómplice en la doblez de la hija?... No..., no... La hipocresía pocas veces tiene cabida en un hombre de edad avanzada... Baltasar es honrado.»

Una vez llegado a esta conclusión, se puso a pasear por la azotea. La imagen del hombre de Nazaret vino a su mente. El rostro delicado y melancólico de Cristo, se le apareció vivísimo, mientras se dirigía al antepecho del lado septentrional de la terraza. No había en aquella faz la menor expresión guerrera, al contrario, mostrábase como el cielo de aquellas noches serenas, y Ben-Hur se interrogaba nuevamente: ¿Qué clase de hombre es éste?

Tendió una mirada sobre el parapeto y paseó de nuevo como un autómata, llegando hasta el pabellón de verano, escasamente alumbrado. Al mirar desde fuera vio el sillón de Simónides, colocado de forma que pudiera contemplar una gran parte de la ciudad hacia la Plaza del Mercado. «Ha vuelto el buen hombre. Voy a hablarle si no duerme».

Entró y con silenciosos pasos, se dirigió al sillón. Se asomó por encima del alto respaldo, y vio a Ester, que dormía acurrucada allí: una delicada figura cubierta con una pesada manta. Caía suelto su cabello sobre los hombros y la frente; su respiración entrecortada y afanosa se interrumpía de vez en cuando terminando casi en un sollozo. Intuía que aquel sueño no era el natural descanso al terminar el día, sino un refugio contra el sufrimiento. La naturaleza, piadosa con la juventud, envía a veces tal consuelo a los niños, y él siempre vio en Ester una niña. Se apoyó en el respaldo del sillón y comenzó a reflexionar:

«No debo despertarla; nada tengo que decirle a no ser que es todo mi amor... Ella es hija de Israel como yo, y muy bella. ¡Nada tiene de común con la egipcia! Todo lo que en una es vanidad es en Ester sencillez; todo lo que en la otra es egoísmo y ambición es aquí abnegación. La cuestión no estriba en si yo la amo, sino en si ella me ama a mí. Siempre fue mi amiga. La noche de nuestra conversación en la azotea de su casa en Antioquía, ¡con qué candor infantil me suplicó que no me enemistara con Roma la poderosa y me hizo contarle la vida que llevaba en mi mansión de Misénum y en la gran ciudad! A fin de que no adivinara su inocente malicia, no dudé en besarla. ¿Recordará ella aquel beso? Yo... no. ¡La amo! En la ciudad no saben que yo he encontrado a mi familia. Siento habérselo dicho a la egipcia, pero esta niña se alegrará de su curación y las acogerá con amor y con dulces caricias. Para mi madre será una nueva hija y Tirzah encontrará en ella una hermana. Voy a despertárla y decírselo todo... Pero, ¿y la egipcia? No, no puedo cometer una locura... Esperaré otra ocasión; sí, esperaré tiempos mejores. Adiós, hermosa Ester, abnegada hija de Judá.»

Y tan silenciosamente como había entrado, se retiró.

CAPÍTULO VIII

LA TRAICIÓN

La gente llenaba las calles o se agolpaba en derredor de las hogueras, donde se asaban los corderos, con gran alborozo y alegres cánticos. El olor de la carne asada se unía al de la madera de cedro y el humo llenaba el aire. Todo hijo de Israel se consideraba aquellos días hermano de cualquier otro israelita; la hospitalidad era amplia y cordial. Ben-Hur al pasar era saludado por todo el mundo y a cada instante le rodeaban, y le invitaban a que participara con ellos de la Pascua:

—Quédate con nosotros. ¿No somos todos hermanos en el amor del Señor?

Pero él, agradeciéndolo, se alejaba presuroso, pues pensaba tomar los caballos en el *khan* para volver al lado de los suyos.

Forzosamente tenía que pasar por aquella vía que bien pronto iba a hacerse inmortal por los dolorosos recuerdos que dejaría. En ella se celebraba con gran pompa la festividad religiosa. Mirando desde uno de sus extremos, vio una antorchas cuyas llamas ondeaban al viento como gallardetes y que, al parecer, se iban acercando; observó, además, que a a su paso, enmudecía la gente, y su asombro se acrecentó cuando entre el humo vio brillar el centelleo de las picas romanas. ¿Qué tenían que hacer aquellos burlones legionarios en medio de una ceremonia religiosa puramente judía? Como el hecho era insólito, Ben-Hur se detuvo para saber de qué se trataba.

Brillaba la luna con todo su esplendor en el firmamento; pero como ni su clara luz, ni la de las hogueras y antorchas era suficiente para iluminar bien la calle, muchos llevaban linternas. Se le ocurrió de pronto que aquellas luces podían tener algún designio y para cerciorarse se apostó en un lugar por donde tenía que pasar necesariametne el cortejo. Las antorchas y las linternas las llevaban unos esclavos, armados de gruesas mazas o cachiporras y otros con jabalinas. Servían de escolta y alumbraban el camino a dignatarios, ancianos, sacerdotes y rabinos de largas barbas, cejas espesas y corva nariz. Eran, en fin, personajes de la clase sacerdotal y del partido preponderante entonces en los concilios de Caifás y Anás. ¿Adónde se dirigían a aquellas horas? Con seguridad que no iban al Templo, pues más bien parecían venir de él. Y si el asunto que los guiaba era pacífico ¿por qué protegerse con soldados?

Cuando empezó a llegar el cortejo al lugar donde se encontraba Ben-Hur, su atención se fijó en los tres personajes del centro. Los esclavos parecían concentrar sus cuidados en ellos, demostrándoles el mayor respeto. Reconoció en el grupo de la izquierda a uno de los jefes del servicio del Templo y en el de la derecha a un sacerdote; pero no podía identificar al del centro, pues iba con la cabeza abatida sobre el pecho y se apoyaba pesadamente en los hombros de los otros dos. Parecía más bien un prisionero que se encontrase aún bajo el influjo de la sorpresa de la detención y a quien condujeran a algún horrible suplicio o a la muerte. Los dignatarios que le asistían a derecha e izquierda, por cierta consideración que guardaban hacia él, dejaban ver que si no era él mismo la causa de aquello, estaba muy relacionado con ella. Ben-Hur se puso al lado de la comitiva y llevado de la curiosidad la siguió. ¡Si el hombre del centro levantara la cabeza!

Al fin lo hizo. La cruda luz de las linternas cayó de plano sobre una cara pálida, desencajada por el remordimiento o el miedo, hundidos los ojos e hirsuta la barba. En su constante velar por el Nazareno, Ben-Hur conocía a todos los discípulos tan bien como al Maestro. Así, al verlo delante, exclamó involuntariamente:

—¡Iscariote!

El hombre volvió despacio la cabeza hasta que sus ojos se fijaron en Ben-Hur; y sus labios se movieron como si quisiera hablar, pero el sacerdote, interponiéndose, le increpó:

—¿Qué buscas? ¡Fuera de aquí! —y empujó a Ben-Hur para hacerle a un lado.

El joven no se inmutó por esta rudeza, preocupado como estaba por la curiosidad que le inspiraba semejante procesión. Continuó de nuevo en su seguimiento a lo largo de la calle, entre la multitud que la ocupaba, desde el cerro de Bezeta hasta la Torre Antonia; luego prosiguió por el lado de la piscina de Betesda hasta la puerta del Carnero. Todas las calles estaban atestadas de gentes entregadas jubilosamente a la celebración de la Pascua.

A esta hora se hallaban abiertas y sin guardia las puertas. Cuando el cortejo salió de la ciudad, se encaminó hacia la profunda garganta del Cedrón, una de cuyas vertientes era el Olivete. Antes de que Ben-Hur resolviera si iría más lejos, la comotiva se encaminó hacia la garganta, lo cual espoleó aún más su curiosidad. ¿Qué propósito llevaría a aquellos hombres al fondo del torrente?

Golpeando ruidosamente con sus trancas y palos a un lado y a otro del sendero, llegaron al pie de un huerto de olivos, circundado por un muro de piedra que daba al camino. Ben-Hur distinguió algunos añosos y nudosos árboles, cubierto el suelo de hierba y una pila o depósito excavado en la roca para extraer el aceite según la costumbre del país. Oyó de pronto unas voces que hablaban acaloradamente a la cabeza de la comitiva, que retrocedió en confuso tropel.

Pocos minutos empleó Ben-Hur para salir del cortejo y adelantarse hasta la cabeza de la comitiva. Encontró un portillo y, mirando por él, vio a un hombre de blanca vestidura y con la cabeza descubierta, de pie ante aquella entrada; tenía cruzadas las manos y su delicado rostro encuadrado por una larga cabellera expresaba resignación y mansedumbre.

¡Era el Nazareno!

Detrás de él, junto al portillo, se encontraban los discípulos, muy excitados, formando grupo; su irritación contrastaba con la calma que demostraba el Maestro. La roja luz de las antorchas iluminaba su faz, dando a su cabello más resplandor que de costumbre, y la expresión de su rostro era la misma de siempre, dulce y compasiva. Frente a esta figura, que nada tenía de belicosa, estaba la turba ansiosa, pero llena de supersticioso temor, y dispuesta, a la menor señal de enojo de aquel hombre, a huir y dispersarse. Ben-Hur lo comprendió en una rápida mirada. Allí estaba el delator y, frente a él, la víctima. Aquellos esclavos y los legionarios, armados con garrotes los unos y lanzas los otros, iban capitaneados por Judas Iscariote contra su Maestro. Y Ben-Hur, influido por su idea de un Mesías puramente humano, se preguntaba: «¿Cómo va a defenderse?. Sin duda, sus sermones habían sido de paz y de buena voluntad, de amor y de obediencia, pero ¿seguiría ahora su propias enseñanzas? El era el Señor de la Vida; una vez perdida podía devolverla con una palabra, un gesto, una mirada. ¿Cómo usaría ahora su poder?

Obstinado en medir al Nazareno con un criterio humano, Ben-Hur esperaba en esta circunstancia suprema una demostración de su fuerza prodigiosa y sobrenatural. Pero el Nazareno se limitó a preguntar con voz dulce y clara:

—¿A quién buscáis?

—A Jesús de Nazaret —le repuso el sacerdote.

—Yo soy.

Estas sencillas palabras, dichas sin pasión ni miedo, hicieron retroceder a la turba y algunos, entre los más tímidos, se dejaron caer al suelo temblando. Posiblemente le hubieran dejado tranquilo, marchándose, a no ser por Judas, que se le acercó diciendo:

—Salve, Maestro.

Y después de saludarlo, lo besó.

—Judas —dijo Jesús con dulzura—. ¿Por qué has venido? ¿Con un beso entregas al Hijo del Hombre?

Como no contestase, el Maestro se dirigió a la turba de nuevo.

—¿A quién buscáis?

—A Jesús de Nazaret.

—Ya os he dicho que soy yo. Si sólo me buscáis a mí, dejad que éstos se marchen en paz.

Al decir estas palabras, los rabinos se adelantaron y adivinando su intención, algunos de los discípulos por los cuales acababa de interceder, le rodearon para defenderle; uno de ellos cortó de un tajo la oreja de uno de los que iban a prender a su Maestro, pero no lograron salvarle. ¡Y Ben-Hur no se movió! No. Ni tan siquiera cuando aquellos sicarios se acercaron con las cuerdas para atarle; ni siquiera al contemplar este acto de mansedumbre, quizá el último, de amor y de misericordia sobrehumana.

—No sufras más —dijo al hombre herido y, al solo contacto de su mano, lo sanó.

Amigos y enemigos se miraron atónitos; unos sorprendidos de que pudiese ejecutar tal acción; otros de que la realizase en semejantes circunstancias.

«Seguramente no se dejará prender», pensó Ben-Hur.

—Vuelve tu espada a la vaina; el cáliz que mi Padre me envía he de apurarlo hasta las heces.

Y después de pronunciar estas palabras a sus discípulos, se volvió hacia los que le perseguían y dijo:

—¿Por qué habéis venido a prenderme con palos y espadas como a un ladrón? Estuve entre vosotros todo el día en el Templo y no levantasteis la mano contra mí; pero ésta es vuestra hora y el poder de las tinieblas.

Se envalentonó la ronda al fin y le rodeó; cuando Ben-Hur echó una mirada en busca de sus leales, vio que le habían abandonado y desaparecido todos.

En torno al hombre abandonado se arromolinaba ahora la turba rencorosa, que lo hostigaba con sus gritos y amenazas. En algunos momentos, por encima de las cabezas y a través del humo que despedían las antorchas, entreveía por un instante al imperturbable prisionero, y su corazón se sentía oprimido al verle tan desamparado de sus amigos. Aún no había dejado de creer que aquel hombre que podía aniquilar a sus enemigos con un soplo, con una sola mirada, se defendería en el último momento. Pero el hijo de Dios ni tan siquiera lo intentó.

¿Qué cáliz era ese que el Padre le había dado a beber? ¿Y qué

Padre era ese al que tenía que obedecer hasta tal punto? Misterio sobre misterio, un laberinto de misteriosos enigmas.

La plebe se puso en marcha, de vuelta a la ciudad, guiada por los soldados. Ben-Hur estaba inquieto, insatisfecho de sí mismo. No veía al Nazareno, pero sabía que debía de ir en medio del grupo que llevaba las antorchas y sintió un deseo irresistible de acercarse a él y verle. Quería hablarle.

Despojándose del manto y el paño que cubría su cabeza, los arrojó por encima del muro del huerto y se mezcló atrevido entre la turba. Fue abriéndose paso con grandes esfuerzos hasta el hombre que llevaba los extremos de la cuerda con que iba atado el prisionero.

Lentamente marchaba éste, con la cabeza inclinada sobre el pecho y las manos atadas a la espalda; le caían los cabellos sobre la frente y caminaba encorvado, extraño a cuanto le rodeaba. A pocos pasos delante de él iban los sacerdotes y los ancianos, hablando con ardor y volviendo de vez en cuando sus miradas al prisionero. Cuando ya estaban cerca del puente, sobre el pozo, Ben-Hur quitó la cuerda de manos del esclavo y, acercándose a Jesús, le dijo apresuradamente al oído:

—Maestro, Maestro... ¿Me oyes, Maestro? Una palabra, una sola. Dime...

El esclavo a quien había quitado la cuerda, protestó, queriendo recobrarla.

—Dime —continuó Ben-Hur—, ¿vas de buen grado con esos hombres?

Amenazadora, la turba le rodeó.

—¿Quién eres tú? —le gritaba—. ¿Qué quiere ese hombre?

—¡Oh, Maestro! —se apresuró a decir Ben-Hur, con voz llena de ansiedad—. Soy tu amigo y tu discípulo. Dime, te lo suplico, si te presto auxilio, ¿lo aceptarás?

No levantó la cabeza el Nazareno ni dio señales de haberle oído. La voz egoísta que cuando nos hallamos ante el que sufre nos grita a veces: «Déjalo; le han abandonado todos, el mundo reniega de él; abandonándose a su destino, se ha despedido de los hombres; déjale solo», esa voz en esta ocasión no dejó de convencer a Ben-Hur.

Cayeron sobre él una docena de manos y los sicarios aullaron a su alrededor.

—¡Es uno de ellos! ¡Prendedle también; matadle a palos!

La cólera acrecentó sus fuerzas. Ben-Hur, rechazando con violencia a los que le cercaban, se abrió paso con un terrible molinete de sus potentes puños y hecha jirones la túnica, casi desnudo e inundado de sudor, consiguió por fin refugiarse en el barranco, cuya sombra protectora, allá más oscura que en ninguna otra parte, le libró de la ira de la turba.

Cuando pasó el peligro, Ben-Hur fue en busca de su manto,

que había dejado tras el muro del huerto, y volvió a la ciudad. En el *khan* donde se hospedaba, mandó ensillar su caballo y marchó para las tiendas junto a las tumbas de los reyes y, ya de camino, pensaba en ir a ver al día siguiente al Nazareno, sin sospechar que el desamparado era conducido aquella misma noche a casa de Anás, para ser juzgado en seguida.

Estaba tan afligido el corazón del joven cuando se dejó caer en el lecho, que no pudo dormir en toda la noche; ahora se le presentaba con toda claridad, como un sueño vano, la renovación del reino de Israel. Nada más horrible que ver desplomarse una a una las columnas de nuestras esperanzas; pero cuando todo se derrumba con signos de catástrofe y el espíritu sabe soportar el desastre con calma es porque está dotado de un temple superior. Y Ben-Hur no había conseguido ese grado de fortaleza espiritual. Imaginándose el futuro, comenzó a entrever las escenas de una vida plácidamente bella en su tranquilo hogar, con Ester por esposa, y una nueva crisis le acometió, crisis que habría de resolverse definitivamente a la mañana siguiente en su encuentro con el Nazareno.

CAPÍTULO IX

LA SUBIDA AL CALVARIO

A la mañana siguiente, cerca de la hora segunda, llegaron a gran velocidad dos hombres en sus caballos, se apearon a la puerta de la tienda de Ben-Hur y dijeron que deseaban hablar con él.

—La paz sea con vosotros, hermanos —dijo, pues así llamaba a sus oficiales galileos y ambos lo eran—. ¿Queréis sentaros?

—No —dijo el de más edad, bruscamente—; no encuentro sosiego desde que sé que el Nazareno está condenado a muerte. Levántate, hijo de Judá, y ven con nosotros. Ha sido pronunciada la sentencia y el árbol de la cruz va a ser plantado en el Gólgota.

Ben-Hur se quedó atónito.

—¡La cruz! —fue todo lo que pudo decir en su abatimiento.

—Anoche le prendieron y fue sentenciado en seguida —continuó el oficial—. Apenas amaneció le llevaron ante Pilatos. Dos veces consecutivas se negó a reconocerle culpable; por dos veces quiso dejarle ir libre. Pero, por fin, después de lavarse las manos, les dijo: «Sobre vuestra conciencia recaiga este crimen»; y ellos respondieron...

—¿Quiénes respondieron?

—Todos, los sacerdotes y el pueblo: «Caiga sobre nosotros su sangre; sobre nosotros y nuestros hijos».

—¡Santo padre Abraham! —exclamó Ben-Hur—. ¿Cuándo se ha visto a un romano más humano con un israelita que sus hermanos de raza? ¿Quién podrá lavar la sangre que ha caído sobre ellas? ¡No puede ser! Ha llegado la hora suprema del combate.

Brilló la decisión en su rostro y, apretando los puños, llamó:

—¡Los caballos, en seguida!

Al árabe, que había acudido a su llamada, le dijo:

—Dile a Amrah que prepare mis vestidos y tráeme la espada.

Ha llegado la hora de morir por Israel. Esperad fuera hasta que salga.

Comió una rebanada de pan, tomó una copa de vino y en seguida estuvo dispuesto para montar a caballo.

—¿Adónde quieres ir? —preguntó el galileo.

—A juntar las legiones.

—¡Ay! —replicó el hombre, levantando las manos.

—¿Qué significa eso?

—Amo mío —replicó el oficial, sonrojándose—, este amigo y yo somos los únicos que hemos permanecido fieles. Los demás se han unido a los sacerdotes.

—¿Y qué pretenden? —preguntó Ben-Hur, tirando de las riendas.

—La muerte.

—¿La del Nazareno?

—Tú lo has dicho.

Ben-Hur miró a uno y después al otro, no pudiendo creerlo. El eco de las palabras oídas la noche anterior resonaba en sus oídos: «El cáliz que mi Padre me tiende he de apurarlo hasta las heces». Recordó la pregunta que había murmurado al Nazareno: «Si te presto auxilio, ¿lo aceptarás?» Y ahora se decía: «Su muerte es inevitable; desde que empezó su misión, camina con pleno conocimiento hacia ella; le ha sido impuesta por un poder más alto que el suyo. ¿Y de quién puede proceder sino de Dios? Si Él lo consiente, si va a la muerte por su propia voluntad, ¿quién podría impedirla? ¿No es indudable que todas mis fatigas, todos los tesoros derrochados no habrían sido más que una impía lucha contra la voluntad del Señor?»

Cuando de nuevo empuñó las riendas y dijo: «Adelante, hermanos», no veía ante sí más que incertidumbre y duda. Sus facultades se replegaban vacilantes, en esa indecisión que ahoga todo heroísmo: no era capaz de tomar una resolución enérgica.

—En marcha, hermanos; vamos al Gólgota.

Por el camino tropezaron con grupos que hablaban con gran excitación y que, como ellos, se dirigían hacia el sur. En la parte occidental se notaba una efervescencia inaudita. En el valle, un poco más abajo de la piscina de Ezequías, tan densa era la multitud que, no pudiendo abrirse paso, tuvieron que desmontar y refugiarse tras la esquina de una casa. Les parecía hallarse ante la impetuosa corriente de un río, tal era el continuo flujo y reflujo de la gente. Por espacio de una hora, la corriente pasó por delante de Ben-Hur y de sus compañeros en incesante oleada, agitada y ruidosa. Con razón pudo Ben-Hur decir al final:

—Mis ojos han visto todas las castas de Jerusalén, todas las sectas de Judea, todas las nacionalidades del mundo.

Hebreos de Libia, de Egipto, de Antioquía y del Rin, de todos los países de Oriente y de Occidente desfilaban sin interrupción a caballo y a pie, sobre camellos, en carros o en literas, en infinita variedad de trajes y con aquel maravilloso parecido que aún es hoy el rasgo característico de los hijos de Israel, a pesar de su expansión por todas las regiones del mundo. Desfilaban hablando todas las lenguas conocidas, agitados, ansiosos, atropellándose, empujándose para contemplar cómo Jesús era crucificado entre los ladrones.

Mas no todos eran judíos; a engrosar estas filas contribuían millares de griegos, romanos, árabes, sirios, africanos, persas y egipcios. Viendo aquellas multitudes parecía que toda la tierra estuviera representada en el acto de la crucifixión.

Llevaban impresa en el rostro la expresión del que espera asistir a un espectáculo terrible, a una repentina catástrofe, a una irreparable calamidad. Por estos signos, juzgó Ben-Hur que se trataba de extranjeros que habían venido a pasar la festividad de la Pascua en la ciudad, ajenos al castigo del Nazareno y que es posible que fueran amigos suyos.

Procedente de las grandes torres, llegó hasta Ben-Hur débilmente al principio, después más claro, el griterío de muchos hombres.

—¡Atención! ¡Ya están aquí! —le dijo uno de sus amigos.

El pueblo se detuvo un instante para escuchar; cuando el clamor se sintió más cerca, se miraron los unos a los otros, asustados, y continuaron su camino.

Todo el ámbito resonaba lleno de gritos cuando Ben-Hur vio a los criados de Simónides, que transportaban a su amo en un sillón, y a Ester, que caminaba a su lado. Una litera cubierta los seguía.

—La paz sea contigo, ¡oh, Simónides!, y contigo, Ester —dijo Ben-Hur, acercándose a ellos—. Si vais al Gólgota, deteneos aquí hasta que termine el desfile y yo os escoltaré después. Descansad a la sombra de esta casa.

El comerciante estaba cabizbajo.

—Díselo a Baltasar —contestó—; su voluntad será la mía. Está en esa litera.

Presuroso, Ben-Hur levantó las cortinas. Dentro iba tendido el egipcio; su rostro estaba pálido y demacrado como el de un cadáver.

Preguntó con voz apenas perceptible si podrían verlo.

—¿Al Nazareno? Sí; pasará a pocos pasos de nosotros.

—¡Oh, Señor! ¡Dios quiera que pueda verle una vez más, una sola vez! ¡Qué día más terrible para el mundo!

Poco más tarde, toda la comitiva esperaba tras la casa.

Aunque con gran fatiga, descendió Baltasar de la litera y permaneció en pie, sostenido por un esclavo. Ester y Ben-Hur se colocaron al lado de Simónides. Cruzaron pocas palabras, temiendo, sin duda, comunicarse sus pensamientos.

Continuaba más denso que antes el desfile y los gritos resonaban muy cercanos, altos, despiadados, escarnecedores.

—¡Mirad! —gritó Ben-Hur, con amargura—. Es toda Jerusalén la que rodea ahora al Nazareno.

Un ejército de mozalbetes venía aullando y vociferando:

—¡El Rey de los judíos! ¡El Rey de los judíos!

Después de mirarlos, dijo Simónides, con voz grave:

—Cuando lleguen a ser hombres, hijo de Hur, ¡qué desgracia para la ciudad de Salomón!

Una escolta de legionarios con relucientes armaduras seguía en apretadas filas, tranquilos e indiferentes.

Después venía el Nazareno.

Iba casi agonizante. Tropezaba a cada paso, como si fuera a caer. Sucio el manto y completamente desgarrado, pendía hecho trizas encima de la sencilla túnica gris. Desnudos los pies, iban dejando huellas sangrientas sobre el empedrado. En una tablilla colgaba del cuello había una inscripción y una corona de espinas ornaba su frente, produciéndole terribles heridas de las que fluían hilillos de sangre que se coagulaban en el rostro y en el cuello; el rostro estaba cubierto de una palidez cadavérica.

Llevaba atadas las manos. Durante el camino recorrido por la ciudad, exhausto, agotado por la fatiga, bajo el pesado leño de la cruz, del que debía ser portador hasta el lugar del suplicio, según mandaba la ley, varias veces había caído al suelo. Un campesino de Cirene le ayudaba ahora a llevar el peso. Cuatro soldados iban apartando la plebe a su paso y a pesar de ello ésta lograba acercarse y escupirle y herirle con los palos. Ni una sola queja salía de sus labios, ni un gemido, ni una protesta. Al pasar por delante de Ben-Hur y de su gente, levantó hacia ellos sus ojos. Ester se abrazó a su padre, escondiendo la cabeza en su pecho, y Simónides, a pesar de su voluntad férrea, se estremeció. Baltasar cayo al suelo, sin fuerzas para lanzar un solo grito.

Del pecho de Ben-Hur se elevó un grito:

—¡Oh, Dios mío! ¡Oh, Dios mío!

Como si supiese los sentimientos que les embargaban o hubiese oído la exclamación, el Nazareno volvió su dolorida faz y los miró uno tras otro, con una expresión que no olvidarían nunca. Comprendió entonces que pensaba en ellos, no en sí mismo, y que los ojos expresaban la bendición que sus labios no proferían.

Simónides no pudo por menos que exclamar:

—Hijo de Hur, ¿dónde están tus legiones?

—Pregúntalo a Anás; podrá responderte mejor que yo.

—¡Cómo! ¿Traidores?

—Todos, excepto estos dos.

Entonces todo se ha perdido y el Justo morirá.

Se contrajo de dolor el rostro del comerciante y su cabeza

cayó sobre el pecho. Había participado en la obra de Ben-Hur y, como él, experimentaba una angustia infinita al ver sus risueñas esperanzas desvanecidas para siempre.

Tras el Nazareno iban dos hombres cargados con sus cruces al hombro.

—¿Quiénes son ésos? —preguntó Ben-Hur a los galileos.

—Ladrones que han sido condenados a morir al mismo tiempo que Jesús.

Un mitrado, recubierto de oro y pedrería, revestido con los ornamentos de sumo sacerdote y caminando a grandes y arrogantes pasos, seguía detrás de los sentenciados. Le escoltaba la guardia del Templo y, tras el grupo, el Sanedrín y una larga fila de sacerdotes vestidos con túnicas blancas sobre las que destacaban amplias sobrepellices de fastuosos colores.

—El yerno de Anás —dijo Ben-Hur en voz baja.

—¡Caifás! Le he visto —replicó Simónides, después de una corta pausa; y contempló pensativamente al altivo pontífice—. Y me convenzo ahora, con la absoluta certeza que proviene de la más clara percepción del espíritu, de que Aquel que camina con la inscripción al cuello es, realmente, lo que el título proclama como burla: *el Rey de los judíos.* Un hombre común, un falsario o un traidor nunca ha sido tratado así. Mirad, ahí están las naciones, ahí Jerusalén; Israel lo contempla. ¿No veis el *efod,* el manto azul con franjas, las borlas de oro y púrpura que no se han visto en la calle desde el día en que Jaddo salió al encuentro de Macedonio? Éstas son las pruebas fehacientes de que el Nazareno es Rey. ¡Ojalá pudiera levantarme y postrarme a sus pies!

Se sorprendió Ben-Hur y su corazón se conmovió en lo más hondo ante el insospechado arranque de Simónides.

—Dile a Baltasar que debemos partir. Esto es una deshonra para Jerusalén.

Ester añadió:

—¿Quiénes son aquellas mujeres que lloran?

Siguiendo la dirección del dedo, vieron a cuatro mujeres deshechas en amargo llanto, una de las cuales se apoyaba en el brazo de un hombre cuyo rostro ofrecía alguna semejanza con Jesús.

Ben-Hur respondió:

—Ése es el discípulo más amado del Nazareno; la que se apoya en su brazo es María, la madre de Jesús; las otras son amigas del Galileo.

Ester siguió con los ojos empañados a las afligidas mujeres hasta que se perdieron entre el gentío.

El ruido ensordecedor de la multitud parecía el de las olas que golpean la costa en un día de tormenta, y era necesario dar grandes voces para ser oído.

Treinta años más tarde, el paisaje presentaría el mismo aspecto bajo el azote de las facciones que desolaron la Ciudad Santa. Eran los mismos elementos fanáticos y sanguinarios. Esclavos y camelleros, vendedores del mercado, guardianes de las puertas, hortelanos, vendedores de frutas y de vinos, prosélitos y forasteros no prosélitos, criados del Templo y celadores, ladrones, malhechores y otros mil sujetos imposibles de catalogar, pero que, en ocasiones como éstas, no se sabe de dónde surgen, hambrientos, oliendo a cavernas y tumbas. Desnuda la cabeza y piernas y brazos al aire, aquellos desgraciados de revuelta barba y sucios cabellos, cubiertos de túnicas pardas, tenían las fauces de feroces bestias y como lobos se llamaban gritando.

Algunos llevaban espadas, otros blandían lanzas y jabalinas, pero la mayoría llevaban bastones y hondas, usando como proyectiles piedras cuidadosamente elegidas, metidas en unos saquitos que colgaban en el halda de sus andrajosas túnicas.

Entremezclados aparecían personajes de alto rango; ancianos, escribas y rabinos, fariseos con túnicas de anchas franjas y saduceos ataviados de fino lienzo blanco. Eran los instigadores de la turba y quienes sugerían los gritos que repetía la multitud. Cuando las gargantas, cansadas de un solo grito, decaían, inventaban otro; si daban señales de fatiga, los resistentes pulmones les infundían nuevos bríos, y entre todo este griterío sólo se distinguía el clamor de unos cuantos que se repetía continuamente:

—¡El Rey de los judíos! ¡Paso al Rey de los judíos! ¡El destructor del Templo! ¡Blasfemo de Dios! ¡Crucificadlo!

Y de todos estos improperios, el último era el que siempre contaba con más adictos, porque sin duda expresaba de una manera más concluyente los deseos del populacho y su saña al Nazareno.

—Venid —dijo Simónides, cuando Baltasar estuvo repuesto—: Vámonos de aquí.

Ben-Hur no oyó la llamada. La gente cruzaba por delante de él, y su brutalidad le evocaba por contraste la dulzura del Nazareno, la inefable caridad que había demostrado siempre ante las miserias humanas. Y como unos pensamientos conducen a otros, evocó de súbito la época en que él mismo se encontraba en manos de un romano y caminaba hacia una muerte casi tan terrible como la de la cruz, cuando, desfallecido de sed y de fatiga, cayó ante el pozo de Nazaret y Él mitigó su sed; y por último, acudió a su mente el milagro del Domingo de Ramos.

Con estos recuerdos vino a mezclarse la conciencia de su propia ingratitud. Se reprochaba el no haber hecho todo lo que podía; hubiera sido necesario vigilar más a los galileos y sujetarlos a la obediencia; y ahora... era el momento de la acción. Un buen golpe, no solamente dispersaría aquella chusma y dejaría libre al Nazareno, sino que sería un toque de corneta llamando a

Israel a reconquistar la libertad tanto tiempo anhelada. Había llegado la oportunidad y no debía desaprovecharla. ¡Dios de Israel! ¿Estaba acaso todo perdido?

En aquel momento vio a un grupo de galileos y, abriéndose paso entre la muchedumbre, se acercó a ellos.

—Seguidme —les dijo—, tengo que hablaros.

Los hombres le siguieron. Cuando se hubieron alejado de la corriente humana, al abrigo de una esquina, les habló de nuevo.

—Sois vosotros los que armé con espadas y me prometisteis luchar por la libertad y por el Rey que había de venir. Ahora es el momento preciso. Id, buscad por todas partes a los nuestros y decidles que acudan al pie de la cruz dispuestos a poner en libertad al Nazareno. ¡Daos prisa! ¿Qué os detiene? El Nazareno es el Rey, y si muere, la libertad morirá con Él.

Le miraron con respeto, pero ni uno solo se movió.

—¿Es que no oís? —les gritó.

Entonces, uno de ellos tomó la palabra y le dijo:

—Hijo de Judá —sólo le conocían por este nombre—, estás equivocado. El Nazareno no es el Rey ni tiene espíritu de tal. Cuando entró en Jerusalén estábamos a su lado; fuimos con Él hasta el templo, pero él nos abandonó a los hijos de Israel y en la Puerta Bella volvió la espalda al Señor y rechazó el trono de David. No, no es Rey y Galilea no estará a su lado. Que muera, puesto que así lo ha querido. Y tu, hijo de Judá, oye bien lo que te decimos: estamos dispuestos a sacar la espada por la independencia e iremos a unirnos contigo al pie de la cruz.

¡Momento decisivo para Ben-Hur! Si él acepta y pronuncia una palabra, ¿acaso la Historia no hubiera sido otra cosa de lo que ha sido? Pero entonces la Historia hubiera sido hecha por los hombres, no por Dios; algo que no fue nunca ni nunca será. La indecisión y la oscuridad envolvieron su espíritu sin saber cómo; más tarde lo atribuyó al Nazareno. Cuando Éste resucitó, entendió, en efecto, que la muerte fue precisa para la fe en la resurrección, sin la cual el cristianismo sería como un templo vacío. El desconcierto que nubló su espíritu le arrebató la capacidad de decidir; quedó perplejo y sin habla. Ocultándose la cara con las manos se estremeció a impulsos de la lucha interior que sostenía su voluntad y sus anhelos de toda la vida con aquel poder desconocido que pesaba sobre él.

—Ven; te estamos esperando —llamó Simónides por cuarta vez.

Marchó como un autómata detrás de la litera y del sillón de Simónides. A su lado caminaba Ester. De la misma manera que Baltasar y los Magos sus amigos habían sido impulsados el día que por primera vez se reunieron en el desierto, así caminaba ahora Ben-Hur, triste y cabizbajo.

CAPÍTULO X

LA CRUCIFIXIÓN

Cuando Simónides, Baltasar, Ester y él, acompañados de los dos galileos, llegaron al lugar del suplicio, Ben-Hur iba delante, guiándolos. Nunca pudo explicarse cómo consiguió abrirse paso entre la ultitud, ni siquiera qué camino tomó. Marchaba inconscientemente, sin apercibirse de nada, sin un pensamiento de lo que sucedía a su alrededor, completamente vacía el alma. Un niño no habría sido menos impotente para impedir el terrible crimen de que iba a ser testigo. Los designios de Dios son siempre oscuros y la mayor parte de las veces impenetrables, tanto como los medios de que suele valerse.

En la cúspide de la colina, redondeada como un cráneo, había una pequeña extensión, árida, sin huella de vegetación y polvorienta. Rodeaba a este espacio una barrera de seres humanos que, a su vez, se sentía empujada por una multitud agitada y deseosa de presenciar el espectáculo. Un cordón de soldados romanos contenía a esta muralla viviente. Los soldados iban mandados por un centurión.

Ben-Hur había sido empujado contra esa rígida muralla y podía contemplarlo todo.

La colina era llamada Gólgota por los antiguos caldeos, en latín Calvaria, y Calvario en castellano, y ofrecía un raro espectáculo. A cualquier parte que dirigiera su mirada, Ben-Hur no veía ni un palmo de tierra, ni una roca, ni una sola brizna de hierba, sino un mar de rostros humanos. Tres millones de cabezas se removían allí; latían tres millones de corazones en sus respectivos pechos. Los ojos se dirigían con apasionado interés hacia la escena que se desarrollaba en la cumbre. Insensibles en cuanto a los ladrones, toda su atención se concentraba en la figura del Nazareno, objeto de su odio, de su temor y su curiosidad. Él, que a todos amaba ardientemente, estaba a punto de morir por todos. En lo más alto de la cima, destacándose sobre la muralla viviente que la circundaba, se hallaba el Sumo Sacerdote, rodeado de un grupo de dignatarios, de los que se distinguía por su mitra, sus ricos atavíos y su aire soberbio. La soldadesca había añadido el escarnio a la tortura agregando una caña a modo de cetro a la corona de espinas.

El griterío llegaba hasta Él como oleadas que se estrellan contra las rocas. Aullidos, risas y maldiciones se le dirigían por todas partes y todas las miradas estaban fijas en Él. Fuese compasión, o cualquier otro sentimiento que lo agitase, advirtió Ben-Hur que en su interior se verificaba un cambio. Comenzaba en su alma a alborear algo más grande y mejor que esta vida, algo más elevado que podía comunicar a un cuerpo debilitado fuerzas para resistir los mayores tormentos morales y físicos y aun para soportar en silencio la muerte. Quizá la noción de otra vida más pura que ésta, la de aquella vida del espíritu de la cual Baltasar hablaba con tanta seguridad, se abría paso en su mente. Entonces le pareció oír a través de los aires, o quizá recordó las palabras de Cristo: *Yo soy la Resurrección y la Vida.*

Y en sus oídos resonaban estas palabras; eran como una luz delante de sus ojos y adquirían un sentido nuevo y profundo en su alma. Y clavando Ben-Hur sus ojos en la figura del Ajusticiado, se preguntaba: «¿Qué es la Resurrección? ¿Qué es la Vida?» *Yo soy,* parecía responderle la figura. Sintióse entonces como aligerado de un gran peso y lleno de una paz jamás sentida, la paz que pone fin a la duda y a la incógnita, principio de la fe y del amor.

El ruido del martillo le despertó de este sueño. Vio entonces en lo alto de la colina lo que hasta aquel momento le había pasado inadvertido; obreros y soldados preparaban las cruces. Estaban ya dispuestos los hoyos para plantarlas y ahora se entretenían en ajustar el madero transversal al vertical.

Oyó que el Sumo Sacerdote le decía al centurión:

—Éste —señalando al Nazareno— debe morir y ser enterrado antes de la puesta del sol, para que la tierra no sea profanada. Así lo ordena la ley.

Un soldado se acercó al Nazareno, y le ofreció de beber, pero éste lo rehusó. Se adelantó otro y le arrancó la tablilla del cuello en la que había la inscripción y la colocó en lo alto de la cruz.

—Las cruces ya están dispuestas —dijo el centurión al pontífice. Éste contestó:

—El blasfemo debe ser el primero. Ahora lo veremos. Si es Hijo de Dios puede salvarse a sí mismo...

La multitud, que había presenciado todos los preparativos, y que con incesantes gritos de impaciencia asaltaba ahora la colina, al llegar al momento supremo enmudeció.

Los condenados iban a ser clavados en sus cruces.

Corrió a través de la multitud un estremecimiento cuando los soldados pusieron la mano sobre el Nazareno; los más brutales dieron un paso atrás llenos de espanto. Muchos dijeron después que el aire, que se enfrió de pronto, era la causa que les había hecho temblar.

—¡Qué tranquilo está! —dijo Ester, rodeando con sus brazos el cuello de su padre; y éste, rememorando las torturas que él había sufrido, ocultó la cabeza contra el pecho de su hija.

—¡No mires, Ester, no mires! —exclamó agitado—. Todos cuantos contemplen su suplicio, sean culpables o inocentes, quedarán para siempre malditos.

Baltasar cayó de rodillas.

—Hijo de Hur —dijo Simónides, con creciente excitación—. Si Jehová no tiende a Israel su mano, estamos perdidos... ¡Perdidos sin remisión!

Sosegadamente replicó Ben-Hur:

—Acabo de salir de un sueño, ¡oh, Simónides!, y ahora comprendo el porqué y cómo ha de consumarse todo esto. Es la voluntad del Nazareno, que es la voluntad de Dios; sigamos el ejemplo del egipcio: resignémonos y oremos.

Cuando volvió de nuevo sus ojos hacia la cumbre, las mismas palabras alumbraron su espíritu en medio del silencio solemne de la noche: «YO SOY LA RESURRECCIÓN Y LA VIDA».

En lo alto de la colina continuaba la obra de la crucifixión. Los soldados despojaron al Nazareno de sus vestiduras, y quedó desnudo ante los ojos de millones de espectadores. Las cárdenas huellas de los golpes recibidos aquella misma mañana, se marcaban fuertemente sobre su cuerpo ensangrentado. Sin la menor piedad fue extendido sobre la cruz, boca arriba, y sobre el madero transversal le estiraron los brazos. Los clavos eran agudos; pocos martillazos necesitaron para atravesar las delicadas palmas de sus manos y penetrar hondamente en el madero. A continuación, colocaron sus pies de forma que la planta de uno descansara sobre el otro y los clavaron con un solo clavo. Los golpes sordos del martillo, se percibían distintamente, y el que no podía oírlos, lo veía golpear y se estremecía de horror. Pero no se oyó ni un solo gemido de la víctima, ni un grito, ni una sola palabra, ni una súplica, nada en fin, de que un enemigo o amigo pudiera burlarse o afligirse.

—¿Hacía dónde lo orientamos? —preguntó con aspereza un soldado.

—Cara al Templo —contestó el Pontífice—. Al morir, podrá contemplar de este modo la casa santa que él quería destruir.

Cogieron la cruz, y la llevaron con el Mártir al sitio en donde habían de plantarla. A una señal del pontífice la izaron, plantándola en el hoyo, y el cuerpo del Nazareno se estremeció al colocarle en él, cayó pesadamente pendiente de las manos ensangrentadas, pero ni aun el dolor de la sacudida, terrible, hizo brotar una exclamación de sus labios; únicamente, como un suspiro, las palabras más sublimes que ha pronunciado jamás lengua humana en semejante trance: «Padre, perdónalos porque no saben lo que hacen».

La cruz, descollando sobre cuanto la rodeaba, destacaba negra sobre el fondo azul del cielo, y con un aullido de salvaje alegría fue acogida su aparición. Como un sólo grito, arrancado de millares de espectadores, vibró en el aire el lema burlón y fatídico:

—¡Rey de los judíos! ¡Rey de los judíos!

Comprendiendo el pontífice el alcance que podía tener este grito, ordenó que quitasen la tablilla que pendía de la cabeza del crucificado, pero fue en vano. Y el Rey, con el título que le correspondía, pudo mirar con sus moribundos ojos aquella ciudad de sus padres que se extendía a sus pies y que, de forma tan ignominiosa, lo habían expulsado y renegado de él.

Se hallaba muy alto el sol y sus rayos teñían de oro las colinas y revestían de púrpura la silueta de las lejanas montañas. Un velo pareció tenderse de pronto, envolviendo la tierra en prematuro crepúsculo que fue acrecentándose más y más, dejando atónitos a los espectadores. El silencio sucedió a los gritos. Las gentes, sorprendidas, volvían sus ojos al sol y al cielo, que súbitamente tendía sobre ellas un lóbrego velo. Las montañas desaparecían entre las sombras, como para ocultar a los ojos del Universo el espectáculo del terrible drama.

—Es sólo un poco de niebla, una nube pasajera —dijo Simónides a Ester, intentando calmarla, pues la veía muy asustada—. Pronto pasará.

Pero Ben-Hur creía otra cosa muy diferente.

—No es niebla ni nube —exclamó—; los espíritus del aire, los profetas, los santos, tratan de ocultar la ignominia de este espectáculo. Estoy seguro, ¡oh, Simónides!, que así como Dios existe, Aquel que pende de la cruz, es el Hijo de Dios.

Y mientras Simónides reflexionaba, atónito por aquellas palabras, Ben-Hur se acercó a Baltasar, arrodillado allí cerca, y colocándole una mano sobre los hombros, dijo:

—¡Oh, sabio egipcio, escúchame! ¡Sólo tú tenías razón! El Nazareno es en verdad el Hijo de Dios.

Con voz débil respondió Baltasar:

—Yo le vi en el pesebre cuando no era más que un niño: no es raro que le haya reconocido antes que tú. Pero, ¿por qué me ha sido dado ver este día? ¿Por qué no ha llegado la muerte a mí antes? ¡Feliz Melchor! ¡Feliz Gaspar!

—¡Ten valor! —exclamó Ben-Hur—. Seguramente, ellos están también aquí.

La oscuridad se hacía más densa a cada instante, sin que por eso el trabajo del monte se interrumpiera. Uno tras otro ambos ladrones fueron levantados sobre sus cruces y éstas plantadas en sus respectivos hoyos. Risas de burla ascendían hasta el Nazareno.

—¡Ja, ja, ja! ¡Sálvate si eres Rey de los Judíos! —gritó un soldado.

—Sí —dijo un sacerdote—, desciende de la cruz y creeremos en ti.

Otros decían meneando la cabeza:

—Podía destruir y reedificar el Templo en tres días y no puede salvarse a sí mismo.

Nadie ha sabido valorar jamás la potencia de los prejuicios. El Nazareno nunca hizo mal alguno a nadie; al contrario, había amado al pueblo; la mayor parte lo veía ahora por primera vez y, sin embargo, ¡esta contradicción!: le llenaba de insultos y de improperios, y sentía piedad en cambio por los ladrones.

Las tinieblas que se cernían cada vez más espesas, asustaron a Ester así como a muchos millares de espectadores más valientes y fuertes que ella.

—Vámonos a casa —rogó dos o tres veces—. Padre, ésta es la amenaza de Dios. ¿Quién sabe qué cosas tan horribles pueden suceder? Tengo mucho miedo.

Simónides era muy testaduro. Hablaba poco, pero parecía muy excitado. Viendo que hacia la hora primera había disminuido la gente agrupada en torno a la cruz, rogó que se acercaran más a la cima. Ben-Hur tomó del brazo a Baltasar, pero éste subió la cuesta sin dificultad. El Nazareno no era visible. Distinguíase sólo una figura confusa clavada en la cruz, pero podían oírle, y en efecto, hasta ellos llegaban los suspiros, que revelaban un mayor agotamiento que el de sus compañeros, quienes de vez en cuando gritaban o gemían. La segunda hora pasó como la primera, horas de injuria y de retos para el Nazareno, y El moría lentamente. Durante este tiempo, habló sólo una vez. Algunas mujeres se arrodillaron al pie de la cruz. Entre ellas reconoció a María, en compañía del discípulo preferido.

—Mujer —dijo levantando la cabeza—, he aquí a tu hijo.

Y al discípulo:

—He ahí a tu madre.

A la hora tercia aún se agolpaba gran cantidad de gente alrededor de la cruz, como atraída por un poderoso imán. Pero ahora estaba tranquila; sólo de vez en cuando se oía un grito. Los que se acercaban al Nazareno, pasaban silenciosos, y en silencio lo miraban. Este cambio se observó hasta en los guardianes, que poco antes habían sorteado las vestiduras del ajusticiado. Oficiales y soldados formaban ahora un pequeño grupo, cuidándose más del crucificado que de la gente. Si un suspiro arrancaba de sus labios exangües, si hacía un movimiento con la cabeza en el paroxismo de su dolor, estaban en seguida alerta.

Asombroso fue el cambio que se operó en el Sumo Sacerdote y su séquito, jueces y demás perseguidores del Nazareno. Cuando fue completa la oscuridad, comenzaron a desanimarse. Entre ellos había algunos versados en astronomía y en los fenómenos celestes, a los que las gentes temían tanto en aquellos tiempos. Una gran parte de su ciencia la habían heredado de sus antepasados, que habían vivido en cautiverio, y tenían oportunidad de aplicarla al servicio del Templo. Todos ellos, cuando el sol comenzó a velarse y las montañas y collados desaparecieron de su vista, se reunieron en torno al Pontífice, discutiendo sobre el fenómeno.

—La luna está en su plenilunio —decían—, y esto no puede ser un eclipse.

Y no pudiendo explicar aquello que a todos atemorizaba, ni consiguiendo comprender la oscuridad creciente, comenzaron a relacionarla con la muerte del Nazareno, sintiéndose invadidos de un terror secreto. Escudados tras los soldados, acechaban cada palabra y cada gesto del crucificado, diciéndose en voz baja:

—Ese hombre bien podía ser el Mesías; y entonces...

Ben-Hur, a quien aquel extraño sentimiento de paz no había abandonado, rogaba al Señor que apresurara el fin. Comprendía lo que pasaba en el espíritu de Simónides, en quien la fe libraba batalla con la duda; veía su ancha frente surcada de arrugas por el trabajo interior del pensamiento, y tampoco se le escapaba la atención de Ester, que procuraba alejar sus terrores para cuidar a su padre.

—No temas —le decía éste— y fíjate bien en cuanto sucede. Aun cuando vivieras dos veces más que yo, no verías nunca otra maravilla igual. Esperemos hasta el final, acaso seamos testigos de otra revelación.

Cuando la hora tercera estaba casi a mitad, algunos hombres de los más envilecidos, habitantes de las cavernas de las afueras de la ciudad, fueron a colocarse delante de la cruz.

—Ahí está —dijo uno—; ahí tenéis al nuevo Rey de los Judíos.

Gritaron los demás, riendo:

—¡Salve, salve, Rey de los Judíos!

—Si verdaderamente eres el Rey de los Judíos, el Hijo de Dios, baja de la cruz y sálvate.

Y también uno de los ladrones, dejando de quejarse, le dijo:

—Si en verdad eres el Cristo, sálvate a ti mismo y a nosotros.

Rió el pueblo y aplaudió; pero mientras aguardaban la respuesta, se oyó al otro malhechor que increpaba al primero:

—¿Aún ahora no temes a Dios? Nosotros hemos recibido el justo castigo por nuestros delitos, pero este hombre no ha hecho mal alguno.

Quedaron asombrados los espectadores. Siguió el silencio, que interrumpió el segundo malhechor que, dirigiéndose al Nazareno, suplicó:

—¡Oh, Señor, acuérdate de mí cuando entres en tu reino!

Simónides se estremeció.

—¡Cuando entres en tu Reino! —exclamó. Era ésta, exactamente, la respuesta a la duda que angustiaba su mente en aquel instante, la duda sobre la cual tanto había discutido con Baltasar.

—¿Has oído? —dijo, volviéndose, Ben-Hur—. Reino no puede ser de este mundo. Ese testimonio, a las puertas de la muerte, afirma que ese Rey tomará posesión de su reino. Es ésto precisamente lo que he oído en mis sueños.

—¡Silencio! —exclamó Simónides en tono imperioso.

En aquel instante, el Nazareno respondió con voz límpida y clara:

—En verdad, en verdad te digo que hoy estarás conmigo en el Paraíso.

Juntó las manos Simónides y exclamó:

—No más, no más. ¡Dios mío! Han desaparecido las tinieblas que cubrían mi espíritu. Como Baltasar, veo con los ojos de la verdadera fe.

Por fin había conseguido una merecida recompensa. Su cuerpo, deformado por el tormento, jamás curaría y el recuerdo de los pasados suplicios sería imborrable, pero de pronto ante sus ojos se aparecía una nueva vida más bella que la de aquí abajo y cuyo nombre era el de Paraíso. El reino que soñaba lo encontraría en él y asimismo el Rey por quién tanto había trabajado. Una infinita paz invadió todo su ser.

Entonces, los doctores y sacerdotes, agrupados alrededor de la cruz, se sentían presa de consternación y espanto. Habían condenado al Nazareno por haber predicado que era el Mesías, y he aquí que en la misma cruz, y con más certeza que nunca, no sólo se vindicaba, sino que aseguraba el goce de su Reino a un malhechor. Por eso se estremecían ante la consecuencias de su acto. Hasta el soberbio pontífice tembló de miedo.

¿De dónde, sino de la verdad, sacaba aquel hombre tan segura convicción? ¿Y de quién proviene la verdad, sino del mismo Dios?

Cada vez respiraba con más fatiga el Nazareno. Sus suspiros eran ya más bien, estertores de agonía. ¡Tres horas clavado en la cruz e iba a morir!

Cundió la noticia de boca en boca, y todos callaron; el viento ceso de soplar, un sofocante calor se unía a la oscuridad. Nadie habría dicho que en aquellas colinas se estremecían tres millones de personas presas del terror. ¡Tan silenciosas estaban!

Entonces los que se encontraban más cercanos al lugar del suplicio, oyeron un grito de desesperación del moribundo:

—¡Dios mío! ¡Dios mío! ¿Por qué me has abandonado?

La voz produjo un estremecimiento en cuantos lo oyeron. Ben-Hur sintióse sobrecogido en lo más hondo.

Habían llevado los legionarios en una vasija una mezcla de agua y vinagre y la colocaron a poca distancia de la cruz. Con una esponja empapada en este líquido y atada al extremo de una caña podían humedecer la lengua de los condenados. Ben-Hur recordó el sorbo de agua que había recibido de manos del Crucificado en el pozo de Nazaret y un impulso lo llevó hasta el pie de la cruz; tomó la esponja, la sumergio en la vasija y corrió a Jesús.

—¡Déjale tranquilo! —gritó el pueblo, iracundo—. ¡Déjale estar!

Haciendo caso omiso de los gritos, continuó y humedeció los labios del moribundo. ¡Demasiado tarde! ¡Demasiado tarde!

En aquel instante, el rostro, que Ben-Hur había visto magullado y negruzco de sangre y polvo, resplandeció con un brillo sobrenatural, abriéndose los ojos y se fijaron en algo que sólo ellos veían, dirigidos como estaban hacia el cielo; y hubo contento, alivio y victoria en sus palabras.

—¡Todo ha concluido! ¡Todo ha concluido!

Así celebra su propia victoria un héroe que sucumbe después de un hecho heroico. Se apagó al fin la luz de sus ojos; fue cayendo lentamente sobre el agotado pecho la cabeza coronada. Ben-Hur pensó que había terminado el drama, pero el alma desfallecida del crucificado haciendo un supremo esfuerzo pronunció con débil voz, estas palabras:

—Padre mío, en tus manos encomiendo mi espíritu.

Su cuerpo y su divina misión, juntamente con su vida terrena, terminaron definitivamente. Aquel corazón, tan lleno de amor, estaba agotado. De esto sólo ¡oh, lector!, murió aquel hombre.

Volviéndose Ben-Hur hacia sus amigos, dijo simplemente:

—Todo ha terminado. Ha muerto.

Con una rapidez increíble se propagó la noticia. Nadie la repetía en voz alta; sólo como un murmullo descendió del Gólgota y se extendió en todas las direcciones, un murmullo que apenas era un leve rumor: «¡Ha muerto! ¡Ha muerto!». Y eso fue todo. Había conseguido el pueblo su deseo; el Nazareno había muerto. Y ahora se miraban unos a otros asustados; su sangre caía sobre ellos. Y mientras se contemplaban espantados, el suelo comenzó a temblar de tal manera que cada uno tuvo que apoyarse en su vecino para no caer; desapareció la oscuridad en un momento, y todos pudieron contemplar en lo alto de la colina las tres cruces, que a impulsos del terremoto, se agitaban, pero la del centro atraía la atención más poderosamente; parecía dilatar sus brazos y alcanzar el mundo entero, elevándose hacia la altura del cielo. Y cada uno de los que habían tomado a burla al Nazareno, poniendo sobre Él su mano, pidiendo su muerte y siguiendo el séquito; cada uno de los que anhelaban su muerte, que estaban en relación del diez por uno, se sintieron marcados entre los demás y como perseguidos por las amenazas del cielo. Se dispusieron a huir y corrieron a caballo o en camello, en carro o a pie, como enloquecidos, llevando en su alma el tormento del delito cometido. El terremoto los perseguía, los derribaba, y llenos de espanto con el estruendo de las grandes rocas que se partían y abrían bajo sus pies o chocaban entre sí, con pavoroso fragor, se golpeaban el pecho y gritaban. La sangre del justo, según su deseo, había caído sobre ellos. Él indígena y el extranjero, el sacerdote y el seglar, el indigente y el saduceo y el fariseo fueron de la misma manera alcanzados y atropellados en su alocada carrera y cayeron en confuso revoltijo. No reconocieron autoridad alguna en el sumo pontífice, que fue derribado en la huida, desgarrándose sus vestiduras, y manchando de barro sus bordados y franjas de oro y llenando su boca de polvo. El era como todo su pueblo, igual ante la cólera de Dios; la sangre del Justo había caído sobre todos ellos.

Cuando brilló la luz del sol, la Madre del Nazareno, su discípulo y las piadosas mujeres que la acompañaban, el centurión y los soldados, Ben-Hur y sus amigos, eran las únicas personas que quedaron sobre la colina. No observaron la huida de la multitud; estaban demasiado absortos en sí mismos para fijarse en lo que les sucedía a los otros.

—Siéntate —dijo Ben-Hur a Ester, haciéndole un sitio a los pies de su padre—. Cúbrete los ojos, pero ten confianza en Dios, y en el espíritu de ese justo tan insensatamente asesinado.

—Sí —exclamó Simónides con solemnidad—, hablaremos de Él de hoy en adelante y siempre como del Cristo anunciado.

—Así sea —dijo Ben-Hur.

Una onda del terremoto sacudió la colina entera. Los gritos de los ladrones colgados en las vacilantes cruces, eran horribles. Aunque aturdido a causa de las conmociones del suelo, Ben-Hur vio al buen Baltasar tendido en tierra e inmóvil. Corrió hacia él y lo llamó, pero no obtuvo respuesta alguna. El buen hombre estaba muerto. Recordó Ben-Hur haber oído un grito cerca, como respondiendo al que había dado el Nazareno en el supremo instante, pero entonces no reparó en ello. De allí en adelante, siempre creyó que el espíritu del egipcio acompañó al de su Maestro más allá de la muerte, hasta el reino del Paríaso. Si en Gaspar dominó la virtud, y el amor en Melchor, seguramente Baltasar había sido, en el transcurso de su vida, ejemplo vivo de la fe, del amor y de las buenas obras.

Fueron llevados los restos de Baltasar a la ciudad, y trasladados al salón de los huéspedes. No quiso Ben-Hur, confiar a un esclavo el cuidado de informar a Iras de lo ocurrido a su padre. Ahora que había quedado sola en el mundo, le inspiraba piedad y la perdonaba.

Sacudió las cortinas de la entrada y, aunque oyó el ruido de las campanillas que sonaron dentro, no obtuvo contestación; la llamó por su nombre, gritando, pero no obtuvo respuesta. Descorrió la cortina y penetró en la estancia; la egipcia no estaba allí. Subió con rapidez a la azotea en su busca, pero tampoco la encontró. Ninguno de los siervos la había visto en todo el día.

Después de preguntar a los siervos y de rebuscar por toda la casa, volvió Ben-Hur al salón y ocupó el lugar que debía ocupar la hija al lado del cadáver.

Cuando pasó el dolor que produjo a los amigos la muerte del egipcio, y cuando nueve días después de la curación de Tirzah y de su madre, Ben-Hur, cumplida la ley con exactitud, las llevó a casa, siempre juntos en la misma adoración, no volvieron a oírse desde aquel día sino los nombres sagrados que labios humanos pueden pronunciar: «Dios Padre y Cristo Hijo».

Habían transcurrido cinco años desde la crucificación, y Ester, esposa de Ben-Hur, se encontraba en la fastuosa villa Misénum. Era un caluroso mediodía de primavera y resplandecía el ardiente sol sobre los mirtos del jardín. Todo era allí de estilo romano, excepto las vestiduras de Ester que eran de corte hebreo.

Sobre una piel de tigre, Tirzah y dos niños, jugaban en la misma habitación; sólo por los cuidados con que los atendía hacía comprender que eran los hijos de Ester. El tiempo se había mostrado liberal con ésta y los años no habían hecho más que acrecentar su belleza. Al convertirse en señora de la villa se había realizado uno de sus sueños más anhelados.

Interrumpiendo esta dulce escena hogareña, entró un siervo, que le dijo:

—Hay una mujer en el atrio que desea hablar con el ama.

—Hazla pasar. La recibiré aquí.

Al cabo de breves instantes entró la extranjera. Se levantó al verla la hebrea, y ya iba a preguntarle, cuando palideció, vaciló y por último retrocedió un paso.

—Me parece que te conozco... Tú eres.

—Iras, hija de Baltasar.

Ester ocultó su sorpresa y ordenó a un criado que trajese una silla.

—No, me voy en seguida —dijo Iras, con frialdad.

Las dos mujeres se miraron frente a frente. Ester era una hermosa mujer, una madre feliz, una esposa dichosa. La otra, su rival, se veía que había sido maltratada por la suerte, que le había sido adversa. El talle alto y flexible conservaba aún presa su huella en toda su persona. El rostro estaba ajado, tenía los ojos enrojecidos y los párpados hinchados; pálidas las mejillas y hundidas; marchitos los labios qe tenían una expresión cínica y dura, y el desaliño que se notaba en toda su persona la envejecía prematuramente. Su traje estaba deslucido y sucio por el polvo del camino.

Rompiendo el silencio preguntó Iras:

—¿Son tuyos estos niños?

Ester repuso sonriendo:

—Sí. ¿Quieres hablar con ellos?

—Les daría miedo —respondió.

Después se acercó a Ester y, al ver que retrocedía, le dijo:

—No temas. Traigo un mensaje para tu marido. Dile que ha muerto su enemigo y que yo le he matado por las afrentas que me ha hecho sufrir.

—¿Su enemigo?

—Messala. Dile además, que, por el daño que le he deseado, he sido castigada tan cruelmente, que él mismo tendría piedad.

Se asomaron las lágrimas a los ojos de Ester, que quiso decirle algo.

—No —dijo la egipcia—. No quiero compasión ni lágrimas. Dile que, al fin he descubierto que ser romano equivale a ser un bruto.

Quiso irse, pero Ester la detuvo.

—Espera y habla con mi esposo; no te guarda resentimiento. Será tu amigo. Somos cristianos.

—No he sido lo que habría querido ser. Dentro de muy poco todo habrá acabado para mí.

—Pero —dijo Ester, vacilante—, ¿no podemos... no deseas tú nada... nada que...?

El rostro de Iras se llenó de una emoción intensa, y un esbozo de sonrisa apareció en sus labios. Luego miró a los niños que jugueteaban sobre la piel.

—Sí; una cosa.

Ester siguió la dirección de su mirada y su intuición le hizo comprender.

—Puedes hacerlo —dijo.

Iras se dirigió hacia los niños y se arrodilló sobre la piel de tigre, besando a los dos. Se levantó con lentitud, volvió a mirarlos y, encaminándose hacia la puerta, salió precipitadamente, sin decir una sola palabra. Antes de que Ester se repusiera de la sorpresa, había desaparecido.

Cuando Ben-Hur fue informado de la visita, tuvo la confirmación de lo que había sospechado desde hacía mucho tiempo, desde el día de la crucifixión, esto es, había Iras abandonado a su padre para reunirse con Messala. A pesar de ello, recorrió la ciudad y alrededores buscándola inútilmente. La bahía azul, que tan plácida sonríe a los rayos del sol, habría podido quizá revelarnos el secreto...

Vivió Simónides hasta una edad muy avanzada. Durante el décimo año del reinado de Nerón, cesó en la dirección de su enorme tráfico, el mayor de Antioquía, que hasta el último instante no había dejado de prosperar.

Una tarde de aquel mismo año estaba en su sillón de siempre en la azotea de su almacén, con Ben-Hur, su hija y sus tres nietecitos, viendo cómo se balanceaba en las aguas del río la última de sus naves, pues todas las otras habían sido vendidas.

Sólo un gran dolor había oscurecido la tranquila serenidad de su vida; el día en que expiró la madre de Ben-Hur. Y aún su dolor fue mitigado por los consuelos de su fe cristiana.

La nave había llegado de Roma la víspera y era portadora de la noticia de las persecuciones de los cristianos, iniciada por Nerón. Discutía la familia respecto a estas noticias, cuando Malluch, que aún estaba a su servicio, se acercó con un rollo para Ben-Hur.

—¿Quién lo ha traído? —preguntó éste, después de enterarse de su contenido.

—Un árabe.

—¿Dónde está?

—Se fue inmediatamente.

—¡Escucha! —dijo Ben-Hur a Simónides.

Y leyó:

> «Yo, Ilderim, hijo de Ilderim el Magnánimo y jeque de la tribu de Ilderim, a Judá, hijo de Hur.
>
> »Quiero que sepas, amigo de mi padre, cuánto te amaba él. Lee el papiro que te incluyo y conocerás su volutad y la mía; lo que él te dio tuyo es.
>
> »Todo cuanto los partos le arrebataron en la gran batalla en la que murió, ha vuelto a mi poder; y este escrito que te mando entre lo demás. La descendencia de "Mira", aquella que fue la madre de tantos corceles famosos, está de nuevo en mis manos.
>
> »La paz sea contigo y con los tuyos.
>
> »ILDERIM, jeque».

Ben-Hur desenrolló, con el mayor esmero, un papiro ya amarillento por los años, y leyó:

> «Ilderim, llamado el Magnánimo, jeque de la tribu de Ilderim, a mi hijo y sucesor:
>
> »Cuanto poseo, ¡oh, hijo mío!, será tuyo el día de mi

muerte, excepto la propiedad que tengo junto a Antioquía, cuyo nombre es el Vergel de las Palmeras, que quiero legar al hijo de Hur, que tanto renombre nos proporcionó en el circo; a él y a los suyos para siempre.

»No deshonres a tu padre.

»ILDERIM EL MAGNÁNIMO, jeque».

—¿Qué opinas? —preguntó Ben-Hur a Simónides.

Ester cogió los mensajes con gran alegría y los leyó quedamente.

Permanecía silecioso Simónides mirando a la nave. Después le dijo.

—Hijo de Hur, ha sido muy bueno el Señor contigo en estos últimos años, y debes estarle profundamente agradecido. ¿No ha llegado el momento de tomar una resolución repecto a la forma en que debes destinar la gran fortuna que su bondad ha querido acumular en tu poder?

—Por mi parte, hace tiempo que lo tengo decidido. El problema es éste: ¿cuál es el medio de aplicarla para favorecer nuestra causa? No me niegues tu consejo, te lo suplico.

—Puedo testificar las grandes cantidades que has empleado en la iglesia de Antioquía. Y ya ves, al propio tiempo que recibes el regalo del generoso jeque, nos llegan noticias de las persecuciones que sufren nuestros hermanos en Roma. Se abre ante nosotros un nuevo horizonte. No debe apagarse la luz en la capital.

—Dime, ¿qué debo hacer para mantenerla siempre viva?

—Te lo diré. Los romanos, y Nerón en primer lugar, respetan como sagradas dos cosas, las únicas que conozco: las cenizas de los muertos y sus supulcros. Si te es imposible construir templos al Señor sobre su suelo, fabrícalos subterráneos y, para liberarlos de la profanación, entierra en ellos los cadáveres de los que mueran en la fe verdadera.

Conmovido se levantó Ben-Hur.

—¡Es una grandiosa idea! En seguida la llevaré a la práctica. La necesidad es apremiante. La misma nave que nos trajo la noticia de los padecimientos de nuestros hermanos me llevará a Roma. Mañana mismo zarparé.

Y, dirigiéndose a Malluch, añadió:

—Procura tener aparejada la galera para mañana. Tú vendrás conmigo.

—Está bien —respondió.

—Y tú, Ester, ¿no dices nada? —preguntó Ben-Hur.

Ester se le acercó y, colocando una mano sobre su hombro, le dijo:

—Éste es el modo más maravilloso de servir a Cristo, ¡oh,

esposo mío! No quiero ser un estorbo para ti, pero déjame ir contigo para poder cooperar a tu obra.

Si en Roma, alguno de mis lectores visita las catacumbas de San Calixto, que son anteriores a las de San Sebastián, verá para qué dispuso Ben-Hur sus bienes, y le quedará agradecido. De aquella vastísima tumba surgió el cristianismo, que acabó por imponerse a los mismos Césares.

INDICE

LIBRO PRIMERO